Tobias S. Buckell

KRISTALL-REGEN

Aus dem amerikanischen Englisch von
Axel Plantiko

BASTEI
LÜBBE

BASTEI LÜBBE TASCHENBUCH
Band 23 316

1. Auflage: November 2007

Vollständige Taschenbuchausgabe

Bastei Lübbe Taschenbücher in der Verlagsgruppe Lübbe

Deutsche Erstausgabe

Für die Originalausgabe:
© 2006 by Tobias S. Buckell
Titel der amerikanischen Originalausgabe: »Crystal Rain«
Originalverlag: Tor Books, published by Tom Doherty Associates, LLC
Für die deutschsprachige Ausgabe:
© 2007 by Verlagsgruppe Lübbe GmbH & Co. KG, Bergisch Gladbach
Titelillustration: Todd Lockwood/Agentur Uwe Luserke
Umschlaggestaltung: Tanja Østlyngen
Satz: Urban SatzKonzept, Düsseldorf
Druck und Verarbeitung: Ebner & Spiegel, Ulm
Printed in Germany
ISBN 978-3-404-23316-8

Sie finden uns im Internet unter
www.luebbe.de
Bitte beachten Sie auch:
www.lesejury.de

Für Emely,

meine erste Leserin, dann Freundin,
Verlobte und schließlich Ehefrau,
als ich dieses Buch schrieb.

Prolog

Braune Weinblätter vertrockneten und zerbröselten an den Rändern des Dorfes Refojee-Ten. Alles dürstete nach der nahe bevorstehenden Regenperiode: der ausgetrocknete Dschungel, die knochenharten Lehmwege, die sich durchs Dorf schlängelten, die beiden Ziehbrunnen und die schlaff herabhängenden smaragdgrünen Kornähren.

Drahtige alte Männer saßen draußen über wacklige Tische gebeugt und spielten Karten. Mit ihren Augen prüften sie kritisch den späten Nachmittagshimmel, während sie die Karten mischten und austeilten.

In der Ferne, oberhalb der grünen Baumwipfel, zerschnitten und zerstückelten die diesigen Wicked High Mountains dunkle Wolken und zwangen sie, einige Tagesmärsche von Refojee-Ten entfernt Ströme von Regen abzulassen. Die Alten schnippten mit den Karten, fletschten die Zähne und leckten sich die Lippen, während sie das Kartenblatt in ihren schwieligen Händen in Augenschein nahmen.

Die Regenperiode zerrte an ihren Gliedern. Durch sie fühlten sie sich älter, steifer und dennoch dankbar, dass das Leben zurückkehren würde, wenn die aus dem Dschungel durch die Straßen heranwehende Luft feucht sein würde, die Wege matschig und das Korn so kräftig, dass man es nachts auf den Feldern wachsen hören konnte.

Ja, die Regenperiode konnte jetzt jeden Tag hereinbrechen.

So schreckte auch niemand auf, als der erste Donner den Himmel zerriss. Sie kannten den regelmäßigen Ablauf der Natur, der auch in diesem Jahr wieder stattfinden würde, wie er es all die vielen Jahre in ihrem bisherigen Leben getan hatte.

Doch der Donner erstarb nicht und wich auch nicht dicken Regentropfen. Er ertönte immer lauter und lauter, bis Mütter von ihren Wäscheleinen davonstoben, um ihre Kinder zu holen. Männer hielten inne und starrten auf eine feurige Rauchfahne, die über den Himmel zog.

Die alten Männer warfen ihre Karten hin und standen auf, schirmten die Augen ab, um gebannt zu verfolgen, wie ein glühend weißer Feuerball über das Dorf hinwegflog. Die Erde erbebte, als er im Dschungel verschwand und in einiger Entfernung explodierte. Von panischem Schrecken erfüllte Vögel schwirrten durch die Luft, schufen wirbelnde Muster bunt glänzenden Gefieders über den Bäumen.

Die Rauchfahne hielt sich bis zum Einbruch der Dunkelheit am Himmel.

Inzwischen hatten die besten Jäger von Refojee-Ten zu ihren Gewehren gegriffen und liefen mit Fackeln bewaffnet in die gefährliche Nacht hinaus, um nachzuschauen, was sich da Seltsames abgespielt hatte.

Zwei Tage später fanden die Jäger ein Gebiet im Dschungel, wo die Bäume wie Grashalme umgemäht worden waren.

Vorsichtig folgten sie der Spur der Verwüstung. Um über die heiße Erde laufen zu können, umwickelten sie ihre Füße mit Aloe und armlangen Blättern. Der Rauch verursachte Brechreiz. Als sie nicht mehr weiter zum Herd der Verwüstung vordringen konnten, kehrten sie um und fanden einen ermattet wirkenden Mann, der auf einem qualmenden Metallklotz saß.

Er trug einen Zylinderhut, einen langen Trenchcoat und schwarze Stiefel. Seine Augen waren grau, seine Rastalocken schwarz, und sein Gesicht war aschfahl. Es sah aus, als habe dieser Mann sein Leben lang keine Sonne gesehen, sondern sei mit brauner Haut geboren worden.

Er brachte nur unverständliches Zeug hervor, fasste sich dann mehrmals an die Kehle, bevor die Jäger ihn verstehen konnten.

»Wo bin ich?«

In der Nähe des Dorfes Refojee-Ten, erklärten sie ihm, was ebenso weit von der Nordküste entfernt liegt wie von der Südküste, aber ungefähr sieben Tagesmärsche von den Wicked High Mountains.

Sie fragten ihn, ob er vom Himmel herabgekommen sei und wie er das gemacht habe.

Der Mann ignorierte ihre Fragen. Er sprang vom Metallklotz herab und landete zwischen ihnen. Er deutete auf ihre Gewehre.

»Diese Waffen, woher habt ihr sie?«

Sie erzählten ihm, dass sie mit den Leuten aus dem Norden – Buschjäger und Händler – Waren tauschten. Es war ein unregelmäßiges Geschäft, aber ausreichend, um den Dorfbewohnern einen Eindruck davon zu verschaffen, wie die Welt außerhalb des tiefen Dschungels aussah. Sie wussten, dass die Gewehre in einem Ort namens Capitol City gefertigt worden waren.

»Und wie komme ich dorthin?«

Geh nach Norden durch den Dschungel, sagten sie, nach Brungstun, und nimm dann die Küstenstraße. Oder warte auf jemanden aus dem Norden, der Handel mit uns treiben will, und schließe dich ihm an.

Das stellte den Fremden zufrieden. Er schien harmlos zu sein, müde und abgemagert. Er erinnerte frappierend an ein bleiches Insekt, wie man es im Schlamm findet, daher nahmen sie ihn mit ins Dorf. Auf dem Rückweg aß er ihre Trockenverpflegung und verhielt sich so, als sei es die köstlichste Speise.

Nur einmal hielt er mit dem Essen inne: um einen Busch in ihrer Nähe in Augenschein zu nehmen. Ein Jaguar stürzte daraus hervor, der Fremde packte ihn an der Gurgel und schleuderte ihn über die Straße. Die Jäger sahen, wie die Katze zu Boden fiel und liegenblieb, das Genick in einem merkwürdigen Winkel verdreht.

Der Fremde blieb eine Woche im Dorf. Er aß alles, was man ihm anbot, und kam wieder zu Kräften. Als er aufbrach, waren seine Muskeln deutlich zu sehen. Seine Haut hatte jetzt die Farbe der Erde; eine angemessene und gesunde Tönung für einen Mann.

Er wählte, trotz all ihrer Einwände, den nördlichen Weg durch den gefährlichen Dschungel, um den Rest der Welt zu suchen. Er stellte eine letzte Frage an die Dorfbewohner von Refojee-Ten: »Wie lange ist es noch bis Karneval?«

Sie nannten ihm die Anzahl der Monate. Allerdings, so viel wussten sie, feierten einige Städte in verschiedenen Landesteilen an unterschiedlichen Tagen Karneval. Als sie ihn fragten, warum er sich für den Karneval interessiere, lachte der Mann.

»Ich suche einen alten Freund, einen, der Karneval nie auslässt.« Und das war alles, was er sagte.

Nachdem er gegangen war, unterhielten die Jäger sich ausführlich über das, was sie gesehen hatten, und rätselten, wer er sein könnte. Doch die alten Männer schüttelten nur die Köpfe und beschäftigten sich weiter mit ihren Karten. Nicht wer, sagten sie zu den Jägern. Was.

Als man sie fragte, was sie damit meinten, schüttelten sie erneut die Köpfe und wandten sich wieder ihrem Kartenspiel zu und warteten auf den Beginn der Regenzeit.

Erster Teil

DIE WICKED HIGHS

Erstes Kapitel

Die Wicked High Mountains türmten sich rund um Dennis und seinen Männern auf, während sie haushohe, aus der Erde herausragende rötliche Felsbrocken umgingen, tiefen widerhallenden Schluchten auswichen und schließlich an einem winzigen Bach rasteten, um ihre Wasserflaschen zu füllen.

Oberhalb der Baumgrenze war die Luft so kalt, dass Dennis seinen eigenen Atem sehen konnte. Gestern hätte er das noch lustig gefunden. Heute verriet sein Ärger, wie schnell er auf dem bröckeligen Untergrund unterwegs war.

Dennis schaute sich zu seinen Männern um. Mungo-Männer. Nanagadas beste Buschkrieger. Knurrend hüpften sie von Stein zu Stein. Manche hatten schulterlange Rastalocken und trugen volle Bärte. Andere hatten kurzes krauses Haar. Sie kamen von überall her aus Nanagada, und obgleich sie sich mit Schlamm und bunter Kreide bemalt hatten, um besser mit den Schatten verschmelzen zu können, war ihre Haut zu sehen, die vom weichen Braun der Bergregion und Capitol City bis zum tiefen Schwarz der Südküste reichte.

Jeder der Männer war in Grau gekleidet: Hosen aus schwerem Leinentuch, langärmelige Hemden und Schlapphüte mit breiter Krempe. Die gesamte eintönige Uniform war übersät mit hervorstehenden Zweigen und Blättern, die planlos angeklebt waren.

Außerhalb des Dschungels und in den Bergen erweckten sie den Eindruck zottiger grau-grüner Tierwesen.

Trotz aller Widrigkeiten war dies jedoch der schnellste Weg zum Mafolie-Pass.

Der zweite Mond erhob sich. Eine schummrige, von zwei matten Lichtquellen aufgehellte Dunkelheit war auf jeden Fall weitaus besser als das gleißende Tageslicht, in dem sie bisher unterwegs gewesen waren. Dennis schaute zum Himmel. Des Nachts liefen sie weniger Gefahr, von einem Luftschiff der Aztecaner ausgemacht zu werden.

Vorhin, viele Meilen unterhalb des Mafolie-Passes, hatten sie einen Kundschafter der Aztecaner gefangengenommen. Zu ihrer großen Überraschung beherrschte der Aztecaner einige Codesätze. Die Mungo-Männer hatten nur wenige Spione unter den Aztecanern. Es war eine seltene Begegnung.

Die meisten Aztecaner, die über die Berge kamen, waren auf der Flucht nach Capitol City, Nanagadas nordöstlichstem Punkt. Sie wollten ihre Vergangenheit so weit wie möglich hinter sich lassen.

Dieser Aztecaner sagte, sein Name sei Oaxyctl. *O-asch-ke-tul.* Er klapperte mit den Zähnen. Nur mit Mühe und Not hatte er es über die Berge geschafft. Zitternd, hungrig und kaum verständlich berichtete er ihnen, der Mafolie-Pass werde angegriffen.

»Manchmal das passieren«, erwiderten die Mungo-Männer. Die Aztecaner attackierten gelegentlich den Pass mit unterschiedlich großen Angriffstrupps, um die dicken Mauern und Mafolies perfekt platzierte Geschütze zu testen, doch der Pass erwies sich als uneinnehmbar. Die Mungo-Männer stützten Nanagadas Verteidigung auf den Mafolie-Pass.

»Nicht der Pass selbst«, zischte der Spion, mit dem Rücken an die raue Rinde eines Turisbaums gelehnt, die Füße im Schlamm.

»Mafolie-Pass *einzige* Stelle, wo große Armee passieren kann«, warf Dennis ein.

Der Spion wischte sich mit dem schmutzigen Ärmel über das Gesicht. »Sie gruben einen Tunnel«, stieß er hervor. »Versteht ihr?«

Sie blinzelten überrascht. »Einen Tunnel? Durch ganzen Berg hindurch? Wir würden wissen.«

»*Nopuluca*«, schleuderte ihnen der Spion entgegen. »Die Aztecaner graben jetzt seit hundert Jahren. Sie haben euch mit ihren immer neuen Angriffen auf den Pass getäuscht und glauben lassen, dort solle die große Attacke erfolgen. Dabei haben sie die ganze Zeit weiter gegraben. Aber jetzt sind sie hier. Ihr müsst mir glauben. Wir sind so gut wie tot.«

Er hatte sie um Wasser und Essen gebeten. Sie hatten ihm gesagt, wo die nächste Station im Vorgebirge war. Dann stieg der seltsame Spion die Berghänge hinab.

»Wenn alle so gut wie tot«, riefen sie ihm nach, als er sich mühsam zu dem grünen Dickicht durchkämpfte, »warum du herkommen? Wo du hinwollen?«

Doch er war bereits im Busch verschwunden.

Dennis und seine Mungo-Männer brachen nach kurzer Beratung ihr Lager ab, ließen alles zurück, was sie nicht mitschleppen konnten, und begannen mit dem Aufstieg zum Mafolie-Pass.

Der dichte Morgennebel machte es Dennis unmöglich, mehr als nur ein paar Bäume vor sich zu sehen. Kleine Tiere wuselten um sie herum, Geräusche wirkten in der Dunkelheit noch lauter. Jetzt, da sie wieder im Dschungel waren, entspannten sich die Mungo-Männer ein wenig. Sie waren immer noch drei Stunden vom Mafolie-Pass entfernt. Besser, wenn sie hier etwas zur Ruhe kommen und ihre Nerven nicht überstrapazieren, bevor sie sich dem Ziel nähern, dachte Dennis.

Ein Ast knackte. Dennis gab das Zeichen zum Halten, indem er eine Hand hochschnellen ließ.

Die Gewehrläufe der Gruppe kamen gemeinsam hoch.

»*Pddiiett*?«, zirpte eine Stimme aus dem dichten Nebel. Es klang wie Vogelgezwitscher und hätte zumindest jeden Städter getäuscht.

»Parole?«, rief Dennis.

»Einfacher Haferbrei«, kam als Antwort. »Ohne Zucker.«

Die Mungo-Männer ließen ihre Gewehre sinken. Allen, ihr bester Läufer, hatte gestern sein Gepäck zurückgelassen und sich zum Kundschaften aufgemacht. Jetzt schlängelte er sich durch einen stacheligen Busch, Schweiß tropfte ihm von der Stirn, und er griff nach der ihm angebotenen Feldflasche. Er spritzte sich Wasser ins Gesicht.

»Mir folgen.« Allen trocknete sein Gesicht mit dem Ärmel, beschmierte die Wangen mit Schmutz und brach einen Zweig von seiner Mütze ab.

»Aztecaner?«, fragte Dennis.

Allen nickte.

Niemand hängte sich sein Gewehr um.

Allen führte sie durch eine Schlucht hinab, dann auf der anderen Seite wieder hinauf. Sie folgten ihm im Zickzack bergan, passten ihre Körperhaltung dem steilen Gelände an und ließen die Arme locker hängen. Oben führte ein kleiner Pfad durch den Busch zur Spitze des Berges. Dort, abseits des Weges am Rande der Schlucht, erhob sich ein steinernes Wachhaus. Dicke Moospolster klebten in den Mauerspalten und troffen von Kondenswasser.

»Du etwas gesehen?«, fragte Dennis.

Allen schüttelte den Kopf. Sein weites Leinenhemd war an Brust und Achselhöhlen schweißnass. »Jetzt wirklich ruhig«, sagte er. »Kommt.«

Zusammen gingen sie weiter. Allen deutete auf ein totes Tier neben dem Wachhaus. Fliegen umschwirrten den Kadaver. Dennis ging daran vorbei. Er sah zwei Hände, die mit einem Strick zusammengebunden waren. »Schaut euch an!« Er stieß den geschundenen Körper mit dem Stiefel an. Es gelang ihm, ihn umzudrehen. Dabei atmete er durch den Mund, um dem Gestank zu entgehen. Er zog seine Machete aus der Scheide an seiner Wade. »Du sehen?« Er deutete auf das ausgefranste Loch zwischen der zweiten und dritten Rippe des Leichnams.

»Schneiden ihm durch Brust, um sein Herz zu nehmen«, sagte einer der Mungo-Männer.

»Krieger-Priester in Eile, wollen nicht durch Brustbein schneiden«, erklärte Allen.

Dennis fand keinen Abdruck eines Adler-Steins. Irgendein vorbeikommender Krieger hatte dies in aller Eile ohne das übliche Werkzeug der Aztecaner gemacht. Typisch für eine kleine Jagdgesellschaft, die die nahezu unpassierbaren Wicked Highs überwunden hatte … aber hier war man tief in der Welt der Mungo-Männer!

Allen zeigte auf die Ränder des kleinen Pfades. »Seht ihr zerquetschtes Blatt und Fußstapfen? Ich glauben, tausend hier lang gekommen. Mindestens.«

Eintausend. Keine kleine Jagdgesellschaft. Eine ausgemachte Invasion auf dem Marsch zum Mafolie-Pass, aber *diesseits* des Gebirges. Genau, wie der Spion gesagt hatte.

Dennis schaute die Straße hinunter und stellte sich vor, wie eine dicht gedrängte Masse aus leuchtendem Gefieder und gepolsterter Rüstung die Berge hinabkletterte und nach Nanagada hineinmarschierte. Wenn sie die Festung am Mafolie-Pass zerstören sollten, würden die Aztecaner mühelos über die Berge kommen können. Mit genügend Zeit und Nachschub im Rücken könnten sie in Nanagada jeden Punkt erreichen. Die Aztecaner würden alles beherrschen, wenn die Berge sie nicht mehr zurückhalten konnten.

»Müssen einige Entscheidungen treffen.« Dennis hockte sich am Wegesrand hin. Er beugte sich vor und stützte sich auf den Griff der Machete, um die Balance zu halten. Die dunkle Klinge bohrte sich ins Erdreich. »Ihr alle bereit für schweres Nachdenken?«

Die Mungo-Männer umstanden ihn in lockerem Kreis. Zwei stellten sich an jeder Seite des Weges auf und hielten die Wegbiegungen im Auge, um sie vor Überraschungen zu bewahren.

»Aztecaner Mafolie-Pass vielleicht schon überrannt«, sagte Dennis. »Wir zu spät. Was jetzt tun?«

Allen scharrte mit den Stiefeln im Erdreich. »Keine Wagenspur hier.« Er sah jeden seiner Männer an. »Aztecaner alle zu Fuß unterwegs, ihr sehen?«

»Machen Sinn. Räder nicht viel nützen in Bergen.«

»Haben keinen Proviant mit sich. Sie bewegen leicht und schnell. Aber müssen haben Nachschub hinter sich, wenn essen wollen.«

Dennis dachte über den ausgehungerten, erschöpften Spion nach. Wie viel Proviant konnten diese Aztecaner mit sich schleppen? Allerhöchstens so viel, dass es für ein paar Tage reichte.

Da musste Nachschub unterwegs sein.

»Ja. Mehr Aztecaner noch kommen über Berge«, stimmte Dennis zu. »Wir können beschließen, Berge runterlaufen und Menschen warnen, oder wir können Nachschub für Aztecaner aufhalten.«

»Können beides tun, wenn aufteilen«, sagte Allen.

Dennis räusperte sich und schaute sich um, mit einer unausgesprochenen Frage im Blick. Wer sollte bleiben, um den nachfolgenden Aztecanern entgegenzutreten, und wer sollte die Berge hinablaufen, um die Warnung zu überbringen?

Sie zogen Grashalme. Vier Männer würden sich mit Allen absetzen, die Berge hinabsteigen und den nächsten Wachposten mit einem Telegraphen suchen. Falls alle Drähte bereits gekappt sein sollten, würden sie versuchen, durch den Dschungel zu kommen und die Bewohner jeder Stadt, die sie passierten, zu warnen.

»*Pddiiett!*«

Dennis schaute auf. Einer der Männer, die den Weg bewachten. »Ja?«

»Aztecaner!«

»Nachschub oder Krieger? Wie viele?«

»Jaguar-Leute auf Kriegspfad, keine Nachschub-Leute nicht«, schrie der Wachposten zurück. Dennis drehte sich der Magen um. Eine Gruppe mit Nachschub hätte man leicht in einen Hinterhalt locken können. »Einhundert. Haben Keulen und Tornister und Gewehre. Dahinter noch ein Haufen aussehen wie normale Krieger.«

Allen schaute zu Dennis hinüber und nahm sein Gewehr von der Schulter. Dennis schüttelte den Kopf. »Los, weg! Sofort! Wir sie ein wenig aufhalten. Du laufen. Nachricht weitergeben. Verstehen?«

Allen nickte und schüttelte Dennis die Hand. Dann stieß Dennis Allen weg und griff nach seinem Gewehr. Anschließend lief er zu der Wegbiegung, während Allen sich den Rucksack schnappte, ihn sich auf den Rücken warf und mit vier Mungo-Männern im Schlepptau in der Schlucht verschwand.

Dennis verlangsamte seinen Schritt und schlich dann ganz vorsichtig neben dem Pfad vorwärts, die dichten Büsche als Deckung ausnutzend. Der Wachposten robbte auf seinen Ellbogen über den Weg und zog behutsam die Äste eines Stachelbusches auseinander, damit Dennis hindurchschauen konnte.

Die Federn und Standarten der Aztecaner flatterten wie lebendige Tiere im Wind. Die ersten Kundschafter erschienen unten an der Straße. Dann kam die erste Reihe der regulären Aztecaner-Krieger heranmarschiert, eingehüllt in eine Staubwolke.

»Manche sagen, in Enge getriebener Mungo am bösartigsten«, flüsterte Dennis. »Wir noch viel wilder.«

Der Rest seiner Hand voll Männer verteilte sich in den Büschen in seiner Nähe. Sie suchten sich die besten Verstecke aus. Einer der Mungo-Männer kletterte wie ein Affe einen Baum hinauf, wobei er mit den Füßen lockere Rinde lostrat.

Dennis hob sein Gewehr und visierte den Bannerträger an der Spitze an. »Los, wenn bereit.«

Oben im Baum knallte ein Gewehrschuss. Die Linie der Aztecaner kam ins Stocken. Die Mungo-Männer eröffneten das Feuer, und die erste Reihe der Aztecaner stürzte zu Boden. Dennis schoss. Der Gewehrkolben stieß ihm in die Schulter. Er blinzelte ein paar Mal, um die Augen frei zu machen, und lud nach, indem er die immer noch qualmende leere Patrone mit einem geübten Griff heraushebelte.

Als Antwort sausten die Kugeln der Aztecaner rings um ihn herum durch den Busch. Schmerz explodierte in Dennis' Arm und durchzuckte ihn von oben bis unten. Er fasste sich an die Schulter und versuchte, den Blutstrom, der die Blätter um ihn herum rot färbte, zu stoppen. Füße hämmerten auf die Erde, als die Aztecaner durch die Büsche auf sie zu stürmten.

Dennis hörte weitere Schüsse seiner Männer, brechende Äste, Knurren, Keuchen und Schreie, als Aztecaner und Mungo-Männer Mann gegen Mann kämpften.

Ein hellhäutiger Krieger sprang auf Dennis zu und schlug ihm seine Keule auf den Kopf.

Verzweifelt versuchte er, mit einer Hand das Gewehr hochzuheben, doch es wurde ihm weggeschlagen. Zwei Jaguar-Kundschafter packten ihn an den Füßen und zerrten ihn auf den Weg. Sie richteten ihre Waffen auf ihn.

Dennis lag dort und schaute in den Himmel.

Der Nebel hatte sich verzogen. Zwischen den fleckigen grünen Blättern und Zweigen sah er hoch über sich, wie kräftiger Wind die Wolken rasend schnell über den Himmel peitschte.

Unter dem Getöse des voll entbrannten Dschungelkampfes wurden über ihm zwei Gewehrkugeln abgefeuert, eine kurz nach der anderen.

Zweites Kapitel

John deBrun saß auf einem Stuhl aus Segeltuch und kritzelte mit der gesunden Hand auf einem Stück Papier herum. Seine linke Hand, ein einfacher Stahlhaken, ruhte auf der Armlehne des Stuhls, die Spitze ins Holz gebohrt. Mit einem energischen Strich seiner Feder zeichnete er einen Halbkreis auf die eine Seite des Papiers. Dasselbe machte er auf der anderen Seite, um ein Ei zu schaffen. Dann versah er es mit weiteren Formen. Bösartige Dornen. Mit Schatten in den Rissen. Für einen Moment vom Anflug eines Déjà-vu-Erlebnisses ergriffen, fügte John Wassertropfen hinzu, die von den Dornen herabfielen, und hielt dann das Stück Papier auf Armeslänge von sich.

Nur eine stachelige Kugel. Das war alles. Er legte das Papier auf die Erde.

Auf einem lackierten Tisch in der Ecke des Kellergeschosses lagen einige weitere Zeichnungen. Ein riesiger Metallvogel mit einem Schnabel, der sich zu einem menschlichen Gesicht krümmte. Die halbvollendete Skizze einer Frau, die mit der gleißenden Sonne verschmolz.

Das größte Gemälde hing von der Decke des Raumes herab. John lag oft unter dieser Landschaft wild schäumender blauer Ozeanwellen. Wenn salzige Gischt durch die Fensterläden hereindrang, erinnerte sich John an das Brüllen der Seeleute und an über das Deck fließendes Wasser. Kaltes, eisiges Wasser.

Halb in die Erde eingelassen, blieb es im Inneren seines Hauses trotz der Hitze draußen angenehm kühl. Ein wunderbarer Schutz, wenn die Trockenperiode die niedrigsten Hänge der Wicked Highs erfasste. Nach einem langen Tag des Fischens an den Brungstun-Riffen erholte sich John häufig hier unten.

Doch selbst wenn es im Kellergewölbe recht kühl war, so war dies noch nichts im Vergleich zu den Kälteschauern, die ihm beim Betrachten des Gemäldes über den Rücken liefen.

»Hallo«, sagte eine vertraute Stimme. Die zwanzig Jahre alten Erinnerungen an seine Segelfahrt nach Norden verflogen. John drehte sich um. Sein dreizehn Jahre alter Sohn Jerome saß auf den Treppenstufen. »Mama Essen machen. Du zum Essen hoch kommen, oder was?«

»Was hat sie gekocht?« John sprach nicht Nanagadan. Er hatte es sich über die Jahre hinweg lange genug angehört, doch er blieb lieber bei seinen eigenen fremden Sprachmustern. Obgleich sein Sohn ihn deswegen gelegentlich aufzog. Oder seine Schwiegereltern. Es war das Einzige, was ihm von seiner Vergangenheit geblieben war.

»Geschmorten Salzfisch. Reis und Erbsen«, sagte Jerome.

John mochte Shantas Küche, doch für ihre wöchentliche Portion Salzfisch hatte er sich noch nie begeistern können. Na gut, dann eben heute nur Reis und Erbsen für ihn.

Er beugte sich vor und stand ächzend auf. Die Narben unten an den Beinen schmerzten. Jerome grinste und rannte die Treppe hinauf.

»Er kommen, er kommen«, jubelte Jerome auf die Küche zusteuernd.

Shanta lugte um die Ecke und richtete ihr Augenmerk dann wieder auf den Eisentopf mit dem Reis. Kohlen brannten in dem quadratischen Ofenkasten und heizten die Küche mit. Shantas weißes Kleid spannte sich um ihre runden Hüften.

»Warum du so lange gebraucht?«, schalt sie ihn heftig. »Ich dich schon früh gerufen.«

John setzte sich an den zerkratzten Tisch. In der Tischmitte stand eine Platte mit ölig glänzenden frischen Maiskuchen. John beugte sich hinüber und spießte einen mit dem Haken auf.

Jerome drehte sich in seinem Stuhl um. »Er Haken nehmen

für sein Essen.« Er grinste, als er seinen Vater verpetzte. Shanta wandte sich John zu und schaute ihn tadelnd an. John wich ihrem Blick aus und zog den gebratenen Teig vom Haken.

Shanta stellte den Topf auf den Tisch. »Hört auf mit Unsinn«, warnte sie.

Vater und Sohn wechselten gespielt vorwurfsvolle Blicke, mit denen sie einander die Schuld daran gaben, Shantas Zorn erregt zu haben.

»Willst du morgen mit mir in die Stadt gehen?«, fragte John seinen Sohn. Jerome legte sein Gesicht in Falten und dachte nach.

»Ja. Wohin?«

»Ich muss raus nach Salt Island.« Das Salzfass war in der letzten Woche nur noch halbvoll gewesen, und außerdem musste John sich dringend etwas Taschengeld besorgen; in zwei Tagen begann Karneval. Bei diesem Volksfest wollte er nicht mit leeren Taschen dastehen. Für ihn war es der Höhepunkt des Jahres. »Wenn du mir hilfst, gebe ich dir ein bisschen Geld für Karneval.«

Shanta füllte Jeromes Teller mit Salzfisch und schob die Schüssel dann zu John hinüber. Er schüttelte den Kopf. Sie seufzte und gab ihm den Topf mit Reis und Erbsen. »Sei vor Dunkelheit zurück. Du weißt, wie ich fühle, wenn du so spät kommst.«

John nickte. Jerome würde zum ersten Mal mit dem Segelboot den Hafen verlassen. »Wir werden zeitig zurück sein.« Jerome trat ihn vors Schienbein, und John zuckte zusammen. »Lass das!«, warnte er mit seinem besten »Gefahr-im-Verzug«-Unterton. Es klang halbherzig. Jerome war nach sechs Jahren Ehe eine Überraschung gewesen. Shanta war damals sechsunddreißig gewesen, und sie beide hatten sich während der Schwangerschaft Sorgen gemacht. Infolgedessen war John total vernarrt in seinen Sohn. Manchmal erschreckten ihn seine starken Gefühle immer noch.

Später, als Jerome in seinem Zimmer eingeschlafen war, half John Shanta beim Abwasch. Sie trocknete ab. Er spülte das Geschirr und stellte es ins Abtropfreck.

»Er ganz aufgeregt«, sagte Shanta.

»Ja, er wird den Ausflug genießen.« Johns Haken stieß gegen einen Topf und verursachte ein Klirren, als er den letzten Holzteller auf das restliche Geschirr legte. Shanta schüttelte das Wasser von den Händen. Als sie sich umdrehte, stellte sich John dicht vor sie. »Hallo, Miss Braithwaite.«

»Mr. deBrun. Wie geht's?«

»Gut. Gut.« John küsste sie und umarmte sie; seine gebräunte und wettergegerbte Haut kontrastierte mit ihrem tiefen Braun. »Ich habe über dich nachgedacht, als ich heute draußen beim Fischen war.«

»Was du gedacht?«

»Wie gerne du die Barsche in Salz eingelegt hättest, die wir heute im Netz gefangen haben.«

»He, Mann, warum du mich hänselst so?«

»Weil ich dich liebe.«

»Ah.« Sie lehnte sich an ihn. »John?«

»Ja.«

»Als du gemalt hast . . . du dich an irgendetwas erinnert?«

»Nein.« Er küsste ihr Haar und bemerkte mehrere graue Strähnen. Es waren mehr und mehr geworden. Dennoch hatte sie niemals eine Bemerkung darüber fallen lassen, dass zu jenem Zeitpunkt, als sie John zum ersten Mal begegnet war, er älter als sie ausgesehen hatte, während er jetzt jünger wirkte. »Mach dir keine Gedanken darüber.« Er war ihr dankbar, dass sie sich um ihn sorgte. Shanta redete nicht viel über das Loch in Johns Erinnerung. Trotzdem erschien es ihm manchmal so, als mache sie sich heimlich mehr Sorgen darüber als er. Wollte sie, dass er nicht mehr darüber nachgrübeln sollte, weil es ihn immer so aufwühlte? Oder machte sie sich Gedanken über ein Geheimnis aus der Vergangenheit, das entdeckt werden und ihn von ihr losreißen könnte?

Shanta griff nach einem Handtuch und trocknete ihre Hände ab. »Ich will nicht, dass Jerome nach dieser Sache so oft zum Segeln.«

»Warum nicht?« John nahm ihr das Handtuch ab und hängte es an einen Haken. »Was soll Schlimmes daran sein?«

»Ich erinnere mich, wie sie dich aus Wasser zogen. Siebenundzwanzig Jahre, John, aber ich erinnere mich. Du ganz runzlig. Angeschnallt an irgendein schwimmendes Ding ...«

»Du warst jung.« Vor seinem geistigen Auge sah John sie noch am Strand stehen. Dann erinnerte er sich an ihre grauen Strähnen und bedauerte seine Bemerkung.

»Huh.« Shanta schnaubte. »Zweiundzwanzig. Alt genug, um dir eine Menge Kummer zu bereiten.«

John hatte darunter gelitten, dass er sich an nichts erinnern konnte, bevor er an der Küste angespült worden war. Er hatte seinen Namen von der silbernen Halskette übernommen, die mit der Gravierung *John deBrun* darauf um seinen Hals gehangen hatte. Obgleich er nicht wie all die anderen sprach, verstand er mühelos Nanagadan. Was bedeutete, dass er schon früher mit dem Land zu tun gehabt haben musste.

John segelte auch weiterhin mit Booten in und um Brungstun herum und hoffte dabei, sein Gedächtnis wiederzuerlangen. Er konnte Landkarten in seinem Kopf zeichnen, als lägen sie vor ihm. Er konnte anhand der Sterne, Sonne und Karten navigieren, sogar mit geschlossenen Augen. Doch anfangs hatte er sich als erschreckend schlechter Segler erwiesen. Er hatte nichts über den Wind, die Gezeiten oder die Strömungen und das Wetter rund um Brungstun gewusst.

»Er wird nicht wie ich«, sagte John. »Er hat nichts von meinem Abenteuergeist. Er wird heranwachsen, solide sein. Ein Bankdirektor in der Stadt, einverstanden?« Shanta knuffte ihm spöttisch in den Arm. »Er wird den jungen Mädchen nicht das Herz brechen«, fuhr John neckend fort. »Und wird sich auch nicht nach Capitol City aufmachen ...« Shantas Lächeln verflüchtigte sich.

Nachdem er das Meer sechs Jahre lang mit örtlichen Fischern kennen gelernt hatte, war John mit einer kleinen Gruppe von Mungo-Männern unter der Führung von Edward, einem Buschmann, der während dieser Reise zu seinem Freund geworden war, nach Capitol City gewandert.

Shanta trat etwas zurück. »Nicht über Capitol City reden, John. Nicht heute Nacht. Ich nie konnte schlafen nicht, wenn du gesegelt über Ozean. Ich nicht wieder will denken, dass du tot. Du weißt, wie schrecklich . . .«

»Entschuldige bitte.« John zog sie erneut zu sich heran und umarmte sie. »Ich werde den Mund halten.« Während der Reise hatte John auf dem Weg nach Norden in anderen Städten ebenso wie in Capitol City selbst nach Hinweisen auf seine Vergangenheit gesucht. Man hatte ihm die Chance gegeben, drei Schiffe als Navigator zu begleiten. Die Expedition hatte der Suche nach Land im Norden gegolten, doch in den gefährlichen, eisigen nördlichen Gewässern hatte John nichts außer Tod gefunden und einen gewissen Ruhm, als er das einzige überlebende Schiff zurück nach Capitol City navigiert hatte. Er hatte sich während dieser furchtbaren Rückreise aus dem eisigen Norden nach Capitol City zum Kapitän und Anführer hochgearbeitet. Vielleicht hatte aber auch schon immer etwas davon in ihm gesteckt. »Ich bin zurückgekehrt, oder nicht? Jetzt bin ich hier.«

Shanta zuckte die Achseln. Sie drehte sich von ihm weg. »Keine Entschuldigung für all das.«

»Lass uns aufhören, Trübsal zu blasen. Bald ist Karneval.« Er wandte sich mit einem breiten Grinsen um.

Shanta fixierte ihn. »Du und dein Karneval. Du dich musst anschauen. Du wie kleiner Junge, vollkommen aufgeregt.«

John streckte seinen gesunden Arm aus und tanzte schnell im Kreis um sie herum. »Nur ein paar Tage.« Er lachte.

»Kommen.« Sie erwiderte sein Lachen und zog ihn mit sich mit. John folgte ihr in die Halle zu ihrem Zimmer. An der Türschwelle hielt Shanta ihn auf. »Es wirklich kalt da oben im Norden, wie du sagst?«

»Man kann sein eigen Atem sehen.« John imitierte ihre Sprechweise, um sie zum Lachen zu bringen, und im gleichen Augenblick erinnerte er sich daran, wie die Kälte ihn fast umgebracht hatte. Er half Shanta, den Haken abzuschnallen. Sie benötigte keine Hilfe bei seinem lockeren Hemd, und gleich darauf konnte er mit einer Hand den Verschluss ihres Kleides am Rücken lösen.

»Bitte nicht wieder Abenteuer in Norden suchen«, flüsterte sie.

»Einmal hat gereicht. Nie wieder.«

Sie schliefen miteinander. Sie vertrieb die Kälte in ihm.

Für die Nacht.

Drittes Kapitel

Oaxyctl lief durch den Dschungel in Richtung Brungstun. Er bewegte sich im doppelschattigen Licht der Zwillingsmonde, die kurz hervorschienen, als der Regen eine Pause machte. Er war schon fast in Sicherheit, nachdem er es aus den Bergen herab geschafft hatte, indem er einen großen Bogen um den Mafolie-Pass und einige wenige Mungo-Posten entlang des Weges geschlagen hatte. Er war zu weit gekommen, um jetzt noch zu scheitern.

Die wattierten Stoffstreifen, die um seine Füße gewickelt waren, hatten sich gelöst. Runde Gitterbaumblätter klatschten ihm entgegen und hinterließen rote Flecken und triefenden Saft an seinem Hals. Oaxyctl verlangsamte den Schritt und hopste, einen Fuß mit den Händen hochziehend, auf dem anderen Bein weiter. Er entfernte den restlichen Fetzen schmutzig weißen Stoffs von seinem rechten Fuß und warf ihn in die Büsche. Die Bewegung brachte ihn ins Straucheln, und Oaxyctl schlug lang hin.

Er riss die Hände hoch und schlitterte über süßlich riechende, halb vermoderte Blätter. Er fand die Balance wieder, krabbelte über eine Wurzel und wischte sich den Schmutz von den Armen.

Er wusste, dass er leichte Beute war. Er hinterließ Spuren. Fährten allerorten: die Fußabdrücke, die Kleidung, abgebrochene Zweige und der Dreck von seinen Armen. Auch wenn er nichts hinterließ, das ihn verriet, *es* würde ihm immer folgen. Dies war ein verzweifelter Griff nach der Freiheit. Oaxyctl sprang über Kletterpflanzen, die sich auf der Erde ineinander verschlungen hatten, und schlug Haken um vermodernde Baumstümpfe, die er nicht einmal mit den Armen hätte umfassen können.

Alle magischen Fähigkeiten innerhalb der hohen, kathedralenähnlichen Ruinen, in die er vor ein paar Stunden gestolpert war, waren vor Jahrhunderten eingeschlafen. Die Männer, die den Mantel aus Felsen um das Gebäude herum geschaffen hatten, waren kurz darauf gestorben, und heute würde niemand auf die Idee kommen, ein Bauwerk der Alten so tief im Dschungel zu bewohnen. Oaxyctl hatte lediglich gehofft, sich dort für eine Nacht vor dem Regen schützen zu können. Doch nachdem er sich über die spiegelglatten, glitschigen Steine heraufgezogen und hinabgeschaut hatte, hatte er Fleisch und Metall entdeckt, das von einem Haken in der Wand unter ihm herabhing. Einer Wand, auf die er mit einem Gewehr hätte schießen können, ohne einen Kratzer zu hinterlassen. Zwei Herzen lagen wie achtlos hingeworfen im Morast darunter. Oaxyctl hatte die abgebrochenen Schösslinge und herausgerissenen Weinreben überall auf dem Innenhof gesehen, sowie die Klauenabdrücke im Morast, und sofort Bescheid gewusst.

Hier war zweifellos ein Teotl, ein Gott.

Oaxyctl hatte losgelassen und war seitlich herabgerutscht, ohne darauf zu achten, dass er mit dem Kinn gegen den Mauerrand stieß, und dann zurück in den Wald gerannt.

Jetzt brach Oaxyctl aus dem dampfenden, kühlen Regenwald hervor und gelangte zu einem niedrigen Gehölz. Vor ihm breiteten sich an die zweihundert Meter Morast aus. Dahinter konnte er Tamarinden sehen, die sich im böigen Wind wiegten. Regen strömte in Sturzbächen herab. Er prasselte in kleine Pfützen, die sich in diesem Meer aus Braun zu ovalen Tümpeln sammelten.

Oaxyctl schaute auf seine nackten Füße. Kaltes Wasser umströmte sie, während sie im Morast einsanken.

Fußspuren, stieß Oaxyctl halblaut hervor. Überall Fußspuren! Vor seinem geistigen Auge konnte er die lange Linie von Abdrücken quer durch das morastige Gehölz sehen, die er hinterlassen würde.

»Süßer, süßer Quetzalcoatl.« Er grub einen Fingernagel in seine linke Hand. Er kratzte so lange, bis Blut auf die Haut zwischen Zeigefinger und Daumen tropfte. Quetzalcoatl nahm keine Blutopfer an. Dennoch, viele andere verlangten danach, und Oaxyctl musste *irgendetwas* versuchen. Er kratzte und kratzte, bis das Blut richtig floss und sich mit dem Regen vermischte.

»Dies ist nicht einmal mein Land«, sagte Oaxyctl. »Aber ich würde es, um Gnade zu erlangen, mit meinem eigenen Blut befruchten.«

Ein Gitterbaum schwankte und knarrte im Wind. Oaxyctl zuckte zusammen. Er schaute sich mit weit geöffneten Augen um. Der Wind legte sich. Die Welt verstummte. In der Ferne gab ein Frosch ein langgestrecktes, bellendes Quaken von sich, dann schwieg er.

Oaxyctl verließ den Schutz des Waldes und rannte über den Morast. Der Boden drohte unter ihm wegzugleiten. Er ruderte wild mit den Armen, um die Balance zu halten. Hektisch atmend und mitten durch Pfützen watend schaffte er die Hälfte der zweihundert Meter, bis er über sich in der Luft ein langes, scharfes Pfeifen hörte.

Er erstarrte.

Der Teotl landete mit einem feuchten Klatschen direkt vor Oaxyctl. Morastbrocken trafen ihn wie Geschosse von Kopf bis Fuß und warfen ihn rücklings zu Boden. Er rappelte sich mühsam hoch und kauerte sich zusammen. Er zitterte vor Angst und wandte seinen Blick ab.

Er hatte keine Angst vorm Sterben. Nein. Er fürchtete sich vor etwas viel Schlimmerem. Oaxyctl fürchtete sich vor den Schmerzen, die ihm mit Sicherheit bevorstanden.

»*Notecuhu*«, winselte er. *Oh Herr.* »Bitte, es ist eine große Ehre.« Er kroch vorwärts, ohne seinen Blick vom Morast zu lösen, der fast seine Nase berührte.

Schmatz, schmatz. Das Geräusch der Klauenfüße, die sich im Schlamm auf ihn zu bewegten, ließ Oaxyctls Gedärme verkrampfen. Er spürte, wie bittere Galle in seiner Kehle hochstieg, und seine Nasenflügel blähten sich, als er vergammeltes Fleisch roch. Schau dem, was kommt, wie ein tapferer Krieger ins Auge, befahl er sich. Zeige Würde. Stirb einen ehrenvollen Tod, und gib dein Herz bereitwillig hin. Er dachte diese Dinge, obgleich ein tieferer Instinkt ihn wütend antrieb, bis zum letzten Atemzug erbittert zu kämpfen.

Doch das würde zu nichts führen. Oaxyctl wusste das. Sein Körper spannte sich wie ein Tau, das jeden Moment reißen würde, und Oaxyctl wappnete seine Seele.

»*Amixmähuih?*«, fragte die tiefe und raue Stimme des Teotl.

»Ich habe keine Angst«, sagte Oaxyctl.

»*Cualli.*« *Gut.* Der Teotl legte zwei Daumen, die sich wie Schmirgelpapier anfühlten, um Oaxyctls Hals. Die vier Finger lagen auf seiner Wirbelsäule. »*Quimichtin.* Spion. Verlogene Kreatur, wir wissen um deinen Verrat. Aber wir sind noch nicht fertig mit dir.«

Mit der anderen Hand fuhr der Teotl Oaxyctl über das Kinn. Der zweite Daumen hinterließ eine lange Blutspur bis hinunter zum Hals. An der Hand klebten Fetzen blasser, blau-geäderter Haut.

»Ich wurde entlarvt.« Die Nanagadaner hatten ihn gefangen genommen und über die Berge zurückgeschickt, um für sie zu arbeiten. »Was hätte ich tun sollen?«

Der Teotl ignorierte seinen Versuch, den Doppelverrat zu erklären. »Du wirst jetzt tun, was ich von dir verlange. Du weißt, wo sich hier andere *Quimichtin* aufhalten. Solche, die du bislang noch nicht verraten hast. Gib ihre Identität preis. Die schwarzen menschlichen Krieger, die auf dieser Seite der Berge leben, werden dir vertrauen und dich bei sich dulden, wenn du ihnen diese Informationen gibst. Und wenn du auf ihrer Seite kämpfst.«

Oaxyctl traute sich, einen Blick auf die Beine des Teotl zu werfen. Äußere Knochen liefen an den pechschwarzen Knorpeln der Oberschenkel herunter. An jeder Seite der Hüften des Teotl zitterten Regentropfen und Eiter an den Gelenken von Tentakeln, von denen sich eines in schlangenartigen Windungen bewegte und dabei winzige Kauwerkzeuge entblößte.

»Ich werde es tun.« Oaxyctl schaute wieder zu Boden.

Der Teotl veränderte den Griff und zog Oaxyctl aus dem Morast. Oaxyctl rang nach Atem, als zwei Daumen auf seine Brust pressten und die Finger des Teotl auf seinem Rücken die Schulterblätter eindrückten. Er baumelte über der Erde. Oaxyctl schaute dem Gott ins Antlitz und schnappte nach Luft. Hier stand ein Wesen, dessen Art Aztlans Opferpyramiden bewohnte. Es trug einen Umhang aus abgeschälter menschlicher Haut, die leeren, schlaffen Arme um den Hals des Teotl geknotet, die Füße um die Tentakel an den Hüften des Gottes gewickelt.

Er schüttelte rostige Locken und schaute ihn aus ovalen stählernen Augen an.

»Wir jagen Leute, die diese Invasion stoppen könnten. Jetzt jagen wir den Mann, der versuchen wird, nach Norden zu gehen«, zischte er. Das silbrige Maul und sein graues Zahnfleisch bewegten sich nicht, als der Teotl sprach. Das Zischeln bahnte sich seinen Weg tief aus der fleischigen Kehle. »Deine Aufgabe ist es, diesen Mann zu finden. Hier. Er trägt große Geheimnisse mit sich herum. Du musst Codeworte von ihm in Erfahrung bringen. Dann wirst du ihn töten.«

»Der Mann, der nach Norden geht?«, keuchte Oaxyctl. »Ich verstehe nicht.«

Die Hand, die Oaxyctls Kinn hochhob, streichelte seine Wange. Blut rann zu beiden Seiten seines Halses hinunter und sammelte sich im V seines Brustkastens.

»Er wird versuchen, das Land in Richtung Norden zu verlassen. Dieser Mann ist gefährlich. Aber wichtig.« Der Gott stieß feuchten Atem aus. »Es kann jederzeit geschehen ... wir werden in großer Zahl über diese Berge hinwegstürmen. In diesem Land werden Menschen für uns geopfert werden. Wir werden ihre Götter vernichten, unsere Feinde von alters her. Aber wir müssen diesen Mann in die Hände kriegen.«

»Wie soll ich ihn erkennen?«, krächzte Oaxyctl. Ihm wurde schwarz vor Augen, als er versuchte, kräftig durchzuatmen.

»Sein Name ist John deBrun, und wir glauben, dass er in der Nähe dieser Stadt lebt. Wir sind uns dessen sogar sicher. Wir riechen es schwach. Er besitzt die geheimen Codeworte, die den *Ma Wi Jung* freisetzen. Presse sie aus ihm heraus, oder bring ihn lebend zu uns. Die Wahl ist dir überlassen, denn du kannst dich unter den *Nopuluca* so bewegen, wie ich es nicht kann. Er darf nicht sterben, bevor er die Codeworte für den *Ma Wi Jung* preisgegeben hat.«

»Mein Herrgott«, Oaxyctl schüttelte es vor Angst wegen seiner eigenen Unverfrorenheit, »kann ich Jaguar-Kundschafter bekommen, die mir während der Invasion helfen, ihn gefangen zu nehmen?«

»Du machst das *jetzt*. Es wird nur Tage dauern, bis wir wieder losmarschieren, und es gibt welche, die nicht riskieren wollen, dass dieser Mann lebt, ganz egal, wie erfolgreich wir sein sollten. Sie erteilen nicht wie ich den Befehl, ihn zu schonen. Sie sind schwach und unentschlossen. Deshalb beauftragen wir dich mit dieser Mission. Wenn wir alle in dieses Land einfallen, wirst du diesen Mann finden. Lass ihn leben, und bemächtige dich seiner Geheimnisse. Verhalte dich richtig, dann wirst du reich belohnt werden. Versagst du jedoch ...«

Der Gott vollendete den Satz nicht, sondern stieß eine Dampfwolke aus. Oaxyctl fiel in den Morast, die Beine schmerzhaft unter sich verschränkt.

»Denk daran.« Der Gott drehte sich um. »Die Codeworte des *Ma Wi Jung*. Ich werde in deiner Nähe sein.«

Oaxyctl holte tief Luft und beobachtete, wie der Teotl zurück in den Wald ging. Irgendwo im Bereich der Bäume verschwand der Gott in den Schatten, und Oaxyctl war wieder alleine.

Er ließ sich in den Morast zurücksinken. Ohne nachzudenken, legte er eine Hand auf sein Herz. Es schlug noch immer. Er lebte. Er hatte geglaubt, es wäre sein Tod, als er die Berge überquert hatte und die Mungo-Männer ihn aufgegriffen hatten, und er hatte gedacht, es wäre mehr als sein Tod, als der Gott direkt vor ihm im Morast gelandet war, und trotzdem war er irgendwie immer noch am Leben.

Das Ende der Regenperiode war fast erreicht, und dennoch öffnete der Himmel mit den schweren Wolken seine Schleusen. Oaxyctl lag ruhig im Platzregen und begann zu zittern. Stunden später kreiste ihn ein Mungo-Kommando aus Brungstun ein. Ihre Gewehre hingen locker an den Hüften, an Lederriemen baumelnd, und ihre Leinenkleider troffen vor Regenwasser. Ihre unrasierten, aber eindeutig menschlichen Gesichter beugten sich voller Misstrauen über ihn. Oaxyctl weinte vor Erleichterung, als er sie sah.

Doch selbst jetzt war ihm klar, dass er sich nirgends verbergen konnte. Der Teotl konnte sich fast überall hin bewegen, jeden Tag könnten Jaguar-Krieger über die Hügel kommen. Die Götter beherrschten ihn immer noch. Dagegen konnte er nichts unternehmen.

Nichts.

Die Mungo-Männer fesselten seine Hände und schleppten ihn nach Brungstun. Oaxyctl zitterte auf dem gesamten Weg dorthin.

Viertes Kapitel

A m nächsten Morgen saß John am Tisch und schnallte die Metallhalterung seines Hakens am Handstumpf fest. Er zerrte an den Riemen, bis sie in die Schwielen des Handgelenks einschnitten, und schaute auf, als er Jerome an der Türschwelle bemerkte.

»Hallo, Sohn.« John lachte.

Jerome blinzelte. Er nahm sich ein Stück Brot und etwas Käse von der Anrichte neben dem Ofen. Er hatte etwas auf dem Herzen. »Du das immer machen müssen?«

John nickte.

»Dein Handgelenk ganz voll mit Narben. Schmerzt es?«

»Manchmal.«

Jerome betrachtete dies offenbar als ausreichende Auskunft.

»Bist du für unsere Segeltour gerüstet?«, fragte John, um das Thema zu wechseln.

»Klar, Mann.« Jerome wedelte mit dem Brot in der Luft herum. »Alles klar!«

»Gut.« John füllte einen Beutel mit noch mehr Brot und Käse, beides in Wachspapier eingewickelt, legte eine Flasche Ingwerbier dazu und nahm eine schwere Reisetasche aus Leinen, die vom häufigen Gebrauch braun und fleckig war, von der Treppe. Trockenes Salz verkrustete die beiden Griffe. »Alles klar, lass uns gehen.«

Sie verließen das Haus und winkten Shanta zu, die im Garten Kleider auf die Wäscheleine hängte. Hemden und Hosen flatterten im Wind.

»Passt auf euch auf«, rief sie. »Und bringt Bananen mit zum Braten.«

Der Fußmarsch nach Brungstun dauerte zwanzig Minuten, und der Pfad führte an Felsen vorbei, in deren Nähe John manchmal beobachtete, wie das Wasser des Ozeans unter ihm sprühend und zischend in der Luft zerstob und sich in einen beißenden Nebel verwandelte, wenn es ihn erreichte. Danach wechselte der Untergrund des Weges unter ihren Füßen von Felsen zu staubiger Erde, schließlich bestand er aus glänzenden Steinen, wo die Vorväter eine Straße angelegt hatten, die entlang der Küstenlinie durch Brungstun bis nach Joginstead führte. Dort endete sie. Die Häuser von Brungstun, rosa und gelb mit hellen Zinndächern, säumten den Straßenrand.

Brungstun schmiegte sich in einen ausgewaschenen Winkel an Nanagadas Küstenklippen, die in einen natürlichen Hafen eintauchten. Die felsige Rückseite, wo die Wicked High Mountains ans Wasser stießen, schützten das kleine Dorf vor den Unbilden des Ozeans, und die zerklüfteten Riffe vor der Küste bildeten ideale Wellenbrecher, die ein großes Gebiet um Brungstun herum für den Fischfang sicher machten. Die Wicked High Mountains selbst schützten Brungstun und das restliche Nanagada vor den Aztecanern.

John und Jerome kamen an einem Bauern vorbei, der in der Hauptstraße Früchte verkaufte, und Ms. Linda winkte ihnen zu und fragte Jerome, ob sie noch süße Tamarinden hätten. Sie würde welche vorbeibringen, sagte sie. Der Postbeamte berichtete John, die Telegraphenverbindung sei wieder einmal zusammengebrochen und er hoffe, dass sie bald wieder funktionieren würde. Er bat John, die Nachricht weiterzugeben, falls er nach Frenchtown unterwegs sei. Sie brauchten weitere zwanzig Minuten für den kurzen Weg die abfallende Hauptstraße hinunter zu den Booten, weil alle Welt mit ihnen schwätzen wollte. Fünftausend Seelen beherbergte Brungstun, und sie alle kannten John.

»Endlich haben wir es geschafft«, sagte John. »Mole Nummer fünf.«

Sein kleines Boot zerrte an den Pollern, während die anderen draußen ankerten und mit schwankenden Masten auf dem Wasser schaukelten. Das Wasser erstreckte sich hinter dem Hafen kilometerweit, an manchen Stellen dunkel, an anderen hell, wo sich direkt unter der Wasseroberfläche Riffe befanden. In der dunstigen Ferne ragten Felskamine aus dem Wasser.

Jerome setzte die beiden Taschen ab, die er getragen hatte. »Es windig.«

»Keine Angst«, antwortete John und stieg in das etwa fünf Meter lange hölzerne Boot, die *Lucita*. Auf dem Boden schwappte Wasser. Er beugte sich nach vorne und angelte sich die aus einem Flaschenkürbis gefertigte Schöpfkelle. Während er damit das Wasser aufnahm, das über die Bodenplanken leckte, fuhr er fort: »Es ist ein schöner Tag zum Segeln. Prima Wind. Scharf und gleichmäßig.«

Immer noch etwas verunsichert, sagte Jerome: »Wir nicht kentern, oder?«

John hob den Haken in die Höhe, während er nach vorne ging und die beiden Taschen unter der Bugspitze verstaute, wo sie trocken bleiben würden. »Ich schwöre es bei meinem Haken.«

Jerome lachte. Er setzte sich auf einen nassen Sitz. »Dann alles in Ordnung.«

Der forsche Wind sorgte dafür, dass sich die *Lucita* auf die Seite neigte. Sie schlängelten sich durch den Wald von Masten der vor Anker liegenden Boote. Der schaufelradgetriebene Hafendampfer kam ihnen entgegen und zog an ihnen vorbei. Die Passagiere auf ihrer Seite winkten John und Jerome zu. Jerome klammerte sich an seinen Sitz und rührte sich nicht. Bei jedem ungewöhnlichen Klatschen des Segels und Knacken der Spanten zuckte er zusammen.

John wich einem kleineren Riff aus und segelte dann nach

Norden. Schließlich wendete er und nahm nordwestlichen Kurs auf Frenchtown.

Nach einer halben Stunde wendete er erneut, indem er die Steuerpinne herumriss und unter dem Baum hindurchtauchte, als dieser über seinen Kopf hinwegflog, während die Taue und Rollen ratterten. Das Segel fasste wieder Wind, und sie kamen weiter voran. John wechselte auf einen höheren Platz im Boot.

Das Wasser wurde heller und leuchtete jetzt aquamarinblau. John ließ die Segel heraus, während er mit seiner gesunden Hand die Schot des Hauptsegels kontrollierte, den Haken an der Steuerpinne, und die *Lucita* verlor an Fahrt. Ein weiteres Riff. Er zwang das Boot nach Backbord in dunkleres, also tieferes Wasser. Jerome entspannte sich, lehnte sich nach draußen und ließ seine Hand durchs Wasser gleiten. »Wie weit bis Frenchie-Riff?«

»Nicht allzu weit.« Leute, die nicht segelten, mussten Geduld lernen. John seufzte. Man konnte nun mal nicht einfach in ein Boot steigen und gleich darauf irgendwo anders aufkreuzen.

In der Ferne tobte eine lange Linie weißer Brecher. John umfuhr sie und folgte, gegen den Wind kreuzend, einer anderen Bank von Riffen, bis auf wundersame Weise Palmen aus dem Wasser auftauchten. Frenchtown, Salt Island.

John schloss die Augen und zog seine innere Karte von der Gegend um die *Lucita* zu Rate. Scharf gestochen, glasklar, und im Geist konnte er sie umdrehen und wenden, um sie aus verschiedenen Blickwinkeln zu studieren. Die Wicked High Mountains erhoben sich zu Johns Linker im Westen und teilten den Kontinent in zwei Hälften, da sie von Norden nach Süden verliefen. Sie verloren sich im Meer, um dort aus Felseninseln und Riffen einen Bogen wie ein Komma zu bilden. Innerhalb dieses schützenden Bogens lag Brungstun. Zwischen den Riffen lagen die flachen Inseln, auf denen die Frenchies lebten.

Es war ein einziger unpassierbarer zerklüfteter Irrgarten. Kein Schiff war je aus dieser geschützten Zone in den Ozean gelangt. Und keins kam hinein. In diesem sicheren Becken lebten die Fischer von Brungstun und Frenchtown.

»Mama sagt, Wasser hier gefährlich. Geschichten erzählen, dass alte Luftschiffe aus Metall von Vorvätern ins Hafenwasser gestürzt. Wir können auf Wracks auflaufen und Schiffbruch erleiden.«

John öffnete die Augen und gab der Steuerpinne einen leichten Stoß, um den Kurs zu korrigieren. »Ich habe sie nie gesehen. Nur die Riffe, auf die ich achten muss.«

Nanagadas Küsten waren zu felsig und steil, als dass man dort hätte landen können. Mit Ausnahme der Fischer in Capitol Citys großem Hafen, einiger Händler aus Baradad Carenage auf Cowfoot Island an der anderen Seite des Kontinents und der Fischer in dieser geschützten Zone befuhr kein Segelboot den Ozean. Die Städte lagen an Seen oder Flüssen im Inneren des Landes. In Sicherheit, bei ruhigem Wetter und lauem Wind.

John lächelte, als eine Bö die *Lucita* auf die Seite drückte. Die Städter hatten ja keine Ahnung, was ihnen entging.

Die *Lucita* lief langsam in Frenchtowns flaches, ruhiges Wasser ein. Hütten drängten sich am Rand des Strandes, und grell bemalte Ruderboote für den Fischfang lagen auf die Seite gekippt auf dem Sand.

Die Wassertiefe verringerte sich auf einen Meter. John balancierte nach vorne und holte das Schwert ein. Es steckte in einem kleinen Schacht direkt hinter dem Mast und war triefnass, als es herausglitt. John konnte darunter Wasser und Sand unter dem Boot vorbeiziehen sehen. Ohne die zusätzliche Hilfe, sich im Wind zu halten, glitt die *Lucita* seitlich weg.

John rannte zum Heck und griff nach der Ruderpinne. Geschickt bugsierte er das Boot das restliche Stück zum Ufer und holte das Segel ein, sobald der Bug der *Lucita* den Strand berührte.

Dann packte er Jerome und warf ihn ins Wasser.

»Heh, Mann!« Jerome versank bis zur Hüfte und war pudelnass.

»Heh, du!« John sprang hinterher. Jerome bespritzte ihn, als John das Boot so weit den Strand hinaufschob, wie er konnte.

»DeBrun, du das?«, schrie jemand.

»Ja.«

Troy, einer der Fischer, saß mit einem Farbeimer in seinem Boot. Troys sonnenverbrannte weiße Haut blätterte in großen Schuppen ab. Sein glattes blondes Haar hing ihm bis auf die Schultern hinab. Keine Locken, nur schlaffe Strähnen. »Wo warst du all die Zeit?«

»Mit Fischen beschäftigt. Muss schließlich für unseren Lebensunterhalt sorgen.«

Troy lachte.

John konnte nicht anders, als ständig den schlimmen Sonnenbrand auf Troys bleicher Haut zu betrachten. Die Frenchies hatten manchmal einen dermaßen starken Slang, dass er Schwierigkeiten hatte, sie zu verstehen. Aber sie waren sehr weiß. Das war ungewöhnlich. Auf Cowfoot Island, vor der südöstlichen Küste Nanagadas, und oben am nordöstlichen Ende der Halbinsel, in Capitol City, ja, da hatte er einige weiße Menschen gesehen. Aber das war auch schon alles. John langte in den Bug und holte die Leinentasche hervor.

»Mehr Bilder?«, fragte Troy.

»Ja.«

»Gut.« Troy legte den Pinsel zur Seite und sprang in den Sand hinab. Er schaute auf die Leinentasche. »Ich mit dir handeln.«

Jerome schlenderte den Strand entlang zu einigen Frenchie-Kindern. Seine dunklere Hautfarbe stach deutlich hervor, seltsamerweise. Er spielte zusammen mit ihnen Fußball im Sand und lachte, als der Lederball ins Wasser fiel und im nassen Sand stecken blieb.

John lächelte und folgte Troy zu dessen kleinem Strandladen. Zwei alte, verhutzelte Frenchies saßen auf der Veranda und schmauchten ihre Pfeifen. Sie nickten, als er an ihnen vorbeiging, dann widmeten sie sich wieder ihrem Dominospiel und machten sich einen Spaß daraus, die Steine aus Ebenholz lautstark auf den Tisch zu knallen. Drinnen stellte John die Leinentasche auf den Ladentisch. Holzregale mit Nahrungsmitteln in Dosen bedeckten die Rückwand. Ein paar Jutesäcke lehnten am Sockel der Ladentheke.

Troy öffnete die Tasche und holte die beiden Zeichnungen heraus.

»Ich mag das. Ist ein anständiges Bild«, sagte er. Ein Schiff mit Schlagseite auf See, der Mast gebrochen. Riesige Wellen überrollten es. »Dies hier« – Troy zeigte auf die andere Zeichnung, die die Klippen von Brungstun darstellte – »ich verkaufe an mein Vetter.«

»Sie haben mich viel Arbeit gekostet«, sagte John.

»Ich dich nicht bestehlen, Mann.« Troy griff unter den Ladentisch und holte eine Goldmünze hervor.

John sog die Luft ein. »Du bist zu großzügig.« Die Frenchies tauchten regelmäßig entlang der Riffe, um den Erlös aus dem Fischfang aufzubessern. Manchmal fanden sie seltsame Maschinen, die in den Tagen der Vorväter vom Himmel gefallen waren, und durchsuchten sie nach jeder Art wertvollen Metalls, das sie finden konnten. »Du machst mir den Karneval richtig schön.«

»Ist Zeit für Vergnügen.« Troy lächelte.

»Kommst du in die Stadt?«

Troy lachte. »Ich weiß, ich dich dort sehen, stimmt's?«

John musste ebenfalls lachen und schaute auf die Säcke zu seinen Füßen. »Ich brauche Salz.«

»Ich bring einen Sack.« Troy verschwand und kam mit einem schweren Sack zurück, den er auf dem Ladentisch absetzte. John wollte dafür bezahlen, doch Troy hob eine Hand. »Deine Münze bei mir nicht gilt.« Er lachte erneut.

»Danke schön.« John griff nach dem Sack, als Troy sich räusperte.

»John . . . das Malen. Dir schon geholfen zu erinnern?«

John schaute auf den groben Jutestoff zwischen seinen Fingern. »Nein. Noch nicht.« Er fragte sich, ob Troy seine Bilder aus Mitleid kaufte. »Vielleicht werden sie nie helfen. Willst du sie immer noch kaufen?«

»Alles für alten Freund, John.« Troy lächelte.

John schulterte den Sack. »Nochmals herzlichen Dank, Troy. Wir sehen uns dann beim Karneval.«

»Wir sehen uns bei Karneval, John.«

Als John aus dem Laden trat, blieb er stehen. Die beiden alten Männer hatten ihr Dominospiel unterbrochen und starrten über das Wasser zu den Wicked Highs hinüber. Drei aufgeblähte Metallsplitter schwebten langsam zur aztecanischen Seite der Wicked High Mountains zurück und kreisten über der Bergkette mit ihren Klippen und Felsnadeln.

Alte Legenden und einige der älteren Leute behaupteten, die Nanagadaner hätten früher in dem Land auf der anderen Seite der Wicked Highs gelebt. Die Küste war dort ebenso unwirtlich, deshalb war auch nie ein Schiff der Aztecaner in See gestochen. Doch kleine Luftschiffe konnten die Bergspitzen überwinden, und größere Luftschiffe wagten sich manchmal auf den Ozean hinaus und überflogen dann Nanagada. Um hier Dschungel Spione abzusetzen, daran bestand kein Zweifel. John sah gewöhnlich ein Luftschiff pro Monat, wenn er draußen zum Fischen war.

Der alte Mann, der John am nächsten saß, räusperte sich verächtlich und knallte einen Dominostein auf den Tisch. »Die lassen mehr und mehr von die Dinger fliegen. Ich diesen Monat schon fünf gesehen. Warte ab, ob Aztecaner nicht bald über Berge kommen und Ärger machen.«

»Diese Feder-Kerle schaffen es niemals nicht über Berge«,

sagte sein Spielpartner. »Sie hatten mal ganze Armee, die das versucht am Mafolie-Pass. Mungo-Männer sie übel zusammengeschossen.«

»Ja. Vielleicht wahr. Heh, du dein Spiel verlieren.«

»Was?« Der andere alte Mann schreckte hoch.

John ging hinunter zum Strand. Er wusste, dass er sehr nahe bei den Bergen wohnte und dass die Aztecaner auf der anderen Seite lauerten. Manchmal war so etwas wie dies hier erforderlich, um ihn daran zu erinnern, wie nah die Aztecaner waren. Und manchmal, wenn John darüber nachdachte, woher er gekommen war, stellte er sich vor, er sei ein Agent der Nanagadaner gewesen, der versucht hatte, über das Meer vor den Aztecanern zu fliehen, und dabei Schiffbruch erlitten hätte.

Das war reine Phantasie, aber immerhin. Es machte ihn nervös, über die Aztecaner nachzudenken. »Komm, Jerome«, sagte er. »Wir müssen jetzt gehen.«

Nachdem er die Luftschiffe der Aztecaner gesehen hatte, war für ihn der ganze Tag verdorben. Er wollte nur noch nach Hause.

Fünftes Kapitel

Die Leute lugten aus den Fenstern, um sich das Schauspiel nicht entgehen zu lassen, wie Dihana mit dreißig Streunern die beiden Blocks zum Hafenviertel von Capitol City hinuntermarschierte. Ein betrunkener Fischer blieb an der Straßenecke stehen, schwankte und zog sich dann schnell in den Schatten der Gasse zurück, als er sie erblickte.

Die Streuner hielten vor dem Lagerhaus Nummer fünfzehn an. Ein Trio von Mungo-Männern bewachte die großen Türen und hielt bedrohlich lange Gewehre in den Armbeugen. Sie behielten die Straße im Auge und betrachteten den Trupp der Streuner mit kalter Ruhe.

»Besser, ihr wartet ein wenig«, sagte der erste Mungo-Mann.

Dihana schüttelte den Kopf. »Ich bin die Ministerpräsidentin dieser Stadt, mit allen Befugnissen und Zuständigkeiten, die das mit sich bringt.« Mehr als einhunderttausend Menschen wohnten innerhalb der Mauern von Capitol City, und sie fühlte sich für sie alle verantwortlich. »Ihr wollt mir erzählen, ich nicht gehen darf, *wohin* ich will?« Sie hatte diesen speziellen Tonfall und die Ausdrucksweise von ihrem Vater Elijah gelernt, bevor er gestorben war und sie die Position der Ministerpräsidentin geerbt hatte.

Der Mungo-Mann direkt an der Tür räusperte sich. »Lass ihr durch. Alleine.«

Die rostigen Türangeln quietschten, als die Mungo-Männer die Tür öffneten. Dihana rauschte hindurch, wobei ihr Rock sich aufbauschte und den Türrahmen auf beiden Seiten heftig streifte.

In der Mitte eines leeren großen Raums mit schmutzigem

Betonboden stand ein Mann neben fünf Leichen. Unter jedem der Opfer breiteten sich fußgroße Blutlachen aus. Messerstiche hatten zerfetzte und aufgeschlitzte Hemden hinterlassen, sowohl bei den Toten als auch bei dem Lebenden.

Aus dem Durchschussloch in der Kehle einer der Leichen sickerte noch immer Blut.

»General Haidan!« Dihana bewahrte eine betont ruhige Haltung. Der Anführer der Mungo-Männer hielt sich gewöhnlich stets außerhalb der gewaltigen Stadtmauern auf. »Was, zum Teufel, haben Sie hier angerichtet?«

»Eine Schuld beglichen, als alter Freund von Elijah.« Seine Rastalocken waren ergraut, und sein Gesicht wirkte noch ledriger. Ein Mann, der den Elementen immer getrotzt hatte. Ein Mann, der ihrem Vater immer zur Seite gestanden hatte. »Sie hören zu?«

Dihana biss sich auf die Lippen. Das Betragen des Generals war ungebührlich. »In Ordnung, fahren Sie fort.« Sie gab sich größte Mühe, die Toten zu ihren Füßen zu ignorieren.

Haidan wandte sich an den Mungo-Mann an der Tür. »Bringt die beiden, die wir gefasst, hierher!« Er verschränkte die Arme.

Dihana schüttelte ungeduldig den Kopf, ungehalten über seine ausweichende Reaktion. »Als wir einander zum letzten Mal begegneten, Haidan« – direkt nachdem Elijah gestorben war und sie alle Hände voll damit zu tun gehabt hatte, ihrer neuen Verantwortung gerecht zu werden, ohne Zeit für ihre Trauer zu haben –, »sagten Sie, dass Sie den Vertrag zwischen der Stadt und den Mungo-Männern einhalten würden. Dass Sie uns immer beschützen würden. Warum haben Sie mich nicht einfach fragen können, was Ihrer Ansicht nach in der Stadt hätte getan werden sollen? Es ist verdächtig, wenn in der Stadt plötzlich Mungo-Männer in großer Zahl auftauchen.« Ein Mungo-Mann stieß zwei Männer mit Jutesäcken über den Köpfen zur Tür herein.

»Tür schließen!«, befahl Haidan. Die Tür quietschte und

schlug zu. Dihana zuckte zusammen. Sie hatte einen Fehler begangen, war in die Falle gegangen. Der Haidan, den sie als Kind gekannt hatte, hätte dies niemals getan. Aber die Dinge änderten sich eben. Heute Nacht waren schließlich Hunderte Mungo-Männer *in* der Stadt aufgekreuzt. Möglicherweise waren hinter ihrem Rücken Allianzen geschmiedet worden.

»Die Streuner wissen, wo ich bin«, sagte Dihana. Haidan hatte ihr damals Rückhalt geboten, als sie nach Elijahs Tod damit zu kämpfen hatte, die Stadt zu regieren. Sie wollte sagen, wie leid es ihr tat, dass er sie jetzt nicht mehr für die beste Wahl als Ministerpräsidentin hielt. Sie hoffte, dass dieser neue Haidan ihr irgendwo ein angenehmes Exil gewährte und der Busch ihn nicht so sehr verändert hatte, dass er sie tötete.

Haidan runzelte die Stirn. Seine Locken wehten, als er den Kopf schüttelte. »Reden keinen Unsinn«, knurrte er. Sie hatte ihn falsch eingeschätzt. »Streuner nicht Hauch einer Chance gegen meine Mungos. Ich will die Stadt nicht, wir sie beschützen. Sie und ich, wir müssen vernünftig beraten. Schlimme Dinge im Gange.«

Dihana zitterte beinahe vor Erleichterung. Tief im Innersten hatte sie nicht geglaubt, nicht glauben können, dass Haidan Derartiges tun würde. Der Mungo-Mann blieb vor ihnen stehen und riss den beiden Männern die Säcke vom Kopf. Dihana starrte sie an.

»Ich kenne Sie«, flüsterte sie. Sie hatte sie nicht mehr gesehen, seit sie Ministerpräsidentin geworden war. Ratsmitglieder. Alle hatten sie ihre Ratsmitgliedschaft niedergelegt, hatten den Rat aufgelöst und sie verwirrt und ohne Unterstützung zurückgelassen, nachdem sie an die Macht gekommen war. Nur Haidan hatte damals zu ihr gehalten. Die Ratsmitglieder hatten gehofft, sie würde scheitern, das war ihr klar. Und dann wären sie zurückgekommen, um in Capitol City zu regieren.

Doch sie war nicht gescheitert. Und die Ratsmitglieder waren die ganze Zeit in ihrem Versteck geblieben.

Dihana schaute sich die Leichen genauer an. In zweien von ihnen erkannte sie ehemalige Ratsmitglieder ihres Vaters. Die anderen drei: ärmlich gekleidete Bauern. Vielleicht auch Händler in ihrer Arbeitskleidung. Haidan fixierte ihre Augen, als sie wieder hochschaute. Die beiden Ratsmitglieder scharrten nervös mit den Füßen.

»Die beiden behaupten, sie hier, um Vodun-Priesterin zu treffen«, sagte Haidan.

»Sie Falle für uns«, sagte einer der beiden. Er starrte Dihana wütend an, und diese schaute wieder zu Haidan hinüber.

»Das nicht Loa Tat.« Haidan schüttelte den Kopf. »Aztecaner.«

»Sie sehen aber nicht aus wie Aztecaner«, meinte Dihana.

»Wenn man verspricht verzweifelt Mann Gold, Land, Frau, Macht, was immer, er macht alles. Auch gegen eigene Leute. Dies nicht die ersten Ratsmitglieder, wir finden tot. Gesehen schon viele mehr draußen vor Capitol City.« Haidan betrachtete die beiden nervösen Ratsmitglieder. »Noch mehr werden sterben, wenn sie weiter verstecken.«

»Warum?«, fragte Dihana. Die Ratsmitglieder hatten sich die ganze Zeit über gut genug versteckt gehalten.

»Aktivitäten von Aztecaner wie nie zuvor. Und wir keinen Kontakt mehr mit Mafolie-Pass. Verbindung tot. Auf Straße Gerücht, Kopf von jedem Ratsmitglied wird bezahlt mit gleichem Gewicht in Azteca-Gold. Ratsmitglieder Sie brauchen, Dihana. Sie das nicht zugeben, aber sie brauchen Sie. Ganz dringend.« Er schaute sie an.

Dihana ließ die Worte in der Luft hängen und schwieg. Lass sie da stehen und ruhig ein paar Sekunden zappeln, dachte sie. Haidan faltete die Hände über seiner Gürtelschnalle und wartete. Ihm durfte sie jetzt vollends vertrauen, dachte sie, obwohl sie sich fragte, weshalb er nicht schon vorher zu ihr gekommen war, um über all dies zu reden. Dihana wandte sich an die beiden Ratsmitglieder. »Begeben Sie sich ins Regierungsgebäude.

Wir haben dort genügend Platz für Sie. Und rufen Sie alle anderen Ratsmitglieder, die Sie erreichen können, hierher.«

Die beiden rührten sich nicht. Vielleicht glaubten sie, es müssten noch irgendwelche Verhandlungen zwischen ihnen geführt werden.

»Wenn ihr schlau«, machte Haidan all diesen Gedanken ein Ende, »dann tut ihr das schnellstens.«

Die beiden Ratsmitglieder schauten auf die Leichen zu ihren Füßen. »Wir akzeptieren«, sagte einer mit gepresster Stimme. »Aber wir erwarten, dass wir in Zimmern im Ostflügel wohnen.« Die schönsten Räume im Regierungsgebäude.

»Wir werden sehen, was wir tun können«, sagte Dihana, während Haidan einen Befehl brüllte, die Tür wieder zu öffnen. Zwei Mungo-Männer und einige Streuner führten die Ratsmitglieder die Straße hinunter.

Haidan drehte sich zu Dihana um. »Sie haben noch etwas Zeit?«

»Ja.« Dihana blickte auf die Toten hinab. »Aber nicht hier.«

»Mir recht«, sagte Haidan. »Regierungsgebäude?« Dihana bemerkte erst jetzt die Pulverspuren an Haidans rechter Hand. Er schaute hinab, wischte die Hand an seiner Hose aus dickem Stoff ab und zuckte die Achseln.

»Ja. Ja, das wäre gut«, sagte Dihana.

Capitol Citys Mauern ragten über die Spitzen der Hausdächer hinaus, höher als in dieser Stadt irgendjemand irgendetwas hätte bauen können. Ein fortwährender Hinweis auf die Geheimnisse, die Dihanas Vorfahren mit ins Grab genommen hatten. Nur sie hatten so etwas wie Capitol City bauen können. Die Stadt in der Form eines riesigen Amphitheaters bildete das Ende der felsigen Halbinsel und besaß innerhalb der schützenden Mauern einen natürlichen Hafen. Sie bot Platz für hunderttausend Einwohner, Dihanas Mitbürger und Untertanen. Weiter draußen kümmerte sich eine ständig umherwandernde

Bevölkerung um die Bauernhöfe und Getreidedepots, von denen aus Capitol City beliefert wurde. Um eine ausreichende und kontinuierliche Versorgung sicherzustellen, hatte Dihana die persönliche Aufsicht über den Bau von Eisenbahnlinien übernommen, die Triangel-Linien, die mehr als vierhundert Kilometer weit ins Hinterland führten. Sie wusste nicht, wie viele Dörfer oder Städte sich entlang der Bahnstrecken entwickelt hatten, doch eines ihrer Projekte beinhaltete eine neue Volkszählung. Begonnen werden sollte damit in den Städten und Dörfern an den Bahnlinien, danach sollte es in den Busch hineingehen, den gesamten Weg über die kleinen Dschungel-pfade und an der Küste entlang bis zu den Wicked Highs. Aber die Planung steckte noch in den Kinderschuhen.

Das Regierungsgebäude besaß den einzigen richtigen Park innerhalb von Capitol City, eine langgezogene, rechteckige grüne Fläche, die sich bis zu den Lagerhäusern im Hafengebiet erstreckte. Dihana und Haidan gingen die Straße zum Regie-rungsgebäude zurück, rechts von ihnen lag der Park mit seinen Schatten und unterschiedlichsten Bäumen. Linkerhand leuch-tete aus den Fenstern der städtischen Gebäude Licht, gespeist aus einer Unzahl elektrischer Kabel, die sich wie Lianen im Dschungel von Haus zu Haus schlängelten.

Zwei Blocks weit gingen sie schweigend nebeneinander her. Haidans Mungo-Männer waren beim Lagerhaus geblieben, um die Leichen zu bewachen, und Dihana hatte die Streuner auf ihre nächtlichen Patrouillengänge zurückgeschickt.

Haidan nickte zwei wachhabenden Streunern zu, als sie das Tor zum Regierungsgebäude passierten.

»Jemand wartet auf Sie«, sagte einer der Streuner zu Dihana. »An Treppe.«

»Mutter Elene«, sagte Haidan und deutete auf die Vodun-Priesterin, die dort saß und auf sie wartete.

Mutter Elene stand auf, und ihr kahlrasierter Kopf glänzte im Licht, als sie ihr Kinn hob. Goldene Ohrringe glitzerten über dem im Nacken verknoteten Taschentuch. »Danke sehr, General, für Warnung!«

Haidan nickte und trat dann einen Schritt zurück. Interessiert beobachtete er Dihana und Mutter Elene. »Ich, Mutter Elene und Ratsmitglieder wurden eingeladen zu Besprechung in Lagerhaus.«

»Wir glauben, Aztecaner hofften, uns können gegen Sie aufzubringen, Dihana«, sagte Mutter Elene. Sie lächelte und glitt raschelnd an Dihana vorbei.

»Und jetzt wollen Sie sich einfach so davonmachen?« Dihana hatte die Hände zu Fäusten geballt. Sie öffnete sie wieder.

Mutter Elene blieb direkt hinter ihr stehen. »Vielleicht kommt Zeit, wir wieder miteinander reden. Die Loa wünschen. Und Sie?«

Die Stadtgötter, die Loa, hatten sich zusammen mit den Ratsmitgliedern Dihanas Herrschaftsanspruch widersetzt. Doch im Gegensatz zu den Männern, die sich versteckt gehalten hatten, hatten die Götter ständig Kritik geäußert und Dihanas Entscheidungen durch ihre Priesterinnen überall in der Stadt öffentlich in Frage gestellt. Sie hatten die durch Dihana initiierte Expedition zur Erkundung der nördlichen Länder bekämpft, und sie hatten sich gegen ihr Projekt der Konservatoren gestellt, die die Stadt und das Land auf der Suche nach Informationen über ihre Vergangenheit und nach den Technologien früherer Zeiten durchkämmten.

»Woher dieser Wandel?«, fragte Dihana schließlich, doch sie erhielt keine Antwort. Mutter Elene war verschwunden.

Haidan legte Dihana eine Hand auf die Schulter. »Kommen.« Statt auf die großen Stufen zu den oberen Sturmtüren zuzusteuern, bog er nach rechts ab. »Will Ihnen etwas zeigen, wo Licht nicht so hell.«

»So pflegte ich es mit meinem Vater zu tun.«

»Ja. Damals.« Haidan folgte den Hibiskusbüschen hinter der schmiedeeisernen Pforte. »Seitdem vieles anders.«

Dihana seufzte. »Sie sind nicht davon überzeugt, dass ich richtig gehandelt habe?«

»Dihana.« Haidan schüttelte den Kopf. »Die Luftschiffe, die meinen Mungos verkauft, schon den Verdruss wert, den Sie machen.« Er blieb stehen. »Sie wissen, dass Elijah und ich oft unterschiedlicher Meinung damals?«

»Nein«, sagte Dihana. »In gewisser Weise wäre es sehr gut gewesen, wenn ich davon gehört hätte.« Haidan setzte sich auf eine Steinbank. Dihana nahm neben ihm Platz und verschränkte die Arme. »Sie haben mich genauso verlassen wie die Ratsmitglieder. Aber Sie haben sich wenigstens nicht versteckt.« Haidan hatte weiterhin die Mungo-Männer-Steuer eingezogen, Waffen in der Stadt gekauft und von überhall her, wo er sich gerade im Busch verborgen hielt, Telegramme geschickt. Die Ratsmitglieder hingegen waren einfach verschwunden. »Ich musste alleine zusehen, wie ich mit den Loa auskam ...«

Haidan unterbrach sie mit einem wütenden Schnauben. »Auskommen? Sie haben sie ausgeschlossen von jeder Möglichkeit, Stadt mitzuregieren. Anstatt sie in der Nähe zu behalten, Sie sie weggestoßen von sich. Jetzt die Loa alles tun in tiefer Dunkelheit, wo Sie blind.«

»Die Loa haben meinen Vater belogen, Haidan.« Sie hatte jedes Recht gehabt, die manipulierten Forderungen der Loa nach Einstellung des Baus von Luftschiffen zurückzuweisen. Oder deren »Befehl«, sie müsse ihre Unterstützung für die Schaffung einer Fischereiflotte aufgeben. Oder sie dürfe nicht zulassen, dass entlang der Eisenbahnstrecken Dörfer und Landwirtschaft entstünden. Für die Loa war ausgemacht, dass sie weiterhin brachliegen sollten.

»Sie glauben, Ihr Vater das nicht wusste? Mädchen ...«

»Ich bin kein Mädchen, Mungo-General!« Dihana funkelte ihn an. Haidan rieb sich die Nase und schaute zu Boden. »Die Loa machten Versprechungen, die sie nie und nimmer einlösen konnten. Und mit diesen Versprechen hielten sie ihn hin.«

»Ich weiß, Dihana.« Haidan stand ächzend auf. »Ich ihm das gesagt, oft. Und Elijah meinte, wenn alte Metalltechnologie benutzen, dann das zu Unheil und Untergang führen, wie zu Unheil und Untergang geführt für alle während seiner Zeit. Er sagte, einziger Weg für unser Überleben die Übernahme des organischen Wissens von Loa. Wir müssen Waffen *erzeugen*, nicht aus Metall hämmern.«

»Das habe ich geändert.« Diana hatte das Projekt der Konservatoren ins Leben gerufen, eine Gesellschaft von Leuten, die die Vergangenheit jedes Individuums erforschten und viele Dinge herausfanden. »Es war kein Fehler. Wir verfügen jetzt über bessere Gewehre, bessere Luftschiffe, Dampfkraft, und all das haben wir gewiss nicht den Loa zu verdanken.«

»Ich weiß. Ich Ihren Vater gebeten, zu tun, was Sie jetzt tun.« Haidan nahm ihren Arm, und sie stand ebenfalls auf. »Obwohl ich Elijah engster Vertrauter, er in diesem Punkt nie einig mit mir.«

»Dads engster Vertrauter.« Dihana schloss die Augen. »Warum nicht meiner?«

»Glauben Sie, Dihana, Sie alles richtig gemacht. Ich musste mich kümmern um Mungo-Männer, ich musste dafür sorgen, dass wir stark sind, damit Aztecaner nicht über Wicked Highs kommen, nicht die Stadt angreifen. Ich konnte nicht hier sein für Sie, was ich damals war für Ihren Vater. Bis heute.«

»Heute?«

Haidan legte Dihana einen Arm um die Schulter, drehte sie herum und wies in den Himmel hinauf zur Spindel. »Sie verändert sich, Dihana. Hat Ihr Vater mit Ihnen jemals darüber gesprochen? Was das bedeuten?«

»Ja.« Dihana blickte ins Gras zu ihren Füßen. Ihr Vater hatte sie einmal mit nach draußen zu genau diesem Stückchen Rasen genommen und ihr von der Spindel erzählt. »Die beiden Strahlen, die aus jeder Seite herauskommen, stehen still. Bisher kann das noch niemand mit bloßem Auge sehen.« Als die junge

Dihana mit Elijah nach draußen gegangen war, hatte ihr der Vater erklärt, dass niemand in Nanagada mehr die Sterne zu deuten wisse. All das Wissen sei verlorengegangen, und er sei nicht imstande, diese Wissenschaft neu zu beleben. Die Loa hätten ihm abgeraten.

Doch er hatte darauf bestanden, dass sie etwas über die Spindel wissen müsse. Diese Spindel sei nicht einfach irgendetwas Schönes am Firmament, hatte er gesagt. Sie sei für alle anderen Welten der Pfad nach Nanagada gewesen, wie es in den Legenden hieß.

»Elijah mir erzählt, dass wenn Spindel einmal kleiner wird, dann die Hölle losbrechen«, sagte Haidan. »Er sagte, Aztecaner glauben, Götter kommen durch Spindel, wenn ›stabil‹.«

Dihana nickte. »Mir hat er dasselbe erzählt.« Dies war auch der Grund dafür gewesen, dass sie die Konservatoren damit beauftragt hatte, die Spindel mit Teleskopen zu erforschen.

»Ich alle Mungos für Kämpfen vorbereitet«, sagte Haidan leise.

»Ich habe meine Streuner-Truppe verstärkt«, erwiderte Dihana.

Haidan blickte zurück in den Garten. Dihana schaute sich bei den Hibiskusbüschen und in deren Schatten um. Sie schienen jetzt gefährliche Dinge zu verbergen, und Dihana wollte lieber wieder nach drinnen gehen.

»Ich hier in der Stadt bleiben.« Haidan folgte ihr ins Gebäude. »Wir alle müssen zusammenarbeiten. Wir müssen herausfinden, was Aztecaner tun. Welches Unheil sie auslösen.«

»Ich habe veranlasst, noch mehr zu produzieren«, sagte Dihana. »Luftschiffe, größere Geschütze ... seit mir alles klar wurde.«

Haidan drückte kurz ihre Hand, und Dihana erinnerte sich daran, wie Haidan sie hochgehoben und in die Luft geworfen hatte, als sie noch ein kleines Mädchen gewesen war. »Ich hätte früher zu Ihnen kommen und mit Ihnen sprechen sollen.«

»Ja«, sagte Dihana.

»Wir wahrscheinlich auch brauchen Ratsmitglieder. Wir müssen erkunden, was Ratsmitglieder besitzen, das Aztecaner haben wollen.«

»Wir benötigen hier in der Stadt mehr von Ihren Mungo-Männern. Wenn Sie keinen Kontakt zum Mafolie-Pass haben, dann könnte das bedeuten, dass die Aztecaner dort genau zu diesem Zeitpunkt angreifen.«

»Ich weiß«, murmelte Haidan. »Mir können glauben, ich weiß.«

Als sie die Treppenstufen erreichten, schaute Dihana Haidan an. »Sind Sie beunruhigt?«

Haidans Stiefel klapperten auf dem Stein. »Ja, verdammt nervös. Da etwas ganz Gefährliches im Gange. Ich es spüren. Aber wir wenigstens nicht gegeneinander arbeiten.« Er seufzte. »Ich muss noch viele Dinge organisieren, Hauptquartier näher nach hier verlegen, besorgen mehr Information aus Busch, aber ich jetzt immer Kontakt halten mit Ihnen. In Ordnung?«

»In Ordnung.«

»Und, Dihana?«

»Ja?«

»Sie mich jetzt lange genug kennen. Sie mich Edward nennen.« Haidan drehte sich um und stiefelte in Richtung des Tores davon.

»Sie haben es sich noch nicht ganz zurückverdient«, sagte Dihana. Doch er war schon zu weit weg, um ihre Worte zu hören.

Sechstes Kapitel

Jerome konnte partout nicht einschlafen. Shanta saß neben ihm auf dem Bett. »Eine Geschichte? Du willst wirklich eine Geschichte?«

»Ja, ja!«

Sie lächelte. John verschwand in der Küche und schmierte ein Butterbrot.

»In Ordnung«, sagte Shanta. »*Mal sehen, ich erzähle, aber ich nicht verantwortlich.*« Sie senkte die Stimme, und ihr Akzent verstärkte sich etwas. Die Ausdrucksweise und Aussprache der Brungstuner veränderte sich zuweilen. Je nachdem, mit wem sie sich gerade unterhielten und in welcher Stimmung sie waren, konnten sich diese wandeln. Nicht nur Johns Sprache, auch sein Tonfall war anders. Die Leute in Brungstun meinten, er klänge wie die Bewohner des Nordens, obgleich das nicht stimmte. Oben im Norden, in Capitol City, sprachen die Menschen wie in Brungstun, lediglich etwas weniger schwerfällig, während man bei John davon ausgehen musste, dass er irgendwo ganz anders aufgewachsen war. Dennoch, je länger er sich in Shantas Umgebung aufhielt, desto häufiger versuchte er, ihr Idiom und ihren Tonfall zu übernehmen. Gewöhnlich gelang ihm dies, wenn er ganz entspannt war, nicht aber, wenn er sich wirklich darum bemühte.

Shanta begann mit ihrer Geschichte.

»Vor langer, langer Zeit all unser Vorväter mussten arbeiten in sehr kalter Welt, ohne Ozean, ohne Palmen. Sehr fern, weit weg von unserer Welt. So weit weg, ganz fern von ihrer eigenen Welt, Erde genannt! Sie sich mussten abrackern für Babylon. Als Dank Babylon tyrannisierte viele Leute. Und irgendwann die von Babylon Unterdrückten liefen weg, suchten neue Welt, Welt für sich allein, weit weg von jeder anderen Welt.

Alle Arten Leute gehen weg. Manche weißhäutig wie Frenchie und Bridisch. Und andere waren Afrikanisch. Und Indianisch. Karibisch. Chinaisch. Die alle mitmachen lange, lange Reise. Jede Hautfarbe dabei und verließ alte Welt. Jahr und Jahr und Jahr sie unterwegs, bis sie entdeckten diese liebliche Welt, wo wir jetzt wohnen, ganz so wie Heimatinsel Erde. Hier sie fanden kühle Winde und angenehme Sonne.

Vorväter hatten gewaltige Energie. Sie entdeckten Spiralloch am Himmel zwischen all den anderen Welten. Und als sie sich geschlängelt durch Loch, sie flogen herab vom Himmel und landeten hier und begannen neues Leben. Leben ganz ohne Unterdrückung.

Aber böse *Teotl* kamen durch andere Spirallöcher, die überall existieren seit langer Zeit. Du weißt, Teotl sehr gefährliche, niederträchtige Dinger, wollen beherrschen Welt und besitzen alle von uns. Doch andere große Macht, die Loa, nicht bösartig, sie uns helfen und führen gegen Teotl ...«

Die *ursprünglichen* Streuner hatten die Situation gerettet, wusste John. Die Stammväter der heutigen Streuner, die die Städte überwachten und die zivile Ordnung sicherten. Die Streuner waren in gigantischen Luftschiffen umhergereist, um die Spirallöcher zu zerstören und diese Welt vor weiteren Invasionen der Teotl zu bewahren. Dennoch war es den Streunern damals nicht gelungen, die Teotl am Boden zu vernichten. Die Teotl hatten die Aztecaner geschaffen und aus diesen eine Furcht erregende Rasse von Kriegern gemacht.

Der Gedanke daran, dass die Herren der Aztecaner ungehindert durch die Welt marschieren könnten, beunruhigte John. Es erinnerte ihn an deren Luftschiffe, die zuweilen in der Nähe Brungstuns am Himmel erschienen. Er trat auf die im Schatten liegende Veranda hinaus und beobachtete, wie die Sonne hinter dem braunen Felsmassiv verschwand.

Shanta schlich auf Zehenspitzen zu ihm und zündete eine Lampe an. »Guter Tag heute?«

John nickte und schlang einen Arm um ihre Taille. »Ja. Freue mich schon auf den Karneval morgen.«

Shanta gluckste. Die letzten Sonnenstrahlen erstarben über den Felsen, als gleichzeitig hinter dem Haus ein mattes schnarrendes Geräusch zu hören war.

»Donner?«, fragte John. Das Dachgesims versperrte ihnen die Sicht.

Shanta schüttelte den Kopf. »Nein.« Sie verließ die Veranda und hob den Rock über die Knöchel. »Irgendetwas anderes. Kommen!«

John folgte ihr nach draußen zur Rückseite des Hauses, wo sich die Wicked Highs über den großen Bäume abzeichneten. Das Geräusch wurde lauter. Äste knackten und zerbrachen. Drei Seemöwen flogen unter heftigem Protest davon. John überlegte, ob er eine Machete oder eines seiner Gewehre aus dem Keller holen sollte.

»Shanta!«, schrie er. Sie hatte bereits den Rand der Hecke erreicht, die das Haus umgab. Ihre entschlossen wirkende Gestalt bewegte sich barfuß um den Stachelbusch und den Hibiskus herum. »Verdammt!« Er nahm denselben Weg um den Busch herum. Schlamm quoll zwischen seinen Zehen hervor.

»John. Hier.«

Er folgte ihrer Stimme zu einem großen Mangobaum und blickte hinauf. Ein silbernes Gebilde schwebte zwischen den Ästen. Es war ein kleines Luftschiff, das auf den Zweigen mehrerer Mangobäume wie auf einem Baldachin ruhte und dessen Spitze aus dem ihrem Haus nächsten Baum hervorragte. Ein Sicherheitsgurt baumelte von einem der entfernteren Äste herab, mit einem Mann darin, der wild um sich schlug.

»Aztecaner oder einer von uns?«, fragte John.

Shanta warf ihm einen vernichtenden Blick zu. »Das doch wohl egal.«

Verärgert schaute John wieder hoch und sah, wie sich der Mann in seinem Gurt zu ihnen umdrehte und sie betrachtete. Er hatte dichtes gelocktes Haar und ein schwarzes Gesicht. Also kein Spion der Aztecaner.

»He«, rief Shanta hinauf, »müssen noch bleiben etwas oben. Wir kommen!«

John trat ein paar Schritte zur Seite. »Die Zweige da oben wirken sehr dünn und schwach, aber ich wette, das schaffe ich.«

»Ich hole Machete. Wir ihn frei schlagen können . . .« Shanta hatte den Satz erst zur Hälfte beendet, als der Mann aufstöhnte. Er fummelte an seiner Hüfte herum.

»He!«, riefen John und Shanta gleichzeitig. Die Schnalle sprang auf, und der Mann fiel. Ein Bein blieb an einem Ast hängen. Er wurde herumgewirbelt und landete mit einem so heftigen dumpfen Schlag neben einem Mangobaum, dass die Blätter zitterten.

»Scheiße!« Sie eilten auf den Mann zu. Dieser trug dicke Kleidung, die ihn in der Höhenluft wärmen sollte. Am Oberschenkel war ein Atemgerät festgeschnallt, dessen Schlauch zum Hals hinauflief, wo er an einer blutdurchtränkten Halskrause befestigt war. Auf den Mann war geschossen worden. In die Brust und in die Seite, vielleicht noch anderswohin, es war schwierig auszumachen. Der Flieger stöhnte und ächzte. Er öffnete die blutunterlaufenen Augen. Die zerknitterte Haut um die Augenwinkel bestand nur noch aus Krähenfüßen. »Hilfe!«, flüsterte er.

»Wir alles Mögliche tun«, sagte Shanta. »Aber du anscheinend sehr viel Blut verloren, und du gestürzt . . .«

Der Mann wendete seinen Kopf langsam zu ihnen um und schaute sie an. »Ich tot«, sagte er, kaum hörbar. »Sieben Mal geschossen auf mich. Ich gekommen, euch zu warnen. Zu warnen alle Mungo-Männer hier. Alle Streuner hier im Umkreis.«

»Wir finden jemanden für dich«, sagte John in dem Versuch, den Mann zu beruhigen und ihn sich etwas entspannen zu lassen. »Dein Name?«

»Allen.« Das leise Zischen seiner Stimme wurde dringlich. »Jetzt ganz genau zuhören! Oder ihr alle tot. Alle! Ihr hören! Tot!« Der Mann atmete lange und tief ein, dabei heftig schaudernd. »Aztecaner kommen runter auf diese Seite von Berg. Ihr verstehen? Aztecaner! Viele, viele Aztecaner!«

Er schloss die Augen.

»Lebt er noch?«, fragte John.

»Ich glaube ja«, sagte Shanta. »Ich ihn trotzdem nicht bewegen will. Er auf Bahre liegen muss. Wir brauchen Tante Fixit.«

John stand auf. »Ich werde Jerome wecken und schicke ihn zu deiner Tante. Dann hole ich irgendeine Planke, auf der wir ihn tragen können.«

»Gut!«

Als John aufstand und sich umschaute, bemerkte er, dass es bereits viel dunkler geworden war. Die Sträucher und Bäume verbargen sich hinter Schatten und sich windenden Blättern. Sie raschelten und warfen ihrerseits ihre Schatten um ihn herum. Zu viele schaurige Erzählungen, dachte er. Die meisten stammten von Shanta.

Jerome versuchte schnell wieder unter die Bettdecke zu schlüpfen und so zu tun, als schliefe er bereits. John machte sich gar nicht erst die Mühe, seinen Sohn auszuschimpfen. Er drückte auf den Zündknopf der Gaslampe. Erst nach drei Versuchen sprang der Funke über, und der Raum wurde langsam von gelbem, flackerndem Licht erhellt.

»Ich brauche dich, Jerome! Geh deine Tante Keisha holen.«

Jeromes Augen weiteten sich. »Tante Fixit? Was geschehen? Mama in Ordnung?«

John nickte. »Mit Mama ist alles in Ordnung. Jetzt beeil dich, und hol deine Tante!« Bis zu Keishas Haus waren es gut anderthalb Kilometer in Richtung der Stadt. Jerome konnte es in sieben Minuten schaffen. Wenn er wollte, war er schnell wie der Blitz. »Aber sei vorsichtig, draußen ist es dunkel!«

Jerome lächelte. »Ich schon weg.« Er schnappte sich die Schuhe, die unter dem Bett lagen.

John sah die Aztecaner vor sich, wie sie die Berge hinabstürmten. »Noch etwas, Jerome ...«

»Ja.«

»... sag Harold, er soll auch kommen und sämtliche Streuner aus Brungstun mitbringen, die er dort auftreiben kann.«

Einen Moment lang überlegte John, ob er Jerome anweisen sollte, in Harolds Haus zu bleiben, näher bei der Stadt und damit sicherer. Doch dann fiel ihm ein, dass der sicherste Platz der an Harolds Seite war. Harold war selbst ein Streuner.

»In Ordnung.«

»Dann mach dich jetzt auf.«

John lief die Treppe ins Kellergeschoss hinab. Er fand ein breites Brett, das er eigentlich für eine Bank hatte nutzen wollen, zu deren Bau er aber nie gekommen war. Das würde seinen Zweck erfüllen. Er trug das Brett mit der heilen Hand und stabilisierte es mit dem Haken. Er eilte durch die Hintertür zurück in den Garten, nachdem er aus der Küche noch einige Leinenstricke mitgenommen hatte.

»Hier«, rief Shanta. Sie kauerte auf dem schlammigen Boden zwischen reifen roten Mangofrüchten und herabgefallenen toten Zweigen. John reichte ihr das Brett. »Vorsichtig!« Ächzend rollten sie den Flieger ganz langsam auf das Stück Holz, wobei John höllisch aufpassen musste, den Mann nicht mit seinem Haken zu verletzen. Dann gab er Shanta die Leinenstricke. Während John erst die eine und dann die andere Seite mit seiner gesunden Hand anhob, zog Shanta die Stricke unter dem Brett hindurch und band den Mann darauf fest.

»In Ordnung.«

John hatte die Länge des Brettes und des Mannes gut abgeschätzt. An jedem Ende der Planke blieben etwa fünf Zentimeter zum Anfassen. Sie hoben die Behelfsbahre hoch und trugen sie zurück zum Haus. Auf halbem Wege blieben sie stehen, weil John den Griff wechseln musste. Dabei verlagerte er das Gewicht auf den anderen Unterarm.

»Küche?«, fragte John.

»Ja. Vorerst.«

Sie schafften es durch die Tür in die Küche und legten die Bahre auf den Tisch. Shanta wusch und trocknete ihre Hände, öffnete den Hahn der Gasbeleuchtung, drückte den Zündknopf. Es klickte. Die Dunkelheit verschwand, und nur in den Ecken und hinter den Schränken blieb es düster.

»Kommen!« Shanta holte zwei Scheren und begann, den dicken Mantel des Mannes aufzuschneiden. John entfernte das Atemgerät und die Halskrause. Als Shanta das Hemd aufschnitt, musste sie vor stiller Wut die Zähne aufeinanderbeißen. Die Haut wies etliche säuberlich runde Einschusslöcher auf. Blut sickerte daraus hervor. »Er Glück gehabt. Noch leben.«

Glück, dachte John. Oder einfach nur einen unbändigen Lebenswillen und die Entschlossenheit, einen Auftrag durchzuführen. Er entsann sich der aztecanischen Flugschiffe über dem Meer und überlegte, was geschehen sein mochte.

Er betrachtete die Einschusslöcher der Gewehrkugeln. Kamen die Aztecaner? Und wenn ja, wie? Vielleicht in Flugschiffen, oder hatten sie den Mann erwischt, bevor er in ein Flugschiff hatte einsteigen können?

John ließ Shanta mit dem sterbenden Mann zurück und ging ins Kellergeschoss. Er blieb vor einer großen Eichentruhe stehen, stellte sich dann unter einen mächtigen Balken. Mit einem Satz sprang er hoch, riss an dem Messingsplint auf dem Rücken des Balkens und ging vor der Truhe in die Knie.

Das große Vorhängeschloss sprang auf, und John legte es zur Seite. Er hob den Deckel hoch und schaute auf zwei Gewehre und eine Pistole.

Mit der gesunden Hand nahm er die Gewehre heraus und

überprüfte sie. Dann legte er sie auf den Boden. Er brach zwei luftdicht verpackte Schachteln mit Munition auf, indem er seinen Haken als Hebel zum Öffnen der Ecken benutzte. Schließlich lud er die Waffen mit der üblichen Ungeschicklichkeit und fluchte leise vor sich hin, als er eine beinahe fallen ließ.

Wenn die Aztecaner kommen sollten und er seine Familie verteidigen müsste, würde es zwar zu keinem echten Gefecht kommen, aber aufgrund der Warnung des Fliegers wäre er zumindest auf einen Kampf vorbereitet.

Siebentes Kapitel

Hufe klapperten auf der über und über verdreckten Straße. Ein Pferd schnaubte. Die aufgeregten Stimmen von Keisha und ihrem Mann wehten herein. Sekunden später stürmte Keisha selbst in die Küche. John stand etwas verdeckt an der Kellertreppe und hielt das Gewehr wie einen Fahnenmast, den Kolben auf der obersten Stufe der Holztreppe.

»Was passieren?« Im selben Moment sah Keisha den Küchentisch, den blutüberströmten Mann. Sie knirschte mit den Zähnen. »Woher er kommen?«

Jerome drängelte sich in die Küche und deutete auf den Mann. »Er aus seinem Flugschiff gefallen, bleiben hängen in unseren Mangobäumen.«

»Weg hier!«, befahl Shanta. »Das nichts für Kinder.«

Jerome drückte sich weiter in der Küche herum.

»Dalli!«, sagte Shanta.

Jerome zog ab.

Zwei Mungo-Männer kamen mit Harold, Keishas Mann, herein. John trat hinzu, lehnte das Gewehr an die Tür und schüttelte Harolds gewaltige schwielige Hand. »Ich wusste gar nicht, dass überhaupt Mungo-Männer hier sind.«

»Einige von uns kamen vor paar Tagen in die Stadt«, sagte der erste Mann. »Haben gearbeitet draußen und in Nähe von Stadt mit Aztecaner, der Mungo. Er uns geholfen aufscheuchen viele Spione und Agenten von Aztecanern, und jetzt er und mehr Leute von uns weg. Wir ihn suchen und kommen in Stadt, vielleicht Leute ihn sehen. Wir sehr in Sorge. Und General Haidan flippt bestimmt aus, wenn hört, dieser Mann ist weg. Finden nur sehr selten aztecanische Mungo-Männer.«

»Haidan? Edward Haidan?« John war vor vielen Jahren zusammen mit einem jungen Mungo-Mann namens Edward Haidan von Brungstun nach Capitol City aufgebrochen.

»Ja.«

»Ist er immer noch in Capitol City?«

»Manchmal. Wir besser verschwinden, stehen hier nur im Weg.«

»Ja. Lasst uns ins Wohnzimmer gehen.« John unterbrach das Gespräch und führte die Männer von dem Verwundeten auf dem Tisch weg. Er hatte in den nördlichen Meeren schon mehr als genug zerfetzte Körper gesehen. Verfaulte Zehen und schwarz angelaufene Finger, die nur noch amputiert werden konnten. Von der Ausrüstung zerquetschte oder von Tauen erdrosselte Leute, die aus der Takelage gestürzt waren. Derartige Schreckensbilder wollte er nicht auch noch in seinem eigenen Haus sehen.

Die vier Männer zogen sich Stühle heran und unterhielten sich im Flüsterton miteinander, nachdem John die Warnung des Fliegers wiederholt hatte.

»Wenn Jagdgesellschaft die Berge runterkommt, wir sie finden. Du sicher, er nicht sagen, wie viele Männer?«

John schüttelte den Kopf. »Er war total verängstigt. Muss eine große Gruppe gewesen sein.«

»Zwanzig Jaguar-Kundschafter können verursachen gewaltig Chaos«, sagte Harold. »Morgen früh beginnt Karneval. Was du meinen, ich kann tun?«

»Kein Risiko eingehen«, riet einer der Mungo-Männer. »Auch wenn nur kleine Gruppe, nehmen alle Streuner und sagen zu Leuten außerhalb von Stadt, müssen kommen zu Karneval. Sollen vorbereiten auf alles, was kann passieren. Wir versuchen, Kontakt mit Mafolie-Pass aufnehmen. Etwas mit Telegraph-Verbindung nicht stimmt.«

»Dies Telegraphen-Ding funktioniert fast nie nicht«, warf Harold ein. »Man oft muss warten einen Tag und dann sehen, ob Nachricht wirklich angekommen.«

Die Mungo-Männer schüttelten die Köpfe. »Wir jetzt gehen, wollen wissen, was da los sein. Und wenn Mafolie-Pass in Ordnung, wir dort fragen nach Männer, die ausschwärmen und kundschaften.«

Harold nickte und wandte sich an John. »Du kommen musst mit uns und bleiben für Karneval.«

»Danke«, sagte John. »Können Shanta und Jerome gleich mit dir mitgehen? Ich komme dann morgen nach, aber vorher möchte ich ein paar Sachen zusammenpacken und dann mitnehmen, nur für den Fall, dass sich der Besuch in der Stadt länger hinziehen sollte.« Er war fest entschlossen, erst wieder in das Haus zurückzukehren, wenn er ganz sicher sein konnte, dass ihnen dort keine Gefahr drohte. Diese Überlegungen, zusammen mit der Erinnerung an die seltsamen Aktivitäten der Aztecaner in der Luft, brachten ihn darauf, dass er eine kleine Absteige für einen längeren Aufenthalt in der Stadt suchen müsse.

»Kein Problem, Mensch.« Harold erhob sich.

Keisha lehnte schon seit einer Weile am Türrahmen. »Idee scheint gut. Ich nicht sicher fühle hier draußen, und meine Schwester auch nicht hierbleiben soll.« Sie holte tief Luft. »Der Mann tot. Schade.«

»Verdammt!«, sagten John und Harold gleichzeitig.

Die Mungo-Männer standen auf und gingen mit aufeinandergepressten Lippen zur Tür. »Wir suchen Männer, die das getan. Sollen dafür bezahlen.«

John räusperte sich. »Wir können ihn hier draußen beerdigen. Mir gehört im Dschungel ein Stück Land. Wenn ihr wollt.«

Die Beisetzung des Mannes wurde zu einer einfachen, tristen Angelegenheit. John und Harold standen daneben, als die beiden Mungo-Männer ein flaches Grab aushoben. Derweil packten Keisha und Shanta im Haus Wäsche zum Wechseln ein.

Einer der Mungo-Männer griff in seine Tasche und holte eine Medaille hervor. Sie glitzerte im Mondlicht, und nachdem er einen spitzen Stab in die Erde gerammt hatte, hängte der Mann die Medaille daran auf.

»Wenigstes, was ein Mann kann tun.«

John und Harold nickten. Die Blätter zitterten und schüttelten sich bedächtig, als sie ins Haus zurückgingen. Die Stiefelabsätze klapperten auf den Stufen.

Shanta war alles andere als erfreut darüber, dass John später nachkommen wollte. Prüfend hob sie einen Wäschesack hoch. »Warum du nicht kommst jetzt mit uns?«

»Es könnte für längere Zeit sein«, erklärte John. »Als wir mit den Frenchies draußen waren, sahen wir Flugschiffe über die Riffe fliegen. Vielleicht werden noch mehr Aztecaner kommen und die Leute in den Städten belästigen. Wir brauchen unsere gesamten wichtigen Sachen.«

»Sei vorsichtig!«, sagte sie. »Bitte ganz vorsichtig. Wenn du hörst ein Geräusch, du dich sofort aufmachst und läufst. Ja?«

John küsste sie auf die Stirn. »Ja, ich werde vorsichtig sein.«

»Ich damals dachte, ich dich verlieren, wenn du in Norden aufbrichst. Bitte, geh nicht wieder weg von mir.«

»Ich werde morgen noch vor dem Mittagessen bei euch sein. Dann können wir den Karneval gemeinsam feiern. Abgemacht?«

Sie umarmten sich. Danach stieg Shanta auf den Pferdewagen und ließ sich hinter Harold und Keisha nieder. Jerome zwängte sich neben sie.

»He, Jerome«, rief John. »Morgen werden wir beide viel Spaß haben. Ich kaufe dir alles zu essen, was du dir wünschst.«

Jerome lachte, obgleich seine Augen etwas verschleiert wirkten. »Du glaubst, mich finden in Karneval?«

»Warum? Hast du etwas Besonderes vor?«

»Ich mit meinen Freunden bummeln«, sagte Jerome. »Und dann guten Platz suchen für Karnevalszug.«

»Ich werde dich schon irgendwo aufstöbern«, meinte John lächelnd.

Harold schaute herüber. John nickte.

»Hüh!« Das Pferd blickte sich zu Harold um, bewegte den Kopf wieder ganz gemächlich nach vorne und nahm schließlich die Straße unter die Hufe. John blieb am Wegesrand stehen und winkte, bis der Wagen hinter einer Kurve verschwunden war.

Die beiden Mungo-Männer erwarteten ihn an der Tür.

»Ich habe zusätzliche Gewehre für euch, und außerdem kann ich euch Essen und Wasser mitgeben.« John lächelte. »Ihr könnt die Gewehre ruhig nehmen«, sagte er und hielt seinen Haken hoch. »Mit dem hier fällt es schwer, schnell und genau zu schießen.«

»Danke, Mann«, sagten sie.

Er versorgte die beiden Mungo-Männer mit Proviant und sah ihnen nach, wie sie im Dschungel untertauchten, ohne sich um die Straße zu kümmern. Dann lief er im Haus umher, suchte die wertvollsten Sachen zusammen und verstaute sie in einem Karren. Er hielt nur einmal inne, als er eine Kette mit Anhänger hochhielt, die er Shanta kurz nach der Hochzeit geschenkt hatte. Lächelnd betrachtete er die ziselierten Gravuren auf dem Jagdfisch, der von der Silberkette herabhing. Und dann waren da auch noch Jeromes Spielzeugschiffe und die illustrierten Bücher, die eingepackt werden mussten.

Vor den Fenstern bogen sich die Bäume unaufhörlich raschelnd im Wind, während er die notwendigste Habe in den Karren lud. Dabei musste er ständig entscheiden, was er zurücklassen sollte, um den Karren am Morgen nach Brungstun ziehen zu können. Als John noch einmal durchs Haus ging und alle Lampen nacheinander löschte, um schließlich den Keller aufzusuchen, verweilte er an der Türschwelle jedes einzelnen Zimmers. Dann lud er die Pistole, die auf dem Boden der großen Truhe lag; das war einfacher, als die klobigen Gewehre mit Munition zu versehen. Er nahm die Waffe in seine gesunde Hand und legte sich zum Schlafen neben der Truhe auf den Boden des Kellergewölbes.

Ein Geräusch ließ ihn hellwach werden. Das Knarren eines einzelnen Schrittes auf der Küchenstufe.

John richtete sich auf, schaute auf die Pistole hinab und rieb sich mit der gesunden Hand den Schlaf aus den Augen.

Die Küchentür ging quietschend auf.

Auf den Zehenspitzen schlich John an seiner Staffelei vorbei über den Steinfußboden des Kellers. Am anderen Ende, der Küche gegenüber liegend, erreichte er das Kellerfenster. Sein Mund war total ausgetrocknet. Langsam öffnete er das Fenster und zog sich mit den Ellenbogen auf die Fensterbank hinauf. Die Arme scheuerten am Beton entlang, Hautfetzen blieben daran hängen. Ohne auf die Schmerzen zu achten, schlängelte er sich weiter bis aufs Gras und zog die Beine nach. Dann schloss er das Fenster.

Drinnen quietschte eine zweite Tür, und John hörte wispernde Stimmen.

Geduckt lief er über den Rasen zur Straße, machte sich so klein wie irgend möglich. Die Büsche zu seiner Rechten raschelten.

»*Ompa. Ompa nopuluca!*«

Mist! John duckte sich und schoss in Richtung der Stimme. Er fummelte an der Waffe herum und presste sie mit dem Haken an die Brust, während er im Laufen versuchte, sie wieder zu laden.

»*Nian*«, brüllte die Stimme.

John schüttelte die Patronenhülse heraus und führte eine

neue in den Lauf. Als er sich umdrehte, traf ihn eine Bleikugel im Gesicht. Ein Netz legte sich ihm um Hände und Füße. Die Sicht verschwamm, und aus der Nase tropfte salziges Blut.

Er stolperte und fiel, die Tränen nahmen ihm jetzt völlig die Sicht. Als er um sich zu schlagen begann, zog sich das Netz nur noch enger um ihn zusammen. Ganz ruhig jetzt, redete er sich selbst zu, während er näher kommende Schritte hörte. Eine Kugel hatte er immer noch im Lauf. Er zwinkerte so lange mit den Augen, bis er wieder sehen konnte. Der erste Mond spendete bereits genügend Licht, um seine Umgebung zu erkennen und zu bemerken, wie ihn drei Aztecaner umzingelten. Jüngere Krieger mit Sandalen und einfachem Lendenschurz, von Kopf bis Fuß bemalt. Sie rissen am Netz und zerrten ihn durch das Gras.

Er richtete die Waffe auf sie, und sie erstarrten. Drei weitere Krieger erschienen und zielten mit ihren Gewehren auf Johns Kopf. Sie wiesen mit dem Kinn auf seine Pistole und stießen mit den Gewehrläufen nach ihm.

John ließ die Pistole sinken. Sie wollten sie ihm wegnehmen, Finger grabschten im Netz herum, von der anderen Seite bekam er einen Tritt in die Rippen.

Jede nur erdenkliche Horrorgeschichte über die Aztecaner schoss ihm durch den Kopf, während sich die Krieger vor Freude halbtot lachten und John im Mondlicht über seinen eigenen Rasen schleiften. Von dem, was sie sagten, verstand er kein einziges Wort.

John zerrte am Netz herum. Damit erreichte er nur, dass sich sein Haken immer weiter im Netz verhedderte, bis er seinen Arm nicht mehr bewegen konnte. Er schrie; die Antwort der Aztecaner war höhnisches Gelächter. Mit der gesunden Hand packte er schließlich das Netz so, dass er sich ein wenig daran hochziehen und einen letzten Blick auf sein Haus werfen konnte. Dann ließ er los und plumpste ins Netz zurück.

Wenigstens sind Shanta und Jerome in Sicherheit, sagte er sich.

Achtes Kapitel

Jerome war sauer, dass er nur ein paar seiner Lieblingsspielzeuge und Kleider auf die Fahrt zum Haus seiner Tante Fixit hatte mitnehmen können. Onkel Harold war ein prima Kerl, er hatte Jerome einen Keks zugesteckt, bevor er in die Stadt geeilt war. Aber Tantchen Fixit hatte darauf bestanden, dass er sofort ins Bett müsste. Allerdings schlief niemand im ganzen Hause, am allerwenigsten Jerome. Die Stimmen der Erwachsenen hielten ihn wach, sodass er nach einigen Stunden leise aufstand und die Küchentür öffnete. Seine Mutter sah müde aus, und Tante Fixits Kleider waren immer noch mit Blut besudelt.

»Kann ich was zu essen kriegen?«, fragte Jerome. »Ich kann nicht schlafen.«

Tante Fixit seufzte. »Klar. Bedien dich.«

Jerome fand etwas Brot und nahm sich ein rotes Samtkissen vom Sofa im Wohnzimmer. Er ging auf die Veranda hinaus, damit die Erwachsenen ohne ihn weiterreden konnten. Er setzte sich auf die Holzbank und betrachtete die Sterne. Die Spindel war heute Nacht nicht zu sehen. Ebenso wenig die Triade, das Kreuz des Ostens und Br'r Hase.

Seine Mutter kam heraus und setzte sich neben ihn. »Alles in Ordnung?«, fragte sie.

»Nie hab ich gesehen Mensch so zerschossen. Macht mich ganz krank.«

»Mich auch.« Sie drückte ihn an sich. »Was tust du, die Sterne gucken?«

»Ich denk immer an eine Geschichte, du mir erzählt. Zehn Spiegel.«

»Oh, zehn Spiegel. Nicht schon viel zu spät für Geschichten?«

»Nein!« Jerome rutschte aufgeregt auf dem Hintern herum und legte seinen Kopf in ihren Schoß.

»Gut, ich erinnere, ich erzählt, aber ich nicht Verantwortung übernehmen, wenn ...«

»Das sagst du jedes Mal«, unterbrach Jerome sie.

»Ich meine, Geschichte verändert sich manchmal beim Erzählen«, sagte Shanta. »Und manchmal die Dinge, die Leute in ihr tun, nicht gut. Es ist, wie es ist. Nicht mehr, nicht weniger. In Ordnung?« Jerome nickte. »Also«, fuhr die Mutter fort, »die Vorväter erkannten, Nanagada zu kalt, um darauf zu leben. So sie bauen gewaltig große Spiegel, genau zehn, dass fliegen in den Himmel und das Eis schmelzen. Das zu der Zeit, als sie heftig kämpften gegen Teotl, aber verloren.«

»Das sein, wo Streuner auftauchen«, sagte Jerome.

»Genau. Meiste Streuner schon tot, als versucht, Teotl aufzuhalten. Deshalb der Streuner Brung nachdenken sehr lange Zeit. Dann er spaltete Himmel mit Explosionen und zerstörte alle Zaubermaschinen, Teotl benutzten, und vernichtete alle Spirallöcher. Aber er tötete auch alle Zaubermaschinen, unsere Vorväter in Nanagada benutzten.

Für lange Zeit Menschen mussten hart kämpfen um Überleben, aber man konnte immer noch sehen zehn Spiegel am Himmel. Doch dann sie nach und nach fielen und verbrannten. Die meisten landeten im Ozean. Aber einmal ein Spiegel kam herunter mitten in Nanagada, in der Nähe von Hope's Loss. Davon blieben große Scherben im Wald, die blinken in der Nacht. Eines Tages kleines Mädchen verirrte sich im Wald ...«

»Hope's Loss?« Jerome reckte den Kopf.

»Osten, in der Mitte von Nanagada, wo Teotl Felsen vom Himmel warf und das Land zerstörte. Leute sagen, Gegend dort noch immer voll Gift, und niemand da leben kann.«

»Oh. Darum Triangel-Linie nicht dort durchgehen und hierher bis Brungstun kommen?«

Jeromes Mutter schaute auf ihn hinab. »Nein«, sagte sie traurig. »Keine Eisenbahnlinie kommt von Capitol City nach Brung-stun wegen Aztecaner. Wenn Aztecaner jemals über Wicked Highs kommen, sie in Capitol City, ehe Leute Zeit haben, um vorzubereiten.«

Das schiere Erwähnen der Aztecaner machte der Geschichte für heute ein Ende. Beide verfielen in tiefes Schweigen, den Blick westwärts in Richtung ihres Hauses gerichtet. Shanta strei-chelte Jeromes Arm und schaute ihm direkt in die Augen. »Dein Vater sah ganze Welt. Erst auf Straße an Küste entlang bis Capi-tol City, dann mit Schiff gesegelt über Nördliche Meere. Er heil und gesund, weil er nur Sachen aus Haus holt.« Sie lächelte.

Jerome nickte. Aber er war sich nicht sicher, wen sie zu beru-higen gedachte: ihn oder sich selbst. »Ich weiß, Mom. Er wohl-auf.«

Er ließ sie auf der Veranda zurück, wo sie die Sterne betrach-tete.

Dad sollte lieber schon vor der Mittagszeit in der Stadt sein. Jerome würde auf ihn warten und dafür sorgen, dass er ihm ein leckeres Essen kaufte. Und vielleicht würde Jerome ihm dann zeigen, von wo aus er sich den Karneval anschauen wollte. Dad liebte den Karneval. Ihm würde der Ort gefallen, den Jerome zum Zusehen ausgesucht hatte.

Neuntes Kapitel

Jemand klopfte an die Tür. Dihana schaute von einem Berg ge-öffnet vor ihr liegender Briefe hoch. Die Haus- und Grund-besitzer der Stadt weigerten sich, den Hunderten Mungo-Män-nern, die Haidan in die Stadt geholt hatte, Unterkunft zu gewähren, wenn Kost und Logis nicht im Voraus bezahlt wür-den.

»Herein.«

Ein Ratsmitglied trat vorsichtig näher. »Frau Minister . . . Prä-sidentin.« Er erstickte fast an den Worten.

Dihana stand auf und reichte ihm ihre tintenbefleckte Hand. »Werter Ratsherr, Ihr Besuch ist eine willkommene Unterbre-chung eines langen Arbeitstages.« Der Mann schaute sie miss-trauisch an. »Ich hoffe«, fuhr Dihana zuckersüß fort, »Sie haben sich mit Ihrer Unterbringung in den Regierungsgebäuden an-freunden können?«

»Sie reden seltsam«, sagte der Mann. »Sie sich lustig machen über mich?«

Dihana schob einige Briefe zur Seite, um auf ihrem Schreib-tisch Platz zu schaffen. Etliche Schreiben landeten auf dem Fuß-boden. Sie wechselte in den üblichen Dialekt, was ihr bei all ihrer aufgestauten Wut keinerlei Mühe bereitete. »Es sehr unan-genehm, als ihr alle davongelaufen wie große Haufen jämmer-liche Feiglinge, nachdem Elijah tot und ich Ministerpräsidentin sein musste. Ich habe viel Mitleid, verstanden? Und ich erinnere mich an Ihren Namen, Ratsherr: Emil. Setzen Sie sich.«

Emil nahm Platz. »Sie nicht stark genug, um uns zu schützen. Elijah nicht einmal konnte sich selbst schützen, wie wollen Sie besser machen? Wir viel zu wichtig, um rauszukommen, nur um

Ihnen zu helfen.« Er faltete die Hände und biss sich auf die Lippen. »Wir hier seit Anbeginn. Wir auch noch hier, wenn Sie schon lange tot.«

Dihana knirschte mit den Zähnen. Die Ratsmitglieder waren Hunderte Jahre alt, genau wie ihr Vater es gewesen war. Sie hätten mit ihr zusammenarbeiten sollen. Mit ihrem Wissen aus der alten Zeit hätte sie große Dinge vollbringen können.

Vielleicht war es ja immer noch möglich.

»Sie glauben, weil Nana in Ihrem Blut, Sie überleben«, sagte Dihana. Emil starrte sie verblüfft an. Ja, Dihana wusste, was die Ratsmitglieder nahezu unsterblich machte. Elijah hatte versucht, ihr Nana zu erläutern, doch die junge Dihana hatte sich verletzt und verwirrt gezeigt, als er ihr bedeutete, sie selbst besitze es nicht. »Warum nicht?«, hatte Dihana gefragt. »Warum kannst du nicht auch mir Nana geben?«

Elijah hatte steif und kerzengerade hinter dem Schreibtisch in seinem Dienstzimmer gesessen. »Ich wünschte, ich könnte es«, hatte er gesagt. »Die Loa behaupten, sie seien dazu in der Lage, aber ich glaube nicht, dass sie Recht haben. Obgleich sie mir versichern, dass ...«

Später war ihr aufgegangen, wie schmerzlich für ihn ein Leben in der Gewissheit sein musste, sie einmal sterben zu sehen.

»Dann sollten *wir* es doch machen, sollten versuchen, Nana herzustellen. Wie es die Vorväter taten«, hatte sie gesagt.

Daraufhin hatten Elijahs Augen gefährlich zu funkeln begonnen. »Nein. Wir können es nicht.«

Und dabei war es geblieben. Die ganze Zeit. Bis er gestorben war. Ein Schuss mitten ins Herz von einem aztecanischen Attentäter.

»Nana reichte nicht aus, um ihn zu schützen«, sagte Dihana. Sie bediente sich wieder der gepflegten Sprache. »Eine gegen ihn gerichtete Kugel war wie eine Kugel für jeden gewöhnlichen Sterblichen.«

Emil rutschte unruhig auf seinem Sitz herum, vielleicht wurde er sich seiner eigenen Sterblichkeit bewusst. »Wir wissen.«

Dihana hörte auf, den Brieföffner von einer Hand in die andere wandern zu lassen. Sie richtete die silberne Spitze auf Emil. »Warum sind Sie weggelaufen? Mit all dem Ihnen zur Verfügung stehenden Wissen? Sie hätten helfen können.«

Emil schlug die Beine übereinander. »Sie bringen elektrisches Licht nach hier. Richtig? Sie und die Konservatoren wissen, wie es funktioniert. Aber meinen Sie, Leute in Stadt, die es nutzen, wissen das auch? Die nur wissen, wie einschalten und ausschalten oder wie auswechseln kaputte Glühbirne.«

Dihana verstand. »Emil, Sie sind ein Ignorant. Als die Wunder noch alle zur Verfügung standen, bedienten auch Sie sich ihrer, ohne sie jemals ergründet zu haben. Und als sie dann verschwunden waren, wussten Sie nicht, wie Sie sie zurückholen sollten.« Dihana sah das jetzt alles mit den Augen einer Erwachsenen. Ihr Vater hatte sich von den Versprechungen der Loa und deren Technologie blenden und ihnen seine volle Unterstützung zuteil werden lassen. »Wissen Sie oder ein anderer von euch Ratsmitgliedern überhaupt irgendetwas Nützliches?«, fragte sie.

»Natürlich.« Emil richtete sich beleidigt auf.

Dihana faltete einen der geöffneten Briefe, um ihre Finger zu beschäftigen. »Was denn?«

»Geschichte, wahre Begebenheiten, Erklärungen, Deutungen. Wir uns erinnern an Dinge, die wirklich geschahen, nicht an Legenden«, sagte Emil wichtigtuerisch.

»In Ordnung«, meinte Dihana zufrieden. Die Falle war gestellt. Sie legte das Papier beiseite. »Reden Sie mit den Konservatoren. Sie können sich hier mit ihnen treffen. Erzählen Sie ihnen alles, was sie an Wissen und Erinnerungen in sich tragen. Und ich werde dann deren Aufzeichnungen lesen.«

Emil nickte. Doch er erhob sich noch nicht.

»Wir haben eine Bitte«, sagte er. »Wir vermissen einen Mann.

Er mit Frenchies unterwegs. Wir wünschen Mungo-Männer ihn zurückbringen.«

»Warum?« Und warum benötigten sie Mungo-Männer, um ihn zu holen? Versuchten die Ratsmitglieder, sie zu nötigen? Sie unterdrückte den Impuls, ihnen ihre Bitte automatisch abzuschlagen.

»Er nicht Ratsherr«, sagte Emil, »aber er kennt uns alle. Wenn Aztecaner ihn nehmen gefangen, sie wissen, wer wir alle sind.«

Sie verheimlichten etwas. Sie wollte die Hand ausstrecken, mit einer Ohrfeige den überlegenen Gesichtsausdruck von Emils Gesicht wischen und herausbekommen, was man ihr vorenthielt. »Wie viele Mungo-Männer?«

»Fünfzig.«

Fünfzig Mungo-Männer für einen Mann? »Ich werde es mir überlegen.« Dihana zerknüllte das Papier in ihrer Hand zu einer kleinen Kugel. Jetzt galt es nur noch, das Geheimnis herauszukitzeln. »Aber ...«

Die Tür ging auf. Kein Klopfen, doch Haidans Silhouette zeichnete sich im Licht des Gangs ab. Dihana verkniff sich die ärgerliche Bemerkung, sie wolle nicht gestört werden. Haidan schlug die Tür mit dem Stiefelabsatz hinter sich zu. Er stützte sich auf die Rückenlehne von Emils Stuhl.

»He ...«, protestierte Emil. »Dies eine wichtige Unterredung!«

»Jetzt nicht mehr.« Die Adern an Haidans Unterarmen traten hervor. »Mafolie-Pass von Aztecanern besetzt! Einige Mungo-Männer aus den Wicked Highs mit Kurierluftschiff nach Anandale geflogen. Sie sagen, das Ganze richtige Invasion. Brungstun und Joginstead von Telegraphenverbindung abgeschnitten. Die Aztecaner kommen, Dihana! Eine ganze Armee!«

»Mein Gott!«, flüsterte Emil. »Mein Gott!«

Für einen kurzen Moment empfand Dihana Mitleid mit Emil. Die Aztecaner könnten womöglich diesen wichtigen Mann in Brungstun gefangen nehmen, um den sich die Ratsmitglieder

so sehr sorgten. Jetzt waren sie wirklich auf ihren Schutz angewiesen. An jedem anderen Tag hätte dies ein zufriedenes
Lächeln bei ihr hervorgerufen. Doch in dieser Situation ver-
zichtete sie darauf. »In Ordnung. Was nun?« Sie fühlte sich wie
betäubt. Das hier war mehr als eine Krise, sie wollte sich den
Schock nicht anmerken lassen, dachte jedoch: Aztecaner überqueren die Berge. Aztecaner rücken auf die Stadt zu. Aztecaner!

Haidans Locken fielen von seinen Schultern nach vorne.
»Ich alle Mungo-Männer zurück nach Capitol City hole. Wir
müssen mehr rekrutieren. Die Loa, die Ratsmitglieder, Sie,
meine Unterführer, der Chef von Tolteca-Town und einige andere, wir uns müssen treffen. So schnell wie möglich!«

»Mit den Loa zusammensetzen? Nach dem letzten Konflikt?« Emil stand auf. »Wir uns weigern. Wir nicht verrückt!« Er
suchte nach dem Türgriff und schmetterte die Tür hinter sich
ins Schloss.

Dihana schüttelte den Kopf. Sie durchlebte einen dreihundert Jahre alten Albtraum. *Die Aztecaner konnten sich frei in Nanagada bewegen.* Nicht nur Spione, Agenten und Gruppen von
Kundschaftern, sondern ganze Horden. Der Gedanke fraß sich
wie bittere Säure in ihre Gedärme. Einhunderttausend Menschen waren jetzt schutzlos in der Stadt. Und wie viel mehr in
den Städten entlang der Küstenstraßen, bevor die Aztecaner
Capitol City erreichen würden? Nach Joginstead käme Brewer's
Village, dann Anandale, und danach ...

»Ich mein Hauptquartier in der Stadt aufgeschlagen«,
berichtete Haidan. »In Haus, wo ich gewohnt damals. Wo soll
ich Mungo-Männer unterbringen?«

»Vorläufig sollen sie ihr Lager vor dem Regierungsgebäude
aufschlagen, während ich versuchen werde, Unterkünfte für sie
zu finden«, murmelte Dihana. Was bedeutete diese Frage schon
im Vergleich zu der Tatsache, dass sie aller Wahrscheinlichkeit
nach würde mit ansehen müssen, wie die Aztecaner ihr Lager

vor den Stadtmauern errichteten. »Wie lange wird es dauern, bis die Aztecaner hier sind?«

»Keine Ahnung.« Haidan sah müde aus. Er hatte Tränensäcke unter den Augen. »Fünf oder sechs Wochen. Vielleicht mehr, vielleicht weniger. Hängt davon ab, was sie mitschleppen an Proviant; wenn überhaupt. Wie lange sie sich aufhalten in jeder Stadt. Und wie gut es uns gelingt, sie aufzuhalten. Aber wenn erreichen Hartford und können nehmen Triangel-Linie, es geht sehr schnell.«

»Wir brauchen Klarheit.« Dihana fasste neuen Mut. Sie empfand es wie einen freien Fall, aber in ihrem Kopf. »Im Hafen liegt ein neues Dampfschiff der Konservatoren, das kurz vor der Vollendung steht. Es war für eine neuerliche Expedition ins Eis der Nordmeere gedacht, aber Sie könnten es für Erkundungsfahrten entlang der Küste einsetzen.« Das war nicht gerade viel.

»Vielleicht nützlich«, sagte Haidan. »Wir brauchen alles und jeden. Ratsmitglieder, Geschäftsleute, Fischer, Streuner, Loa; wir alle müssen gemeinsam planen. Wir müssen einig sein, wie verbreiten diese Information. Wir müssen bleiben ruhig und uns organisieren, bevor Nachricht bekannt wird.«

Dihana seufzte. »Sie haben Recht. Doch obwohl ich es hasse, einer Meinung mit Emil zu sein, möchte ich die Loa in keinerlei Diskussion eingebunden wissen.«

Haidan ließ die Rückenlehne des Stuhls los. »Wenn ihr alle Loa nicht ausnutzen könnt, wie Loa euch ausgenutzt haben«, brachte er mühsam hervor, »dann Sie können warten, bis Aztecaner kommen und Ihnen auf Opferstein auf Marktplatz das Herz herausreißen.« Er zog sich zurück. »Sie mir sagen, wann Treffen stattfinden, ja? Oder ich nehme all meine Männer und verziehe mich tief in Busch. Dann ich Mungo, der Aztecaner wie Schlange angreift, weil diese Stadt einziger Ort, wo wir ganz sicher Flut aufhalten können.«

Die Tür knallte hinter ihm zu.

»Haidan!« Er war wütend. Vielleicht auch ein wenig verängstigt. Und das machte Dihana noch mehr Angst. Sie fegte sämtliche Briefe vom Schreibtisch. Dieser ganze Mist war jetzt unwichtig.

Die Aztecaner waren im Anmarsch.

Zehntes Kapitel

Im unteren Teil von Brungstuns Hauptstraße zog eines der wenigen Dampfautos der Stadt einen großen in Streifen aus vielfarbigem Stoff verkleideten Festwagen. Auf dem Wagen saßen Männer und trommelten auf Eisenfässern; ihre Musik hallte von den Wänden der Häuser und Warenspeicher, an denen sie vorüberzogen, wider. Pferde zogen weitere Festwagen, und kostümierte Tänzer folgten.

In den Holzbuden entlang des Bürgersteigs gab es Frikadellen zu kaufen. Und Hähnchen vom Grill. Und Kuchen. Und belegte Brötchen. Jerome hätte am liebsten alles gekauft: Buschtee, Maubi, Malz . . . Die Liste nahm kein Ende.

Jub-Jub tänzelte, ganz in Schwarz geschminkt, die Straße hinunter und forderte Geld von der Menge. Auf der anderen Seite des Festzugs entdeckte Jerome Mokojumbos auf ihren hohen Stelzen. Einer von ihnen hielt sich an einem Balkon fest, um sich von seinem wilden Tanz die Straße hinunter zu erholen und mit einigen Frauen zu schäkern, die sich den Umzug anschauten.

Zu dumm, dass der Vater noch nicht hier war, um das alles zu genießen. Die Mutter hatte gesagt, er würde spätestens am Vormittag auftauchen, um zumindest einen Teil der Festlichkeiten mitzubekommen.

Jerome kaufte einen braunen Beutel Tamarindkugeln und stopfte sich gleich eine in den Mund. Der süße Zuckerüberzug schmolz. Er spitzte den Mund, als er den sauren Teil lutschte, und lief weiter. Eine Frau in einem Pfauenkostüm tanzte an ihm vorüber, mit steifen Federn, die ihr aus dem Rücken zu wachsen schienen. Die Federn wirbelten durcheinander, als sie über das

Kopfsteinpflaster hüpfte. Sie entfernte sich in Richtung Hafen zu den Preisrichtern.

Jerome hatte nicht vor, dem Umzug zum Hafen zu folgen. Er hatte ein festes Ziel vor Augen: das große vierstöckige Warenhaus Happer's. Vom obersten Stockwerk konnten er und seine Freunde die ganze Stadt überblicken.

Ein Stück Frikadelle traf sein Hemd und hinterließ braune Flecken. Jerome streifte die Fleischreste ab und schaute hoch. »Warum du immer mich aussuchen?«

»Weil leichtes Ziel, Mann. Ganz leicht.« Swaggas vergnügtes Gesicht schaute über den Dachrand von Happer's auf ihn hinab. Er sah stolz aus. Jerome hob einen schönen ovalen Kieselstein vom Straßenrand auf und verstaute ihn in der Tasche. Das war für den Moment, in dem Swagga mit nichts Bösem rechnen würde.

Happer's besaß an der Nebenstraße eine eiserne Feuerleiter. Jerome langte nach der ersten Sprosse und zog sich vorsichtig hoch. Er achtete darauf, dass sich die Sprossen nicht aus der Betonwand lösten, und kletterte bis zur Dachspitze hinauf.

»Endlich.« Swagga reichte ihm die Hand und zog ihn über die Brüstung. Jerome schaute sich um. Andere Freunde, Schmitti aus seiner Klasse und Daseki aus der Nachbarschaft, saßen auf einem Tischtuch. Sie hatten Schinken-Käse-Sandwiches und einen Krug mit Limonade vor sich.

»Das Kleid von deiner Mutter?«, fragte Jerome Schmitti.

»Das sein Bumbaklumpen«, brüllte Swagga. Alle schrien vor Lachen. Keiner konnte bösartiger hänseln als Swagga.

»Limonade?«, fragte Daseki.

»Ja.« Jerome ging zu ihm. Der blanke Beton des Daches hatte sich bereits aufgeheizt. Doch die Aussicht von hier oben entschädigte für den fehlenden Schatten. Daseki schenkte Jerome ein Glas Limonade ein. Dieser nippte daran und lief zur anderen Seite des Daches, um sich den Karnevalsumzug anzuschauen.

»Ihr nicht glauben, was ich diese Nacht alles erlebt.«

»Was?«

Jerome hielt das Glas zwischen beiden Händen und erzählte den anderen von dem Mungo-Mann, der in ihrer Küche gestorben war, und dass er hatte laufen müssen, um Tante Fixit zu holen. Als er damit fertig war, erschien ihm die Limonade plötzlich viel zu süß. Er schaute auf den Grund des Glases: lauter Zuckerstücke!

»Mann«, sagte Daseki, »dir immer passieren coole Sachen. Dein Vater hat Haken, deine Mutter kocht gut, und letzte Nacht jemand fällt in deinen Garten.«

»Der Postmeister erzählte meinem Vater, bevor wir gingen segeln, der Telegraph nicht funktioniert. Darum wir nicht warnen konnten alle Leute in Joginstead vor aztecanische Kundschafter hier in Gegend. Und dass alle Menschen müssen bleiben in Stadt«, endete Jerome.

»Ja«, sagte Schmitti. »Wir heute übernachten bei meinem Vetter.«

Sie stellten Schätzungen an, wie viele Aztecaner sich im näheren Umkreis aufhalten mochten. Es erschien unheimlich. Unwirklich. Doch die Erwachsenen schienen davon überzeugt zu sein, dass sich die Bedrohung in Grenzen hielt. Sie hatten gesagt, lediglich kleinere Gruppen von Kundschaftern würden es über die Wicked Highs schaffen. Und wenn jeder in der Stadt bliebe, würden sie von den Mungo-Männern und Streunern vor der Stadt und im Busch beschützt.

Der Karneval nahm weiter seinen Lauf. In der Ferne konkurrierten vier oder fünf verschiedene Bands mit lautem Getöse auf ihren Stahltrommeln miteinander. Der überwiegende Teil des Zuges war bereits vorbeigekommen und befand sich auf dem letzten Abschnitt hinunter zum Hafenviertel, wo man an den Preisrichtern in ihren Holzbuden vorüberzog.

Schmitti hielt einen Lederbeutel hoch. »Du Lust auf Murmel spielen?« In der vergangenen Woche hatte Schmitti Jerome die schönste Murmel abgenommen. »Ich dich schonen.«

Daseki schnaubte verächtlich. »Du nicht darauf hereinfallen, er zu gut.«

Jerome bemerkte eine Rauchsäule, die aus dem Wald außerhalb von Brungstun aufstieg. Da wird jemand freie Fläche für einen neuen Bauernhof schaffen, dachte er. Es war die Jahreszeit dafür. So würde es sein. Er setzte sich hin, um seine zweitschönste Murmel zu verlieren.

»Swagga, du auch mitspielen?«, fragte Daseki.

Jerome nahm den Kieselstein aus der Tasche. Mit voller Wucht warf er ihn gegen die Wand am Rand des Daches. Swagga machte eine Satz in die Höhe, und alle lachten.

»Das ist für die Frikadelle, die du auf mein Hemd geschmissen«, sagte Jerome. »Und du hast noch verdammt Glück, ich nicht auf dich gezielt. Du jetzt spielen kommen?«

Swagga schüttelte den Kopf. »Nein. Du herkommen und das hier anschauen, Mensch.«

Daseki schaute genau hin, und alle anderen gingen zum Dachrand.

Swagga deutete nach unten. Jeromes Blick folgte dem Finger. Der Mann, den Swagga meinte, lief von Süden her über die Hilty Street nach Brungstun hinein. Er trug einen langen Mantel. Schulterlange Rastalocken quollen unter einem schwarzen Zylinder hervor.

»Ihr ihn schon einmal vorher gesehen?«, fragte Daseki. »Der sieht wirklich gefährlich aus.«

»Nein«, entgegnete Swagga. »Sieht eher aus wie Frenchie.«

Der Mann hatte leicht braungetönte Haut. Nicht so hell wie die Frenchies, doch zweifelsohne heller als jeder einzelne Einwohner von Brungstun. Jerome fühlte sich durch die Hautfarbe an seinen Vater erinnert.

»Ich mit euch wetten, er aus Gegend um Capitol City«, sagte Schmitti.

»Und warum dann von Süden her über Hilty Street?«, fragte Swagga.

Schmitti saugte hörbar an seinen Zähnen.

»Mann, rede keinen Quatsch«, sagte Swagga. »Der Mann nicht von hier nicht. Er betrachtet Häuser, als ob völlig neu hier.«

Der Mann blickte an Happer's zu ihnen hoch, und wie der geölte Blitz warfen sie sich alle gleichzeitig auf den Boden. Dasekis Augen weiteten sich. »Ihr glaubt, er uns gesehen?« Niemand durfte wissen, dass sie hier waren. Ihre Mütter würden ein Heidenspektakel veranstalten.

»Keine Ahnung«, sagte Jerome. »Hoffentlich nicht.« Der Mann mit dem Zylinder und dem Mantel machte ihn nervös. Er schaute sich um. Die schwere Holztür zur Treppe, die zu Happer's hinabführte, war von innen durch Schrauben fest verschlossen, damit Einbrecher keine Chance haben sollten. Und diese Maßnahme erfüllte ihren Zweck. Der einzige Weg hinauf oder hinunter führte über die Feuerleiter.

»Einer muss runterschauen!«, befahl Swagga. Jerome wurde allmählich böse. Swagga war zwar ein guter Freund, aber manchmal ...

Swagga seufzte. »Ihr alle Schlappschwänze!« Er zog sich an der Brüstung hoch, linste einmal kurz nach unten und ließ sich wieder fallen. »Er über Leiter heraufkommen!«

»Böse Falle! Er unseren Eltern sagen, wir hier oben, und dann wir alle in den Hintern gekniffen!« Schmitti begann zu zittern. Sein Vater war bekannt für seine Prügelfähigkeiten. Swagga nahm den Beutel mit den Murmeln und hielt ihn Jerome hin.

»Du bester Werfer«, sagte Swagga. »Vielleicht wenn du ihn hart triffst, er wieder runter und sagt anderen Leuten, hier oben jemand. Dann er nicht rauf und uns nicht sieht. Bis dahin wir können verduften.«

»Ja«, sagte Jerome zögernd.

Daseki nickte und flüsterte: »Du ihn knallen richtig vor Kopf, Jerome!«

Jerome atmete kräftig durch und sprang dann auf. Er lehnte

sich über die Brüstung. Die Hutkrempe des Mannes befand sich vielleicht drei Meter unter ihm. Jerome beugte sich vor und warf den Lederbeutel so kräftig er konnte.

Der Kopf des Mannes schnellte hoch, und fast gleichzeitig fing der Fremde den Beutel mit der linken Hand auf. Jerome schaute auf graue Augen hinab. Die Murmeln machten ein knirschendes Geräusch.

»Oh, verdammt!«, sagte Jerome und sprang von der kleinen Mauer zurück. »Er uns sicher töten!«

Etwas Kaltes in den Augen des Mannes vertrieb seine Sorgen darüber, dass seine Eltern von seinem Ausflug erfahren könnten. Stattdessen wünschte er, er wäre irgendwo anders, nur nicht auf dem Dach von Happer's.

Schmitti begann zu jammern. »Swagga, was wir machen?«

Swagga wich ebenfalls von der Mauer zurück. »Müssen uns verteilen. Vielleicht er nur einen von uns erwischen, und andere drei können Leiter runterklettern.«

Jeromes Herz pochte. Er hörte jedes Geräusch: das Knirschen seiner Lederschuhe, als er über ein paar Kieselsteine lief; Schmittis leises Schluchzen; Dasekis keuchenden Atem. Ein Windstoß wirbelte Staub in die Luft, sodass er blinzeln musste.

Und als wäre es nichts, sprang der Mann über die Mauer. Sein Mantel umwehte ihn, senkte sich jedoch schnell. Den Beutel mit Murmeln warf er Jerome vor die Füße und nahm seinen Hut ab.

»Hallo«, begrüßte er Jerome, »ich glaube, du hast etwas verloren.«

Dem Tonfall nach zu urteilen kam er aus dem Norden. Er sprach und klang – Jerome stellte diesen Vergleich schon wieder an – fast wie sein Vater. Außerdem hatte auch er ein verwittertes Gesicht. Er sah alt aus, nur sein Körper wirkte jung. Seine Muskeln waren selbst unter dem Mantel noch sichtbar. Wenn er einen Arm bewegte, trat sein Bizeps unter dem dicken Soff des Ärmels hervor.

»Wer sind Sie?«, fragte Swagga. »Sie der Baron?«

Jerome schluckte, doch Swagga hatte Recht. Dieser Mann war vornehm gekleidet, wie der Baron Samedi, der personifizierte Tod. Zylinderhut und Mantel.

»Der Baron?« Der Mann runzelte die Stirn. »Samedi?« Er schnaubte verächtlich. »Das ist gut, aber ich stamme aus keiner Legende.« Jetzt lachte er die vier Jungen an. »Nennt mich Pepper.« Er trat ein paar Schritte vor; seine Stiefel klickten auf dem Beton. »Die Aussicht von hier oben ist hervorragend. Sie gefällt mir.«

Jerome nickte. Er saß in der Falle. Daseki und Schmitti rannten in Peppers Rücken zur Brüstung und kletterten die Leiter hinab. Pepper schaute den flüchtenden Jungen über die Schulter nach und drehte sich dann wieder um.

»Ich werde euch nichts tun«, sagte er zu Jerome und Swagga. »Dies ist einfach nur der beste Aussichtspunkt der ganzen Stadt. Aber da ihr beiden nun schon mal hier seid, könnt ihr mir vielleicht helfen. Ich suche John deBrun. Ich weiß, dass er keinen Karneval auslassen kann. Ich habe mich wochenlang durch den Dschungel geschlagen, um noch vor dem Karneval hier zu sein. Kennt einer von euch John deBrun?«

Sein Dad! Jerome warf Swagga einen schnellen Blick zu. Klappe halten, bedeutete er ihm wortlos. Und ein einziges Mal in seinem ganzen Leben hielt dieser vermaledeite Swagga den Mund. Noch immer starrte er Pepper mit weit aufgerissenen Augen an.

»Warum?«, fragte Jerome.

»Wir sind alte Freunde aus lange zurückliegender Zeit«, sagte Pepper.

Ja, na gut, dachte Jerome. Und der Vater war ja sowieso noch nicht in der Stadt. Vielleicht konnte Onkel Harold sich diesen Pepper vorknöpfen und dahinterkommen, ob der wirklich ein Freund war.

»Ich kann Sie mitnehmen zu Mann, der ihn kennen«, sagte Jerome.

»Das wäre sehr freundlich«, sagte Pepper. »Schau, ich bin gerade erst nach einer langen, langen Reise angekommen. Viel Zeit habe ich damit verbracht, in ganz Nanagada alte Freunde zu suchen. Und wenn John deBrun hier ist, würde ich ihn gerne wiedersehen.« Das Ganze klang unglaublich falsch.

Pepper holte ein Ding aus der Manteltasche, das aussah wie ein Fernglas in einer rauen Gummiummantelung, und schaute nach Osten in Richtung der Wicked Highs.

»Ist es üblich, dass da hinten so viele Flugschiffe in der Luft herumschwirren?«, fragte er. Fünf langgestreckte und vorne spitz zulaufende Flugschiffe glitten über den Berghängen durch die Luft.

Jerome schüttelte den Kopf. »Ich noch nie fünf zusammen gesehen.«

Pepper setzte das seltsame Fernglas ab. »Merkwürdig«, murmelte er. Dann schaute er Jerome an. »Lass uns jetzt zu dem Mann gehen, der John kennt.« Er gab ihm ein Zeichen, dass er vorausgehen solle.

Als Jerome Pepper die Gregerie Straße hinab zum Hafen und zu Onkel Harold führte, pirschte sich Swagga dicht an ihn heran und flüsterte: »Glaubst du, er wirklich Freund von deinem Vater?«

»Keine Ahnung.«

Der Lärm der Stahltrommeln schwoll ständig an, und die wenigen Menschen, die hier abseits der großen Menge in der Hauptstraße einen Platz gesucht hatten, hüpften zumindest im Rhythmus auf und ab, wenn sie nicht wie die Verrückten tanzten.

Jerome bog nach links ab und machte einen Umweg von fast einem Kilometer in östlicher Richtung, um das schlimmste Getümmel zu vermeiden. Hier draußen war keine Menschenseele zu sehen. Die Musik wurde immer gedämpfter. Jerome verließ sich darauf, dass sie auf diesem Weg das Hafengebiet weiter unten schneller erreichen und dort in Höhe der Preisrichterstände herauskommen könnten.

Ein Schrei war unten in der Straße zu hören.

»Du das gehört?«, fragte Swagga.

»Ja«, antwortete Jerome.

»Mensch, das klingen wie Jumbo.« Swagga drehte sich suchend um. »Ich diesen Weg zurück.« Er rannte in Richtung der Menschenmassen davon.

»Er hat ganz Recht.« Pepper sog schnüffelnd die Luft ein wie ein Hund.

Jerome ging weiter geradeaus. »Da vorne an Ecke wir abbiegen, dann direkt zu Hafen.« Er führte sie in einen kleinen Weg, und Pepper überholte ihn. Am oberen Ende der Straße erkannte Jerome bereits den Hafen und ein grünes Fischerboot, das draußen an seinem Anker zerrte. Jetzt brauchten sie nur eine Ecke zu umrunden und am Kai entlang auf die Menschenmenge zuzuhalten.

»Komm, Junge, schnell!« Pepper schaute sich am Kai nach allen Seiten um.

Jerome bog nach ihm um die Ecke. Entfernte Gesänge und das nahe Plätschern der Wellen gegen die Ufermauer füllten die Luft. Jerome musste sich beeilen, um mit Pepper Schritt zu halten. Fast wäre er in ihn hineingelaufen, als Pepper plötzlich wie angewurzelt stehen blieb und in das dunkle Innere von Harry's Bar schaute. Drinnen war es sicher leer. Kein Wunder, denn zum Zentrum des Hafens war es noch weit. Das Schild mit der Aufschrift DER BESTE SORGENBRECHER DER STADT quietschte im Wind. Es hing an zwei kurzen Stangen vom Holzdach herab, das den Tischen auf dem Bürgersteig Schatten spendete.

»*Tlacateccatl*«, flüsterte Pepper. Jerome schielte hinüber. Und sah es.

Drinnen stand ein aztecanischer Krieger. Er trug einen glänzenden Umhang, der ihm bis zur Taille reichte. In sein Haar waren Federn geflochten wie bei einer von Jeromes Tanten. Lederbänder schmückten seine Arme. Von der Keule in seiner linken Hand rann Blut. Sie war mit mehreren schwarzen Metallschneiden versehen.

Der Krieger schaute hoch, grinste mit seinen vollen, schwarz angemalten Lippen und versuchte das große Gewehr vom Rücken zu nehmen. Peppers Linke verschwand unter dem Mantel. Mit einer Pistole, nicht viel größer als seine Hand, kam sie wieder zum Vorschein.

Es knallte, doch längst nicht so laut, wie Jerome erwartet hatte. Der aztecanische Krieger taumelte mit einem blutigen Loch in der Brust in die Bar zurück. Pepper folgte ihm mit der Pistole in der Hand. Er gab noch drei weitere Schüsse ab, schaute auf den Mann am Boden hinab und kam wieder auf die Straße.

Das lange Gewehr des Aztecaners trug er bei sich.

»Komm«, sagte Pepper. »Du musst mich dem Mann vorstellen, der John deBrun finden kann. Hier scheint es Probleme mit den Aztecanern zu geben. Wir dürfen keine Zeit vergeuden.«

Jerome zitterte. »Onkel Harold sagt, Streuner und Mungo-Männer an allen Seiten von Stadt und aufpassen. Er sagt, nur Kundschafter-Truppe unterwegs. Wie der Krieger hier reinkommen?«

Er hätte jetzt tot sein können. Genau hier. Und er hatte gerade mit eigenen Augen gesehen, wie Pepper diesen Aztecaner ohne mit der Wimper zu zucken umgelegt hatte. Erneut versuchte Jerome herauszufinden, was für eine Sorte Mensch dieser Pepper war.

Er musste ein Krieger sein.

Und sollte er ihm die Wahrheit über seinen Vater sagen?

»Ich bin Jaguar-Kundschaftern begegnet, die von hier kamen«, sagte Pepper. »Allmählich erfahre ich mehr über diese Aztecaner, als mir lieb ist. Dieser Krieger hier war ein *Tlacateccatl*. Er befehligte viele Krieger. Kein guter Kommandeur, dafür war er seinen Leuten zu weit voraus, selbst wenn es sich um Kundschafter handelt. Ein unbedarfter Krieger. Wahrscheinlich zu begeistert davon, dass sich ihm vor dem großen Angriff ein paar Gefangene boten. Wie auch immer, nachdem ich ihn gesehen habe, bin ich der Meinung, dass eine ganze Armee dabei ist, sich in diese Stadt hineinzuschleichen.«

Jerome musste laufen, um mit Pepper Schritt halten zu können.

»Sicher haben sie, kurz nachdem ich hier angekommen bin, die Stadtgrenze erreicht«, fuhr Pepper fort. Jerome hielt sich so nahe wie irgend möglich bei Pepper. In diesem Moment hatte er mehr Angst als heute Nacht, als er in die Dunkelheit hinausgemusst und der Wind seine Haut zum Prickeln gebracht hatte. Augenblicklich schien ihm der Platz an Peppers Seite der sicherste Ort zu sein.

Wie mochte es Dad ergangen sein, nachdem er alleine im Haus geblieben war?

Alles um sie herum, die Schatten, die die freundlich bemalten Häuser warfen, die Rinnsteine, die gesichtslosen Fenster, alles erschien ihm bedrohlich. Es zerstörte die beruhigenden Gefühle, die Jerome mit Brungstun verband. Und obgleich Pepper ihm das Leben gerettet hatte, fürchtete er ihn immer noch. Jetzt sogar noch mehr, denn Peppers Gesicht hatte wirklich nicht die geringste Regung gezeigt, als er den Aztecaner erschoss.

Das Hafengebiet breitete sich vor ihnen aus, unheilverkündend und gefährlich.

Elftes Kapitel

Nachts hatten die Aztecaner John tief in den Busch geschleppt, bis sie eine Lichtung mit einem großen schwarzen Stein in der Mitte erreicht hatten. Bei den Eindringlingen konnte es sich mitnichten nur um eine kleine Kundschafter-Truppe handeln. John entdeckte genügend Aztecaner, um sich vorstellen zu können, dass im Dschungel um Brungstun herum Hunderte von aztecanischen Kriegern ihr Unwesen trieben.

Drei schlafende Männer lagen gefesselt neben einem Mangobaum auf der Erde. An ihrer Kleidung klebte überall Blut und Schmutz, doch John identifizierte sie als Mungo-Männer.

John wurde an einen Baum gepresst, seine Wange scheuerte sich an der Rinde wund. Ein paar kräftige Tritte gegen die Knie und in den Magen ließen ihn zu Boden gehen, und der aztecanische Kundschafter an seiner Seite band ihm Füße und Hände zusammen. Dann schleifte er ihn zum Mangobaum. Ein Krieger versetzte ihm einen Keulenhieb an den Kopf, und um ihn herum wurde es Nacht.

Der Schädel brummte John immer noch, als er am späten Morgen aufwachte.

Er schlängelte sich mit dem Rücken am Baum empor und schaute zu den erwachten Mungo-Männern hinüber.

»Wie heißt ihr?«, flüsterte er.

Sie blieben stumm.

»Mein Name ist John deBrun. Ich komme aus Brungstun. Wer seid ihr?«

Der Mann neben ihm mit dem schlimm zugerichteten Gesicht blickte scheinbar teilnahmslos in die Ferne. »Besser wir kennen uns nicht. Du mir glauben.«

»Wir *müssen* versuchen, irgendwie frei zu kommen«, sagte John. »Niemand konnte mit derart vielen Aztecanern rechnen. Wir müssen Brungstun unbedingt warnen, dass hier so viele sind.«

»Schnauze halten, Mensch! Klappe!«, zischte der zweite Mungo-Mann. »Wir hier nicht wegkommen, und du es nicht leichter machen.«

Johns Oberschenkel verkrampften sich unter ihm. »Was meinst du damit?«

Der Mann neben ihm, der als Erster gesprochen hatte, bewegte sich. »Du besser machen Frieden mit dir. Wir bald sterben.«

Ein leises Schluchzen, ein Husten, und wieder breitete sich Stille aus.

Frieden mit sich? Wie das? Er erinnerte sich nicht, was ihn eigentlich am meisten ausmachte. Er hatte sich niedergelassen, eine Familie gegründet und war glücklich geworden. Doch jetzt, als ein Gewehrlauf auf ihn gerichtet wurde, fühlte er sich kraftlos, elend und der Situation nicht mehr gewachsen.

Frustriert.

Seine ohnmächtige Wut machte ihn nervös. Verbittert, weil ihm nur noch ein paar Stunden zu leben blieben, konnte er sich noch immer nicht an ein einziges Detail jener Zeit erinnern, bevor er an den Strand von Brungstun gespült worden war.

Nicht ein einziges Detail.

Die Männer neben ihm besaßen zumindest ein vollständiges Leben, das sie mit einem Gefühl der Reue oder des Bedauerns verlieren konnten. Er hingegen würde ins Gras beißen, ohne auch nur zu wissen, wer er eigentlich war. Und wie egoistisch war es von ihm, so schalt er sich, dass diese Frustration fast genauso an ihm nagte wie die Unfähigkeit, davonzulaufen und an der Seite seiner Frau und seines Sohnes zu sein.

Die Aztecaner sprangen umher und riefen durcheinander. Die Männer, die John nachts festgenommen hatten, stellten sich um den Baum, zeigten auf die vier Gefangenen und kamen offenbar zu einer Entscheidung. Sie durchtrennten die Stricke und ließen zwei Mungo-Männer aufstehen. John schämte sich, dass er sich erleichtert fühlte.

Als die beiden Männer davonstolperten, wandte sich John an den Mann neben ihm, den einzigen, der mit ihm gesprochen hatte. »Bitte«, sagte er leise, »nenn mir deinen Namen.«

Der Mann schloss die Augen. »Alex.«

»Wie viele werden sie nehmen?«

Alex zuckte die Achseln. »Unterschiedlich.«

Die beiden Männer wurden um die Äste des Baums herum zum schwarzen Stein in der Mitte der Lichtung geschleppt. John konnte sie nicht mehr sehen. Minutenlang hörte man in der Stille nichts außer dem Flattern und Krächzen einiger Buschvögel.

Dann setzte das Schreien ein. Es erstarb nach einem hohen Jammerlaut, einem erstickten Stöhnen und unter den lustvollen Rufen auf Aztecanisch.

Eine Minute später begann der zweite Mann zu schreien.

Als die Tortur endete, saßen John und Alex mit dem Rücken am Mangobaum, ängstlich darauf bedacht, dem anderen nicht in die Augen blicken zu müssen. Sie schwiegen und warteten darauf, dass die Aztecaner sie holen kämen.

Zwölftes Kapitel

Es dauerte eine Ewigkeit, bis sie sich am Kai entlang der Menschenmenge näherten. Um Brungstuns Spitze drängten sich die Lagerhäuser und Geschäfte. Hinter diesen, sich den steilen Küstenhang langsam hochschiebend, ragten die Wohnviertel der Stadt mit ihren Häusern in fröhlichen Farben empor. Den Glanzpunkt setzten die gelbgrauen Straßen, die sich in den hellgrünen Busch und Dschungel fraßen. Bei jedem plötzlichen Geräusch machte Jerome vor Schreck einen Satz.

Sie erreichten die ersten Karnevalsbesucher: ein Pärchen, das sich in einem Hauseingang küsste; einen Mann, der an einem Stand Früchte feilbot, aus denen bereits der Saft herauslief und die teilweise nur noch aus schwarzen Flecken bestanden; fünf Fischer, die hier umherirrten und sich über ihre Boote unterhielten.

Jerome verlangsamte den Schritt. »Wir müssen sie warnen«, sagte er zu Pepper. Er schrie: »Die Aztecaner kommen! Aztecaner im Anmarsch!«

Niemand beachtete sie, als sie tiefer in die Menschenmasse vordrangen. Je mehr Leute um sie herum waren, desto lauter übertönten die Rufe und Gesänge der tanzenden Karnevalisten Jeromes Stimme. Gewaltsam schubsten sie sich den Weg zu den großen Holztribünen zwischen der Bank und der Post frei.

Jerome konnte Onkel Harold an den geschützten Richtertischen nirgends entdecken. Die Hälfte der Preisrichter war schon gegangen. War das darauf zurückzuführen, dass die meisten Preisrichter zu den Brungstuner Streunern zählten und untersuchten, was es mit den Schüssen auf sich hatte?

Ein neuer Schrei der Begeisterung legte sich über das wilde

Karnevalstreiben. Jerome wühlte sich mithilfe seiner Ellbogen zurück zur Straße. Jetzt hatte er Pepper verloren, stattdessen kam ihm die Frau im Pfauenkostüm entgegen, die vorhin so stolz die Straße hinuntergetänzelt war. Hinter ihr wirbelte eine Frauengruppe in Vogelkostümen Stäbe mit Papierschlangen durch die Luft.

In den Nebenstraßen ertönten Schüsse.

Die Menschen erstarrten. Die Stahltrommeln blieben stumm, als drei Frauen im Papageienkostüm am Ende der Straße kehrtmachten. Fünfzehn Männer mit Bambusmasken, blauen Federn und dickem Brustschutz aus Baumwolle kamen auf sie zu.

»Aztecaner!«, brüllte Jerome in die Stille hinein.

Die maskierten Männer holten Keulen und Netze hervor. Der erste erreichte eine der Frauen im Papageienkostüm und schlug sie nieder. Die nächsten beiden hinter ihm warfen ein Netz über sie und schleiften sie zu anderen Aztecanern, die die Straße betraten. Jerome wirbelte herum. Aztecanische Krieger tauchten zwischen den Häusern an den entfernteren Enden der Stadt auf. Das Hafengebiet war an beiden Seiten blockiert. In den Seitenstraßen wimmelte es von Aztecanern. Ganz Brungstun war umzingelt, die Einwohner wurden ans Wasser gedrängt, als sich ein Strom Hunderter Aztecaner in die Straße ergoss. Sie umringten die Menschen an den Rändern der Menge, schlugen sie mit ihren Keulen nieder und schleiften sie in Netzen davon. Sie verrichteten ihre Arbeit mit ruhiger, geübter Präzision und hinderten jeden daran, ihnen zu entkommen. Die Leute schrien, Babys und Kleinkinder heulten, während sich alle gegenseitig wegzustoßen versuchten. Die Luft roch säuerlich.

Vielleicht hundert Meter von Jerome entfernt stürzten sich zwei Bauern mit ihren Macheten auf einen Aztecaner und sanken von Kugeln getroffen zu Boden. Blut rann über das Kopfsteinpflaster. Ein brennender Mokojumbo rannte hinunter zum Kai. Er schwankte auf seinen Stelzen und fiel zu Boden. Er stand nicht wieder auf.

Die Menge wogte hin und her, als mehrere Tausend Menschen versuchten, den Waffen und Netzen der Aztecaner zu entkommen. Jerome hatte seine liebe Mühe, sich auf den Beinen zu halten.

Eine Hand ergriff Jerome am Kragen. Er schrie.

»Still!« Pepper schnappte sich Jerome, klemmte ihn sich unter den Arm und begann, sich durch die Menschenmasse hindurchzukämpfen. Jeromes Füße wurden ständig eingequetscht, und Pepper hielt einmal kurz an, um mit seiner nahezu lautlos arbeitenden Pistole einen vereinzelten Aztecaner zu erschießen, der sich zu weit in die Menge vorgewagt hatte. Als er fiel, grabschte er nach den Knöcheln der Umstehenden. Die Leute traten ihn und trampelten auf ihm herum.

Pepper rannte an den Docks vorbei in Richtung des Dampfschiffs. Jerome verdrehte den Kopf. »Nehmen Segelboot«, schrie er und zeigte auf die *Lucita*. »Das Dampfschiff braucht zu viel Zeit, bis warm.«

Pepper ließ ihn auf den Kai sinken, und Jerome musste erst einmal die Balance wiederfinden. Ein Splitter bohrte sich in seine Ferse, doch er nahm kaum Notiz davon, als er in das Boot seines Vaters sprang.

Der Mast schwankte ein wenig.

»Mr. Pepper«, rief Jerome, »was wir machen mit meiner Mutter?«

Pepper warf die hintere Fangleine in die Plicht. Das Ende der Leine streifte Jeromes Wange. Pepper rannte am Kai entlang und schnappte sich mit beiden Händen die mittlere Leine und den Knoten. Er riss mit aller Kraft daran, und die Klampen sprangen mit einem metallischen Knall auf.

»Pepper! Ich sie finden muss!« Jeromes Hände zitterten. Er griff nach dem Mast. »Sie weg mit den Aztecanern. Was die machen mit Mutter?«

Pepper stieß das Boot vom Kai ab und sprang hinein, sodass das Heck wegsackte. Jerome musste sich am Mast festhalten.

Einige andere aus der Menge stürzten sich in die Boote. Ein ganzer Haufen hatte das Dampfschiff geentert, und eine dünne Rauchfahne wehte über dem Dampfkessel.

Jerome lief zum Heck der *Lucita* und klammerte sich an die hölzerne Lippe des Dollbords. Pepper fand die Ruder, legte sie ein und begann zu rudern. Mit jedem kräftigen Zug entfernten sie sich weiter vom Kai.

»Tu, was du nicht lassen kannst«, sagte Pepper schließlich. »Jetzt wäre der richtige Moment, wenn du springen willst.«

Die Ruder berührten mit einem Klatschen zum letzten Mal das Wasser, danach rannen Tropfen herab, als er sie senkrecht in die Luft hielt. Schließlich ließ er sie wieder ins Wasser sinken.

»Ich hab Angst.« Jerome saß auf der Rückbank, er war dem Heulen nahe, sein Magen rumorte. Seine Augen brannten.

»Lass die Pinne ins Wasser, und steuere das Boot«, sagte Pepper.

Jerome drehte sich um und löste das Tau vom ovalen Steuerruder. Es klatschte ins Wasser.

Mehrere Aztecaner in dicker Baumwollkleidung standen in einer Linie am Ufer und schossen mit Gewehren auf sie. Pepper hörte auf zu rudern. Seine Pistole klickte ein paar Mal, und drei Aztecaner fielen, einen warf es ins Wasser. Andere liefen mit wehenden Federn um ihr Leben.

»Weißt du, wie man das Segel hisst?«, fragte Pepper.

»Ja.«

»Dann mach es.«

Jerome ackerte wie ein Wilder, um das Segel vom Baum loszubinden, während er gleichzeitig Pepper nicht behindern durfte. Und Pepper riss, gegen den Wind ankämpfend, wie verrückt an den Rudern. Stücke des Segels hingen über die Bordkante hinaus, ein Teil trieb im Wasser.

Dad hätte ihn wütend angeschrien.

Jerome weinte leise vor sich hin, wischte sich mit dem Ärmel die Tränen aus den Augen und zog das Segel so weit und so straff nach oben, wie er konnte, während der Wind an ihm zerrte. Der Baum schwang mit einem Knall herum. Als Jerome ihn festband, holte Pepper die Ruder ein und nahm die Ruderpinne mit der Großschot in die Hand. Er zog sie dichter heran, sodass Baum und Segel näher zum Boot standen.

Die *Lucita* legte sich auf die Seite und nahm Fahrt auf. Pepper, immer noch ruhig und gefasst, steuerte sie vom Ufer weg.

Die Sonne brannte auf sie nieder. Während der letzten zwanzig Minuten hatte Pepper kein Wort von sich gegeben; er lehnte mit dem Rücken an der Plicht, steuerte mit einem Bein gegen den Wind, verbarg einen Arm im Mantel und ließ den anderen im Wasser baumeln. Eigentlich segelten sie ziellos, fuhren jeweils drei Schenkel eines Dreiecks wieder und wieder um einen imaginären Punkt im Ozean herum.

Von Zeit zu Zeit holte Pepper sein Fernglas hervor und richtete es auf Brungstun.

An einer Stelle kamen sie dem seichten Wasser des Severun-Riffs gefährlich nahe, doch ohne dass er eine Warnung benötigt hätte, riss Pepper das Steuer mit einem Ruck herum. Der Baum schlug gewaltig zur anderen Seite, als der Wind das Segel erfasste. Pepper musste sich im Hafen gut auskennen.

Ein dunkles Gespenst in seinem Inneren ließ Jerome noch mehr Tränen vergießen. Er hatte seine Mutter in Brungstun dem Tode überlassen und seinen Vater der Gefangennahme in ihrem Haus. Er hatte Menschen sterben sehen! Erschossen. Von den Aztecanern zur Strecke gebracht. Er schauderte. Das Bild, wie das Blut im Gully der Kanalisation versickerte, als handle es sich um Abwasser, dieses Bild, das spürte er, würde er sein ganzes Leben lang niemals abschütteln können.

Er konnte nichts unternehmen. Noch nie hatte er sich so hilflos gefühlt wie jetzt.

»Wie Sie das machen?«, fragte Jerome Pepper.

»Was?« Pepper blinzelte mit seinen grauen Augen und schaute sich um.

»So ruhig bleiben.«

»Keinen blassen Dunst«, murmelte Pepper. »Sonst könnte ich nur herumlaufen und schreien.« Er suchte den Horizont ab. »Sieht nicht so aus, als hätte es außer uns noch jemand geschafft, den Hafen zu verlassen.«

Das war es, worauf sie gewartet hatten.

Pepper wechselte den Platz und veränderte mit der Ruderpinne die Richtung. Der schlanke Bug der *Lucita* nahm Kurs auf das Frenchie-Riff.

»Woher kommen Sie?«, fragte Jerome. »Aus Nähe von Capitol City?«

Pepper schüttelte den Kopf. »Weiter.«

»Wie viel weiter?«

»Was habt ihr in der Schule gelernt, woher wir alle gekommen sind?«

In der Schule? In der Schule erzählten sie einem die gleichen Geschichten wie seine Mutter.

»Wir durch Loch in Spirale kamen, hoch in Himmel«, sagte Jerome. »Sie durch Loch in Spirale gekommen?«

Pepper nickte. »Wir kamen von unterschiedlichen Orten. Einige ließen sich im Orbit nieder. Andere zogen den Norden vor. Viele Leute aus der Karibik kamen hier nach Nanagada, weil sie die angenehme äquatoriale Sonne und Frieden suchten. Wir waren nur ein kleiner Haufen aus Flüchtlingslagern und einigen Dörfern mit Flussfischern. Wir hofften, uns in dieser abgelegenen Ecke verkriechen zu können und in Ruhe gelassen zu werden.« Pepper streckte sich, und die Bank unter ihm bog sich leicht durch. Er schaute ins Wasser hinab, dann fuhr er fort: »Nur wenige auf der Erde wussten, dass wir hier sind. Teufel auch, manche Leute im Orbit wussten noch nicht einmal von all den Inselbewohnern entlang der Küste und den Menschen im Dschungel.

Das waren noch bessere Zeiten«, seufzte er. »Bevor das Spiralloch zerstört wurde.«

Pepper sprach, als habe er all diese Zeiten selbst erlebt.

»Leute sagen, Vorväter die Zeiten nicht überlebt, genau wie Maschinen«, sagte Jerome. »Wie Sie hierher?«

»Die Leute lügen«, antwortete Pepper. »Diejenigen unter uns, die sich gut geschützt hatten und wussten, was geschehen würde, die überlebten, während der Impuls, die Atombombe und die gentechnisch hergestellten Krankheiten alle anderen vernichteten. Einige wenige schafften es: Ein paar Teotl, Loa und andere wie ich. Viele schotteten sich in undurchdringlichen Fluchthülsen ab. Allerdings, dreihundert Jahre Gleiten im Weltraum, das ist kein Zuckerschlecken.« Er schnaubte. »Das Ergebnis kannst du hier sehen. Fast ausschließlich Planeten-Insulaner überlebten.«

»Und die Aztecaner.«

»Ja, die auch. Als ich aufbrach, waren die Aztecaner religiöse Fanatiker, die die Teotl anbeteten. Diese begannen damit, sie auszubilden und als billige und grausame Truppen zu benutzen. Die Teotl verstehen es, unsere Schwächen gegen uns selbst einzusetzen.« Pepper schüttelte den Kopf. »Ich hoffe, ihr alle zusammen habt die Mittel, sie aus den Bergen zu vertreiben.«

Endlich drehte sich das Gespräch wieder um Dinge, mit denen Jerome etwas anfangen konnte.

»Meiste Mungo-Männer oben an Mafolie-Pass oder zurück bei Capitol City«, sagte er. Das wusste jeder. Die Truppen waren über die Berge und Landgebiete verstreut worden.

Pepper lehnte sich über den Bootsrand und spritzte sich Salzwasser ins Gesicht.

»Was wir jetzt tun?«, fragte Jerome. »Auf Frenchie-Inseln verstecken?«

»Nein. Ich setze dich dort ab. Ich selbst brauche etwas Zeit zum Nachdenken. Dann muss ich mit der Suche nach John beginnen.«

Jerome musste schlucken. Pepper hatte ihm das Leben gerettet, und er schien in Ordnung zu sein. »Mr. Pepper.« Pepper hob eine Augenbraue. »Ich Sie anflunkern. Ich weiß, wo John deBrun.«

»Du machtest auch den Eindruck, als wolltest du mir etwas verheimlichen.«

»Er . . .« Jeromes Stimme bebte. »Er mein Vater, Sie verstehen? Er in Haus, außerhalb von Stadt, letzte Nacht.« Jerome schaute in das brackige Wasser hinab, das auf den Planken zu seinen Füßen herumschwappte.

Pepper schlug mit der Faust auf seine Sitzbank. »Das kompliziert die Dinge.«

»Bitte . . . Entschuldigung.«

Pepper lehnte sich vor und blickte Jerome direkt in die Augen. »Ich hätte nie von John gedacht, dass er einmal sesshaft werden würde.«

Jerome wich dem Blick der grauen Augen aus. Vielleicht sollte er Pepper von dem Gedächtnisverlust seines Vaters erzählen. Dad und die Mutter hatten sich zwar bemüht, es ihm gegenüber zu verheimlichen, doch er hatte es aufgeschnappt, als sie sich flüsternd darüber unterhielten und glaubten, er höre nicht zu. Und dann die Art und Weise, wie die Mutter manchmal die Bilder von Dad betrachtete. Als jagten sie ihr einen Schrecken ein.

Doch das war eine private Angelegenheit. Jerome war der Meinung, das sollten sein Dad und Pepper untereinander klären, wenn sie sich einmal träfen.

Falls sein Dad noch leben sollte.

Pepper band die Ruderpinne fest. »Erzähl mir, wie dein Vater aussieht. Beschreibe ihn mir. Ich habe ihn ewig lange nicht mehr gesehen.«

Jerome kämpfte mit sich. Dad war eben Dad. Doch dann tat er sein Bestes und erzählte Pepper von seiner Mutter, seinem Vater, seiner Familie und dem Flugschiff, das in den Bäumen hinter ihrem Haus gelandet war. Als er mit seinem Bericht fertig war und auch die Sache mit dem Haken am Armstumpf seines Vaters erwähnt hatte, konzentrierte sich Pepper wieder voll auf das Segeln. Jerome fühlte sich erleichtert. Er wollte vorne im Bug sitzen und sich vorstellen, er säße ganz alleine im Boot.

Die Frenchies standen schon bereit, als der Bug der *Lucita* sich in den Sand bohrte. Troy kam sofort zu ihnen. »Etwas nicht in Ordnung?«, fragte er. »Ms. Smith sagt, sie sah Rauch über Brungstun, als zum Fischen draußen auf Meer.«

Pepper sprang ins Wasser, seine Mantelschöße schwammen an der Oberfläche. »Die Aztecaner haben Brungstun angegriffen. Wenn mich nicht alles täuscht, marschieren sie jetzt entlang der Küste in Richtung Capitol City.«

Troy hatte hinter seinem Rücken ein Gewehr verborgen. Er holte es hervor und zielte auf Pepper. »Ich kenne Jerome. Aber Sie nicht.«

Pepper hob die Hände. »Immer mit der Ruhe. Ich bleibe nicht. Ich setze hier nur das Kind ab.«

Jerome war stocksauer. Als Kind wollte er schon lange nicht mehr bezeichnet werden.

Pepper trat zurück. »Jerome, spring raus!«

Jerome hüpfte in den Sand, und Troy legte ihm einen Arm um die Schulter. »Du in Ordnung?«

Jerome nickte.

»Ich mache mich wieder auf«, erklärte Pepper. »Ich muss noch ein paar Dinge erledigen. Aber ich könnte ein paar Lebensmittel gebrauchen. Wenn es geht, gesalzen.«

Einer der Männer hinter Troy fragte: »Sie gehen zurück kämpfen gegen Aztecaner?«

Pepper nickte. Dann runzelte er die Stirn. »Sie kommen mir bekannt vor«, sagte er zu Troy.

Troy ignorierte ihn. »Ihr gebt ihm so viel Salzfisch und Zitteraal, wie er nötig. Und etwas Kuchen.« Er ließ das Gewehr sinken. »Der Mann sein knallhart«, sagte er zu Jerome. »Ein Killer. Besser wir helfen ihm schnell verschwinden.«

Mit diesen Worten drehte er sich um und ging zurück in seinen Laden.

Jerome stand unsicher am Strand herum. Seine Füße versanken im Sand, als eine plötzliche Welle heranschwappte und sie umspülte.

Troy und einer seiner Vettern packten mehrere Leinensäcke für Pepper und verstauten sie im vorderen Teil der *Lucita*. Pepper schärfte den Frenchies ein, sie sollten sich einen Ort überlegen, zu dem sie schnell flüchten könnten, oder sie sollten sich eine Form der Verteidigung ausdenken, falls die Aztecaner kommen sollten.

»Wir haben Riff, dahinter wir uns verstecken können. Mit Sand und Palmen. Wir haben Boot, laufen dahin.«

»So könnt ihr euch vielleicht einen oder zwei Monate halten, wenn ihr euch gut vorbereitet habt«, sagte Pepper. »Was dann?«

Sie lächelten. »Das lange genug, um zu sehen, was wird. Noch länger, und ganz Nanagada sowieso hinüber.«

»Auch wahr.« Pepper nickte.

Jerome beobachtete, wie alle miteinander nickten. Ihn ergriff tiefe Verzweiflung. Er wollte Troy und den anderen sagen, dass es die ganze Mühe nicht wert sei. Die Aztecaner würden sie sowieso alle erwischen, und sie könnten nichts unternehmen, um das zu verhindern. Sie könnten sich lediglich hinstellen und kämpfen, dachte er. Sie irgendwie übel zusammenschlagen. Aber weglaufen wäre zwecklos.

Er schaute auf das Wasser hinaus und ballte die Faust. Er fühlte sich in jeder Hinsicht absolut unvorbereitet auf die völlig veränderte Welt, in der er sich plötzlich wiederfand.

Pepper wartete, bis die Sonne hinter den weiter entfernten Riffen und Wellenbrechern unterzugehen begann, bevor er zum Aufbruch bereit schien. Er ging am Strand entlang zu der Stelle, wo Jerome alleine unter einer Palme saß.

»Sie jetzt fahren?«, fragte Jerome.

»Ja.«

»Ich mitfahren mit Ihnen.«

»Um dann was zu tun? Über welche Kenntnisse oder Fähigkeiten, von denen ich profitieren könnte, verfügst du? Ich weiß bereits alles Wichtige, und ich habe das Boot. Es ist meine Aufgabe, deinen Vater aufzutreiben, wenn er noch am Leben ist.«

Jerome schlug seinen Kopf gegen die raue Rinde des Baums. »Was kann ich tun?«, schrie er. »Was?«

»Du könntest mir von Folgendem berichten.« Pepper kam Jerome bedrohlich nahe, seine Locken schlenkerten wie Schlangen vor seinen Augen. »Hat John irgendwann einmal mit dir über den *Ma Wi Jung* gesprochen?«

Jerome schüttelte den Kopf. »Das mir nichts sagen.«

Pepper fasste ihn an der Schulter und hob ihn hoch. Er stieß ihn gegen den Baum, heftig genug, um Jerome wehzutun, als sein Rückgrat an der rauen Rinde entlangscheuerte.

»Schau mich genau an«, zischte Pepper, »und dann sagst du mir, ob dein Vater dir jemals etwas über den *Ma Wi Jung* erzählt hat.«

Jerome wand sich, durch die plötzliche Gewalt völlig verängstigt. Er hegte keinerlei Zweifel, dass dieser Pepper imstande war, ihm das Rückgrat am Baum zu zerschmettern und ihn hier sterbend liegen zu lassen.

»Ich schwören!« Jerome wimmerte, eine Träne rollte an seiner Wange hinab.

»Keine Koordinaten? Keine geheimen Reime, die seinen Ort angeben und von denen du geschworen hast, sie niemandem zu verraten?«

»Nein! Nie!« Jerome schluchzte, voller Angst um sein Leben,

voll unbändiger Angst vor Pepper. Innerhalb einer Nacht war seine Welt total aus den Fugen geraten. Was ihm früher als sicher erschienen war, erwies sich nun als gefährlich. Und Leute, denen er vertraut hatte, zeigten plötzlich ihre hässliche Seite.

Pepper ließ Jerome in den Sand fallen. »Tut mir leid. Wenn ich deinen Vater sehe, werde ich ihm berichten, dass du lebst. Und du erzählst Troy, dass ich sämtliche Boote in Nanagada versenken werde; das erschwert es den Aztecanern, hierherzukommen.«

Das war es.

Pepper trug wieder jene ruhige Miene zur Schau, an die sich Jerome erinnerte. Als er den Aztecaner erschoss. Jerome schaute Pepper nach, wie er mit rauschendem Mantel den Strand zurück zur *Lucita* lief. Pepper stieß das Boot vom Ufer ab, hisste das Segel und blickte sich kein einziges Mal um.

Jerome saß an der Palme und sah zu, wie das Segel in Richtung der Küste von Nanagada immer kleiner wurde. Dort schlängelte sich eine lange schwarze Rauchsäule, die nur an ihrer Sohle orange gefärbt war, über Brungstun empor. Irgendwo dahinten am Fuße dieses Feuers waren jetzt Schmitti, Swagga und Daseki alleine mit den Aztecanern. Zusammen mit seiner Mutter würden sie sterben, oder von den Aztecanern übel zugerichtet, oder . . . er wollte es gar nicht wissen.

Jerome konnte seinen Blick nicht abwenden. Er rührte sich nicht, bis Troy mit einer Wolldecke kam, ihn aufhob und zu einer der Strandhütten trug.

Dreizehntes Kapitel

John stand auf und legte seine Handgelenke an den Mangobaum, um sich aufrecht halten zu können. Seine Beinmuskulatur war total verkrampft. Der Aztecaner, der den Strick um Johns Hals hielt, ruckte zur Warnung daran. John warf ihm einen wütenden Blick zu. Der Aztecaner brüllte und kam ein paar Schritte näher, sodass das Seil jetzt schlaff zwischen ihnen hing.

»Was?«, fauchte John.

Er bekam einen harten Schlag mitten ins Gesicht. John spuckte Blut, seine Oberlippe schwoll an und pochte. Er starrte seinem Peiniger direkt in die Augen. Der Aztecaner lachte und deutete mit dem Kopf auf einen Punkt hinter dem Baum. Sieben aztecanische Krieger standen dort und warteten. Eine Hand voll anderer Soldaten bewachten die Ränder der Lichtung und ergötzten sich an der Szene. In der Nähe stieg der Rauch eines Lagerfeuers zu den Bäumen auf. Trieben sich hier etwa noch mehrere Hundert weitere Aztecaner in der Gegend herum?

»*Ompa.*«

John schaute in Richtung des schwarzen Steins. Die beiden Leichen von heute Morgen lagen daneben.

»Wir tot«, sagte Alex, der seitlich von ihm stand. »Wir tot.«

Auf dem Stein zeichnete sich eine Schicht getrockneten schwarzen Blutes ab.

»Töten sie *jeden*?«, stammelte John, als er zusammen mit Alex weggezerrt wurde.

»Nicht jeden,«, sagte Alex. Die Männer wichen den heruntergefallenen Ästen und Zweigen aus, während sie sich dem Opferstein näherten. »Gesunde Leute zuerst. Frauen und Kinder sie aufsparen für später. Manche sie auch machen zu Sklaven.«

Der Aztecaner neben dem Stein setzte seine Maske ab. Etliche zusätzliche Federn schaukelten in seinem ungeflochtenen verklumpten Haar, als er vortrat und ein langes schwarzes Messer zückte. Es glänzte in der späten Nachmittagssonne.

Die Krieger, die John umringten, zogen sich ehrfürchtig zurück.

»Priester für Krieger«, flüsterte Alex.

Der Priester trat noch weiter vor. Er packte Alex am Schopf und stach ihm mit dem Messer aus Obsidian ins linke Ohrläppchen. Blut lief an Alex' Hals herab. Er versuchte sich loszureißen und schlug nach dem Priester, doch die Krieger traten hinzu und prügelten so lange auf ihn ein, bis er seinen Widerstand aufgab.

Ich kann mir das nicht mehr länger mit ansehen, dachte John.

Er holte tief Luft und rannte davon. Doch er kam nicht weit, die Schlinge um seinen Hals drohte ihn zu ersticken. Die Aztecaner ergriffen ihn und schlugen ihn mit Fäusten zu Boden. Sie taten es systematisch und seelenruhig, von alters her an dergleichen bei jenen gewöhnt, die geopfert werden sollten.

Nach Luft schnappend und mit schmerzenden Gliedern beobachtete John im Liegen, wie Alex die Hände losgebunden wurden. Vier Krieger traten vor und stießen Alex auf die Erde. Sie ergriffen ihn an Händen und Füßen, hoben ihn hoch und legten ihn auf den Stein. Dann gingen sie in die Hocke und zerrten so lange an Alex' Händen und Füßen, bis er sich nicht mehr bewegte. Dabei achteten sie darauf, dass der Priester genügend Platz hatte.

»*Nopuluca*«, gluckste einer.

Der Priester stellte sich mit gespreizten Beinen über Alex, schaute in die Sonne hinauf und trieb das Messer tief zwischen die Rippen des auf dem Rücken liegenden Mannes. Alex schrie. Er brüllte seinen Schmerz heraus, während der Priester Knochen zerbrach und herausriss, und die tierischen Laute brachen nicht eher ab, als bis der Priester befriedigt grunzte. Danach hörte man nur noch Schluchzen und dann ein letztes Winseln. Der Priester richtete sich auf und hielt Alex' bluttriefendes Herz der Sonne entgegen.

Die Lichtung erzitterte unter den Begeisterungsschreien der Aztecaner, als der Priester Alex' schlaffen Körper vom Stein schubste und zwei Krieger in Johns Haare griffen. Dieser spürte, wie an seinen Handgelenken gezerrt wurde und man ihn losband. Doch bevor er sich bewegen konnte, hielten vier Krieger seine Hand, den Haken und die Beine wie in einem Schraubstock fest. Dann rissen sie ihn vom Boden hoch, gingen ein paar Schritte und ließen ihn wieder fallen. Johns Rücken knallte auf den Opferstein.

Er war warm.

John schaute zu den flauschigen Wolken empor, die Sonne stand irgendwo rechts von ihm. Dies also war der letzte Anblick, der ihm vergönnt war. Sein verzweifeltes Reißen und Zerren vermochte gegen die stahlharten Hände, die ihn auf den Stein pressten, nichts auszurichten. Er war gefangen. Hilflos. In Erwartung des Messers.

Als sich der Priester über ihn beugte, bekämpfte er sein Verlangen, die Augen zu schließen. Er versuchte, den Priester aus der Fassung zu bringen, indem er ihn unentwegt anstarrte. Ein letzter verzweifelter Akt des Widerstands und des Ringens um Selbstachtung.

In der Ferne rief jemand.

Es zischte. Der Priester drehte sich um und sank in sich zusammen, durchbohrt von einem über einen Meter langen Speer. Die Krieger standen wie angewurzelt da, verblüfft und ungläubig stierend.

Sie ließen John los und kümmerten sich um den Priester. Nur einer blickte auf und hielt Ausschau, woher der Speer gekommen sein mochte. Der Schock stand ihm noch ins Gesicht geschrieben.

Lass diese allerletzte Gelegenheit nicht ungenutzt vorüberstreichen, sagte sich John.

Er richtete sich auf und rammte dem ersten Aztecaner den Haken in den Bauch. Die Spitze bohrte sich in die dicke Baumwolle, erfasste nach einem weiteren Stoß die Haut, dann gab es einen Knall. Der Krieger schluckte und blickte entsetzt an sich herunter.

John riss den Haken mit einem Ruck heraus, um dem Mann den Bauch aufzuschlitzen.

Die fadenziehenden Gedärme des Kriegers glitschten auf die Erde. John rollte vom Opferstein herunter, um sich das Gewehr des sterbenden Feindes zu schnappen.

Ein weiterer Speer zischte durch die Luft. Der zweite Aztecaner sank getroffen zu Boden. John erwischte mit seinem blutigen Haken den Gewehrlauf und feuerte blindlings auf den einzigen Aztecaner an dieser Seite des Steins.

Da er nicht genau wusste, wie die Gewehre der Aztecaner neu geladen werden mussten, warf er die Waffe weg und angelte sich das Schießeisen des vom Speer getroffenen Kriegers.

Mit einem wilden Kriegsruf sprang ein Aztecaner über den Stein. John schoss ihm ein faustgroßes Loch in die Brust, dann drehte er sich um und rannte. Er hörte einen Schrei und ein dumpfes Aufschlagen. Zweifellos ein weiterer Speer. John rannte um sein Leben.

Er schmeckte den Schweiß. Seine Augen brannten, doch er hielt seinen Sprint in vollem Tempo und immer wieder Haken schlagend durch, bis ihm dornige Äste ins Gesicht schlugen und er über eine Baumwurzel stolperte. Sein rechtes Knie pochte, als er wieder aufstand. Mittlerweile tat ihm alles weh, und eine Schürfwunde an der Schulter musste von einem Streifschuss herrühren.

Aber er lebte!

Wenn es nicht den sicheren Tod bedeutet hätte, hätte er vor freudiger Erregung laut geschrien. Doch die Aztecaner, die ihn auf der Lichtung aus einiger Entfernung bewacht hatten, würden seine Fährte aufnehmen oder ihre Kameraden zu Hilfe rufen.

John humpelte durch den Busch und drang dabei immer tiefer in ihn ein. Nach einer guten halben Stunde ließ er es etwas langsamer angehen und legte schließlich an einem Baum eine Pause ein. Er benutzte ein großes Blatt, um das Blut von seinem Haken zu wischen. Dann nahm er den Haken, um den Strick von seinem Hals zu lösen. Erleichtert warf er das Tau auf die Erde.

»Du hast Glück, noch am Leben zu sein«, sagte eine Stimme.

John sprang auf.

»Ganz ruhig!« Der Mann stand mit einem auf den Boden gerichteten Speer direkt hinter John. Seinen hohen Backenknochen und der hellbraunen Haut nach zu urteilen handelte es sich ohne jeden Zweifel um einen Aztecaner. Die Haare waren nach vorne gekämmt und endeten in einem fein säuberlich geschnittenen Pony.

Dennoch trug er das Grau der Mungo-Männer, selbst die zur Tarnung aufgeklebten Zweige fehlten nicht.

»Mein Name ist Oaxyctl.« *O-asch-ke-tul* sprach er es aus. Er schaute auf Johns Haken, dann wieder hoch.

»Du hast den Speer geworfen?«, fragte John mit einem Blick auf die mit Widerhaken versehene Speerspitze. Den Arm mit dem Haken hielt er in halber Höhe, jederzeit bereit, den Speer im Notfall mit einem Schlag beiseitezustoßen.

Oaxyctl nickte.

»Wer bist du?«, fragte John mit wachen Sinnen. Sorglosigkeit bedeutete den Tod. Dann dämmerte es ihm. »Die Mungo-Männer erzählten gestern in meinem Haus, sie seien auf der Suche nach dir.«

»Sagten sie auch warum?«

»Sie machten sich Sorgen. Du würdest zusammen mit einigen Mungo-Männern vermisst.«

»Ja. Wir wurden angegriffen. Ich schaffte es. Die anderen nicht. Ich arbeite für die Mungo-Männer. Ich spioniere manchmal für sie und unterrichte sie, damit sie sich besser in die Aztecaner hineinversetzen können.« Oaxyctl blickte an John vorbei in Richtung der Lichtung. »Du hast dich dahinten clever verhalten. Die kommen total durcheinander, wenn man zuerst den Priester umlegt. Aber ihre Kundschafter werden hier in Kürze auftauchen. Wenn wir unser Leben retten wollen, sollten wir uns schleunigst aus dem Staub machen.

»Alles klar.« John ließ den Haken langsam sinken. »Und danke, vielen Dank, dass du dazwischengegangen bist.«

»Es tut mir leid, dass ich den Mann an deiner Seite nicht retten konnte«, sagte Oaxyctl mit einem bitteren Lächeln. Er beugte sich etwas vor. »Nun, was sagtest du noch, wie du heißt?«

»John. John deBrun.«

»Ah, gut. Ein sehr schöner Name. Gut!« Oaxyctls Stimme klang erleichtert.

Der zum Mungo-Mann gewendete Aztecaner huschte zwischen den Bäumen hindurch, John folgte ihm. »Ich komme aus Brungstun.«

Oaxyctl benutzte seinen Speer, um für John einen Ast beiseitezudrücken. »Brungstun ist besetzt. Wenn wir uns zunächst in südlicher und dann in östlicher Richtung halten, können wir die Invasionsarmee umgehen und es nach Capitol City schaffen. Dort ist es sicherer.«

Die Worte raubten John die Hochstimmung, in der er sich seit seiner Rettung befunden hatte. Brungstun verloren? Shanta und Jerome tot oder versklavt? Wie betäubt stolperte er Oaxyctl hinterdrein und versuchte seine Gedanken zu ordnen. Wenn er nach Brungstun zurückkehren würde, bedeutete dies nur, dass auch er sterben müsste. Es klang hart, aber . . .

Capitol City.

»Ich möchte dich begleiten«, sagte John.

In Capitol City konnte er sich an jedem Kampf beteiligen, um die Aztecaner zurückzuwerfen und Brungstun zu befreien. Oaxyctl war seine größte Überlebenschance.

»Gut.« Oaxyctl schien sich über das Angebot zu freuen.

Vierzehntes Kapitel

Während einer kurzen Rast, bei der sie wieder zu Atem kommen konnten, beobachtete John Schnattervögel, die in überfallartigen Kapriolen um die Bäume herumschossen und dann ausgelassen von Ast zu Ast hüpften. In der Ferne saß ein Affe in einem Baumwipfel und schimpfte wie ein Rohrspatz. Die Schatten kamen im letzten Licht der Dämmerung immer näher herangekrochen.

»Wie bist du eigentlich bei dieser Lichtung gelandet?«, fragte John leise.

»Auf der Suche nach den *Quimichtin*, die meine Freunde getötet haben, schlug ich einen Bogen um Brungstun«, sagte Oaxyctl. »Da hörte ich die Schreie.«

»*Quimichtin*?«

»Spione, Agenten«, flüsterte Oaxyctl. »Wie ich. Aber die sehen aus wie du.«

John legte die Arme übereinander. Sein Atem ging immer noch schwer. »Ich wusste gar nicht, dass es so viele gibt.« Er überlegte, welches der ihm bekannten Gesichter, denen er auf der Straße oder bei den Fischerbooten begegnet war, einem Spion gehört haben mochte, der den Aztecanern geholfen hatte.

Oaxyctl zuckte die Achseln. »Hier gibt es jede Menge Spione. In Aztlan nur wenige.« Er saß neben John und hakte eine Feldflasche aus Zinn vom Gürtel los. Er öffnete sie und trank, bis ihm das Wasser aus den Mundwinkeln lief. John bot er nichts an.

»Das ist verständlich.« John band sich eine Schnalle ums Handgelenk. »Ich bin sicher, dass Aztecaner, die einmal hier sind, keinen gesteigerten Wert darauf legen, dorthin zurückzukehren.«

»Du meinst, Aztlan ist so hässlich, verabscheuungswürdig und unwirtlich?« Oaxyctl nahm einen weiteren Schluck.

»Wenn das Leben dort dem nahe kommt, was ich gerade erlebt habe, auf jeden Fall. Verfluchte Wilde!«, schimpfte John. »Ich habe eine Familie in Nanagada. Meine Frau, sie heißt Shanta, und mein Sohn sind ...«

»... tot«, sagte Oaxyctl vollkommen ungerührt. »Sie sind alle tot. Selbst wenn sie in dieser Sekunde noch atmen sollten; sie sind Geschenke, Preise, Sklaven und Opfer der hungrigen Götter. Sie werden geopfert, damit das Getreide besser wächst oder damit eine Schlacht zugunsten der Aztecaner ausgeht, oder einfach nur, weil es die Götter so verlangen.«

Jedes Wort traf John wie ein Keulenschlag. Er hob den Haken und zeigte damit auf Oaxyctl. »Versuchst du, mich in Rage zu bringen, Aztecaner?«

Oaxyctl öffnete die Feldflasche erneut und führte sie an die Lippen.

»Sei still, oder willst du uns umbringen?«, zischte er. »Ich bin kein Aztecaner mehr, John. Ich bin ein Mungo-Mann. Ich kämpfe auf eurer Seite, um aztecanische Spione zu töten. Ich bin ein Verräter meines eigenen Volkes. Du bist nichts weiter als ein Städter. Ich hätte nicht anzuhalten und dich zu retten brauchen, als ich die Schreie des Opfers auf dem Adlerstein hörte. Ich hätte mein Leben nicht aufs Spiel zu setzen brauchen, nur um deins zu retten. Und ganz gewiss habe ich all dies nicht auf mich genommen, damit du mich oder mein Volk als Wilde beschimpfen kannst!«

»Das vergossene Blut spricht für sich selbst«, knurrte John.

»Das mag sein. Aber beschränke deine Hasstirade bitte auf die Jaguar-Kundschafter, und verdamme nicht gleich alle Aztecaner. Sonst könnte es noch dazu kommen, dass ich dich töte.«

John holte tief Luft. »Ich verstehe dich nicht.«

»Dann solltest du es gefälligst versuchen!«, fauchte Oaxyctl. »Die Mungo-Männer lügen doch, sobald sie nur den Mund aufmachen. Das könnte dich betreffen oder mich. Also, jetzt hat uns das Schicksal hier nun mal zusammengeführt, John deBrun, und wir sollten versuchen, einigermaßen gut miteinander auszukommen.«

John ließ den Haken vorsichtig neben sich auf die Erde sinken. »Solange ich noch nicht mit Shanta verheiratet war, konnte ich Elend besser ertragen. Mein Sohn und meine Frau sind jetzt ein Teil von mir, verstehst du das? Das hier ist, als hätte ich meinen halben Körper verloren.«

»Wie kommst du denn zu der Annahme, dass ich nicht auch meine Familie zurücklassen musste, als ich über die Berge kam?«

John wusste immer noch nicht, wie er Oaxyctl einschätzen sollte. Gewöhnlich fiel ihm die Entscheidung sehr leicht, ob er jemandem vertrauen konnte. Doch John spürte immer wieder die unterschiedlichsten verworrenen und widersprüchlichen Dinge an Oaxyctl, die einfach nicht zueinander passen wollten.

Aber immerhin hatte er John das Leben gerettet, und das zählte.

Oaxyctl hob einen Finger und griff dann vorsichtig nach einem Bündel gut einen Meter langer Speere, die er sich mit einem Lederriemen auf den Rücken band. »Wir müssen weiter.« Ein langer Stab mit einer Kerbe am Ende baumelte an Oaxyctls rechter Hand. Er brauchte nur einen Speer einzulegen und ihn zu werfen.

»Aztecaner?«, flüsterte John.

»Vielleicht. Ich bin mir nicht sicher.«

John starrte in den Wald. Warum hatte er sich nur mit dem Mann gestritten, der ihm gerade das Leben gerettet hatte? Wahrscheinlich hatte er sich von seinem Ärger über sich selbst befreien müssen.

»Bis nach Capitol City ist es noch ein weiter Weg«, sagte John leise, während er die großen, schattigen Blätter nach Angreifern absuchte. »Selbst auf guten Straßen dauert es Wochen.«

Oaxyctl hatte einen großen Rucksack mit Proviant bei sich. Doch John wusste, dass sie nicht genügend Essen und Wasser für diesen gewaltigen Fußmarsch nach Capitol City besaßen.

»Ich habe nicht vor, dorthin zu laufen«, flüsterte Oaxyctl zurück. Er schritt auf die großen Blätter zu und führte sie tiefer in den dunklen Dschungel hinein. Über einen nicht existierenden Pfad schien er ein Ziel in südlicher Richtung anzusteuern, fort von der Küste. John folgte ihm mit größter Vorsicht. Je mehr Kilometer sie hinter sich brachten, desto besser gelang es ihm, das Gefühl des Opfersteins abzuschütteln. Diesen warmen und sanften Druck im Rücken.

Es fiel immer schwerer, einen Weg durch den Dschungel zu finden. Doch Oaxyctl ließ sich von dem dichten Buschwerk nicht aufhalten, unbeirrt folgte er seinem Ziel, und auch als die Nacht hereinbrach, marschierten sie weiter. Keinem von ihnen war an einer Pause nur wegen der Dunkelheit gelegen. Nicht, wenn ihnen die Kundschafter im Nacken saßen. Und sie wussten beide, dass es Wahnsinn gewesen wäre, eine Fackel anzuzünden, nur um besser sehen zu können.

»Die nächste Stadt hinter Brungstun ist Joginstead.« John hatte Joginstead gelegentlich einmal besucht. Es lag etwas östlich von Brungstun. »Gehen wir dorthin, nachdem wir uns jetzt zunächst südlich halten, um den Aztecanern auszuweichen?«

»Wir kommen in seine Nähe«, sagte Oaxyctl.

Während sie schweigend weiterliefen, reichte Oaxyctl John endlich die Feldflasche mit Wasser hinüber. Ansonsten kümmerte Oaxyctl sich aber nur um sich selbst, und John konzentrierte sich darauf, sich innerlich auf die lange Reise einzustimmen.

Überleben. Der Instinkt keimte in seinem tiefsten Inneren auf, irgendwo hinter der nicht vorhandenen Erinnerung. John wusste, dass er gut darin war, dass er es konnte. Und wenn er erst einmal wieder richtig zu Kräften gekommen und entsprechend ausgerüstet wäre, dann würde der Moment für seine Rache kommen. Dann würde er so vielen Aztecanern, wie er nur irgend konnte, den Tod bringen. Es tat ihm gut, diesen Gedanken zu entwickeln.

Vielleicht war er ja ein Soldat gewesen, bevor er sein Gedächtnis verloren hatte.

Fünfzehntes Kapitel

Dihana hielt sich an der oberen Türkante fest, als der Dampf-wagen abrupt in eine der verwinkelten Straßen von Capitol City einbog. Sie versuchte ein Gähnen zu unterdrücken, denn es war ja schon später Vormittag. Viel Zeit war noch nicht vergangen, seit sie eine Telegraphen-Konferenz mit Roger Bransom, dem Bürgermeister von Brewer's Village, beendet hatte. Der Telegraphist auf ihrer Seite hatte ihre Anfrage in Morsezeichen umgesetzt, und der Telegraphist in Brewer's Village las dem Bürgermeister die Morsezeichen laut vor. Kurz darauf ratterte dann die Maschine in Capitol City, und der Telegraphist las Dihana die Antwort vor, die 600 Kilometer entfernt an der Küste gegeben worden war.

Dihana hatte Bürgermeister Bransom zunächst einige Fragen bezüglich seines letzten Besuchs in Capitol City gestellt, um sicher-zugehen, dass sie es auch wirklich mit ihm zu tun hatte, bevor sie auf Einzelheiten der bevorstehenden Invasion eingehen wollte.

Der offene Wagen fuhr durch ein Schlagloch, und Dihana zuckte zusammen.

Zumindest wusste sie jetzt, dass Brewer's Village noch nicht besetzt war. Brewer's lag hundert Kilometer von Joginstead entfernt, zu dem seit mehreren Tagen keine Verbindung mehr bestand. Haidan war der Auffassung, Brewer's Village blieben mithin noch etwa drei bis sechs Tage, um sich auf einen Angriff vorzubereiten. Dihana und Bürgermeister Bransom waren über-eingekommen, man müsse die Frauen und Kinder des Ortes unverzüglich die Küstenstraße hinauf nach Anandale schicken. Danach hatte sie ähnliche »Gespräche« mit den Bürgermeistern von Anandale, Grammalton und Harford geführt. Auch mit ihnen wurde vereinbart, die Frauen und Kinder die Küsten-straße hinaufzuschicken, während die Männer dort bleiben und kämpfen sollten. Und für den Fall, dass sich die aztecanische Armee als zu übermächtig erweisen sollte, um sie stoppen zu können, sollten sich die Männer nach Süden in den Busch ab-setzen.

Dazu würde es zweifelsohne kommen. Am Ende würde Capi-tol City überfüllt sein mit Flüchtlingen, die nicht in der Lage wären, einer Belagerung standzuhalten.

Noch etwas anderes machte ihr zu schaffen. Daher schenkte sie den winkenden und freudig grüßenden Leuten auf der Straße wenig Beachtung. Ihr Telegraphist hatte ihr erzählt, ihr Bemühen um Geheimhaltung sei ziemlich witzlos. In den Stra-ßen schwirrten Gerüchte umher, die aztecanische Armee habe Mafolie überrannt. Man erwarte allgemein, dass am nächsten Morgen in den Zeitungen eine offizielle Bestätigung erscheine. Dies verschaffte Dihana zwar etwas mehr Zeit, um mit den Bür-germeistern im Einzugsgebiet der Triangel-Linie Strategien zu entwickeln, bevor es zu einer allgemeinen Panik kam, doch das Ganze war nicht unproblematisch.

Vor den Banken bildeten sich bereits Warteschlangen, weil die Leute ihr City-Geld in Gold umtauschen wollten. Spekula-tionen breiteten sich aus, nahmen neue Formen an und wurden zunehmend düsterer.

Das Dampfauto tuckerte auf eine Haltestelle zu, als ein Streu-ner im offenen Hemd den Wagen durch aufgeregtes Winken zum Anhalten aufforderte. Sie hielten mitten im Baker's Dis-trict, von dem man annehmen musste, dass es hier von Bäcke-reien wimmelte. Dihana konnte sich jedoch nicht entsinnen, in dem Häuserblock seit ihrer Kindheit auch nur eine einzige Bäckerei gesehen zu haben.

Etwas weiter unten in der Straße hatte sich eine Menschen-menge gebildet, die bis hierhin zu hören war. Die Leute schrien. Glas zerbarst klirrend.

»Was ist da los?«, fragte Dihana den Streuner, der langsam wieder zu Atem kam.

»Wir toten Mann gefunden«, stammelte er. »Blutopfer. Wie von Aztecaner. Herz herausgerissen und so.«

Sie standen hier nur wenige Meter von Tolteca-Town entfernt, wo sich vornehmlich aztecanische Flüchtlinge niedergelassen hatten. Dihana bekam einen trockenen Mund, als sie sah, wie ein dunkelhäutiger Mann aus einer Seitenstraße heranwankte, der einen blutigen Stofffetzen gegen eine klaffende Wunde an seinem Kopf presste.

»Sind das da hinten Leute aus der Stadt?«, fragte sie den Streuner.

»Leute stehen rum und wollen toten Mann sehen. Sich schnell herumgesprochen.«

Dihana tippte dem Fahrer auf die Schulter. »Fahren Sie zurück, und holen Sie zusätzliche Streuner!« Sie öffnete die Tür und stieg aus. Der Fahrer schaute sie unschlüssig an. »Los, fahren Sie!«

»Hier nur vier Streuner«, sagte der Streuner an ihrer Seite, als der Wagen ächzte und stöhnte, bevor er sich ruckend in Bewegung setzte.

»Bringen Sie mich dorthin!«

Es waren die Haare, die Dihana als Erstes auffielen. Fünfzig oder sechzig Männer mit schwarzem glattem Haar und Ponyfrisur hatten sich in der Straße vor einem abbruchreifen Haus versammelt. Mit starrem Blick standen sie der Menge gegenüber und schützten vier Streuner in ihrem Rücken, die vor einer aufgebrochenen Tür ihre Gewehre nervös in halbwegs schussbereiter Position hielten.

»Sie haben ihn in diesem alten Lagerhaus gefunden. Fliegen schwirrten umher und ließen die Leute misstrauisch werden«, erklärte Xippilli, ein aztecanischer Adliger, der sich durch die

Menge seiner Landsleute gekämpft hatte. Dihana kannte ihn gut. Die Menschen machten ihnen Platz. Das Wort *Ministerpräsidentin* ging von Mund zu Mund. »Nachdem wir festgestellt hatten, um was es sich handelte, holten wir die Streuner«, fuhr Xippilli fort. »Und die Pipiltin« – Tolteca-Towns aztecanischer Adel, wie Dihana wusste – »beauftragten mich, mit so vielen Männern wie möglich eine Wache aufzustellen, damit wir die Sache unter Kontrolle halten können. Was soll jetzt geschehen?«

Dihana ging mit Xippilli zurück zur aztecanischen Menge und flüsterte ihm zu: »Was ich zu tun gedenke, Xippilli? Wir bieten den Aztecanern . . .«

»Toltecanern«, unterbrach sie Xippilli.

». . . Asyl in der Stadt an. Auch wenn wir davon ausgehen müssen, dass sich dann Agenten unter die Asylanten mischen werden.«

»Wir sind Toltecaner«, sagte Xippilli stolz. »Toltecaner weisen die Anbetung des Kriegsgottes zurück. Nur Quetzalcoatl verdient unsere Verehrung. Und dazu brauchen wir keine Menschenopfer. Das haben wir abgeschüttelt. Wir haben uns dem durch Flucht entzogen. Ich selbst stieg über die hohen Berge, mit meinem Kind vor die Brust geschnallt, um diese Dinge hinter mir zu lassen.«

»Das weiß ich, Xippilli; ich schwöre, dass ich das alles würdige. Die Loa griffen mich deswegen an, viele machten es mir zum Vorwurf, aber ich habe alles darangesetzt, die Stadt davon zu überzeugen, dass Tolteca-Town gegründet werden konnte. Doch unabhängig davon, ob Sie sich lieber Toltecaner oder Aztecaner nennen, Sie kamen über die Wicked Highs, um hier zu leben. Einst waren Sie Aztecaner, und einzig das zählt augenblicklich für die Leute auf der Straße. Sie sind verständlicherweise misstrauisch und nervös. Und um dem Ganzen die Krone aufzusetzen, macht jetzt auch noch die Nachricht die Runde, dass die Aztecaner die Berge überschritten haben.« Dihana hatte den Pipiltin am Abend zuvor selbst berichtet, was sie wusste. »Ich habe nicht vor, da hineinzugehen, ich will mir das nicht anschauen.«

Xippilli trat einen Schritt zurück und lehnte sich mit dem Rücken an die Backsteinmauer. Zweifelnd betrachtete er die murrende Menge. Mittlerweile war sie auf mehrere hundert Menschen angewachsen, schätzte Dihana. Beide schauten sie auf die Masse, Xippillis fünfzig Männer und die fünf Streuner mit ihren Gewehren.

»Was sollen wir Ihrer Meinung nach tun, Frau Ministerpräsidentin? Etwa aufs offene Land zurückkehren? Wo uns die Jaguar-Kundschafter finden werden? Uns stünde derselbe Horror bevor, mit dem Sie sich momentan konfrontiert sehen. Sie erleben jetzt denselben Albtraum, vor dem wir uns die ganze Zeit gefürchtet haben, nachdem jeder von uns einzeln über die Berge entwichen ist, um hier das zu finden, was wir für Freiheit hielten.« Xippilli ließ die Schultern hängen und blickte auf die zerbröckelnden Steine des Bürgersteigs hinab.

»Ich werde alles in meiner Macht Stehende tun, um Ihnen zu helfen, Xippilli. Aber die Lösungen werden möglicherweise hart sein. Dies hier ist eine Katastrophe. Beide Dinge sind katastrophal. Ich muss Haidan auftreiben. Wir müssen einen Plan entwickeln, wie wir Patrouillen für Tolteca-Town aufstellen können.«

»Haben Sie eine Ahnung, wer das Gerücht in Umlauf gebracht hat?«

Dihana zuckte die Achseln. »Das könnte jeder gewesen sein. Ein Telegraphist, ein Zeitungsmensch, ein Toltecaner.«

Einer aus der Menge, die sich näher an die Absperrkette der Aztecaner herangeschoben hatte, schrie: »Was die machen mit Mann da drin? Wir haben Recht, dass erfahren, was da geschehen!«

»Wir wissen bisher überhaupt nichts«, rief ihm Dihana zu. »Halten Sie sich bitte zurück. Und lassen Sie die Streuner ihre Arbeit verrichten.«

»Wie Streuner uns schützen wollen, wenn Aztecaner in Mitte von Stadt wohnen?«, brüllte ein anderer.

»Auf die gleiche Weise, wie sie euch vor jedem anderen Kriminellen beschützen«, antwortete Dihana.

»Wir fordern Gerechtigkeit!«

»Ihr bekommt eure Gerechtigkeit, indem ihr den Mann jagt, der das hier getan hat«, rief Dihana der Menge zu. »Nicht indem ihr eure Nachbarn rausschmeißt. Wir wissen doch noch nicht einmal, ob das ein Aztecaner getan hat.« Sie beendete die Auseinandersetzung, indem sie der Menge den Rücken zuwandte und Xippilli anschaute.

Xippilli trat dichter an sie heran. »Wissen Sie wirklich ganz genau, dass die Aztecaner auf Capitol City zumarschieren?«

Dihana prallte zurück und starrte ihn an. »Wie meinen Sie das?«

»Als Sie sich mit den Pipiltin trafen, sagten Sie doch, Mungo-General Haidan habe ihnen versichert, die Aztecaner seien im Anmarsch. Hat Ihnen das irgendjemand anderes bestätigt?«

Dihana drehte sich der Magen um, sie fühlte sich wie vor den Kopf geschlagen. Sie konnte nicht über die Warnungen ihres Vaters bezüglich der Spindel reden, es würde zu absurd klingen. So sagte sie: »Brungstun und Joginstead antworten nicht mehr.«

»Berichteten die Leute dort denn von einem Angriff der Aztecaner, bevor die Verbindung abbrach?« Xippillis dunkle Augen wirkten wie eine schwarze Mauer. »Und in Brewer's Village gab es noch keine Überfälle durch Jaguar-Kundschafter?«

Sie schüttelte den Kopf. »Nein.«

»Dann möchte ich Ihnen, bevor ich den Mund halte, Folgendes sagen: Wenn ich die Absicht hätte, diese Stadt in meine Gewalt zu bringen, und zwar durch eine reibungslose Übernahme, dann würde ich die Telegraphenverbindung zu den ersten beiden südlichen Städten entlang der Küstenstraße kappen und dort Posten aufstellen, die jeden daran hindern, von dorthinauf nach Brewer's Village zu gelangen. Dann würde ich die

Ministerpräsidentin davon überzeugen, dass die Mungo-Männer in die Stadt kommen müssen, um Vorbereitungen für einen bevorstehenden Angriff der aztecanischen Armee zu treffen. Und stellen Sie sich vor, dass danach Straßenunruhen wegen der Gerüchte um die Aztecaner ausbrechen. Dann könnte ich die Ministerpräsidentin dazu bringen, ganz schnell noch mehr Mungo-Männer anzufordern. Ich würde diese unter dem Vorwand, drohende Straßenschlachten verhindern zu wollen, in der ganzen Stadt postieren.«

»Wenn Haidan vorhätte, die Stadt einzunehmen, könnte er es«, sagte Dihana. »Seinen Tausenden von Mungo-Männern könnte ich nur ein paar hundert Streuner gegenüberstellen.«

»Ich habe keine Namen genannt. Haidan könnte genauso an der Nase herumgeführt werden wie Sie.«

Das Murren der Menge verstärkte sich. Weiter hinten gab es die ersten Handgemenge, weil immer mehr Leute hinzukamen und sich vorzudrängeln versuchten.

»Kann es sein, dass Sie Informationen haben, die ich nicht kenne, Xippilli?«, zischte Dihana.

»Das Einzige, was ich weiß, ist der Umstand, dass die Mungo-Männer unglaublich erfindungsreich sind.« Xippilli blieb total ruhig, als handelte es sich um ein Schwätzchen beim Tee. »Und die Festung am Mafolie-Pass ist uneinnehmbar. Glauben Sie mir, Dihana, die Mungo-Männer haben die Wicked Highs in der Hand. Aus persönlicher Erfahrung weiß ich, wie schwer es ist, sie zu überwinden. Wie sollten die Aztecaner es in so großer Zahl geschafft haben?«

Dihana schüttelte den Kopf. »Selbst wenn Sie Recht behalten sollten ... nein. Zum augenblicklichen Zeitpunkt kann ich keine Rücksicht darauf nehmen.« Warum bemühte dieser Mann sich so heftig, Zweifel in ihr zu säen? War Xippilli ein Agent, der sie verunsichern wollte? Vielleicht hatte er aber auch Recht.

»Die Menschenmenge wächst ständig an. Unter uns befinden

sich ehemalige Krieger«, sagte Xippilli. »Vielleicht sollten Sie einige von uns zu Vertretern der Ordnungsmacht ernennen.«

»Nein. Ich kann nicht zulassen, dass es deshalb in der Stadt zu Scharmützeln kommt.«

Die Raufereien am Rande der Menge wurden heftiger: Zehn Mungo-Männer und etliche Streuner erschienen auf der Bildfläche und befahlen den Leuten, Platz zu machen.

»Xippilli, der Mann da drinnen, um wen handelt es sich dabei?«

»Was meinen Sie?«

»Sie wissen, was ich meine!«

Xippilli biss sich auf die Lippen. »Es ist kein Aztecaner.«

Der erste Mungo-Mann trat heran und schüttelte Dihana die Hand. »Frau Ministerpräsidentin, Rubin Doddy sich zur Stelle melden! Wir ergattern Auto und kommen schnell mit zehn mehr Mungo-Männer.«

»Was ist mit den Streunern?«, fragte Dihana.

»Wir näher. Streuner kommen, nur noch nicht hier.«

Die Menge, inzwischen auf etwa fünfhundert Menschen angewachsen, füllte die ganze Straße und äußerte ihre Unzufriedenheit immer deutlicher.

»Da liegt eine Leiche im Lagerhaus«, sagte Dihana. »Verschaffen Sie den Streunern Gelegenheit und Zeit, die Sache zu untersuchen. Danach muss der Tote gut verpackt und so schnell wie möglich abtransportiert werden. Bereiten Sie Ihre Leute darauf vor, die Menschenmasse zu vertreiben.«

»Verstanden!« Rubin drehte sich um und gab seinen Männern Zeichen. Sie schwärmten aus. Das Auto mit den versprochenen weiteren Mungo-Männern kam die Straße herabgedampft, und zehn zusätzliche Mungo-Männer sprangen heraus, um sich in die Abwehrkette einzureihen. Die Streuner betraten das aufgebrochene Haus.

»Was mit Ihnen, Frau Ministerpräsidentin?« Rubin stand noch immer neben ihr.

»Wo ist Haidan? Ich muss ihn sprechen.«

»In Augenblick unten in Triangel-Linie, in Batellton.«

»Was macht er dort?«, fragte Dihana. Er hatte sie nicht darüber informiert, dass er die Stadt zu verlassen beabsichtigte.

Rubin schaute sie an, als habe sie den Verstand verloren. »Vorbereitungen, Frau Ministerpräsidentin, in Stadt überall Gerüchte umgehen, in Tolteca-Town schlimme Sache geschehen.«

Das ging alles zu schnell, dachte Dihana. Viel zu schnell. Seit wann verbreiteten sich Gerüchte mit derartiger Geschwindigkeit?

»Haidan für so etwas nicht Befehl geben«, fuhr Rubin fort, »aber ich denke, wir Männer an jeder Straßenecke aufstellen können ...«

»Nein!« Dihana wusste, was sie tun würde. Sie straffte sich, strahlte Autorität aus, entschied. »Sämtliche Streuner werden Streife gehen!«

»Das keinen Sinn machen«, sagte Rubin. »Wie viele Streuner Sie haben?«

»Genug, um jedermann deutlich zu machen, wie ernst wir es meinen. Jeder kennt die Streuner. Viele betrachten sie als gute Bekannte, oder sie sind sogar miteinander verwandt. Und für die anderen ist es einfach die vertraute Uniform. Wir brauchen keine Außenstehenden, die die Straßen kontrollieren.« Dihana warf einen Blick auf die Menge. »Aber wir benötigen die Mungo-Männer, um Tolteca-Town abzuriegeln. Niemand geht hinein oder heraus, außer an einem Kontrollposten. Mit wem muss ich reden, um das zu organisieren, solange Haidan nicht anwesend ist?«

»Gordon zweiter Mann von Mungo-Männern«, sagte Rubin.

»Xippilli, kommen Sie mit. Wir müssen die Pipiltin auftreiben, damit sie uns begleiten. Wir werden alle Mungo-Männer genau hier in Tolteca-Town einquartieren. Sie werden das Regierungsgelände verlassen.«

»Die Stadt explodiert«, sagte Xippilli, und Rubin nickte zustimmend.

»Die Streuner werden Flüstertüten nehmen und eine Bekanntmachung verlesen. Wir werden Bulletins veröffentlichen. Heute Abend wird es eine offizielle Erklärung geben, dass die Aztecaner im Anmarsch sind und dass die Toltecaner uns unterstützen, indem sie die Mungo-Männer einquartieren, die wiederum gegen die aztecanische Armee kämpfen werden.«

Dihana stand den beiden Männern gegenüber und hob die Augenbrauen. Die Männer schauten sich an, dann pfiff Rubin nach dem Wagen, zitierte zwei Mungo-Männer herbei und beugte sich vor. »Meine beiden besten Mungos fahren mit Ihnen. Sie sich beeilen müssen. Wenn mehr Menschen kommen, wir sie vertreiben. Wir diese Gegend sichern. Viel Glück, wenn Sie wollen überzeugen Gordon.«

Dihana zog Xippilli ins Auto. Einer der Mungo-Männer übernahm das Steuer und begann, den Kessel unter Druck zu setzen. Der andere nahm neben Dihana Platz. »Sie sich bücken müssen«, sagte er. »Sonst Sie ein zu gutes Ziel. Sie nicht Ihren Kopf riskieren sollten.«

Sie hielt sich an den gutgemeinten Ratschlag. Xippilli bückte sich und schaute zu ihr hinüber. »Hoffentlich hilft es.«

Dihana nickte.

Sie hoffte es ebenfalls.

Sechzehntes Kapitel

Pepper setzte seinen Weg durch den Busch unbeirrt fort. Er trug die gestohlene Tracht eines Noblen: dicke, gestärkte Baumwolle, innen mit blauen und feuerroten Pfauenfedern gefüttert. Mit sich führte er einen runden Schild mit Lederfransen, die unten herabhingen. Das Gold der Einlegearbeiten hatte er entfernt. Gold war universelles Zahlungsmittel, er konnte es später brauchen.

Durch die Maske eines stark stilisierten Wolfskopfes konnte er kaum etwas sehen. Sie gefiel ihm nicht sonderlich und passte auch nicht so recht, doch sie verbarg seine Rastalocken, und der ursprüngliche Besitzer benötigte sie nicht mehr. Gestern hatte Pepper vor der Küste bis zum Einbruch der Nacht gewartet, bevor er an Land gegangen war. Er hatte den hochrangigen Krieger entdeckt, der den Kai bewachte, hatte ihn getötet und anschließend im Hafen sämtliche Boote mit Dynamit aus den eigenen Lagerbeständen der Aztecaner in die Luft gejagt.

In der Verkleidung des Kriegers hatte sich Pepper ins Stadtzentrum aufgemacht und nach Protokollen geforscht. Die Aztecaner hatten eine Vorliebe für Akten und Dokumentationen. Sie hatten eine extra Abteilung von Buchhaltern und Schreibern dafür. Und die Schreiber taten ganze Arbeit: Rings um Brungstun waren die aztecanischen Herrscher damit beschäftigt, die Nahrungsvorräte und Bauernhöfe zu inventarisieren. Einige der Anführer bezogen die Häuser der Reichen, während die Jaguar-Kundschafter mit den leeren Mietskasernen am Ende des Kais hatten vorliebnehmen müssen. Die Brungstuner Kinder liefen in Pferchen umher, die mit Stacheldraht umzäunt waren.

Pepper fand deBruns Adresse und ließ danach die gesamten Akten in Flammen aufgehen.

Er wollte verdammt sein, wenn irgendein Aztecaner sie noch dazu nutzen sollte, irgendeinen Brungstuner zu verfolgen, der sich vor ihnen versteckt hielt.

Auf dem Weg aus dem Amt tötete er drei Aztecaner mit ihren eigenen Macuahuitl, indem er die Köpfe der Aztecaner mithilfe der äußerst wirksamen keilförmigen Keulen mit derartiger Wucht gegen die weißgetünchte Wand donnerte, dass ihr Hirn daran heruntertropfte. Dann kletterte er auf eine Mauer zur angrenzenden Straße, lief über mehrere Dächer und sprang wieder auf den Boden.

Unbehelligt verließ er die Stadt.

Fünfzehn Minuten außerhalb von Brungstun fand er die verkohlten Reste von deBruns Haus. Er folgte den Spuren und fand nicht weit von der Küstenstraße entfernt in der Mitte einer Lichtung einen Opferstein. Die Aztecaner hatten dort kurz vor und während ihres Angriffs auf Brungstun mehrere Menschenopfer dargebracht, um ihre Götter für einen guten Ausgang des Kampfes gnädig zu stimmen.

Dennoch mutete die Szene unwirklich an. Etliche Aztecaner lagen tot auf der Erde. Einer krümmte sich noch unter den Folgen einer Schusswunde.

»Großer Herr!«, schrien drei Aztecaner, als sie Pepper erblickten.

Obgleich dieser in das dunkle Blau des Offiziers gekleidet war, den er getötet hatte, während die Aztecaner hier Rot trugen, betrachteten sie ihn als ihren Vorgesetzten.

»Unser Priester wurde gestern von einem einhändigen Wilden wie Vieh abgeschlachtet«, sagte einer. »Einige unserer Brüder sind dem Befehl, hierzubleiben, nicht gefolgt. Sie haben sich auf die Suche nach diesem Mann und dessen Komplizen im Wald gemacht. Wir bitten um Erlaubnis, uns ebenfalls von hier wegzubegeben und dem *Nopuluca* nachzujagen.«

Nopuluca: Barbaren. Pepper zog hinter seiner Holzmaske eine Grimasse.

Scheinbar nachdenklich schlug er sich mit der Macuahuitl, in deren Besitz er so unverhofft gekommen war, in die flache Hand. Er beherrschte genügend Aztecanisch, um zu verstehen, was sie sagten. Dennoch hatte er Zweifel, ob sein Gedächtnis ausreichte, um es selbst richtig sprechen zu können. Es war nun mal schon sehr lange her, dass er die Sprache gelernt hatte. Er massierte seine Kehle, um sie auf Aztecanisch einzustellen.

»Nehmen Aufstellung vor mir!«, befahl er.

Einer runzelte ob der schlechten aztecanischen Aussprache und fehlerhaften Grammatik die Stirn, doch alle gehorchten. Pepper justierte seine Aussprache. »Beschreiben mir einhändigen Mann.«

Ein diensteifriger junger Krieger, der sich offenbar Lorbeeren erhoffte, begann zu reden. »Ein Mann mit nur einer Hand tötete sie. Wir konnten es vom Rand der Lichtung aus beobachten. Mit seinem Blut sollte er dem Kriegsgott die Ehre erweisen. Stattdessen rannte er davon. Unsere Brüder befahlen uns, hierzubleiben und auf Order zu warten. Doch jetzt wollen wir den Heiden verfolgen.«

Wie viele Männer mit nur einer Hand mochten in Brungstun und Umgebung leben? Pepper überlegte. Die vier Krieger traten näher heran.

Zeit zum Handeln, bevor sie sich verteilen und die Sache damit erschweren konnten.

Pepper hob die Macuahuitl mit der Linken hoch und schlug derart hart zu, dass dem ersten Krieger der Schädel wie eine Eierschale zerbrach. Gleichzeitig schoss er mit seinem Gewehr in die Gruppe hinein und kämpfte sich mit wilden kreisenden Schwüngen seiner Macuahuitl durch die konsternierten Aztecaner hindurch. Jeden, der sich noch rührte und in seinem eigenen Blut herumkroch, erledigte er mit einem Schuss aus dessen eigener Waffe. Seine eigenen Kugeln wollte er nicht verschwenden.

Einen jungen Mann sparte er aus und wickelte ihn in ein Netz. Der Krieger versuchte um sich zu schlagen und stolperte gegen den Opferstein.

»*Tlatlauhtilia* . . .«, flüsterte er. »*Bitte* . . . Töte mich jetzt.«

Pepper hockte sich neben ihn. »Wie viel Krieger hier?«, fragte er in gebrochenem Aztecanisch.

Der Krieger schüttelte den Kopf. Pepper zog die Nase hoch. Er hätte den Mann foltern können, doch viele Aztecaner waren durch Folter nicht kleinzukriegen. Dieser hier wirkte jung und unerfahren, daher wollte er mit etwas Einfacherem beginnen. Er schaute dem Krieger in die Augen und wurstelte dessen rechte Hand aus dem Netz, um den Puls zu finden.

Dann holte Pepper mehrmals tief Luft. »Du nur eine Nummer unter Tausende, die hier sein, weil Menschen für Opfer suchen?«

Die leicht geröteten flatternden Augenlider zeigten, dass das zustimmende Nicken des Kriegers gelogen war.

»Sein dies ein . . . Blumenkrieg?«, fragte Pepper.

Kurze Pause.

Soweit Pepper aus alten historischen Berichten als auch aus eigener Erfahrung wusste – als er Nanagada verlassen hatte, war er Zeuge kleinerer regionaler Scharmützel im Gebiet der Aztecaner geworden –, führten verschiedene aztecanische Regionen regelmäßig rituelle Kriege untereinander, um Opfer für ihre heiligen Handlungen gefangen zu nehmen.

»Dies kleiner Krieg?«

Lange Pause.

»Großer Krieg?«

Der Krieger lächelte. »Wir werden dieses ganze Land erobern und regieren. Wir werden eure Götter in Capitol City vernichten. Wir werden eure Maschinen und eure Technologie an uns reißen, eure . . .« Er schwieg, als Pepper ihm die Finger nach hinten bog, bis sie beinahe das Handgelenk berührten.

»Du reden, wenn ich frage«, knurrte Pepper. »Eure Krieger, die hier marschieren, Zehntausende?«

Treffer! Es war aus der Art und Weise abzulesen, wie das Blut in des Kriegers breites Gesicht floss und es erhitzte. All diese kleinen Signale – ein Flattern der Augenlider oder unbewusste Gesten – verrieten Pepper mehr über die Leute, als diese oft von sich selbst wussten.

»Unsere Götter leiten uns«, sagte der Aztecaner. »Wir werden bis zu eurer großen Stadt durchmarschieren.«

Pepper beugte sich dicht über das Gesicht des Kriegers in seinem Netz. Schwarze Gesichtsschminke hatte auf die Knoten des Netzes abgefärbt. »Wie ihr über die hohen Berge gekommen?«

Der Krieger zögerte.

»Mit Flugschiff?«, fragte Pepper. Nein, konnte er lesen. »Mit Booten?« Auch damit lag er falsch. »Ihr haben Berge irgendwo überquert?« Die Richtung stimmte. »Wo?«

Der Aztecaner knirschte mit den Zähnen. Darauf würde er nicht antworten.

Pepper zog die Hand des Mannes zu sich heran und faltete sie zur Faust. Er nahm sie zwischen seine eigenen Pranken und drückte zu. Das Knacken von fünf Fingern war zu hören, als sie brachen.

Die beiden Männer starrten sich an, keine Wimper zuckte. Pepper drückte noch härter zu und knetete die Knochen, bis er ein Winseln hörte. »Ich dir Hände und Füße zerbrechen. Du dann Krüppel. Keine Ehre, kein Ruhm!« Gerade jetzt bereute er es, sich nicht besser auf Aztecanisch ausdrücken zu können. »Deine Knochen nur noch Staub, wenn du nicht antworten.«

Der Aztecaner grunzte, als Pepper ihm erneut die Hand zerquetschte.

»Tunnel«, flüsterte er schließlich. »Ein Tunnel unter dem Gebirge.«

»Wie lange ihr an Tunnel arbeiten?«

»Viele Generationen. Unsere Götter leiteten uns. Wir hörten auf sie.«

»Und die Menschen von Nanagada wissen nicht davon?«

»Es blieb ihnen verborgen. Sie haben nur wenige Spione bei uns, und diese wurden irregeführt.«

Pepper ließ die Hand des Mannes fallen und wischte das Blut an einem Grasbüschel ab. Er mochte keinen Schmutz. Und was er gehört hatte, gefiel ihm noch weniger.

Die Aztecaner verfügten offenbar über keinen organisierten Nachschub. Pepper ging davon aus, dass die Krieger sich außerhalb von Ländereien bewegen würden und sich bei ihrem Marsch auf Capitol City von Plünderungen ernähren müssten. Für die Aztecaner bedeutete dies ein ziemliches Risiko. Sie konnten hier Hunger leiden und im Extremfall sogar alle verhungern. Doch viele Aztecaner würden in Brungstun zurückbleiben. Und sollten die Aztecaner sämtliche Städte und Ortschaften einnehmen und dort genügend nicht vernichtete Vorräte vorfinden, zudem deren Einwohner als Sklavenarbeiter einsetzen, dann konnte es ihnen gelingen, auf ihrem Vormarsch zur Halbinsel eine halbwegs funktionierende Nachschublinie aufzubauen. Ohne entsprechende Vorbereitung und in einem wilden Ansturm ohne genügend Proviant würden sie Capitol City mit ziemlicher Sicherheit nicht einnehmen können, doch mit dieser Methode konnten sie die gesamte Küstenregion in die Hand bekommen. Schlechte Nachrichten!

Noch schrecklicher war der Gedanke, dass die Teotl vermutlich ebenfalls auf der Jagd nach dem *Ma Wi Jung* waren.

Nach dreihundert Jahren führten diese verfluchten Kreaturen immer noch Krieg miteinander, wobei die Menschen nur Spielball ihrer Machenschaften waren.

Pepper betrachtete die Fußspuren, die vom Opferstein in den Dschungel führten. »Wird langsam Zeit, darüber nachzudenken, wie ich dich einholen kann, John. Meinst du nicht auch?«, sagte Pepper.

Der Aztecaner quälte sich. Das plötzliche Umschwenken in die andere Sprache brachte ihn durcheinander. Pepper riss die schwere Maske herunter. Sie flog ins Gras. Die Augen des Kriegers hinter dem Netz weiteten sich. Pepper schmetterte ihm die Macuahuitl in die Rippen.

»Lass dir Zeit mit dem Sterben!«

Pepper ließ den Aztecaner auf dem barbarischen Adlerstein zurück. Der Mann schnappte durch seine aufgeplatzte Lunge nach Luft. Pepper folgte den Fußspuren bis zu einem Baum, wo sich ein zweites Paar Stiefel hinzugesellt hatte. Von dort ging es in Richtung Süden.

John besaß also einen Freund. Interessant!

Siebzehntes Kapitel

Ein Mann, der im Zeichen des Ozelots geboren war, konnte sich nur durch Fasten, Schlafentzug und Einsatz seiner Intelligenz ein besseres Leben erkämpfen, selbst wenn er adliger Herkunft war.

So hieß es zumindest.

Als Oaxyctls Eltern ihn als Neugeborenen den Häuptlingen der Calmecac während eines üppig ausgerichteten Banketts präsentierten, fragten die Stammesoberhäupter die Eltern nach dem Zeichen. Als sie es hörten, wiegten sie bedenklich ihre Köpfe.

»Kinder, die unter diesem Zeichen geboren werden, enden später als Diebe«, sagten sie. »Wäre dieses Kind ein Mädchen, würden wir euch die Ehre erweisen, es heranwachsen zu lassen, bis ihm die Haare zur Hüfte reichen, dann den Kopf zwischen zwei Felsen klemmen und es Tlaloc für eine gute Regensaison opfern.«

Oaxyctl würde niemals Priester, Richter oder Anführer bei den Kriegern werden können.

Stattdessen besuchte er das Telpochcalli, zusammen mit missratenen Jugendlichen und Bürgerlichen. Sie mussten Geschichte aufbeten und wurden zu einfachen Kriegern ausgebildet. Wenn sie ihre Aufgaben nicht gemacht hatten, stachen ihnen die Lehrer mit Dornen ins Fleisch.

Als er alt genug war, um als Krieger zu dienen, kam Oaxyctl in ein weit abgelegenes kleines Dorf im Schatten des Imixcoatlpetl, in den Cloud Serpent's Mountains, den meisten nur als die Great Mountains bekannt. Dahinter, auf der anderen Seite der Great Mountains, im Gebiet der Aztlan, lebten *Nopuluca*.

Oaxyctl nahm viele von ihnen gefangen, um sich Respekt zu verschaffen, Federn für seine Haare zu sammeln und schließlich eine Frau nehmen zu können.

Die Pipiltin von Aztlan eröffneten Oaxyctl die Chance, als Spion und *Quimichtin* in den Ländereien auf der anderen Seite des Imixcoatlpetl zu arbeiten. Seitdem hatte sich sein Leben zu einer komplizierten Mischung aus Doppelspionage, Angst, Blutvergießen und langen Reisen über die Great Mountains entwickelt. So hatte er viele Agenten, die einst zu seinen Freunden gezählt hatten, ans Messer geliefert. Und danach hatte er viele Mungo-Männer getötet, die ihn für ihren Freund gehalten hatten. Und schließlich hatte er dieses Spiel in Brungstun wieder aufgenommen, um John deBrun zu jagen.

Oaxyctl glaubte nicht an Verwünschungen oder unglückliche Vorzeichen, doch so langsam begann er seine Meinung zu ändern. Früher hatte er sogar nicht einmal an die Götter geglaubt. Er hatte gemeint, sie seien die Hirngespinste von Leuten, die zu viel träumten. Als Skeptiker hatte er für mystische Dinge bestenfalls ein höhnisches Lächeln übrig. Die Priester in Aztlan rochen nach Tod, sie waren schwarz bemalt und hatten zottiges, struppiges Haar, durchtränkt vom Blut der Opfer. Ihre zerfetzten Ohrläppchen und aufgebissenen Lippen führten dazu, dass er ihnen aus dem Weg ging. Und was sie mit ihren Genitalien mithilfe verknoteter Schnüre anstellten ...

Er war der festen Überzeugung, sie seien verrückt; bis zu jenem Tage, an dem die Priester die Sessel in seine Stadt schleppten. Und in diesen Sesseln saßen die greisenhaften, aschfahlen und schielenden Götter.

Sie hatten nichts Menschliches an sich. Waren völlig anders. Oaxyctl musste sich schütteln. Er begann zu zittern. Wenn er sich in den Göttern dermaßen getäuscht hatte, stimmte dann vielleicht mit seinem gesamten Leben etwas nicht?

Möglicherweise musste er stärker fasten, noch weniger schlafen.

Doch der realistisch denkende Krieger in ihm überzeugte ihn, dass er dann durch genau dieses Verhalten zu Tode kommen würde. Bedeutend besser war es, sich auf den Gebrauch seiner Intelligenz zu verlegen. Und was riet ihm der Verstand?

Eine Sache hatte Oaxyctl keine Ruhe gelassen, seit er dem Teotl begegnet war: die Erklärung des Gottes, dass es Wesen gebe, die unbedingt Johns Tod verlangten, egal was auch geschehen möge.

Existierten da wirklich andere Götter, die vielleicht ihn töten würden, wenn sich sein Handeln gegen *ihren* Wunsch richten würde? Gab es häufig Streit unter den Göttern? Davon hatte er noch nie gehört. Wie sollte er das alles verstehen und verkraften? Er, Oaxyctl, ein kleines unwissendes Menschenkind.

Oaxyctl wünschte, er hätte mehr Zeit. Dann hätte er sich John in Ruhe vorknöpfen können, um ihm unter der Folter die Geheimnisse des *Ma Wi Jung* zu entreißen.

Oh, diese Götter! Mit Mühe und Not war es ihm gelungen, den Mann rechtzeitig vor der Opferung für Huitzpochli zu retten. Das hatte für ihn bedeutet, einige äußerst geschickte Jaguar-Krieger beschatten zu müssen und dann auf den genau richtigen Zeitpunkt zu warten. Er hatte gebetet, dass es klappen würde, unendliche Nerven hatte es ihn gekostet, denn John musste ja die Gelegenheit zur Flucht haben, während Oaxyctl die Krieger niederstreckte. Das Ganze hatte auf des Messers Schneide gestanden, und wenn er jetzt daran zurückdachte, überlief ihn immer noch ein leichter Schauder.

Doch er hatte es geschafft. Hatte bei seinen Erkundungen in Brungstun den richtigen Mann gefunden, war zur richtigen Zeit am richtigen Ort gewesen und hatte den Befehl seines Gottes ausgeführt.

Oaxyctls eigene Landsleute waren immer noch auf der Jagd nach ihm. Und Oaxyctl brauchte Zeit, um angemessene Mittel und Wege zu finden, wie er die Wahrheit aus deBrun herausholen konnte. Notfalls mit Gewalt. Ihm war klar: Nachdem die Invasion ins Rollen gekommen war, war Zeit genau das, was ihm fehlte.

Sollte er das Risiko eingehen, unterwegs anzuhalten, sodass die Krieger zu ihnen aufschließen konnten und er so tun konnte, als gehöre er zu ihnen? Zu riskant. Angenommen, sie würden deBrun dabei direkt töten. Der Gott hatte gesagt, die Krieger hätten keinerlei Order, deBrun zu verschonen. Im Gegenteil: Sie sollten ihn umbringen.

Der Gott wäre alles andere als glücklich, wenn es dazu kommen sollte. Oaxyctl war sich sicher, dass es ihm schlecht ergehen würde, wenn er deBruns Tod zuließe. Er fühlte sich ganz krank, als er daran dachte, wie wenig daran gefehlt hatte.

Wenn deBrun sein Geheimnis einmal preisgegeben hätte, könnte Oaxyctl nach Aztlan zurückkehren und in der Götter Namen diese verdammte ausländische Wildnis vergessen. Und nie mehr bräuchte er sich Gedanken darüber zu machen, wessen Agent er nun eigentlich war. Er würde in ein normales, geregeltes Leben zurückkehren. Was ihm wirklich fehlte, war seine Frau.

Eigentlich konnte er sich kaum noch an Einzelheiten von ihr erinnern; vor vielen Jahren schon war er aufgebrochen, um sein Agentenleben zu beginnen. Sie musste ihn längst aufgegeben haben, vielleicht sogar für tot halten; und möglicherweise hatte sie auch einen anderen Mann geheiratet. Dennoch phantasierte er oft von einem Leben mit ihr. Sie beide ganz allein in einem kleinen, schnuckeligen Haus, vor einem prasselnden Kaminfeuer aneinandergekuschelt, und in einer Wandnische die winzige Statue des örtlichen Pulquegottes, während draußen der Bergnebel vorüberzog.

Er liebte die Weichheit der Frauen, wenn sie dem Umfeld den Duft von Blumen und ein Flair von Parfüm verliehen. Er konnte Schmutz, abgestandenen Schweiß, Blut und nicht enden wollende Reisen auf den Tod nicht ausstehen. Er trauerte jenem Leben nach, das er, wenn auch nur für kurze Zeit, in den Gebirgsausläufern auf der anderen Seite der Wicked Highs geführt hatte.

John deBrun hatte irgendetwas über Joginstead gemurmelt und im Flüsterton ein Bad erwähnt, während Oaxyctl ständig diesen abwesenden, traurigen Blick in den Augen des Mannes auffing.

Einen Teil des frühen Morgens und Vormittags verbrachten sie schlafend unter einem Baum, bedeckt mit Zweigen und Blättern. Oaxyctl gab John Kernies, getrocknete Früchte und etwas Wasser aus seiner Feldflasche. Beide schliefen unruhig. John wimmerte vor sich hin und wachte schweißgebadet auf.

Gegen Mittag streckten sie sich und begannen wieder zu laufen. Doch ein gutes Stück vor Joginstead bog Oaxyctl in östlicher Richtung ab. Sie marschierten etliche Kilometer, bevor sie eine Lichtung erreichten, die Oaxyctl ins Auge gefasst hatte.

Wenn John deBrun sterben sollte, ohne vorher seine Informationen über den *Ma Wi Jung* geliefert zu haben, dann drohte Oaxyctl ein schreckliches Ende. Das stand für ihn außer Zweifel. Und wenn sie irgendein Aztecaner zu fassen bekäme, dann wusste Oaxyctl nicht, wie er die Garantie dafür übernehmen sollte, dass John am Leben bleiben würde.

Daher hatte er sich für einen gänzlich anderen Weg entschieden.

Das verschaffte ihm zusätzliche Zeit.

Oaxyctl lief über die Lichtung, kniete in deren Mitte nieder und beseitigte Blätter und Erde, um in den Boden eingelassene Falltüren freizulegen.

»Wir sind da«, erklärte er.

»Aber das hier ist doch nicht Joginstead«, entgegnete John.

»Ich habe doch nie gesagt, dass wir nach Joginstead gehen würden. Außerdem ist es bestimmt ebenfalls besetzt.« Oaxyctl zog die Eichentüren ächzend hoch und ließ sie zu beiden Seiten auf die Erde fallen. Er führte John die Steintreppe hinab in ein Depot der Mungo-Männer, das nur ganz wenigen Kurieren der Mungos bekannt war. Zwei von ihnen lagen jetzt tot in Brungstun.

Oaxyctl tastete im Dunkeln vorwärtstappend nach den Schalthebeln, die an einer Mauerecke angebracht waren. Als er einen Schalter umlegte, begann es zu zischen und zu pfeifen. Über ihnen öffnete sich ein großes Loch. Die bündig abschließenden Tore eines Hangars glitten ungeachtet des enormen Gewichts der sorgfältig über ihnen drapierten Erde und Wurzeln zur Seite weg. Am Rand rieselte Erdreich nach unten.

In dem von oben hereinfallenden Licht erkannten sie beide die unförmige graue Masse eines Sacks, der zu einem Luftschiff aufgeblasen werden konnte. Er hing von Seilen und Netzen frei herab, am Boden der großen Höhle war er festgebunden. Nanagadas Militär verfügte, obgleich es sich um *Nopuluca* handelte, über ein paar faszinierende technische Mittel, in deren Gebrauch Oaxyctl von ihnen ausgebildet worden war, als er sich in einem Trainingslager der Mungo-Männer aufgehalten hatte.

»Wir nehmen dieses für Notfälle gedachte Kurier-Luftschiff der Mungos und fliegen damit nach Capitol City«, sagte Oaxyctl. »Zunächst aber müssen wir es aufblasen.«

John deBrun nickte. Oaxyctl bemerkte, wie sich in seinen Augen Vertrauen sammelte.

Oaxyctl lächelte.

Mit Unterstützung von Agenten in Capitol City würde es ihm gelingen, John zu betäuben und irgendwo hinzubringen, wo er ihn verhören konnte. Dabei durfte er sich sogar ein paar Tage Zeit lassen, um John die Informationen Stück für Stück aus der Nase zu ziehen, während sich die aztecanischen Krieger die Küste entlang langsam der Halbinsel näherten.

Es war immer noch besser, den Gefahren in Capitol City ins Auge zu blicken, als hier aztecanischen Kriegern zu begegnen.

Oaxyctl begann sich Gedanken darüber zu machen, was es zu bedeuten hatte, dass er sich unter den Nanagadanern wohler fühlte als unter den eigenen Kriegskameraden.

Nichts, sagte er sich schließlich wütend.

Dennoch, mit einem festen Plan im Kopf kehrte bei ihm zum ersten Mal seit drei Tagen so etwas wie Ruhe ein.

Er würde seine Aufgabe erfüllen. Die Götter würden ihm schon noch Respekt zollen müssen.

Über Oaxyctl lag kein Fluch!

Achtzehntes Kapitel

John schaute zu, als Oaxyctl die Schläuche zwischen dem Gassack und den Wänden der Höhle überprüfte. Dann öffnete Oaxyctl die Ventile. Die Schläuche füllten sich und streckten sich. Nach einer guten Stunde sah man langsam, wie sich der Sack des Luftschiffs aufblähte. Die schlaffen Längsseiten des Gewebes dehnten sich aus und füllten die Höhle.

In dem dämmrigen Licht musste John den Hals recken, um das ganze Luftschiff überblicken zu können. Es war überwältigend. Der Höhle selbst, einer natürlichen trichterförmigen Vertiefung, musste die Spitze mit Dynamit weggesprengt worden sein, um das Kurier-Luftschiff in diesem verborgenen Hangar mitten unter einer Lichtung im Dschungel anseilen zu können.

Mehrere netzartige Taue hingen am matt gefärbten Gassack des Luftschiffs herab, wie bei der Takelage eines Schiffes. Vermutlich dienten sie der Stabilisierung der gesamten Konstruktion.

Oaxyctl eilte umher und schloss Ventile. Er zerrte an kleinen Stricken, die an den Seiten der Schläuche in die Höhe führten. Mit einem leisen Knall flogen sie heraus und landeten auf der Erde.

»Einsteigen!«, befahl Oaxyctl.

»Wie?«, fragte John. Nur wenige Meter vor der Treppe, die sie hinabgestiegen waren, gähnte ein schwarzes Loch im Boden. Mit einem seiner schmutzigen Stiefel kickte John einen Kieselstein hinein. Der flog in das Loch und verschwand, dann und wann von einer Wand zur anderen hüpfend. Schließlich ertönte ein fernes Klatschen und hallte als leises Echo in der Höhle wider.

Oaxyctl deutete nach vorne. Eine Strickleiter führte von einer der Wände zum Fahrgastkorb des Luftschiffs. »Du zuerst«, sagte Oaxyctl, als er sich sein Bündel Speere über den Rücken warf.

John legte seine Hand gegen die Höhlenwand. Der Fels ließ seine Finger erstarren, während er sich Zentimeter für Zentimeter am Rand des Abgrunds entlang auf die Strickleiter zu bewegte.

»Bist du sicher, dass das hier gut geht?« John schaute auf das Ende der Strickleiter, die am Luftschiff befestigt war. Der Sims unter seinen Füßen schrumpfte auf Handbreite zusammen.

Die Höhle warf ihre Stimmen zwischen den Wänden hin und her.

»Etwa ängstlich?«, fragte Oaxyctl.

»Nein.« John starrte auf die Strickleiter. Sie führte an einem leichten Knick vorbei und schaukelte ein wenig, als ein Windstoß von oben mit dem Luftschiff spielte. »Ich bin in ähnlicher Takelage herumgeklettert. Aber es war meine eigene Takelage.«

Er hockte sich hin und griff nach einer Sprosse. Was hatte wohl dieser Knick zu bedeuten? Vertikal in die Höhe zu klettern war kein allzu großes Problem, doch an diesem Knick verlief die Leiter nahezu horizontal. John überlegte einen Moment und ging die verschiedenen Möglichkeiten durch, wie der Haken an seinem linken Arm ihm hinderlich werden könnte.

Um sich auf der schwankenden Leiter möglichst schnell vorwärtsbewegen zu können, hielt er den Haken an die Brust gepresst und quälte sich mit nur einer Hand die Sprossen empor. Dabei verfehlte er ein einziges Mal eine Sprosse mit dem Fuß und griff instinktiv mit dem Haken zu, um ein Abstürzen zu verhindern. Er erreichte den Fahrgastkorb relativ schnell, fasste nach der Reling aus Bambus und zog sich in den ziemlich kleinen Korb hinein.

Dann stellte er fest, dass der gesamte Fahrgastkorb aus Bambus gefertigt war.

Er drehte sich um, weil er Oaxyctl helfen wollte, und betrachtete die gut einen Meter langen Speere auf dessen Rücken.

»Was ist das da eigentlich?«, fragte John und zeigte auf den langen Stab mit der Kerbe am Ende. »Dergleichen habe ich noch nie gesehen.«

Oaxyctl nahm die Speere vom Rücken. Er benutzte den Lederriemen, um sie an einer Bambusstrebe der Reling zu befestigen. »Atlatl. Man katapultiert Wurfpfeile damit. Auf diese Weise kann man dreimal so weit werfen wie mit einem gewöhnlichen Speer.«

Er war damit beschäftigt, sein Gepäck zu verstauen und zu sichern. Dann nahm er den Stoffgurt seines Sitzes und schnallte sich damit an. John tat es ihm nach, obgleich ihm die Schnalle zunächst entglitt, da er mit nur einer Hand arbeiten konnte. Nachdem er es geschafft hatte, schaute John zu dem schmutzigen Gewebe etwa fünfzehn Zentimeter über seinem Kopf hoch.

Eine Holztafel mit Zifferblättern aus Messing und Knöpfen baumelte von den Streben des Fahrgastkorbs über Oaxyctls Kopf herab. Schläuche, Rohre und Kabel führten davon in verschiedene Richtungen.

Oben von der Treppe aus hatte das Luftschiff riesig gewirkt. Von nahem konnte John lediglich die dunkle Fläche des luftdichten Segeltuchs über sich sehen, während das Licht mit dem dick aufgetragenen Lack spielte. Die dunklen und gefährlich anmutenden Kanten der durch das Loch in der Erde beleuchteten Höhle mussten bedrohlich nahe kommen, wenn das Luftschiff daraus emporsteigen sollte.

John konnte nur hoffen, dass sie dabei nirgendwo anecken würden.

Oaxyctl legte einen Schalter um, und der Fahrgastkorb quietschte. Obwohl das Gefährt offensichtlich für zwei Personen konstruiert war, saßen sie mit den Oberschenkeln aneinander gequetscht. Johns Hose war an verschiedenen Stellen aufgerissen, und es sah so aus, als habe Oaxyctl in seine mehrere Schlitze geschnitten, um schneller laufen zu können.

»Bereit?«, fragte Oaxyctl.

John nickte.

Oaxyctl hielt einen Kasten mit nur einem Hebel daran in der Hand. Ein langes Kabel führte zur Höhlenwand. Oaxyctl legte den Hebel um und warf den Kasten über Bord. Dieser knallte klirrend gegen den Felsen.

Sechzehn Taue hielten das Luftschiff am Grund. Sie knarrten unter der Anspannung, das Gefährt, dessen Füllung ja leichter als Luft war, gefesselt zu halten. Dann zerrissen sie mit einem Knall wie von einem Peitschenhieb.

Das Luftschiff stieg in die Höhe. Der Rand der Höhle glitt an ihnen vorbei, und John konnte noch einen letzten Blick auf die Lichtung werfen. Danach erhoben sie sich über die Bäume, der Wind trug sie an Ästen vorbei, wo aufgeschreckte Affen ihnen wütend nachbrüllten.

Hier oben gab es keinen Schatten, und so wehte ein heißer böiger Wind. Das Luftschiff machte ein paar Sprünge, dann glitt es ruhig über ein grünes Meer, das sich bis zum Horizont vor ihnen erstreckte, wo es sich mit dem blauen Himmel vermischte.

Oaxyctl lockerte ein wenig den Gurt und lehnte sich zurück. Er nahm einen Holzgriff am Ende eines Stricks in die Hand und begann, ruckweise daran zu ziehen. Einmal, zweimal, dreimal.

John reckte den Hals und schaute sich um.

Hinter der Gondel befand sich ein großer hölzerner Propeller mit einer Klappe daran. Genau wie die Schraube und das Ruder bei einem schnellen Dampfschiff, dachte John. In Capitol City hatte er eine ähnliche Konstruktion gesehen. Oaxyctl zog noch einmal an dem Holzgriff, und die Maschine erwachte zum Leben.

John erkannte den Geruch sofort. Er drehte sich um.

»Alkohol?«, brüllte er über die Maschinengeräusche hinweg.

Oaxyctl nickte. Er griff nach einem zwischen seinen Beinen angebrachten Hebel mit einem Knauf, der mit Messing und kirschroten Intarsien verziert war. Als John sich wieder umschaute, wackelte die große Klappe hinter dem Propeller und drehte sich zur Seite.

»Wir haben nicht sehr viel Treibstoff«, sagte Oaxyctl. »Und er reicht auch nicht, um gegen den Wind anzukämpfen, aber er hilft uns beim Lenken.«

Das Luftschiff änderte langsam die Richtung, obwohl der Wind immer noch schräg von vorne kam, und Oaxyctl schaute unentwegt zur Sonne hoch, um Kurs auf sie zu halten. Trotz allem trieben sie rückwärts in Richtung der Wicked Highs nach Westen ab, statt in nordöstlicher Richtung nach Capitol City zu fliegen.

»Werden wir es bis nach Capitol City schaffen?«, fragte John, als ein ganzer Schwarm von blau- und goldgefiederten Papageien aus den Baumwipfeln aufstieg und vor ihnen herflog.

»Über den Great Mountains weht ein starker Wind in östlicher Richtung. Um den zu erwischen, müssen wir noch viel höher hinauf. Wenn du Ohrenschmerzen bekommst, musst du Kaubewegungen machen.« Das Luftschiff stieg jetzt erheblich schneller. »Wir haben hier keine Atemgeräte an Bord, pass also auf deine Atmung auf. Wir müssen darauf achten, genügend Luft zu bekommen.«

John presste sich stärker in seinen Sitz. Der Horizont schien sich weiter nach hinten zu verschieben, und im selben Moment konnte er noch mehr vom Land um ihn herum überschauen. In der Ferne stieg über Joginstead eine Rauchfahne in den Himmel.

Als er sich kurz darauf über die Brüstung lehnte und hinabblickte, holte John tief Luft. Unten erkannte er keine Zweige mehr, nur noch einen weichen grünen Teppich.

»Wie hoch sind wir?«, fragte er.

»Sehr hoch«, antwortete Oaxyctl. »Hoch genug, dass du deine Arme mehrere Sekunden lang ausbreiten könntest und das Gefühl hättest, zu fliegen.«

Die Vorstellung, frei in der Luft zu schweben, fand John alles andere als lustig.

Jetzt gewannen sie nur noch langsam an Höhe und wurden weiter seitlich nach Westen abgetrieben. Oaxyctl wendete das Luftschiff, sodass sie die Berge vor sich sahen. John runzelte die Stirn. Die Wicked Highs wurden immer größer, wuchsen zu einer unüberwindlichen Mauer heran. Der Wind trug sie mit großer Geschwindigkeit auf die zerklüfteten Gipfel und Täler zu. John konnte ausmachen, wo die Baumgrenze war und nur noch nackter Fels in den Himmel ragte.

»Wie oft bist du mit diesen Höllenmaschinen geflogen?«, fragte John. Sie waren noch nicht hoch genug gestiegen, als dass er beim Hinunterschauen nicht hätte sehen können, wie schnell sie sich über die Erde auf die Wicked Highs zu bewegten.

»Oft genug, um zu wissen, was ich tue«, antwortete Oaxyctl.

Die Luft spielte mit ihnen ein böses Spiel. Johns Magen kam in Aufruhr, als das Luftschiff plötzlich wegsackte und danach wieder stieg. Es schüttelte sich mehrmals, und sie wurden kräftig durchgerüttelt, wenn die Luft sie wieder erfasste.

»Es wird noch etwas rauer werden«, sagte Oaxyctl.

Und so kam es. Ein Absacken, bei dem das Luftschiff gegen seine Absicht endlos zu fallen schien, ließ John schon fast die Überzeugung gewinnen, er werde sein Ende in diesem neumodischen Ding finden, zerschmettert an den steilen Berghängen.

»Immer langsam, mein Bester!« Oaxyctl hantierte wie verrückt an den Zifferblättern der Schalttafel herum. In den Schläuchen, die von großen Tanks zur Unterseite der Gondel führten, zischte und pfiff es. Das Luftschiff fing sich und stieg wieder. »In dieser Jahreszeit«, erklärte Oaxyctl, »scheinen die Winde in Bergnähe manchmal von der Erdoberfläche geradezu angesogen zu werden. Dann stürmen sie wieder die Berge hinauf, und oben angekommen steigen sie noch höher und nehmen die entgegengesetzte Richtung. Das werden wir für uns nutzen.«

Und tatsächlich, der Wind drehte. Zunächst wurde das Luftschiff am Berg in die Höhe getragen. Irgendwie war es wie in einem Segelboot, dachte John. Doch es ging dabei auch ständig auf und ab.

Oaxyctl schaffte es, sie immer höher hinaufzubringen, und als sie auf die höchsten Gipfel der Wicked Highs hinabblicken konnten, drehte der Wind endgültig, und sie flogen schnell in Richtung Osten, genau wie Oaxyctl prophezeit hatte. Jetzt endlich glitten sie auf dem gewünschten Kurs dahin: nahezu ostwärts. Von Zeit zu Zeit mussten sie nach Norden beidrehen, um Capitol City anzusteuern, doch auf jeden Fall führte sie ihr Weg von den Aztecanern fort.

Alles verlief jetzt glatt, und als sie die Berge hinter sich ließen, stoppte Oaxyctl die Maschine.

An der Küste Richtung Norden stiegen dichte Rauchwolken in den Himmel. Das brennende Brungstun. John schaute mit Tränen in den Augen weg, konzentrierte sich auf die Weite des unendlichen Dschungels.

In dieser Richtung lag die Hoffnung.

Neunzehntes Kapitel

John blickte skeptisch zu den hohen Wolken hinüber, aus denen dicke Wassertropfen auf das Luftschiff zu fallen drohten. Es wurde dunkel, von der Sonne war weit und breit nichts zu sehen. Eiskalte Windböen umwehten John und Oaxyctl und schüttelten das Luftschiff. Die beiden Männer zitterten in ihrer Gondel. Verglichen mit den dichten Wolken, die sich überallhin ausbreiteten und bis in den Himmel türmten, waren sie nicht mehr als nur ein winziger Punkt.

Eine Stunde lang nieselte es. An den Seiten des Luftschiffs bildeten sich kleine Rinnsale, die sich zu Miniaturwasserfällen vereinigten und den beiden dicke Tropfen bescherten, sodass sie bald völlig durchnässt waren. John schaute zu der tropfenden Schalttafel über Oaxyctl hinauf und hoffte, dass sie jemand auf Wetterfestigkeit geprüft hatte.

Endlich hörte der Regen auf. Das Wasser tropfte jetzt nur noch vereinzelt vom Gassack herab und fiel in die Tiefe. John schüttelte sich, um die Wasserlachen in seinem Schoß loszuwerden. Das Zittern blieb.

»Geht es einigermaßen?«, fragte Oaxyctl.

»Es ist kalt«, antwortete John.

Oaxyctl nickte. Er korrigierte irgendetwas an den Armaturen, und das Luftschiff sank. »Ich darf nicht zu tief gehen, sonst verlieren wir unseren Wind. Aber wir können uns ein wenig aufwärmen.«

Die Sonne ließ sich wieder blicken: Lange Strahlen des willkommenen Lichts schossen zur Erde, als die Regenwolken verschwanden. Oaxyctl ließ das Fahrzeug so tief sinken, dass die Kälte John zumindest nicht mehr bis in die Knochen drang. Der

Wind war nicht sonderlich stark. John konnte es nicht so genau abschätzen, doch es sah so aus, als bewegten sie sich in ziemlich gemächlichem Tempo vorwärts.

Hätte er jetzt einen Sextanten bei sich gehabt, wüsste er die Geschwindigkeit exakt zu bestimmen. Vor seinem geistigen Auge drängten sich erste Fetzen einer imaginären Landkarte. So erging es ihm jedes Mal, wenn er eine Reise machte. Er hielt überall Ausschau nach etwas, das er zum Anvisieren benutzen konnte, doch er fand nichts. Er zog sich das Hemd aus, wrang es aus und legte es zum Trocknen über die Brüstung. Das Ende des niedrigsten Teils des Netzes schwang dicht über ihm vom Gassack herab.

Heftig zitternd schlang John die Arme um den Oberkörper und rubbelte die Haut so heftig er konnte, um sich aufzuwärmen.

»Essen?«, fragte Oaxyctl. Er öffnete seinen Beutel und wühlte darin herum. Er fand noch ein paar Kernies. Außerdem förderte er etwas faden, knochenharten Kuchen und einen Topf mit Honig zutage. Sie tunkten den Kuchen in den Honig, als handle es sich um einen Nachtisch, und nippten an der Feldflasche, während sie einen in Quadrate aufgeteilten Landstrich überflogen. Mitten im Dschungel Ackerland. Irgendein Trupp, der sich aufgemacht hatte, um jungfräuliches Land zu erobern.

»Denkst du eigentlich oft an deine Familie?«, fragte John und hielt nach irgendeinem bekannten Orientierungspunkt Ausschau. Jetzt entfernte ihn jede Stunde im Wind eine volle Stunde von jener Küste, die ihm so vertraut war.

»An meine Frau.« Der Wind ließ nach, und Oaxyctl drehte an Rädchen, legte Schalter um. In den Schläuchen zischte es. »Ich denke an sie.« Langsam stiegen sie wieder. Der Rückenwind frischte auf.

»Meine Frau hieß Shanta.« Es schmerzte John, die Vergangenheitsform zu benutzen. Er stellte fest, dass er sein Trauma, seinen Verlust in seinem Herzen zu verschließen suchte. Wörter wie »hieß« waren ein erster Schritt auf diesem Weg.

Es irritierte John, wie leicht es ihm über die Lippen gekommen war. Ein seit langem vergessener Instinkt erlaubte es ihm, seine Gefühle zu unterdrücken. Welche Sorte Mensch konnte damit so nüchtern umgehen? Jemand, der ein raues Leben geführt hatte, dachte John. Vielleicht besaß er deshalb keinerlei Erinnerung an jenes Leben.

Er schauderte. Nicht vor Kälte, sondern wegen eines Angstgefühls, das ihn beschlich. Ein kleines Hirngespinst, das seine Vergangenheit betraf und sich in keinem verschwommenen, sofort wieder vergessenen Traum auflösen wollte.

»Necahual«, sagte Oaxyctl, nachdem sie beide lange geschwiegen hatten.

John schaute ihn erstaunt an. »Wie bitte?«

»Meine Frau hieß Necahual. Ein sehr gebräuchlicher Name. Er bedeutet ›Überlebende‹.« Oaxyctl lächelte. »Äußerst passend für sie. Mit einer Art siebtem Sinn vermochte sie Positionen und Standorte zu erraten, dass ich nur den Hut davor ziehen konnte, so sehr überraschte es mich. Manchmal grüble ich noch, was sie jetzt wohl tun mag.«

John lächelte ebenfalls. Es fiel nicht leicht, sich diesen hartgesottenen Krieger, der einst blutrünstiger Liebhaber von Menschenopfern gewesen war, als Familienvater vorzustellen.

»Hast du Kinder?«, fragte John.

»Kinder …« Oaxyctl hielt inne, um die Skalen über sich zu kontrollieren. Er räusperte sich. »Nein.« Er biss sich auf die Lippen. John hätte gerne gewusst, mit welchen Gefühlen Oaxyctl gerade kämpfte. »Hatte keine Zeit für Kinder, bevor ich die Great Mountains überqueren musste.«

»Das tut mir leid.«

»Mir auch.« Oaxyctl durchforstete sein Gepäck und brachte eine schmutzige Decke zum Vorschein. Seine Knöchel wurden weiß, als er den Knoten löste, der sie zu einem kleinen, handlichen Paket gemacht hatte. »Hier. Wickel dir das um Kopf und Hals, es sollte dich während des Fluges warm halten.«

John tat es und gluckste vernehmlich.

»Was hast du?«, fragte Oaxyctl.

»Du scheinst plötzlich eine Seele zu haben.«

Oaxyctl schaute ihn an. »Nachdem ich dir das Leben gerettet habe, John deBrun, würde es ja wohl wenig Sinn machen, dich sterben zu lassen.«

John blinzelte und biss sich auf die Unterlippe. »Ganz recht. Ich bin dir einiges schuldig.« Er machte es sich im Sitz so bequem wie möglich. Weitere offene Fragen tauchten aus einem Nebel von Instinkten auf. Durfte er diesem Mann wirklich trauen?

Ja. Natürlich.

Gut, dieser bescheidene Instinkt sollte ihn leiten. Als Erstes brauchte er eine Unterkunft, Wasser, Essen, Schlaf. *Geh schwierige Dinge nur an, wenn du ausgeschlafen bist!* Ein Verstand ohne Schlaf ist ungeeignet fürs Überleben, dachte er bei sich.

Diese Worte und Gedanken machten Sinn.

»Ist es dir recht, wenn ich ein Nickerchen mache?«, fragte John.

Oaxyctl nickte.

Sie flogen weiter unter einem klaren Himmel, vom Wind über das weite Land getragen. Hin und wieder zwang ein Luftloch John, mit der gesunden Hand unbewusst nach etwas zu greifen.

Irgendetwas hatte John wachgerüttelt. Seine Augen flatterten, und die gesunde Hand umklammerte die Gurte, die ihn im Sitz festhielten. Sie scheuerten empfindlich an seiner Brust.

Das Luftschiff fiel plötzlich, gleichzeitig wurde es durchgeschüttelt. John hatte das Gefühl, als werde seine Brust unter mehreren Metern Wasser zusammengepresst. Er musste mehrmals tief Luft holen, um sich von der Angst, erstickt zu werden, zu befreien.

»Was ist los?«, fragte er. Der Wind versetzte ihnen erneut einen Schlag.

Oaxyctls Gesichtszüge wirkten angespannt. »Wir werden verfolgt.«

John schaute sich um. Viele Kilometer hinter ihnen flog ein anderes Fluggerät. John hatte Mühe, es auszumachen. Oaxyctl musste scharfe Augen haben.

»Ich bin so hoch gestiegen, wie ich es wagen konnte«, sagte Oaxyctl. »Wir haben immer noch Vorsprung, aber sie holen auf.«

»Warum benutzt du nicht die Maschine?«

»Sie würde uns nicht viel helfen. Außerdem fehlt uns der Treibstoff. Wir brauchen ihn zum Steuern, wenn wir weiter runtergehen.«

»Verflucht, was können wir denn tun?«

Oaxyctl klopfte auf eine Anzeige. »Zunächst einmal versuchen wir, wieder zu steigen.«

Als der Wind stärker wurde, legte sich das Flugschiff wie ein Segelboot auf die Seite. Oaxyctl suchte in den höheren Luftschichten nach noch stärkerem Wind. John hoffte, er käme mit dieser Art von Bockspringen klar.

Ohne wegen Luftmangels das Bewusstsein zu verlieren.

Zwanzigstes Kapitel

Das sie verfolgende aztecanische Flugschiff sah größer aus als ihr Kurier-Fahrzeug. John schätzte, dass der Gasbehälter der anderen mindestens doppelt so groß war wie ihr eigener. Stark stilisierte Federn in Terrakottafarbe schmückten seine Spitze, und an beiden Seiten des Kabinendachs befanden sich Propeller.

Drei scharfe Schüsse peitschten durch die Luft. John duckte sich instinktiv und schaute dann nach oben.

Oaxyctl nickte. »Sie versuchen, uns vom Himmel zu holen. Sie wollen verhindern, dass wir den Norden erreichen und berichten können, wo sie sich befinden.« Oaxyctl drehte sich um und riss an einer Kordel. Der Motor spuckte und ächzte, sprang aber nicht an. »Wir fliegen zu hoch. Wir müssen tiefer nach unten gehen.«

Weitere Schüsse durchschnitten die dünne Luft. Oaxyctl zog eine Grimasse und arbeitete an einem Hebel. John vernahm ein Zischen, jedoch nicht aus den Schläuchen, sondern weiter oben, im Gassack. Sie fielen.

John drehte sich um. Das Flugschiff der Aztecaner war hinter ihnen.

Das Geräusch des an ihnen vorbeirauschenden Windes wurde stärker, und Johns Magen spielte verrückt. Sie fielen schneller.

»Wie viel Luft hast du abgelassen?«, fragte John.

»Helium.« Oaxyctl kurbelte an den Armaturen, und die Rohre erwachten zu Leben. Kondenswasser rann an der Unterseite der schwarzen Gummischläuche entlang, die zu den Tanks unter der Gondel führten. Oaxyctl riss erneut an der Kordel.

Einmal, zweimal, dreimal. Beim vierten Versuch räusperte sich die mit Alkohol betriebene Maschine und sprang stotternd an.

Oaxyctl schob den Geschwindigkeitsregler so weit nach vorne wie möglich. Beide drehten sich um und spähten durch den verschwommenen Wirbel des Propellers. »Wo sind die bloß hin?« Oaxyctl suchte die ganze Gegend ab.

John schaute zum bunten Gasbehälter hoch. Oaxyctl folgte seinem Blick. »Verflucht!«

Sie hörten eine neue Salve von Schüssen. Eine Kugel zischte an ihnen vorbei, verdammt dicht. Oaxyctl schnallte sich ab.

»Was hast du vor?«, fragte John.

»Seitlich hochklettern und nachschauen, wo sie sind.«

John schüttelte den Kopf. »Du musst dieses Ding hier steuern.« Sie waren bereits tief herabgesunken, und John spürte, wie das Luftschiff selbst mit dem zusätzlichen Gas immer weiter absackte. Er simulierte ein kräftiges Gähnen, um den Druck auf die Ohren zu lockern. »Gibt es hier irgendwo so etwas wie ein Gewehr?«

»Du gehst auf keinen Fall da rauf.« Oaxyctl zeigte auf Johns Haken. »Ich weiß nicht, wer von euch gefährlicher ist; du mit deinem Haken oder die mit ihren Schießeisen?«

John fasste nach einem Band an seinem Handgelenk und löste es. Er ignorierte den Geruch ungewaschener Haut, als er die restlichen Bänder herunterriss, um seinen Haken abzulegen.

»Es kann dich das Leben kosten«, sagte Oaxyctl.

»Wenn wir überleben wollen, ist dies immer noch der beste Weg.« John versuchte die Nervosität in seiner Stimme zu unterdrücken. Höhenangst kannte er nicht. Doch in einer Takelage hoch am Himmel war er noch nie herumgeturnt.

Und was spielte sich hinter Oaxyctls tiefen, kalkulierenden Augen ab? John wusste es nicht. Aber nach einem Runzeln seiner schmalen Augenbrauen nickte Oaxyctl. »Hier.« Er langte unter seinen Sitz und öffnete einen Erste-Hilfe-Kasten. Daraus zog er eine Pistole und mehrere Leuchtkugeln hervor.

John verstaute die Pistole und die Munition in seinem Hemd und verknotete das Ganze zu einem Bündel. »Mach bitte keine plötzlichen Bewegungen, ja?«

Oaxyctl nickte. Er sah nicht gerade glücklich aus. John hätte gedacht, jeder müsste eigentlich froh sein, in der Gondel bleiben zu dürfen, doch Oaxyctl schien noch nervöser als John zu sein.

John schnallte sich vom Sitz los. Mit einem Fuß umklammerte er die Bordwand und lehnte sich nach draußen. Er schaute nach unten, sah die ferne Welt unter sich und blickte dann zum weiten und sicheren Horizont hinter sich. Mit den ausgestreckten Fingern seiner rechten Hand griff er nach den Stricken des Netzes, das vom Gasbehälter herabbaumelte.

Er hielt die Luft an und klemmte sein gesundes Handgelenk zwischen die dünnen Stricke. Dann machte er einen Satz und hing frei in der Luft. Sein einziger Halt waren die Stricke und seine darin verkrallte Hand.

Er ließ die Beine hinunterbaumeln und stieß mit dem linken Armstumpf durch das Netz, bis sein Ellbogen zusätzlichen Halt fand. Danach zog er sich mit der Rechten hoch. Nachdem er seine Füße in den Stricken verankert hatte, begann das Klettern. So hatte er sich früher auch an Schiffsmasten emporgeangelt.

John folgte der Wölbung des Gasbehälters.

Der an den Seiten des Luftschiffs vorbeirauschende Wind zerrte an ihm, doch der Sog störte ihn nicht weiter. Was ihn hingegen zusammenzucken ließ, waren die Geräusche dreier weiterer Schüsse. Dennoch kletterte er weiter am Netz empor und entdeckte direkt über sich das aztecanische Luftschiff. Jemand lehnte sich über die Bordwand und zielte mit dem Gewehr auf ihn.

John presste sich, soweit es ging, an das lackierte Segeltuch. Mit den Füßen umklammerte er die Stricke und knotete sein Hemd auf.

Jahrelanges Segeln hatte ihn Abstände richtig abzuschätzen gelehrt, ohne auch nur eine Sekunde zu zögern. Der aztecanische Scharfschütze hingegen, an festen Grund gewöhnt, konnte aufgrund des Windes und des dadurch verursachten Schaukelns offenbar nicht genau genug zielen, um sie zu treffen.

Daher versuchte das feindliche Luftschiff für einen sicheren Schuss näher zu ihnen hinabzusinken.

John legte die Pistole an seinen linken Unterarm, um so gut wie möglich zielen zu können. Sie sah klein und nicht sonderlich geeignet für einen genauen Schuss aus, doch er hatte dergleichen auch schon dafür benutzt, Leinen zu anderen Schiffen hinüberzuschießen. Noch feuerte er nicht. Er wartete. Er wollte erst ein Gefühl für das Schlingern des Luftschiffs entwickeln. Genau wie auf hoher See. Das feindliche Luftschiff, etwas höher und schräg hinter ihnen, näherte sich im Sinkflug. John blinzelte und wartete darauf, bis sich der riesige Körper aus Stoff und Gas in der richtigen Position befand. Dann schoss er.

Hastig öffnete er den Lauf und nahm die gebrauchte Patrone heraus. Der Wind trug sie fort, der fernen Erde entgegen.

Nichts geschah. Er hatte nicht getroffen. Ja, jetzt sah er das Leuchtfeuer über den beiden Luftschiffen, wie es langsam herabfiel.

John legte eine neue Patrone ein und bereitete den zweiten Schuss vor. Er hatte die Unterseite des fremden Luftschiffs vor sich, und so konzentrierte er sich darauf, die Tanks zu treffen, die genau in der Mitte unterhalb der Gondel angebracht waren.

Der Scharfschütze lehnte sich über die Bordwand und verrenkte sich fast den Hals. Er suchte John. Der Aztecaner schoss noch mehrere Male, da er jedoch nicht einmal das Luftschiff traf, rechnete John damit, dass es ihn bestenfalls per Zufall erwischen würde. So hielt er sich vorsichtig am Netz fest und drückte ab.

Direkt neben dem aztecanischen Luftschiff gab es eine zischende Explosion. Eine der Maschinen fing Feuer und flog in die Luft. Der Propeller sprühte Funken, als er zur Erde stürzte.

»Treffer!«, brüllte John.

Erneut öffnete er die Pistole, legte die nächste Patrone ein und schoss, diesmal auf den Gasbehälter. Und noch einmal. Es war die letzte Patrone, doch er sah, wie sie in einer Kammer des Gasbehälters verschwand.

In Windeseile breitete sich das Feuer in der Gondel aus. Einer der Krieger sprang über die Reling. Mit gespreizten Armen und Beinen, die Hosen lichterloh brennend, flog er schreiend an Johns Luftschiff vorbei. Oben torkelte das Gefährt der Aztecaner in der Luft herum, während sich immer mehr Löcher in den Luftsack fraßen. Es sank, es fiel. Zunächst nur langsam, doch dann mit zunehmender Geschwindigkeit.

Scheiße!

John kletterte hinab. Die Pistole schleuderte er weit von sich, da sie ihn beim Abstieg mit nur einer Hand behindert hätte. Mit den Füßen klammerte er sich wieder ans Netz, dann ließ er die gesunde Hand los, sodass er fiel und kopfüber in der Luft hing. Sein Gesicht schwebte auf gleicher Höhe mit der Reling.

»Los! Schnell!«, brüllte er Oaxyctl zu. »Mach voran! Die fallen auf uns drauf!«

Oaxyctl fluchte gotterbärmlich in seiner Muttersprache, eine unendlich lange Abfolge von Vokalen. Dann wirbelte er an den Armaturen herum. John faltete den gesamten Körper wie ein Klappmesser zusammen und setzte ihn in Schwung, um am Gassack vorbei nach oben schauen zu können.

Flammen und Rauch.

Irgendetwas berührte die Spitze des Luftschiffs und schrie gellend.

Das gesamte Gefährt wackelte. John spannte seine Beinmuskeln, als er zurückschwang und auf die Seite des Luftschiffs prallte. Ein aztecanischer Krieger schlidderte an der Netzkante entlang, versuchte noch, danach zu greifen, hatte aber keinen Erfolg.

Er fiel in die Tiefe. Aus Johns unnatürlicher Lage sah es allerdings so aus, als fiele er nach oben. John zog sich wieder hoch und hielt weiter Ausschau.

Während er darauf wartete, dass der Aztecaner vom Grün des Dschungels geschluckt wurde, hatte John das Gefühl, die Dinge bräuchten eine Ewigkeit, bis sie endlich die Erde erreichten.

Mit Geduld und gutem Zureden schaffte Oaxyctl es schließlich, dem Luftschiff die nötige Geschwindigkeit zu geben. Sie sanken tiefer und nahmen immer mehr Fahrt auf. John wusste nicht, ob die Einbildung ihm einen Streich spielte, aber er sah, wie sich kleine Wellen am Netz herabkräuselten.

Sie durften eigentlich nicht so viel Gas entweichen lassen.

Oder doch?

Nein, die Gondel schaukelte gefährlich, als sich das Luftschiff auf die Seite neigte. Sie waren getroffen worden. Die Schläuche zischten laut, als Oaxyctl sie wieder mit Gas füllte. Es klang, als habe er die Ventile bis zum Anschlag geöffnet.

Jetzt stiegen sie in die Höhe. John schaute dem brennenden Wrack des aztecanischen Luftschiffs nach, das unter ihnen der Erde entgegenstürzte. Während sie stiegen, stieß er endlich die Luft aus, die er so lange angehalten hatte.

Doch selbst jetzt blieb ihm nur Zeit für einen Atemzug, bevor Oaxyctl ihn anbrüllte.

»Es brennt! Schau nach!«

John löste die Beine aus dem Netz und kletterte zur Spitze des Luftschiffs hinauf.

Nach einigen Minuten voller Panik fand John nur schwelendes Netzwerk vor. Mit dem Hemd löschte er die Glut. Nachdem er sich vergewissert hatte, dass es nicht mehr zu glimmen beginnen würde, machte sich John auf den Rückweg.

Als er die Gondel wieder bestieg, an einer Hand hängend und mit den Füßen voran, musste er feststellen, dass Oaxyctl noch ziemlich beunruhigt dreinschaute.

»Da war kein Feuer«, berichtete John.

»Nein«, sagte Oaxyctl. »Aber bei diesen ganzen Manövern haben wir sehr viel Helium verloren. Es ist nur noch eine Frage der Zeit, bis wir landen müssen.«

John schnallte sich auf seinem Sitz an. Die zuvor knarrende und unsicher erscheinende Gondel bildete jetzt im Vergleich zu dem Herumkraxeln auf dem Netz festen Grund für ihn.

»Für wie lange reicht es?«, fragte John.

»Vielleicht ein paar Stunden.«

John schaute hoch. »Können wir denn noch damit fliegen? Nicht zu unsicher?«, fragte er nervös. Er hatte immer noch das Bild des auf die Erde hinabstürzenden aztecanischen Flugschiffs vor Augen.

Oaxyctl nickte. »Ich werde es bis zum letzten Moment in der Luft halten. Dann landen wir. Und hoffentlich überleben wir es.«

Hoffentlich? John schaute zu ihm hinüber. Er fasste nach den Gurten auf seiner Brust. Auf jeden Fall waren sie jetzt weit weg von den vorwärtsrückenden Aztecanern. Ein schwacher Trost, aber immerhin.

»Jede Landung, bei der wir mit heilen Knochen davonkommen«, sagte der Aztecaner, »ist eine gute Landung.« Dann murmelte er vor sich hin: »Ich bin wirklich unter einem unglücklichen Zeichen geboren.«

Einundzwanzigstes Kapitel

Oaxyctl hatte das Luftschiff so hoch in den klaren Himmel gebracht, wie es das restliche Gas in den Tanks unter der Gondel zuließ. John stellte aber fest, dass sie noch nicht hoch genug gestiegen waren, um die starken Winde zu erwischen, die sie den gesamten Weg bis nach Capitol City mitnehmen würden. Sie trieben langsam dahin wie ein Schiff ohne Segel.

Glücklicherweise flogen sie immer noch in östlicher Richtung. Einer der beiden Monde war bereits aufgegangen. Bei Tageslicht war er kaum zu erkennen.

Oaxyctl nahm einen kräftigen Schluck aus der Feldflasche und schaute über die Reling. »Sieh dir das an!« Er zeigte nach unten. Ein brauner, leuchtend kahler Fleck auf der Erde, wie eine Narbe.

John lehnte sich hinaus. Er wusste, wo sie waren. »Es heißt Hope's Loss.«

Oaxyctl schlug das rechte Bein unter das andere. »Hope's Loss?«

»Warst du nie in Capitol City?«

»Nein.« Oaxyctl schüttelte den Kopf. »Aber ich weiß viel darüber. Ich habe dort Freunde.«

»Vor zweiundzwanzig Jahren reiste ich durch den Busch nach Capitol City. Zusammen mit einem Freund, Edward. Ein Mungo-Mann. Und zwar ein verflucht guter. Er wollte Hope's Loss erforschen. Er wollte wissen, ob die Geschichten auf Wahrheit beruhen.«

»Welche Geschichten?«

»Oh«, John hob den Haken auf. »Du hast hier noch nicht lange genug gelebt.« Er schob die Halterung auf das Handgelenk und begann, die Riemen festzuziehen. Die Lederbänder schnitten ihm ins wunde Fleisch. Er schlug die Augen nieder, um Oaxyctls erstauntem Blick auszuweichen. »Angeblich sollen während der letzten Tage« – John stöhnte und hebelte den Haken hinein – »böse Geschöpfe Felsen auf dieses Land geworfen haben. Tausende starben. Es nahm kein Ende, bis alle zerstörerischen Maschinen vernichtet waren. Auf allen Seiten. Es gibt viele unterschiedliche Versionen dieser Geschichte, doch eine Sache ist ihnen allen gemein.« John lehnte sich wieder nach draußen und schaute zu dem kahlen Flecken hinab. »Es heißt, das Land hier rings um Hope's Loss sei vergiftet, denn an diesem Ort wächst einfach nichts mehr.«

Auch Oaxyctl lehnte sich jetzt nach draußen und schaute hinunter. »Und, ist es wahr?«

John nickte. »Ich hielt vier meiner Freunde in den Armen, als sie starben. Nur wenige Wochen, nachdem wir dieses Gebiet durchquert hatten.« John holte tief Luft und atmete langsam aus. »Edward blieb danach für immer krank. Nur wir beide kamen in Capitol City an. Wie die Leute sagen: ein vergiftetes Land.«

»Wurdest du auch krank?«

»Aus irgendeinem Grunde hat es mir nichts ausgemacht.«

»Glück gehabt.«

»Ja.« John lehnte sich in seinem Sitz zurück. »Unverschämtes Glück sogar.«

»In Aztlan, auf der anderen Seite der Wicked Highs, existieren ähnliche Geschichten. Über verwünschte Seen, die absolut kreisrund sind. Leute aus den Dörfern, die sich dort niederlassen wollen, sterben einfach. Das geschieht so ungefähr einmal pro Generation. Wir teilen eine Menge ähnlicher Vergangenheit.«

John schaute Oaxyctl an. »Teotl?«

»Teotl«, verbesserte Oaxyctl.

»Diese Geschöpfe waren, so heißt es jedenfalls in den Legenden, die Ursache fast aller Schwierigkeiten. Sie herrschen über eure Leute, sie versuchten, meine Leute zu vernichten . . .«

»›Meine Leute‹, wie du sie nennst«, sagte Oaxyctl, »sind sehr verschiedenartig. Manche unter ihnen wissen es nicht besser, da die gesamte Gesellschaft von den Teotl und der Priesterschaft unterdrückt wird. Sie wissen lediglich, was man ihnen beigebracht hat: dass nur Blut den Göttern gefällt, dass nur Blut die Ernten sichert und dass nur Blut das Überleben der Seelen im Jenseits gewährleistet. Und dabei gibt es viele, die sich einzig aus Furcht vor den Teotl und den Werkzeugen der Priester daran halten. Da sind zum Beispiel die Toltecaner, die über die Berge flohen, um hier zu leben. Und dann sind da Leute wie ich; Aztecaner, die zu den Mungo-Männern übergelaufen sind, um gegen jene Menschen zu kämpfen, denen sie sich einmal zugehörig fühlten.«

»Entschuldige bitte«, sagte John.

»All unseren Vorvätern wurde die Größe und Erhabenheit abgesprochen. Das wissen wir ganz sicher. Aber alles andere ist verworren und unklar, da die Teotl, meine Leute, deine Leute und die Loa, die sich geschworen haben, die Teotl zu vernichten, untereinander in ständigem Konflikt sind. Und du und ich, John, wir sind nur kleine Sandkörner in diesem uralten Sturm.«

Das Luftschiff hatte an Höhe verloren, doch es sah so aus, als würden sie es über dies kahle Land schaffen.

»Verstehe«, sagte John. Oaxyctls Gefühlsausbruch hatte ihn überrascht. So behielt er für sich, was er dachte: Ungeachtet der irrsinnigen Umstände und der Geschichte rechtfertigte für ihn nichts die Plünderungen und die Missachtung von Menschenleben, die sich mit den Aztecanern über Nanagada ergossen.

Nichts.

Oaxyctl steuerte die schwerfällige Leichter-als-Luft-Maschine auf das unüberschaubare, wogende Dach von Nanagadas tiefem inneren Dschungel hinab. Er warf den Motor an, als der Wind sie rückwärts zu treiben begann.

»Siehst du irgendwo etwas Ähnliches wie eine Lichtung?«,

fragte er, nachdem er den Horizont mehrere Minuten lang abgesucht hatte.

»Keine Lichtung«, sagte John.

»Verflucht!« Oaxyctl schaute zu den Anzeigen auf dem hölzernen Armaturenbrett über sich hinauf und kaute auf den Lippen herum. Offenbar fehlte es dem Luftschiff an Auftrieb. »Wir sollten landen, solange wir noch gleiten. Wer weiß, wann wir abzustürzen beginnen.«

Er steuerte ein Gebiet mit niedrigeren Bäumen an, und sie kamen nur stotternd voran. Als John hinunterblickte, konnte er jetzt kleine Lücken in dem steten Strom von Grün unter den Baumwipfeln ausmachen. Die Gondel legte sich leicht auf die Seite, als Oaxyctl sich hinauslehnte und die Gegend genauer in Augenschein nahm.

»Hier ist es so gut wie überall«, sagte er.

John nickte.

»Gut festhalten!« Oaxyctl drückte die Hebel neben seinem Sitz mit einem Ruck durch, sodass die gesamte Motorhalterung zu quietschen und sich nach oben zu drehen begann. Das Luftschiff krängte und sackte langsam ab. Dann ließ Oaxyctl den Motor auf vollen Touren laufen. Sie setzten auf den Bäumen auf.

Die obersten Zweige, dünn und mit dicken grünen Blättern beladen, streiften die Gondel. Es klang wie Sand unter einem Ruderboot. Nur wurde das Geräusch lauter, als sie zwischen den Blättern und Zweigen immer weiter hinabsanken. Das leichte Schaben ging in ein grelles Kratzen über. Ein großer Ast brach. Das Knacken nahm kein Ende. Wie ein Knallfrosch hörte es sich an.

Dann war es plötzlich vorbei. Das Luftschiff bewegte sich nicht mehr.

»Kommst du an irgendetwas heran?«, fragte Oaxyctl.

John schaute auf die gebogenen Zweige und Äste, die durch die Lücken der Gondel hindurchschimmerten. Der nächste Ast, augenscheinlich ziemlich stabil, hatte das Luftschiff zum

Stillstand gebracht. Er schien stark genug, um sein Gewicht zu tragen. »Ja. Und du?«

Oaxyctl öffnete die Gurte. Seine Vorgehensweise war äußerst kontrolliert; er bewegte sich nicht schneller oder heftiger als unbedingt erforderlich. Er duckte sich langsam und sammelte sein Gepäck sowie die Speere auf. »Du musst zuerst aussteigen«, sagte er.

John fummelte an den Gurten herum. Ruhig Blut, sagte er sich, als er fertig war und die Hand ausstrecken konnte. Er erfasste ein Ende des Astes, schlug den Haken in die Zweige und sprang. Der Ast bog sich durch, bis gut anderthalb Meter unterhalb der Gondel. John machte einen Buckel und klammerte sich mit den Beinen fest. Dann hangelte er sich mit dem Bauch nach oben zum Stamm. Er stöhnte, richtete sich an der Astgabel auf und lehnte sich mit dem Rücken an die Rinde.

»Alles klar, ich hab's geschafft«, rief er erleichtert.

Oaxyctl folgte ihm. Er schwang sich auf den Ast, und dieser bog sich wieder tief durch. Doch diesmal brach er in der Mitte durch. Oaxyctl schaute konsterniert nach oben und versuchte sich noch irgendwie hochzuziehen. John streckte seine Hand aus, bekam ihn zu fassen und zerrte ihn zur Astgabel. Weit unter sich sahen sie zwischen den winzigen Lücken in Zweigen und Blättern die Erde, wo die Sonne mit kümmerlichen Lichtstrahlen in die kühlen Schatten einzudringen versuchte.

»Wenn wir erst mal unten sind, werden wir nicht mehr viel von der Sonne haben«, sagte John. »Weißt du, wo wir uns befinden?« Johns hochentwickeltes inneres Kartensystem begann, ein Bild für ihn aufzubauen.

»Nicht genau, aber das macht nichts.« Oaxyctl kletterte bereits zum nächsten Ast hinab. John hing mit dem Haken am oberen Ast und fasste nach Oaxyctls Arm. Der Mungo-Mann drehte sich halb um. »Was ist?«, fragte er heftig.

»Pass auf, wo du hintrittst!«

Der Ast unter Oaxyctls Lederstiefel zerbröselte in einer

Staubwolke. Die Reste krachten durch die Zweige und schüttelten vereinzelte Tropfen Tau, Samen und Schmutz von den Blättern. Das Gemisch rieselte als pulvriger Regen auf die Erde hinab.

»Danke!« Oaxyctl schwang sich auf einen anderen Ast. John folgte ihm nach unten und blinzelte mit den Augen, als alles immer dunkler und verschwommener wurde.

Oaxyctl hielt an und legte einen Pfeil in seinen Atlatl. Mit ungeheurer Wucht schleuderte er den Pfeil in den Gasbehälter und durchbohrte ihn.

»Das wird es daran hindern, wieder aufzusteigen«, erklärte er. »Schließlich ist es jetzt leichter, nachdem wir ausgestiegen sind.«

Und wirklich, das Luftschiff hatte sich bereits etwas gelöst und war nahe daran, abzuheben.

Am Fuß des Baumes holte Oaxyctl einen Kompass hervor, orientierte sich anhand der Nadel nach Norden und warf sich das Gepäck und die Speere über. »Es ist noch sehr viel weiter, als ich erhofft hatte. Wir müssen zusehen, dass wir fortkommen, und dürfen nicht rasten. Unser Luftschiff ist für jedes aztecanische Gefährt, das hier zufällig entlangkommt, sichtbar. Mit Sicherheit würden sie versuchen, uns zu fangen.«

Er marschierte los, und John folgte ihm. »Meinst du, wir sind derart wichtig für sie?«

Oaxyctl zuckte die Achseln. »Stell dir doch nur mal vor, wir hätten mit unserem Luftschiff Photographien gemacht, die die Größe und Details der aztecanischen Armee zeigen, außerdem deren genaue Position. Glaubst du nicht auch, dass es ihnen dann wichtig genug erscheinen würde, ein weiteres Luftschiff und kleinere Bodentruppen zu schicken, um uns aufzustöbern?«

Wieder mal ein Treffer. Sofort beschleunigte John seinen Schritt.

Noch mehr laufen, dachte er, während er eine stachelige Ranke aus dem Weg schob. Doch die Richtung stimmte.

Nach Norden, nach Capitol City.

Zweiundzwanzigstes Kapitel

Die Gleise erstreckten sich kilometerweit und schnitten eine schmale Schneise in das schwüle grüne Land, während sie einen sanften Hügel hinab auf die Spitze der nördlichen Halbinsel von Nanagada zuliefen. Die Sonne hinterließ einen dünnen Nebelschleier, der über allem hing und dem Waldrand in der Nähe der grauen Gerüste eine düstere Stimmung verlieh.

Tizoc stand neben den Eisenbahnschienen und wartete darauf, dass der kilometerlange Zug endlich vorbeigedonnert war. Schottersteine fielen die steile Böschung herab. Die Räder ratterten in einem fort.

Dann wurde es still, der letzte Wagon verschwand in der Ferne. Tizoc ordnete den grauen Umhang, den er zur Tarnung trug, und ging weiter.

Huehueteotl, der uralte Gott, der Tizocs Culpilli befehligte, den von alters her bestehenden Rat der Führer, hatte ihm den Auftrag persönlich erteilt. Wie die Tradition es verlangte, seit die Blumenkriege vor Tausenden von Jahren erstmals formalisiert worden waren, musste ein Krieger-Priester vor der Hauptstreitmacht die Stadt aufsuchen, die erobert werden sollte, und ihre Kapitulation, ihre Götter, ihr Gold und ihre Unterwerfung unter die überlegenen Streitkräfte der Aztecaner verlangen.

Tizoc verspürte Stolz, dass er seinem Tod so gefasst entgegenzugehen vermochte.

Er stieg den sanften Hügel hinauf und ließ seinen Blick den Schienen folgen. Sie führten leicht bergab zu einem mächtigen Felsblock, der den Zugang zur Spitze der Halbinsel versperrte.

Es war kein Felsen, stellte Tizoc fest. Es war Capitol City.

Er stand da und begriff nur langsam, was er vor sich hatte.

Diese »Stadt« der in Kürze Unterworfenen war keine Stadt. Die gigantischen Mauern erstreckten sich wie Hügel über die gesamte Halbinsel.

Wie viele Menschen lebten wohl dort? Der benommene Tizoc schätzte eine halbe Million. Die Felswand wuchs in den Himmel, und er konnte Dämme sehen, sogar eine Straße, die daran entlang lief. Zu glauben, dass seine Leute diese Stadt nicht einnehmen würden, wäre ein Sakrileg. Daher sagte sich Tizoc, dieses Capitol City sei ein wirkliches Juwel für die Krone des Reiches.

Er hatte eine Aufgabe zu erfüllen.

Tizoc nahm den knorrigen und verschmutzten Wanderstab in die linke Hand, warf den grauen Umhang ab und machte sich auf den Weg.

Sie starrten ihn an. Er stand vor den massiven Mauern, neben den Straßenhändlern und Läden entlang der Straße, die sich um die Stirnseite der Stadt herumzog. Sie starrten auf seine Federn, auf die Farbe, die seinen gesamten Körper bedeckte, und auf die kunstvollen Muster, die in seine Kleidung eingewoben waren.

Einige kannten Tizocs Bedeutung.

Tizoc schaute den Verrätern, die in Capitol City lebten und sich selbst Toltecaner nannten, direkt in die Augen. Diese Feiglinge, die aus dem wahren Land davongelaufen waren und sich hier versteckten, sie würden nach dem Fall der Stadt die ersten Opfer auf dem Altar sein. Mit ihrem Blut würde die neue Herrschaft beginnen.

Er betrat die Straße und ging so lange, bis genügend Menschen stehen geblieben waren, um ihn anzustarren, und bis ihm die Männer mit dem verfilzten Haar, das ihnen auf die Schulter fiel, mit ihren Gewehren entgegentraten.

»Ich bin der Priester Tizoc«, rief er laut. »Ich bin *Aztecaner,* und ich komme mit Botschaften für eure Befehlshaber und Culpulli.« Er deutete auf die Krieger mit ihren Gewehren. »Führt mich jetzt zu euren Vorgesetzten und Priestern. Ich werde ihnen die Bedingungen für eure Kapitulation vorlegen.«

Eine Welle aufgeregten Flüsterns wogte durch die Menge entlang der Straße. Hälse reckten sich, um etwas von ihm sehen zu können. Einer spuckte in seine Richtung auf den Boden.

»Was du glaube, wer du sein?«, schrie eine Frau, die in ihrem Handkarren Yamswurzeln zum Kauf anbot.

Tizoc wiederholte seine Worte. Ein Stein traf seinen Hinterkopf, bevor er enden konnte. Er sank auf die Knie, fasste sich jedoch nicht an die Wunde. Es tat höllisch weh, aber er ließ das Blut ungerührt in seinen Nacken laufen. Eine Opfergabe für Huehueteotl, flüsterte er.

Ein paar Leute rannten auf ihn zu. Tizoc machte keinerlei Anstalten, sein Gesicht vor den Schlägen und Tritten zu schützen. Er schmeckte Blut, spürte es den Nacken hinunter auf den Rücken sickern.

Sie brachen ihm zuerst einen Arm und dann ein Bein, indem sie mit den Füßen darauf stampften.

Ich gehöre dir, rief er dem Himmel zu. Jede zivilisierte Gesellschaft hätte ihn zu ihren Herrschern geführt, über die Bedingungen verhandelt und entweder der Erhebung des Zehnten oder einer geordneten Schlacht zugestimmt. Nur nicht diese unzivilisierten Barbaren!

Doch er erwartete nichts dergleichen von ihnen, als sie ihn mit Füßen die Straße hinunterstießen. Seine Knochen knackten.

Die einfach uniformierten Krieger mischten sich unter die entfesselte Menge und schubsten die Leute beiseite, um zu Tizoc zu gelangen. Die brutalsten Burschen stießen sie mit ihren Gewehrkolben weg. Tizoc spürte, wie er an seinem gebrochenen Arm über die Straße geschleift wurde. Er konnte kaum noch etwas sehen. Gerne hätte er gewimmert.

Er wurde auf die Knie gezwungen. Schwarze, auf Hochglanz polierte Stiefel stampften auf dem Stein und füllten Tizocs Augen mit Staub. Eine Hand fasste ihm unter das Kinn, und Tizocs gebrochener Kiefer versengte ihm die Innenseite der Kehle.

»Wir Mungo-Männer. Du haben Bedingungen?«

Tizoc bewegte den Mund, zu beiden Seiten lief ihm das Blut hinunter. »Sind Sie der Anführer der Mungos?«

Die Krieger schüttelten die Köpfe. »Du uns trotzdem können nennen Bedingungen«, sagten sie.

Tizoc seufzte. Ihm würde nicht einmal die Ehre zuteil werden, die Botschaft der zuständigen Person zu übermitteln.

»Dreißig Prozent eures Goldes, eure Nahrungsmittel, eure Maschinen, und ein Zehntel eurer Jugendlichen werden Huey Tlatoani, dem Großen Vorsitzenden, und seinen Göttern geopfert.«

Der Mann vor ihm schüttelte den Kopf. Die dichten Locken wirbelten durcheinander und legten sich dann wieder auf die breiten Schultern.

»Ich will sterben, bevor das geschehen«, sagte er ernsthaft.

Tizoc nickte. »So wird es kommen.« Vor seinen Augen verschwamm alles. Huehueteotl, ehre mich!

Huehueteotl?

Er machte noch einen letzten blutigen Atemzug.

Zweiter Teil

CAPITOL CITY

Dreiundzwanzigstes Kapitel

Der Zug fuhr langsamer, um auf die Gleise zu wechseln, die in die gähnenden Tunnel von Capitol City führten. Das Schnauben der Lokomotive wurde von den Wänden zurückgeworfen, und Haidan sah mehr als hundert Meter über sich an einem Balkon die zum Trocknen aufgehängte Wäsche einer Familie. Überall schienen mehr Menschen unterwegs zu sein als bei seiner Abreise, und sein Blick begegnete vielen beunruhigten Gesichtern.

»Ich schon ganz vergessen, wie gut fühlen, wenn zurück in Stadt«, sagte die alte Dame, die ihm schräg gegenüber saß. »Dreißig Jahre nicht mehr hier. Jetzt Familie mich auf Zug geschickt, soll sicher sein in Stadt. Aztecaner kommen. Sie schon gehört?«

Haidan schaute zu ihr und den verschlissenen Koffern zu ihren Füßen hinüber. Der Wagon war vollgestopft mit Menschen, die in die Stadt wollten. Und mit deren Gepäck. Jeder kleine Winkel war vollgestopft mit Sachen, selbst im Mittelgang stapelten sie sich. Am Fahrkartenschalter in Batellton hatte es einen erbitterten Kampf um die letzten fünf Tickets gegeben. Haidan fand es ärgerlich, dass es Dihana nicht gelungen war, die Dinge etwas länger geheim zu halten. Jetzt würde es für die Mungos erheblich schwieriger werden, nach Capitol City zu reisen.

Auf dem Dach über ihm schlugen Füße dumpf auf. Verwegene junge Leute rannten oben auf dem Zug entlang und schrien einander irgendwelche Worte zu, dünne Stimmen kämpften gegen das plötzliche Pfeifen des Zuges an.

So viel Energie.

Haidan schaute nach draußen auf den glatten Felsstein. Wenn es irgendetwas gab, das von der verlorengegangenen und

173

zerstörten Vergangenheit zeugte, überlegte er, dann war es diese große steinerne Monstrosität in einer Stadt, tief unter ihr in den Fels getrieben, mit Stützpfeilern darüber und Mauern und Plätzen, alles erschaffen von mysteriösen und mächtigen Maschinen, die von den Vorvätern beherrscht worden waren. Es gab nichts in ganz Nanagada, das man mit Capitol City hätte vergleichen können, keine Stadt, kein Dorf, rein gar nichts. Und die Nanagadaner waren nicht imstande, ein neues Capitol City zu schaffen.

Jedenfalls nicht innerhalb der nächsten Generationen, dachte er. Vielleicht irgendwann einmal, wenn Dihanas Konservatoren ihre Arbeit fortsetzen würden.

Und wenn sie die Aztecaner überleben würden.

»Endstation für Maschine Nummer dreiunddreißig«, schrie der Schaffner, als er den Gang entlangging. Es klang, als stamme er ursprünglich aus einer Stadt außerhalb der Triangel-Linie. Sein Tonfall war dumpfer als bei den meisten Leuten in der Stadt. »Capitol City, Bahnhof Nummer vier. Zeit ungefähr fünf Uhr. Wir danken Ihnen für reisen mit uns, und bitte vorsichtig beim Aussteigen zwischen den Wagons!«

Bremsen quietschten, Metall auf Metall, der Zug wurde langsamer, als die glatten Tunnelwände sich zu einem Bahnsteig aus Fels weiteten. Nanagadaner der unterschiedlichsten Hautfarben, Religionen und Regionen verließen die anderen Züge, die unter den wachsamen Augen der Streuner und Mungo-Männer eingelaufen waren. Niemand bestieg die Züge, um von hier wegzufahren. Unter den Wagons strömte Dampf hervor und hüllte die aus dem Zug drängenden Reisenden ein. Haidan stand auf und hielt die Aktentasche mit beiden Händen fest.

»Mami, Mami«, schrie ein kleines Kind und boxte sich mit den Ellbogen durch das Gewimmel der anderen Passagiere hindurch. Das zu einem Pferdeschwanz zusammengebundene Haar schaukelte von einer Seite zur anderen, als es lief. Haidan wich den angewinkelten Armen aus und ließ das Kind durch.

»Hier«, rief eine beruhigende weibliche Stimme.

Haidan stieg zwischen den beiden Wagons aus und schaute sich um. Drei Mungo-Männer in großem Dienstanzug, mit weißen Shorts, kurzen Ärmeln und goldenen Tressen auf der Schulter, erwarteten ihn. Er fing ihren Blick auf und nickte. Sie gingen aufeinander zu. Heute in schnellem Schritt, da Haidan sich erstaunlich gut fühlte. Keine Schmerzen im Magen oder in der Lunge.

»Sie gut aussehen, Haidan.« Der Mungo-Mann zu seiner Linken, Gordon, hörte sich an, als sei er tief im Busch aufgewachsen. Und so war es auch. Gordon fasste sich an den Rand seiner Sonnenbrille. Seine Glatze glänzte unter leichten Schweißperlen.

»Ein Elektrischer warten auf Sie«, sagte der muskulöse Mungo-Mann zur Rechten. »Wir erhalten Ihr Telegraph vor einige Stunden.« Ich bin wirklich wieder in Capitol City angekommen, dachte Haidan; hier klingt jede Stimme unterschiedlich. Die Stadt war ein Mischmasch von Familien, die hier seit Menschengedenken lebten. Es war ein chaotisches Durcheinander.

Es war eine Stadt.

»Die Ministerpräsidentin Sie ganz schnell sehen will«, sagte Gordon.

»Noch nicht.« Er musste erst einmal zur Ruhe finden und sich um die Vorbereitungen der Stadt kümmern. Zwischen der Entgegennahme dieses besonderen Fundes in Batellton und der Planung des Rückzugs der Mungo-Männer nach Capitol City, wenn die Aztecaner anrückten, war er nicht dazu gekommen, die Verteidigung von Capitol City zu organisieren.

»Gehen wir«, sagte Haidan. Die drei Männer nahmen ihn in ihre Mitte, und zusammen verließen sie durch den großen ansteigenden Tunnel den Bahnhof Nummer vier in Richtung Stadt.

Ein von den Konservatoren entwickelter hülsenförmiger Elektro-Wagen wartete auf sie. Ein langer peitschenartiger Stab erhob sich über der Rückseite des Wagens und wartete darauf, an die Oberleitung angeschlossen zu werden, um dort Strom abzunehmen. Haidan setzte sich ans Steuer. Gordon nahm neben ihm Platz und holte zwei Pistolen aus dem Halfter. Er legte sie in seinen Schoß. »Situation jetzt wirklich sehr angespannt in Stadt«, sagte er.

»Verstehe.« Haidan berührte den Startknopf und starrte auf die Anzeigen.

»Da Strom.« Gordon wies auf Haidans Fuß. »Und da ihn anmachen.« Er deutete auf einen Hebel neben dem kleinen Lenkrad.

Verkrampft und beengt, mit der Aktentasche zwischen den Knien, legte Haidan den angewiesenen Hebel um und drückte auf das Strompedal. Sie bewegten sich auf die Straße, und Gordon schaute für Haidan nach links und rechts. Sie entfernten sich von den ungleichmäßigen Stadtmauern, die durch die Haltestellen von Eisenbahn und Untergrundbahn sowie durch Straßen und Bürogebäude unterbrochen wurden, in ein riesiges offenes rautenförmiges Atrium von etlichen Kilometern Länge. Das Herz von Capitol City lag innerhalb der großen Mauern, Straßen und Docks. Die Gebäude der Stadt waren von späteren Generationen errichtet worden, nach dem letzten Krieg. In ihnen zeichnete sich das unvermeidliche Aufeinanderprallen von Kulturen, Flüchtlingsströmen und nicht vorhandener Stadtplanung ab.

Haidan lenkte den Elektro-Wagen in die Mitte einer großen Straße und schaute zum Netz der Oberleitung hoch, das sich zwischen den Backsteinhäusern über der Fahrbahn spannte. Er wich Familien auf ihren Karren und Pferdekutschen aus, bis sich die Peitsche an der Rückseite nach oben bog und drei Meter über ihnen Kontakt mit dem Netz bekam. Funken sprühten. Jetzt fuhren sie unabhängig von der städtischen Stromversorgung und brauchten sich keine Gedanken mehr über ihre Batterie zu machen.

»Alle wissen, Aztecaner kommen. Sehr viele Flüchtlinge mit Zug gekommen«, sagte Gordon.

Haidan seufzte. »Ich weiß.«

»In Nähe von Tolteca-Town Unruhen. Lage sehr angespannt. Dihana verlangt, unsere Mungo-Männer sollen nach Tolteca-Town.«

»Was?«

Ein roter offener Trolleybus, aus dem Leute mit Körben und Taschen frisch vom Einkauf auf dem Markt heraushingen, verlangsamte vor ihnen sein Tempo. Die Leute kauften zu viele Lebensmittel ein. Sie horteten sie. Haidan riss das Steuer herum. Sie schlidderten zur Seite, die Strompeitsche sprang aus dem Netz, und Haidan versuchte, sie wieder unter die Oberleitung zu bugsieren.

»Sie zu mir in Baracke kommen«, sagte Gordon.

»Damit sie gehen zu weit.«

Gordon zuckte die Achseln. »Handelt aber richtig.«

»Vielleicht.« Haidan nahm Strom weg und ließ eine alte Dame die Straße überqueren. »Ich will nicht, sie meint, sie kann einsetzen unsere Mungo-Männer immer, wenn ihr passt. Noch andere Berichte von aztecanische Aktivitäten?«

»Unten bei Bergen alles totenstill.« Gordon fasste nach dem Haltegriff vor sich, als sie um eine Kurve fuhren. »Da noch mehr schlechte Nachricht. In Brewer's Village sie entdeckten Jaguar-Kundschafter. Nicht gesagt, wie viel. Ich Luftschiff von Anandale schicken zum Nachsehen.«

»Von Anandale?«

»Brewer's Village auf anderem Weg nicht mehr zu erreichen.«

In der nächsten Straße mit elektrischer Oberleitung gelang es Haidan, die Peitsche ans Netz zu lenken. Er beschleunigte den Wagen. Entgegen dem Uhrzeigersinn fuhren sie lange an der

Mauer entlang, mit dem zwölf Stockwerke hohen Felsen rechts von ihnen.

»Verdammt!«, knurrte Haidan.

»Ja«, sagte Gordon. »Immer noch nicht zuerst zu Dihana?«

Sie kamen an einer Reihe von in die Mauer hineingebauten gelben Mietshäusern vorbei. Zu Haidans Linker erhoben sich Gebäude aus Holz, die kaum höher als vier Etagen waren. Er nahm etwas Strom weg, bog links ab und raste dann durch die Straßen. Mit dem Stromnetz über ihren Köpfen war es jetzt vorbei, und der Elektromotor jaulte nur noch auf Batteriebetrieb.

»Und?«, fragte Gordon. Er kannte Haidan allzu gut.

»Ja.«

Es war nicht mehr weit zur Regierungsvilla. Wachen im Grau und Beige der Mungos standen vor den hohen Treppenstufen. Flutlicht tauchte die Vorderseite des herrschaftlichen Hauses in helles Licht, während die Sonne langsam hinter den gewaltigen Stadtmauern von Capitol City versank.

Haidan stellte den Strom ab. »Ihr auf mich warten!«

Er stieg aus und ging die Stufen zu der imposanten Eingangstür aus Holz hinauf.

Das Konferenzzimmer war verkleinert worden und wurde durch mehrere teure vergoldete elektrische Lampen auf dem Tisch beleuchtet. Die massiven hölzernen Fensterläden waren geschlossen und ließen nicht den kleinsten Lichtstrahl durch.

Es wirkte, als habe sich hier jemand für das Überstehen eines Wirbelsturms verbarrikadiert.

Haidan ging am ovalen Konferenztisch entlang und setzte sich. Dihana saß ganz alleine an dem großen Tisch.

Oh, Kindchen, was ist denn hier los?

»Hallo, Haidan.« Das lange geflochtene Haar der Ministerpräsidentin hing bis auf die Tischplatte. Ihre Augen waren vor Müdigkeit gerötet.

»Dihana, Sie mir einige Dinge erklären«, sagte Haidan. »Aztecaner marschieren Küste hoch. Gordon sagt, wir jetzt Brewer's Village nicht mehr erreichen können. Wir nicht können sicher sein, wie viel dort, und wir nicht wissen, wie sie kommen über Mafolie-Pass, aber sie Städte einnehmen und sehr schnell unterwegs. Wir jetzt Hilfe brauchen von Toltecaner, und ich höre, Sie jetzt Tolteca-Town besetzen lassen.«

»Es war das Beste, was ich machen konnte.« Dihanas grüne Augen funkelten. »Die Leute waren drauf und dran, in Tolteca-Town einzudringen und dort Rache zu üben. Es wäre zur Katastrophe gekommen.«

Haidan kratzte mit dem Fingernagel auf dem Tisch herum. »Ich allen Mungo-Männern befehlen, verteilen an Triangel-Linie. Dort alles vernichten, was Aztecaner können nehmen für essen. Dann sie zerstören müssen so viel von Gleisen wie möglich, auch Brücken und danach wieder sammeln hier in Capitol City.«

»Wirklich?«

»Wirklich!« Solange der Mafolie-Pass standgehalten hatte, brauchte Nanagada sich nur um ein paar kleine Trupps von Aztecanern Gedanken zu machen, die dort einsickerten. Wendige, schnelle und mobile Einheiten mit nur wenigen Mungo-Männern waren deshalb überall an den Gebirgshängen verteilt. Eine echte zusammenhängende Verteidigungsarmee existierte nicht. Haidan blieb nichts anderes übrig, als zu improvisieren.

»Sie immer noch falsch denken, Dihana. Wie auch ich lange falsch denken. Sie müssen wissen: Da kommen ganze Armee von Aztecanern. Ganze gewaltige Armee, mit allem. Wenn Menschen nicht in Stadt kommen, innerhalb von Mauern, dann alle tot. Innerhalb von Mauern alles besser. In Wahrheit müssen wir führen zwei Kriege.«

Dihana biss sich auf die Lippen. »Sie haben Recht.« Sie stützte die Ellbogen auf den Tisch und legte den Kopf in die Hände. »Was brauchen Sie sonst noch von mir?«

»Mehr Luftschiffe. Können Konservatoren helfen?«

»Sie stehen unter Ihrem Befehl, Haidan.«

»Gut. Ich sie nämlich verpflichten muss mit Eid zu absolut Schweigen.« Haidan öffnete die Verschlüsse der Aktentasche, die er bis jetzt neben sich hatte stehen lassen. Er legte sie auf den Tisch und griff nach deren Inhalt.

»In Batellton der Konservator von Ihnen findet *Karte* von ganzer Welt!«

Haidan war als armer Gemüsebauer im Dschungel in der Nähe der Wicked Highs aufgewachsen. Wenn er seinen üblichen Pflichten nicht mehr nachgehen musste, widmete er seine Zeit den alten Überresten und Spuren in dem weitgehend durchforsteten und gesäuberten Land. Den alten Ruinen. Gebäuden, die von Ranken, Lianen und gewaltigen Bäumen überwuchert waren. Die Zeugnisse einer vergessenen Vergangenheit lagen unter diesen Ruinen in der Erde verstreut. Wenn er im Boden grub und wühlte, fand Haidan kleine Maschinen mit Gummigriff und eingeritzten Bildern darauf. Seltsame Münzen in einer Sprache, die er nicht kannte. Er verdiente sich sein Taschengeld damit, die interessantesten Stücke nach Brungstun zu bringen, zu einem Mungo-Mann namens Jules, der sie nach Capitol City verkaufte.

Schließlich folgte Haidan diesen Fundstücken den ganzen Weg hinauf nach Capitol City. Er führte eine Gruppe von Mungo-Männern und einen Fischer namens John von Brungstun durch den Busch nach Capitol City. Sein Interesse an den Funden war ungebrochen, und so beteiligte er sich an Ausgrabungen an den Rändern der Stadtmauern und in Städten entlang der Triangel-Linie, bis Ministerpräsident Elijah derartige Aktivitäten untersagte.

Haidan hatte versucht, Elijah von der Unsinnigkeit des Verbots zu überzeugen. Der Ministerpräsident ließ sich zwar nicht umstimmen, war jedoch so beeindruckt von Haidan, dass er ihm anbot, den Befehl über die Streuner von Capitol City zu übernehmen. Haidan lehnte ab, da er keine Lust hatte, in dieser Stadt festgenagelt zu sein. Stattdessen wurde er zum Anführer der Mungo-Männer ernannt, der Truppe nanagadanischer Busch-Kundschafter. Mit der Zeit entwickelte Haidan mehr und mehr Respekt für Elijahs Vorgehensweise. Elijah setzte die Ratsmitglieder ein, um das tägliche Leben der Stadt zu organisieren, während Haidan die Truppe der Mungo-Männer zu einem Verband aufbaute, der die Berge gegen die Aztecaner schützen sollte. Beide Männer versuchten ihr Überleben auf lange Sicht sicherzustellen, indem sie ihr gesamtes Handeln ständig an der Angst vor den Aztecanern und den Forderungen der einst mächtigen Loa orientierten.

Mit dem Tode von Elijah zerbrach dieses Handlungsmuster. Der Rat löste sich auf, als Dihana ihr Erbe als Ministerpräsidentin antrat. Die Ratsmitglieder waren der Ansicht, einer der Ihren hätte zum Ministerpräsidenten gewählt werden sollen, und aufgrund der internen Zwistigkeiten bei der Suche nach einem geeigneten Kandidaten und ihrer strikten Ablehnung von Dihana als Ministerpräsidentin kam es zu zweiwöchigen Straßenschlachten in Capitol City. Haidan hatte Dihana geholfen, die Streuner auf die Straße zu schicken, um die Gewalttätigkeiten zu unterbinden und die Ratsmitglieder aufzustöbern, die die Unruhen angezettelt hatten.

Die Loa verzichteten auf ihren Anspruch, die Stadt zu beherrschen, und zogen sich in die Kellergewölbe ihrer Straßentempel zurück, als Dihana die Macht übernahm. Sie boten ihr keinerlei Hilfe an, und Dihana musste alles alleine regeln, lediglich mit Haidan an ihrer Seite. Das hatte sie den Loa niemals verziehen und niemals vergessen. Als dann in Capitol City Ruhe eingekehrt war, verabschiedete sich Haidan in den Busch, stärker beunruhigt wegen der Aztecaner als wegen der kleingeistigen Intrigen der Ratsmitglieder oder dem, was die Loa aushecken mochten. Jetzt bereute er es, sich so einseitig entschieden zu haben. Doch was er gerade jetzt nicht bereute, war sein stetes Interesse für die Vergangenheit. Und sein Interesse an Landkarten.

In all den Jahren, die er hier gelebt hatte, hatte Haidan unzählige Straßenkarten von Capitol City, den unterirdischen Abwasserkanälen und aktuelle Landkarten der Landstriche östlich der Wicked Highs gesehen. Haidan sammelte Landkarten. Teilweise verdankte er seinen Aufstieg zum General den gut organisierten Hinterhalten und Patrouillen. Dabei setzte er seine topographischen Kenntnisse ein, um die Aztecaner, die über die Berge einzudringen versuchten, voll in den Griff zu bekommen.

Doch bislang hatte noch keine der vielen Karten, die Haidan zu Gesicht bekommen hatte, eine Darstellung des gesamten Planeten geboten.

In der Aktentasche lag ein Stück Papier zwischen einer Glasscheibe und einem polierten Quadrat aus Hartholz. Haidan legte es auf den Tisch.

»Fischer wissen, wenn man ganz weit nach Norden kommt, es dort so kalt wie in sehr hohen Bergen. Von drei Expedition, Sie auf Suche schicken, nur eine Nordland erreicht. Wir nichts wissen vom Land westlich von Wicked Highs, nur was Toltecaner erzählen. Wir kaum ein Bild von unserer Welt.« Haidan lächelte. »Aber jetzt habe ich komplette Karte von Meer zwischen Capitol City und Nordland. Mit allem darauf, auch winziger kleiner Insel.«

Dihana rückte näher heran, ihr Stuhl knarrte, als sie sich erhob und hinüberlehnte. Haidan legte seine Hände flach auf den Tisch und schob ihr die Karte zu. Das Licht der Lampen glitzerte auf dem schützenden Glas.

In einer der unteren Ecken erstreckte sich Nanagada von den Wicked Highs in Richtung Norden. Ein kleiner Punkt markierte die nördliche Spitze der Halbinsel, daneben standen die Wörter

Capitol City. Unten, in der Nähe der Berge, fanden sich in kleinerer Handschrift die Wörter *Brun's Town*.

Haidan befeuchtete seine Lippen. »Ein Dorfbewohner grub in Batellton Brunnen und stieß tief in Erde auf Bunker. Wir wissen, Batellton in Zeit der Vorväter Hauptquartier, wenn Probleme mit Hope's Loss. Vorväter dort alles für große Schlacht am Boden vorbereiten, weil alle Maschinen nicht mehr arbeiten.« Haidan schaute Dihana an. »Ich denke, einer der Vorväter dieses Dokument verfasst, als Nanagada gründete.«

»Unglaublich«, flüsterte Dihana. »Aber warum ist das so wichtig?«

Haidan streichelte die Glasscheibe. Seit langem schon hatte er sich dermaßen detailliertes Kartenmaterial erhofft. Zunächst hatte er dabei ins Auge gefasst, es für ein Verlagern der Kämpfe auf die andere Seite der Wicked Highs zu nutzen. Doch jetzt, da die Aztecaner bei ihnen einmarschiert waren, schwebte ihm ein sehr viel ehrgeizigeres Projekt vor. Etwas, das auf der alten Geschichte basierte, von der nur wenige Menschen Kenntnis hatten.

»Da auch sein andere Sache: *Starport*«, sagte er. »Das Ort, wo unsere Vorväter landen, noch vor Teotl einfrieren Norden und vertreiben uns. Sie lesen, was Konservatoren schreiben: Da etwas robust wie Maschinen, wir manchmal finden in Ozean. Die noch immer arbeiten und von unseren Vorvätern stammen.« Er hob die Stimme. »Sie mir glauben müssen! Das ganz sicher, und ich weiß, wie dorthin kommen. Da man *etwas* finden kann. Wir wissen, manche Maschinen überleben und kommen vom Himmel herunter. Das erzählen Legenden. Sie sagen, manche von unseren Vorvätern niemals wegfliegen konnten, weil Teotl da oben auf sie alle warten. Maschine arbeitet vielleicht noch. Vielleicht noch helfen können. Und ich glaube, ich weiß, wo Maschine, die noch arbeitet.«

»Wie wollen Sie denn dorthin gelangen?«, fragte Dihana und lehnte sich in ihrem Sessel zurück. »Die letzte Expedition, die ich in den Norden entsandt habe, wurde fast vollständig aufgerieben, sie konnte das Eis nicht überwinden. Auf dem Rückweg sind nahezu alle Teilnehmer gestorben.«

»Wir sehr schnell dorthin kommen.« Haidan breitete die Arme aus. »Mit Luftschiff über Meer. Mit dieser Karte möglich.«

»Haidan ... die Kosten!« Dihana schüttelte den Kopf.

»Ich weiß. Sehr schwierig jetzt. Deshalb ich brauche Hilfe von Ihnen.«

Dihana seufzte. »Gut, entwerfen Sie einen Plan für diese Expedition. Aber nichts darüber hinaus.«

»Sehr gut!« Haidan legte die Karte vorsichtig in seine Aktentasche zurück. »Da ist jemand, der helfen kann.« Er verschloss die Tasche. Sie war dem immer aus dem Weg gegangen, wie er wusste. »Wir müssen reden mit den Loa.«

Dihana legte die Hände übereinander. Ihre Lippen wurden zu einem schmalen Strich. »Und Sie meinen, das sei unbedingt erforderlich?«

»Ich haben nicht genug Ressourcen für alles, was ich planen muss. Die Priesterin und alle Götter in dieser Stadt ganz viel von diesen Dingen angesammelt. Die Loa hier leben, auch Schutz brauchen.«

Dihana stand auf. »Wie könnten sie uns bei der bevorstehenden Schlacht von Nutzen sein?«

Haidan schob seinen Sessel zurück und stand ebenfalls auf. »Wer sein Feind? Die Loa, die verschwinden und nachgeben, wenn wir hartnäckig, oder die Teotl, die regieren mit Furcht und Blut und für die egal, wie viel Menschen sterben durch sie.«

»Gut.« Dihana war bereits an der Türschwelle. »Ich weiß ja, dass Sie Recht haben. Aber es gefällt mir nun mal nicht.«

Haidan eilte ihr in den Flur nach.

»Haidan ...«, sagte Dihana, »wenn die Aztecaner kommen, dann sind unsere Überlebenschancen gering. Sehe ich das richtig?«

»Ich seit sehr langer Zeit auf etwas wie diese Karte gewartet.

Nach Nordland gehen sehr gewagtes Unternehmen. Vielleicht letzter Versuch für uns, vielleicht früh genug.«

»Ich weiß nicht, wie ich mich anders hätte entscheiden sollen, Haidan.«

»Ich jetzt gehen. Um viele Dinge ich mich kümmern muss.« Nicht nur die Planungen für eine Expedition mit dem Luftschiff mussten angegangen werden, auch das große namenlose Dampfschiff im Hafen benötigte etliches an Reparaturarbeiten, wobei Haidan noch an einige Extras dachte. Dabei handelte es sich um eines der zusätzlichen Projekte, das bereits eine Änderung erfahren hatte, als er sich mit dem Problem der anrückenden Aztecaner hatte beschäftigen müssen. »Und, Dihana, was geht Sie an, meine Mungo-Männer nach Tolteca-Town schicken? Sie erst mit mir können reden.«

»Sie haben mir doch beigebracht, wie man ein Kommando übernimmt. Das war damals, als ich dieses Amt antrat und in den Straßen Aufruhr herrschte.«

»Aber bitte nicht Gewohnheit daraus machen.« Haidan blieb mit ihr in der Nähe der Sturmtür am Flurende stehen. »Das noch immer zu Explosion führen kann.«

»Möchten Sie, dass sie zurückgezogen werden?«

»Nein. Aber Sie müssen Lage dort sehr genau beobachten.«

Er ließ sie an der Tür zurück und machte sich auf den Weg zu einem geduldig wartenden Gordon.

Vierundzwanzigstes Kapitel

Drei Tage waren vergangen, und Brungstun brannte immer noch. Die schwarzen Rauchfahnen stiegen Tag und Nacht auf und schwebten über der Stadt, bis der Wind sie erfasste und tagsüber in Richtung Dschungel mitnahm. In der Nacht trieb der Rauch weit über den Ozean bis nach Frenchtown.

Jerome stand am Strand und beobachtete die Rauchfahnen. Der Drang war so stark wie der Zwang, am Schorf einer Wunde zu kratzen. Er grub die Zehenspitzen in den Sand und nahm kaum wahr, wie das gurgelnde Wasser seine Füße umspülte.

Mehrere Boote setzten am Strand die Segel. Troy lief mit einem Stück Papier in der Hand an der Wasserlinie entlang. »Ihr müsst zusehen, dass ihr auch genug Salzfisch!«, brüllte er einem ausfahrenden Boot hinterher, das bis zum Rand mit Jutesäcken beladen war. Dann ging er zu Jerome und stellte sich neben die Palme. »Und du, du kleines Findelkind, für dich ich habe ganz besondere Sache.«

»Ich mit *gar nichts* helfen will!«, sagte Jerome.

»Du musst aber beschäftigen mit etwas. Du nur Kopf hängen lassen. Das nicht helfen. Komm mit!«

Troy ging davon, Jerome blieb, wo er war.

»Komm!«, rief Troy. »Oder ich dich schnappen und tragen auf Schulter!«

Jerome seufzte. Er zog die Füße aus dem Sand und folgte Troy.

Troy führte ihn zu einer kleinen Bucht, die durch überhängende Felsen und Geröll geschützt wurde. Netze und Sperren aus Bambus schnitten die Bucht vom Ozean ab, der die Insel umgab. Mehrere Frenchies in Jeromes Alter standen dort bis zur Brust im türkisen Wasser. Einige wirkten überrascht, andere traurig.

Jerome brauchte ihr verdammtes Mitleid nicht. Er blieb stehen. »Was soll das?«

Troy watete hinaus, bis ihm das Wasser zum Kinn reichte. Er ging mit dem Kopf noch etwas tiefer und ließ in einem bestimmten Rhythmus Luftblasen aufsteigen. Eines der Kinder lachte und wies auf ein Flossenpaar, das die Wasseroberfläche durchbrach und Troy umkreiste.

»Flatterfisch«, erklärte Troy. Er hob eine Hand aus dem Wasser, und das Wesen blieb auf der Stelle stehen. Zwei lustige Schwanzflossen wackelten am Hinterende des Flatterfisches: ein glattes, sehr schnell wirkendes Tier mit gelblichem Maul.

Dies war das ungewöhnlichste Meereswesen, das Jerome jemals gesehen hatte. Er watete ins Wasser, und der Flatterfisch wendete, um nachzuschauen, welcher Störenfried da erschien – mit einer Schraubenbewegung, dermaßen elegant und schnell, dass Jerome es kaum für möglich gehalten hätte – und betrachtete ihn. Aus seinem Maul stiegen Luftblasen auf, und dann kam er auf Jerome zu und rieb sich an dessen ausgestreckter Hand.

Jetzt erst wurde Jerome klar, dass der Flatterfisch länger war als Troy, etwa zwei Meter. Und kräftig war er. Unter der glatten Haut konnte man die stahlharten Muskeln fühlen.

»Das anfühlen wie ganz weiche Baumwolle«, sagte Jerome. Einer der Jungen kicherte.

»Du müssen das sehen«. Troy hielt sich an den beiden Flossen des Flatterfisches fest. Dieser schwamm los, und Troy schoss durchs Wasser. »Wenn du sehr nett zu ihnen«, sagte Troy, nachdem er die Flossen losgelassen hatte und wieder zu Atem gekommen war, »sie dich ganz um Riff ziehen. Und du kannst ihnen beibringen, in Wasser Sachen suchen.«

Danach drehte Troy eine komplette Runde in der kleinen Bucht, tauchte dabei sogar metertief mit dem Fisch unter Wasser und durchbrach die Oberfläche direkt vor Jerome.

»Du mit meinen Nichten und Neffen hierbleiben. Du lernen, Freund von Flatterfisch werden. Und du auch lernen tauchen tief. Sehr tief.«

»Warum?«, fragte Jerome. Wozu sollte all dies von Nutzen sein, wenn sie ja doch alle sterben mussten, sobald die Aztecaner die Insel erreichten?

Troy zeigte aufs Wasser außerhalb der Bucht, wo die Boote mit Proviant segelten.

»Wir Frenchie Flatterfische schon seit langem züchten und abrichten. Wir sie brauchen zum Tauchen. Wenn du bei uns bleiben willst, du musst auf ihnen reiten lernen. Deshalb lerne schnell. Weil kaum noch genug Zeit dafür. Verstanden?«

Die Kinder schauten einander an, als teilten sie ein Geheimnis. »Schau«, sagte ein Mädchen neben Jerome. Ihre braunen Haare klebten ihr im rosigen Nacken. »Wenn du ganz tief, du mit Nase so machen.« Das Mädchen zeigte ihm, wie er sich die Nase zuhalten sollte. »Und pusten. Dann deine Ohren besser.«

»Verstanden.« Jerome hielt dem Flatterfisch einen Fuß hin. Er umkreiste ihn und produzierte Luftblasen.

»Wir lehren dich alles«, sagte jemand.

Jerome lächelte. Er ließ sich vom Flatterfisch durchs Wasser ziehen. In diesem Geschöpf steckten so viel Freundlichkeit und Friedfertigkeit, dass ihm ganz warm ums Herz wurde. Der leichte Wellenschlag am Ufer nervte ihn plötzlich nicht mehr. Im Gegenteil, er wirkte beruhigend.

Er machte sich daran, das Tauchen mit dem Flatterfisch zu lernen.

Fünfundzwanzigstes Kapitel

Haidan saß im Arbeitszimmer seines Hauses, das über die linke Seite des Hafens hinausragte, wo das auf der zerklüfteten Halbinsel in Form eines Amphitheaters angelegte Capitol City endete und ins Wasser eintauchte. Die hohen Stadtmauern schufen einen großen, nahezu geschlossenen schützenden Kreis, in dessen Innerem die Schiffe ankerten.

Die wie Bullaugen anmutenden Fenster seines Arbeitszimmers lagen zum schwarzen Wasser des Hafens hin, und man konnte von hier aus auf die Wellenbrecher unterhalb der Stadtmauer schauen. Allerdings kam soeben leichter Nebel auf.

Haidan lehnte sich in seinem Stuhl zurück. Flackernde Lichtstreifen verteilten sich auf dem Fußboden. An der Wand hing eine große Karte, gespickt voll mit farbigen Stecknadeln. Es war eine schnell und unsauber hingeworfene Skizze Nanagadas, auf der Haidan die nach seiner Einschätzung wahrscheinlichsten Aufmarschgebiete der Aztecaner sowie die Rückzugsgebiete der Mungo-Männer eingezeichnet hatte.

Er hatte Stunden damit verbracht, in Capitol City umherzustreifen und nach einer besseren Einsatz-Zentrale als diesem Provisorium in seinem Haus zu suchen. Schließlich waren sie in einem ungenutzten Lagerhaus an der Küste fündig geworden. Mungo-Männer waren derzeit damit beschäftigt, es einzurichten. Und so hatte er sich etwas Zeit genommen, um über dem restlichen Inhalt der Aktentasche zu brüten. Die Karte, die er Dihana gezeigt hatte, lag noch darin.

Es handelte sich um mit der Schreibmaschine verfasste Notizen mit handschriftlichen Kommentaren am Rand. Ein Konservator hatte sie in einer Kassette gefunden, und es hatte einen vollen Tag gedauert, bis man sie hatte öffnen können. Die Kassette hatte tief unter der Erde in einem ausgegrabenen Großraumbüro in einem Schreibtisch gelegen. Das Geheimfach, in dem sie versteckt worden war, war vermodert.

Die Karte hatte er Dihana gezeigt. Dies hier wollte er für sich.

Haidan blinzelte mit den ermüdeten Augenlidern. Die Uhr seines Arbeitszimmers schlug und sagte ihm, dass es früher Morgen war. Er hustete und tupfte seine Lippen mit einem Taschentuch ab, das neben ihm auf dem Schreibtisch lag. Dann griff er nach einem der vergilbten Papiere.

Darauf standen handschriftliche Vermerke.

5. April: 1.500 zogen von Starport zum mittleren Bereitstellungsraum. 17 Tote. Haidan las die folgenden siebzehn Namen.

7. April: Vierter Luftangriff. Battle-Town. 500 Tote. Bei diesem Vermerk gab es keine Namensliste, wahrscheinlich hatte der Verfasser entschieden, dass dafür nicht genügend Platz vorhanden war.

15. April: Orbital 2. Atom-Schlag? 2.000 Tote.

3. Mai: Orbital 1 und 3 vernichtet. Ursache unbekannt. Unerklärliche Unfälle.

Danach kamen mehrere hundert Blatt Papier mit administrativen Aufzeichnungen. Eine nüchterne Auflistung der ursprünglichen Siedler von Nanagada, die in sicherere Regionen abgewandert waren oder in den Kriegen früherer Zeiten ihr Leben gelassen hatten, als die Einwohner von Nanagada noch sehr mächtig gewesen waren. Haidan vermutete, dass er nur lange genug in diesen Listen zu suchen brauchte, um darin Nachnamen zu finden, die immer noch in Nanagada existierten.

Er legte diese Blätter zur Seite. Er wollte sie später anschauen, Vergleiche mit seinen alten Geschichtsbüchern anstellen, um sie dann den Konservatoren zurückzugeben, bevor Dihana Wind von seiner kleinen Unterschlagung bekam.

Das wirkliche Juwel lag unter den administrativen Aufzeichnungen.

Haidan holte es hervor.

Einmal hatte er es bereits im Zug zu Beginn seiner Rückreise gelesen.

Und diese Lektüre hatte ihn beflügelt, Dihana den Vorschlag für die Reise in den Norden zu unterbreiten.

Stell dir einmal vor, sagte er zu sich selbst, stell dir einmal vor, du bist einer der Vorväter. Du bist in einen Kampf mit den Teotl verwickelt, hoch oben in der Luft. Du schaust hinab auf diese Welt, vielleicht sogar unter die Meeresoberfläche. Und dann stell dir vor, du müsstest entdecken, dass dein gesamtes technisches Wissen, all deine Technologie und sämtliche Maschinen, deren du dich im Kampf gegen die Teotl bedienst, mit einem Schlag, innerhalb eines Tages vernichtet sind.

Die Menschen mussten total verwirrt gewesen sein, hilflos. Manche mussten sogar vom Himmel gefallen sein, im Meer ertrunken oder gestrandet. Einiges von dem spiegelte sich noch in den alten Sagen wider, die man sich im Busch über jene Tage erzählte.

Hier war dieser Brief, hingekritzelt mit unsicherer Feder, auf den sich Haidans übermüdete Augen zu konzentrieren versuchten. Er stammte aus dieser alten Zeit.

»Jesus, Stucky, ich mag gar nicht glauben, dass jemand dies getan hat«, las Haidan laut für sich selbst.

Jesus, Stucky, ich mag gar nicht glauben, dass jemand dies getan hat.

Es schlug gegen Mittag ein. Alles starb. All meine Implantate klickten leise, und danach empfing ich keine Nachrichten und Informationen mehr, keine Jagd-Infos, rein gar nichts. Ich benutzte Papier und Feder. Nie zuvor hörte ich von einem elektromagnetischen Impuls wie diesem. Wer kann das getan haben? Wir oder sie? Ich fürchte, das spielt jetzt auch keine Rolle mehr. Meinst du nicht auch?

Ich benutzte letzte Nacht Sadies Teleskop, doch es ist nicht stark genug, um erkennen zu können, ob die Heimat im Spiralloch noch exis-

tiert. Wir sehen keine Lichter der Orbitalstationen, daher gehen wir davon aus, dass sie alle tot sind. Ich habe es auf den Protokoll-Blättern vermerkt. Zehntausende, einfach dahin.

Wenn wir es waren, die das gemacht haben, haben wir uns selbst getötet. Der Impuls vernichtete so gut wie alles, was einen Mikrochip in sich trägt. Einige Dinge mit einem besonderen Schutzmantel arbeiten noch, aber die reichen nicht aus. Hier stirbt die Zivilisation, und bald wird es nur noch eine Menge hungriger Leute geben, viele werden als Nebeneffekt Krebs bekommen, da bin ich mir sicher. Wir beobachteten, wie die Versorgungsschiffe im Orbit letzte Nacht wie Meteore verglühten. Die Leute vom Laboratorium prophezeien, dass die Terraformspiegel ebenfalls zusammenbrechen werden. Wir können nur von Glück sagen, dass wir hier in der Nähe des Äquators leben. Wenn es im Norden kalt wird, wird es denen da oben schlecht ergehen.

Ich glaube, dies hier ist jetzt unser Heimatplanet.

Corporal Bradson meint, außer dem einen Schiff, das wir direkt vor dem Impuls ausgemacht haben, seien keine anderen Außerirdischen auf dem Planeten gelandet. Aber nachts wache ich auf und frage mich, ob nicht vielleicht doch noch mehr durchgekommen sind.

Mit dem, was uns hier zur Verfügung steht, können wir uns kaum verteidigen. Hauptsächlich Schusswaffen im persönlichen Besitz. Die Außerirdischen werden auch nicht viel besitzen, aber wenn sie über ihre nächste Generation von Puppen verfügen, sind sie gerüstet, wie auf Gatrai. Wir können nur froh sein, sie so lange überlebt zu haben, finde ich, auch wenn wir uns selbst töten, um sie zu vernichten.

Bradson lässt uns hier ohne Bewachung mitten im Dschungel zurück und geht in den Norden. Er behauptet, der Ma Wi Jung müsse dort sein und immer noch funktionieren. Wir haben mit den Außerirdischen kooperiert, um ihn für genau diese Zwecke zu bauen.

Es ist ziemlich beschissen hier, Stucky! Die Leute sterben ohne Medikamente und ohne Medi-Flex. Mir war nie bewusst, wie abhängig wir von der Technik sind, bis das hier passierte. Hätten sie uns alle getötet, wenn wir kapituliert hätten? Die Xeno-Psychologen meinten nein, aber wir haben es hier schließlich mit Außerirdischen zu tun. Wer will denn einen

Einblick haben, was sie wirklich denken? Alles was wir wissen, ist die Tatsache, dass sie ein Menschenleben nicht gerade hoch einschätzen.

Die Hilfsorganisation, durch die wir hierherkamen, hat genügend Proviant hinterlassen, um das Lager die nächsten beiden Monate versorgen zu können, aber wir sind der Meinung, wir sollten uns auch bald auf die Socken machen. Zumal alle Soldaten des Lagers ihre Sachen packen und nach Norden wollen.

Bist du mal irgendwelchen Flüchtlingen begegnet, die die Gravitätsmauer durchbrochen haben? Viele unter ihnen stammen von der Erde und beschäftigen sich mit Ackerbau oder Viehzucht im kleinen Stil. Ich weiß, dass du auch von der Erde kommst. Hast du schon mal von einem Ort namens Karibik gehört? Die sprechen alle wirklich lustig. Ich verstehe bestenfalls die Hälfte davon, aber sie helfen uns, Städte zu bauen. Dennoch, ich weiß, dass sich unsere Zahl drastisch verringern wird, wir werden leiden, und wir sind so wenige, die einen Neuanfang wagen können. Das Einzige, worum wir uns momentan kümmern können, ist die Frage, wovon wir uns ernähren sollen. Ich fühle mich, als sei ich gerade in die Steinzeit zurückversetzt worden.

Hoffentlich erreichen dich diese Zeilen, Liebling! Wir machen uns jetzt zu einem der Fischerdörfer an der Küste auf. Es liegt in der Nähe der Berge und heißt »Brun's Town«. Ich weiß, du willst dich mit Bradson zusammentun. Er gab mir die Koordinaten des Ma Wi Jung. *Und wer weiß, wenn ihr Erfolg habt, besteht ja vielleicht noch eine Chance.*

Wofür auch immer du dich entscheiden solltest, bitte komm zurück! Ich vermisse dich!

Der Brief war mit *Irene* unterzeichnet. Irene und Stucky, zwei der Alten, anonym, vor Urzeiten verstorbene Ahnen. Vorväter! Haidan fragte sich, wie es ihnen ergangen sein mochte, und schaute auf die Zeichen, die unter den Brief gekritzelt waren. Die Koordinaten des *Ma Wi Jung*. Es musste sich um eine Waffe handeln. Eine uralte Waffe. Und die Vorväter hatten geglaubt, sie würde auch noch nach der Katastrophe funktionieren.

Dies war etwas, das man gegen die Aztecaner und die Teotl einsetzen konnte. Haidan hatte Dihana gegenüber vorher schon einmal eine Andeutung gemacht. Aber sie wusste nicht, dass er den Standort einer der Maschinen der Vorväter in Händen hielt. Den Standort einer Maschine, die hilfreich für sie wäre.

Nun ja, es gab auch Probleme. Würde das Ding immer noch funktionieren? Wären sie überhaupt imstande, es zu bedienen? Manchmal wurden ja Maschinen gefunden, die immer noch liefen, und diese hier war wohl extra dafür konstruiert worden, genau das zu tun. Den zweiten Punkt betreffend hatte er so seine Zweifel. Es konnte Monate, vielleicht Jahre dauern, bis sie das Ding beherrschen würden.

Hatten sie so viel Zeit? Gewiss nicht.

Diese vor langem verstorbene Vorfahrin hatte die Teotl »Außerirdische« genannt. Es war nicht das erste Mal, dass Haidan dieser Bezeichnung für die Herrscher der Aztecaner begegnete. In anderen Dokumenten und Briefen, die im Museum aufbewahrt wurden, fand sich dieser alte Begriff ebenfalls. Haidan fragte sich, ob die Frau es wohl von Batellton nach Brungstun geschafft haben mochte, und ob sie womöglich sogar eine seiner Verwandten aus Urzeiten sei.

Ma Wi Jung. Dieser Name ging ihm nicht aus dem Sinn.

Wenn sie nach Norden über den Ozean bis nach Starport vordringen würden, dessen war sich Haidan sicher, würden sie es finden, was auch immer es sein mochte. Und dann könnten sie sich damit einen enormen Vorteil, Überlegenheit verschaffen. Ja, wenn es ihnen gelänge, dorthin zu kommen und herauszufinden, wie man das Ding bedient, bevor die Aztecaner die Stadtmauern einreißen konnten.

Eine Explosion zerriss die Stille und ließ die Fensterscheiben der Bullaugen klirren. Haidan rannte aus dem Arbeitszimmer, die Treppe hinab. Doch die plötzliche Bewegung machte ihn schwindlig, und er begann zu husten. Blutstropfen sammelten sich auf den Lippen, und er wischte sie schnell ab. Niemand sollte sie bemerken. Zwei Wachen standen an der Tür, die Gewehre schussbereit auf die Straße hinter der offenen Tür gerichtet.

»Bombe?«, fragten sie unisono.

»Toltecaner? Vielleicht es auch eine Montagehalle für Luftschiff?«

Haidan schaute in die dunkle Straße hinaus.

»Aztecaner draußen in Tolteca-Town machen Ärger«, sagte der andere Mungo-Mann. »Können nicht ertragen, dass Mungo-Männer in ihrer Straße schlafen.«

»Nein.« Haidan schüttelte den Kopf. »Wir ganz dringend benötigen Luftschiffe. Anrückende Aztecaner wissen das genau und sagen ihre Agenten, müssen darauf zuerst zielen.«

Luftschiffe würden es ihm erlauben, zu erkunden, wie viele Aztecaner gegen sie aufmarschierten; Luftschiffe würden es ihm erlauben, aus der Luft Bomben auf sie abzuwerfen oder seine eigenen Mungo-Männer hinter ihre Linien zu bringen. Luftschiffe würden es ihnen erlauben, zu fliehen. Und, verdammt noch mal, Luftschiffe würden es Haidan erlauben, auch wenn es ein verwegener und riskanter Flug werden sollte, im eisigen Norden auf die Suche nach einer uralten Erfindung zu gehen und in Erfahrung zu bringen, ob diese gegen die Aztecaner eingesetzt werden konnte.

»Nehmt alle freien Männer, und bewacht Montagehallen für Luftschiffe! Ganzen Tag, ganze Nacht!«

Vielleicht war es aber auch schon zu spät. Dihana würde darauf bestehen, dass die Luftschiffe ausschließlich für Verteidigungszwecke eingesetzt werden sollten. Sie würde nicht zulassen, dass er auch nur eine geringe Anzahl von ihnen nach Norden schickte, solange Luftschiffe derart knapp waren.

Haidan biss sich auf die Lippen und schaute die Straße hinunter zum Hafen.

Sechsundzwanzigstes Kapitel

Um tief unter Wasser zu tauchen, beherzigte Jerome die Ratschläge des Frenchie-Mädchens. Nach wenigen Metern schon schmerzten ihm die Ohren, doch als er sich die Nase zuhielt und kräftig blies, machte es in seinen Ohren ›plopp‹, und er konnte tiefer tauchen.

Er wollte versuchen, auf dem Flatterfisch zu reiten, doch alle bestanden darauf, ihm zu zeigen, wie er die Luft anhalten und im tiefen Teil der Bucht bis zum Grund tauchen sollte. Es dauerte fast einen ganzen Tag, bis er seine Unterwasserangst überwunden und die richtige Atemtechnik entwickelt hatte.

Jerome ließ nicht locker, bis das Mädchen wieder neben ihm auftauchte und ihm zeigte, wie er langsam atmen sollte, um sich auf den Tauchgang vorzubereiten, und wie er dann die Luft vorsichtig ausatmen sollte, um bis auf den Boden hinabzusinken.

»Mein Name Sandy«, sagte es. »Deiner Jerome, richtig?«

»Wie du das wissen?«, fragte Jerome überrascht.

»Dich jeder kennen. Nur ein Mensch schaffte es aus Brungstun raus.«

Jerome wandte sich von ihr ab und biss sich auf die Lippen. Er hatte die schrecklichen Gedanken und Erinnerungen erfolgreich verdrängt, indem er den ganzen Tag mit den anderen herumgeplanscht hatte. Das war es, was Troy damit bezweckt haben musste, daran gab es keinen Zweifel. Doch jetzt konnte er nicht anders, als an seine Mutter, an Swagga, an Schmitti …

»Aber ich auch erinnern an das eine Mal, wo du hier zu Besuch mit deinem Vater.« Sandy sah, dass Jerome über nichts dergleichen reden wollte, deshalb sagte sie: »Warum nicht wieder tauchen?«

Jerome nickte. Der Wind blies ihm in die Ohren, als er mehrmals tief durchatmete und dann unter Wasser ging. Die Welt wurde ganz still, und aus seiner Nase stiegen Blasen empor, bis sein Körper schwer genug war, um langsam abzusinken.

Er hatte das Gefühl, einen Fehler zu machen, als er sämtliche Luft aus der Lunge herauspresste, doch jetzt erreichte er den Grund. Ihn erfasste Ruhe, seine Hände und Füße küssten den Sand. Er öffnete die Augen und nahm lediglich verschwommene Formen um sich herum wahr.

Jerome lauschte einer gleichbleibenden Kakophonie von Quaken und Grunzen aus der Ferne des Ozeans. Das schwere rhythmische Geräusch, wenn die kleinen Wellen ans Ufer schlugen, drang zu ihm durch. Selbst die undeutlichen Stimmen der drei Meter über ihm herumalbernden Schwimmer erreichten ihn.

Alles wirkte friedlich. Die Zeit spielte verrückt. Jerome wusste nicht, ob er nur eine kurze Minute oder eine volle Stunde hier unten war.

Na gut, dachte er, vielleicht sogar etwas weniger als eine Minute. Die Lunge brannte. Er stieß sich vom sandigen Boden ab und schwamm zur Oberfläche. Für einen kurzen Moment sah er seinen Schatten an der Unterkante der spiegelähnlichen Grenze zwischen Ozean und Luft. Dann durchbrach er neben Sandy die Wasseroberfläche.

»Gut«, sagte Sandy. Jerome lächelte. Einer der älteren Frenchies ritt jauchzend auf dem Flatterfisch um die Bucht herum.

»Ich jetzt auch versuchen auf ihm zu reiten?«, fragte Jerome aufgeregt.

Doch bevor Sandy antworten konnte, schrie Troy vom Strand her, sie sollten Schluss machen. Als Jerome das Wasser verließ und unschlüssig herumstand, begann er im kalten Wind zu zittern. Er rieb sich seine aufgeweichten Finger.

»Wir alle ganz runzlig«, lachte Sandy. Jerome schaute hoch. Die Haut sämtlicher Kinder war durch die Stunden im Wasser total verschrumpelt.

Die sanften rosaroten und orangefarbenen Schattierungen der Wolken leuchteten im Westen in der untergehenden Sonne, über den Wicked Highs lagen mehrere Farbbänder, und die schäumenden Wellen brachen sich an den Riffen. In dieser Richtung mussten die Aztecaner sein. Wie um dies zu bestätigen, bemerkte Jerome am Himmel über dem Ozean einen kleinen Punkt. Ein Luftschiff der Aztecaner. Jerome schürzte die Lippen und drehte sich um. Als er davonging und zum Strand schaute, sah er, dass die Rauchfahnen über Brungstun mit dem einsetzenden Nachtwind in ihre Richtung getrieben wurden.

Außerdem nahm Jerome wahr, wie Troy das Luftschiff in der Ferne nicht aus den Augen ließ.

Mit dem Auftauchen des Luftschiffs brach in der gesamten Gemeinschaft der Frenchies noch größere Unruhe aus. Jerome musste warme Sachen anziehen. Als er am Hauptstrand zu Troys Laden kam, hatten sich die Leute dort um die Fischerboote versammelt. Erneut wunderte sich Jerome über die helle Haut all dieser Menschen, von denen einige durch die Sonne glänzend rote Nasen bekommen hatten. Auch Jerome kannte Sonnenbrand, aber nicht in diesem Ausmaß.

Troy und die alten Männer, die sonst tagein tagaus vor seinem Laden saßen und ihre Dominosteine auf den Tisch knallten, schauten sich an. Über dem aus Brungstun heranwehenden Rauch schimmerten die ersten Sterne.

»Es jetzt oder nie«, sagte eine alte Frau aus der Menge. Alle schauten mit traurigem oder besorgtem Gesichtsausdruck drein.

»Das nur Luftschiff, Harriet«, meinte ein junger Mann neben ihr.

»Jetzt nur eins. Aber warte ab. Bald ein anderes. Und wenn erst wissen, wo wir sind, sie bauen Schiff und kommen her.«

Eine andere alte Frau kam zum Strand hinunter. »Harriet hat Recht. Sie schon verlassen Brungstun, um herzukommen. Wir benutzen auf Haus von Gaston Glas zum Weitblicken und Sehen zur Stadt.«

Den Leuten verschlug es den Atem. Jerome fragte sich, ob er dieses Fernglas, von dem die alte Frau geredet hatte, dazu benutzen sollte, um nach Brungstun hinüberzuschauen. Ob er dadurch Menschen ausmachen konnte? Er bezweifelte es.

Immer mehr Frenchies erschienen. »Was sehen?«

»Sieht aus, als ob bauen mehrere große Kähne und bereit zum Ziehen mit altem Dampfschiff, das zur Reparatur im Dock liegen.«

Jerome spürte eine tiefe Ohnmacht. Das Schicksal nahm seinen Lauf. Schließlich würden sie ihn doch bekommen. Bald müsste er sterben.

»Gut.« Troy hob eine Hand. »Dann wir keine Wahl. Rauchwolken und Dunkelheit machen für Luftschiff schwer zu sehen, wo wir gehen. Sagt allen Leuten in Häusern, müssen aufwachen. Wir sofort losgehen!«

Die Menge lief auseinander. Einer der alten Männer tippte Troy auf die Schulter. »Was ist mit ihm?«, fragte er und wies auf Jerome.

»Er bleibt bei Rest von Gören. Er Luft schon anhalten gut genug.«

Die Leute verständigten sich mit lauten Rufen, einige liefen von Tür zu Tür und weckten die Bewohner auf. Viele hatten bereits große Säcke und Pakete in ihren kleinen Fischerbooten verstaut. Drei Familien stießen ihre Nussschalen vom Ufer ab und ruderten aus dem Hafen.

»Was geschieht da?«, fragte Jerome.

»Wir uns verteilen.« Troy stand auf, seine Knie knackten. »Und manche verstecken an Ort, wo Aztecaner sie nicht finden. Du gehst zu Boot da hinten.« Er deutete auf ein gelbes Ruderboot mit handgezeichneten Buchstaben am Bug. »Du mit dieser Gruppe Kinder.«

Jerome nickte, und Troy trabte davon. Er rief einigen Männern zu, ob noch jemand zu Gastons Haus gehen und die Aztecaner mit dem Fernglas im Auge behalten wolle. Und er wollte wissen, wie viele funktionierende Gewehre jeder auf den Frenchie-Inseln hatte.

Immer mehr Boote verließen den Strand und gerieten auf dem schwarzen Wasser außer Sicht. Jerome ging zu dem kleinen Ruderboot hinüber und fragte sich, was als Nächstes geschehen würde. Wenn alle versuchen sollten, vor den Aztecanern davonzusegeln, dann könnten sie nicht mehr zu den wenigen kleinen Inseln zurückkehren, auf denen die Frenchies lebten. Und wie Pepper gesagt hatte, konnten sie so vielleicht einen Monat durchhalten. Wie sollte es dann weitergehen?

Troy kam zurück, bückte sich und schaute Jerome direkt in die Augen. »Jetzt musst du machen ganz großes Versprechen! Verstanden?«

»Ja.«

»Du darfst nie und niemand erzählen, wohin wir gehen und was hier tun.«

Jerome schluckte. »Ich verspreche!«

Siebenundzwanzigstes Kapitel

Zwölf Kinder sprangen an Bord des Ruderbootes. Zwei sichtlich übermüdete Fischer mit lederner Haut und zottigen Bärten schoben das gelbe Fahrzeug aufs Meer hinaus. Einige der anderen Ruderboote auf dem Wasser waren schwarz angestrichen, doch Jerome hatte den Eindruck, als sei manches von dem hier sehr kurzfristig geplant und durchgeführt worden, sodass ihr Boot einfach seine leuchtende Farbe behalten hätte.

Das Ruderboot war schwer beladen, die Wellen schlugen über den Rand. Einer der Männer reichte ihnen Kalebassen, mit denen sie Wasser schöpfen konnten. Jerome machte sich Gedanken darüber, ob auf sie geschossen würde, wenn ein Luftschiff der Aztecaner sie entdecken sollte.

»Ihr müsst weiter schöpfen Wasser!« Die Segel blieben unbenutzt auf dem Boden liegen, mit Hanfseilen fest verschnürt. Die Männer saßen nebeneinander und zogen an den langen Holzrudern. Der Bug wippte im Wasser auf und ab, und die Fahrt ging von den Frenchie-Inseln zu den Riffen.

»Ein, zwo . . .«

. . . drei, vier.« Der Fischer auf der rechten Seite sprach im Gegensatz zu dem anderen ein ziemliches Kauderwelsch. Jeromes Schicksalsgefährten saßen auf den Bootsplanken, eingewickelt in Decken, die sich mit Wasser voll zu saugen begannen. Die Kinder wirkten müde. Und ängstlich.

»Ein, zwo . . .«

. . . drei, vier.« Jerome lehnte den Kopf an den Bootsrand und schaute den beiden Fischern zu, wie sie ihre Arme beugten. Die beiden Ruderhalterungen knarrten bei jedem Zug.

Eine kleine Gestalt, in eine Flickendecke gehüllt, kam zwischen den Beinen der Fischer unter dem Sitz hervorgekrabbelt und schob sich neben Jerome. Es war Sandy. Sie zurrte an ihrem Umhang, um sich wieder fest zu verpacken.

»Du wissen, wohin fahren?«, fragte sie. Er schüttelte den Kopf. Sandy kroch näher an ihn heran und zeigte über den Rand des Bootes auf eine große Felseninsel, die vor Zeiten vom Festland abgesplittert war. Darum herum lagen noch weitere kleine Inseln.

Selbst aus mehren Kilometern Entfernung sah Jerome die unvermutet hochschießenden weißen Gischtfahnen, wenn sich der Ozean auf die scharfkantigen Felsen warf, die diese Miniaturinseln umgaben.

»Du kannst Boot nicht dort landen«, sagte Jerome. »Das Wahnsinn!«

»Es geht gut«, meinte Sandy gelassen. »In Ordnung, wenn ich hier sitze?«

Jerome schaute sich um. »Oh, ja, sicher, ich glaube.«

Sie lächelte leicht und verkroch sich mit ihrem Gesicht in der Decke. Jerome starrte aufs Wasser, das durch die Planken schwappte und über seine nackten Füße floss.

Ein ganzer Schwarm von Flatterfischen begleitete das Ruderboot, als sie sich der Insel näherten. In rasanten Kreisen schwammen sie um das Fahrzeug herum, schossen unter dem Rumpf hindurch und legten sich neben dem Boot auf die Seite, um sie zu betrachten.

Jerome erhob sich lächelnd. Eine ganze Serie von Wellen donnerte gegen die nahen Felsen und ließ ihn erstarren. Die gefährlichen Hindernisse waren in der Dunkelheit der Nacht kaum zu erkennen, doch er konnte ahnen, wie dicht sie sein mussten.

Keinen Kilometer von ihnen entfernt schäumte und zischte das Wasser, für einen Moment besiegt und niedergeworfen. Der

Ozean lag nach der heftigen Entladung von Brechern und Gischt ruhig da, und das stetige Geräusch herabfließenden Wassers übertönte alle anderen Laute, als es über die Felsen und Spalten in den Ozean hinabrauschte.

»Wir sein da«, sagte Sandy. Die Männer zogen die Ruder ein. Das Boot schnellte unter dem Schlag der Wellen hoch, als diese vom Felsen zurückgeworfen wurden. Eine zweite Serie von Wellen kam an ihnen vorbeigeschossen und schmetterte sie gegen die unnachgiebige Oberfläche der Felsen.

Kinder schlidderten in das schmierige, dunkle Wasser.

»Du dich erinnern an alle Ding, wir dich lernen heute?«, fragte Sandy über das Geräusch der Brandung hinweg. Jerome nickte und klammerte sich an den Bootsrand. »Das alles haben gute Grund. Troy wollen, du mit uns können kommen.«

»Aber wohin kommen?«, erwiderte Jerome heftig. Die Jagdfische umschwirrten das Boot und rempelten es von der Seite an.

»Da weit in Tiefe sein Höhle, wir können verstecken uns.« Sandy warf die Decke auf den Boden und sprang über Bord. Die Spritzer durchnässten Jerome. »Du kommen!« Sandy winkte, wenig mehr als ein kleiner, undeutlicher Klecks in der schwarzen Nacht des Ozeans. Jerome sah Sterne, die sich in den vom Steuerruder des Bootes gebildeten glatten Wasserflächen spiegelten.

Jerome schluckte. Welche Alternative blieb ihm? Zurückkehren und den Aztecanern entgegentreten? Wie sollte er das anstellen?

Er sprang.

Das kalte Wasser versetzte ihm einen Schlag ins Gesicht. Ein Jagdfisch schubste ihn an. Jeromes Finger glitten über die sanfte Oberfläche, bis er eine der beiden Flossen zu fassen bekam und durchs Wasser zu schlingern begann. Als er zurückschaute, sah er, wie die beiden Fischer über Bord sprangen.

»Sie lassen Boot zerschellen an Felsen«, schrie Sandy. »Aztecaner dann denken, wir alle ertrinken, wenn versuchen fliehen.«

Jeromes Jagdfisch hielt auf die Felsen zu. Er schwamm weiter und schaute sich nach allen Seiten hin um, um sich zu vergewissern, dass alle anderen ihm folgten und dass er nicht in einen Sog geraten würde, der ihn an den Felsen zerschellen ließ. Als sich die nächste Woge aufbaute, beschleunigte der Jagdfisch auf deren kleinem wachsenden Kamm, indem er mit seinen beiden Schwanzflossen auf das Wasser eindrosch, und für wenige Sekunden brausten sie auf ihr dahin. Dann glitt sie unter ihnen hindurch.

Die Wellen wurden größer. Jerome wurde von einer seitlich erwischt und wäre beinahe fortgerissen worden. Das Wasser um sie herum kochte, und die tobenden Wogen erzeugten ein Getöse, dass Jerome das Herz in die Hose rutschte. Als er es endlich wagte, sich aufzurichten und nach vorne zu schauen, erblickte er direkt vor sich die gezackten Spitzen zerklüfteter Felsen. Silbrige Rinnsale ergossen sich im Schein des Mondes durch Ritzen und Spalten.

»Anhalten Luft!«, brüllte jemand, als eine Welle Jerome vom Rest der Gruppe abschnitt. Er tat es, wie er es früher am Tag gelernt hatte. Er atmete mehrmals tief durch, dann holte er ein letztes Mal Luft. Der Jagdfisch schien zu spüren, dass er bereit war, und tauchte unter Wasser.

Im ersten Moment ergriff Jerome leichte Panik, als ihn die Dunkelheit einschloss. Er fühlte das kräftige dumpfe Schlagen der Wellen, doch die Welt um ihn herum bestand nur noch aus dem, was er mit seinen Fingern berühren konnte. Der Jagdfisch stieß nach unten, und stechender Schmerz bohrte sich in Jeromes Ohren. Er hielt sich die Nase zu und pustete so stark er konnte.

Doch das eine Mal reichte nicht. Sie schossen mit derartiger Geschwindigkeit in die Tiefe, dass er die Nase mit der linken Hand geschlossen halten und unentwegt pusten musste, um den Druck auszugleichen. Das Wasser wurde kälter und kälter.

Wie lange sollte das noch so weitergehen? Die Atemnot machte ihm schwer zu schaffen. In dem kalten Wasser erzeugte das Brennen der Lunge ein sonderbares Gefühl.

Der Jagdfisch veränderte die Richtung. Jerome spürte es am Widerstand des Wassers auf seiner Haut. Er schloss die Augen und legte sich zwischen den Flossen auf den Körper des Fisches. Nicht ans Atmen denken! Konzentriere dich! Jegliches Gefühl reduzierte sich auf einen Nadelstich, genau wie er es am Grunde der Bucht gespürt hatte.

Ruhe.

Doch es wirkte nur wenige Sekunden. Das Brennen in der Lunge setzte erneut ein, und Jerome ließ Luftblasen aufsteigen. Das half ein wenig, aber jetzt gab es nichts mehr, das er hätte auspusten können. Ich sterbe, dachte er. Auf dem Rücken dieses Tieres. Und dann merkte er, dass er noch nicht sterben wollte. Er griff stärker nach den Flossen des Jagdfisches. Pepper hatte Recht gehabt. Man durfte sich nur auf den Moment konzentrieren, auf das Leben hier und jetzt.

Jerome konzentrierte sich so gut es ging, verdrängte alles, bis er spürte, wie sich der samtene Mantel der Finsternis über ihn senkte. Sein Griff lockerte sich.

Der Jagdfisch schoss nach oben.

Sie durchstießen die Wasseroberfläche mit einem gewaltigen Schlag. Im gleichen Moment, da Jerome das Prickeln auf der Haut spürte, öffnete er den Mund und saugte so viel Luft ein, wie er konnte.

Japsend klammerte er sich an den Jagdfisch, als dieser ihn zu einer sandigen Stelle zog. Kräftige Hände ergriffen ihn, und Jerome sah Metallleuchter mit Gaslicht, die die Wände einer Höhle anstrahlten. Eins nach dem anderen tauchten die Kinder, an den Jagdfischen hängend, hinter ihm aus dem Wasser auf, und alle rangen nach Luft.

Decken und heiße Fischsuppe erwarteten sie. Erst als sie alle zusammen im Halbdunkel mit verklebtem Haar und leerem

Blick um das Feuer herum kauerten, wurde Jerome klar, dass die Erwachsenen sich irgendwo über ihnen da draußen um die Frenchie-Inseln herum auf den Kampf gegen die Aztecaner vorbereiteten. Noch mehr Menschen würden sterben, um ihn zu beschützen.

Ich will leben, dachte er, während er mitten ins Feuer starrte. Er wusste es ganz sicher.

Er würde Rache nehmen. Für seine Freunde, seine Mutter, seinen Vater. Vielleicht waren sie tot, aber er wollte es den Aztecanern heimzahlen. Irgendwo. Irgendwann.

Er würde leben. Das war sicher.

Achtundzwanzigstes Kapitel

Dihana schaute mit glasigen Augen zu Haidan hoch, als dieser die Bürotür öffnete.

»Guten Abend.« Sie hob den Kopf von der Schreibtischplatte. »Bin wohl eingeschlafen.«

»Sie wohl auch lange genug nicht geschlafen«, sagte Haidan.

»Ich weiß.« Es war an der Zeit, sich gegen eine ganze Reihe alter Ängste zu wappnen. Ihre Hände zitterten leicht, als sie ihre Jacke glättete und die Bluse in den langen Rock steckte. Der Loa hatte seinen Tempel verlassen, um sie aufzusuchen. Normalerweise drückten sie sich in den über ganz Capitol City verteilten unterirdischen Tempelgewölben herum und ließen die Leute zu sich kommen. Ganz egal, was heute noch geschehen sollte, immerhin hatte sie einen von ihnen dazu gebracht, bei ihr zu erscheinen. Das gab ihr ein wenig Zuversicht. »Auf geht's!«

Sie wusste, dass die Loa die Dunkelheit liebten. Das Konferenzzimmer war gestern geschlossen geblieben. Die Flure waren verändert worden. Schwere Teppiche hingen neben allen Fenstern und von den Wänden herab.

Beim bloßen Hindurchgehen glaubte Dihana ersticken zu müssen.

Quietschende Räder näherten sich der Tür zum Konferenzzimmer, zusammen mit Schritten.

Die Tür öffnete sich. Mutter Elene schob einen Rollstuhl herein. Der Loa darin rekelte sich in dem Weidengeflecht, sein riesiger, kugelrunder Kopf wurde von Stützen in Position gehalten. Direkt unter der seidenpapierdünnen Kopfhaut des Loa entdeckte Dihana winzige Sprünge in den Schädelknochen. Bei den Loa nahm der Kopf mit jedem Jahr an Umfang zu, der Schädel platzte auf und wuchs nach allen Seiten, um sich der neuen Größe anzupassen.

»Mutter Elene.« Dihana stand auf. »Es ist schön, dass Sie gekommen sind.«

Das Wesen hatte keine Beine, wie Dihana bemerkte. Unter den Armen baumelte fahles teigiges Fleisch in Säcken herab. Das Geschöpf fummelte eine Apfelscheibe in den zahnlosen Mund und lutschte lustlos daran herum.

»Schön, dass Sie endlich reden wollen«, erwiderte Mutter Elene. »Obwohl wir wissen, wir Letzte auf Ihrer Liste.«

»Sie nicht hinsetzen wollen?«, fragte Haidan.

»Ich bleibe neben Gidi Fatra stehen«, sagte Mutter Elene. »Und dolmetsche.«

»Wir bauen auf Ihre Unterstützung bei der Verteidigung unserer Stadt«, sagte Dihana. »Die Mungo-Männer sind gut, doch ihre Zahl ist zu gering. Wir verfügen über Waffen, über Luftschiffe und Dampfwagen ...«

Mutter Elene hob eine Hand. Dihana hielt inne. Der Loa zischte. Das Weidengeflecht stöhnte unter der teigigen Masse auf.

»Gidi Fatra denkt, wie all anderen Loa, Sie auf falschem Weg.« Der Loa mühte sich, seine Sitzposition zu ändern, seine trüben Augen mit den fleischigen Lidern schickten ruckartig abschätzende Blicke durch den Raum. »Fatra meint, wir Stadtmauern nicht halten können.«

»Wollen Sie etwa, dass die Teotl über uns herrschen?«, sagte Dihana aufgebracht.

Haidan drehte sich leicht in seinem Stuhl um; Dihana bemerkte es aus den Augenwinkeln. Doch sie ignorierte die versteckte Warnung, während Mutter Elene dem Loa zuhörte.

»Wir nicht sagen, wir nicht helfen wollen.«

»Was bieten Sie an?«, fragte Haidan und stützte die Ellbogen auf den Tisch.

»Mit nur euern Männern«, übersetzte Mutter Elene, »es nicht

sehr ... wahrscheinlich, wir Krieg gewinnen können. Wir Mafolie-Pass bereits verloren.«

»Wir *können* sie am Überwinden der Stadtmauern hindern«,
sagte Dihana.

Der Loa stemmte sich hoch, um Dihana direkt in die Augen
zu schauen und sich ihr zu nähern. Dihana wusste jetzt, dass das
Wesen sie verstand. Es zischte sie an, und Speichel rann ihm von
den Lippen.

Mutter Elene übersetzte: »Vielleicht sie nicht brauchen wenige Wochen, vielleicht sie brauchen viele Jahre, aber ohne
Mafolie-Pass Aztecaner haben alle Zeit sie wollen.«

Haidan hob die Arme und verschränkte sie. »Vielleicht. Aber
vielleicht wir haben auch noch Trick auf Lager.«

Der Loa schnaubte. Dann schaute er Haidan an.

»Während letzten Tagen und so«, sagte Mutter Elene zu Haidan, »Eure Männer kaufen alle Pelzmäntel auf, kaufen Konser-
ven in Büchsen, und Eure Männer reden mit Männern, die schon
mal ganz oben im Norden oder in den Bergen, wo immer sehr
kalt. Sie planen Reise in Norden.«

Haidan verschränkte die Arme. »Ich plane etwas, ja. Aber
nicht im Norden. Warum ist Loa zornig, wenn ich versuche
neue Reise in Norden? Ich schließlich brauche alle kämpfen-
den Männer hier, nicht dort.«

Dihana warf ihm einen schnellen Blick zu. Haidan war weiterhin die Ruhe selbst. Er starrte unverwandt auf den Loa.

»Sie uns nicht täuschen können«, sagte Mutter Elene.

»Der General steht zu seinem Wort«, sagte Dihana.

Mutter Elene lächelte. »Sie brauchen Hilfe von uns, um nach
Norden zu gehen. Sie keine Ahnung, was Sie dort erwartet.«

Haidan beugte sich vor. »Sie sagen, die Loa uns helfen bei Reise
nach Norden? Die Loa nach all den Jahren ändern ihre Meinung?«

Mutter Elene legte die Hände an den Mund. »Die Loa für uns
alle haben stets nur Bestes im Sinn. Immer schon so, bleibt auch
immer so.«

Zu Dihanas Überraschung lehnte sich Haidan zurück und lachte. Er schüttelte den Kopf, dass die Locken flogen. »Was die Loa denn genau für sich erwarten da hoch oben im Norden?«

»Gidi Fatra und Rest des Ordens unterstützen Ding, Sie planen. Sie nur wünschen jeden Tag genauen Bericht, wie Ding laufen, und verlangen öfter Gespräch mit Ihnen über Platz und Stellung in Stadt. Wir dann reden später mit Ihnen über unsere Hilfe für Sie.«

»Sie haben die Frage des Generals noch nicht beantwortet«, sagte Dihana. »Was versprechen Sie sich da oben im Norden, aufgrund dessen Sie Ihre Meinung geändert haben?«

Mutter Elene schaute zum Loa hinab, doch dieser zischte ihr nichts zu.

»Wir Sie jetzt unterstützen«, sagte Mutter Elene. »Informationen später.«

Für den Anfang war dieses Ergebnis so gut wie jedes andere, befand Dihana, und mit einem kurzen Seitenblick zu Haidan hinüber ließ sie die Sache auf sich beruhen. Der General breitete die Arme aus und zuckte die Achseln.

»War's das?«, fragte Dihana.

»Für jetzt genug.«

»Gut.« Dihana schaute Haidan an. »Es hat Übergriffe gegeben. Möchten Sie, dass irgendwo Mungo-Männer postiert werden?« Haidan hustete und lehnte ihr Angebot ab. Doch Dihana fuhr fort: »Zum Schutz der Loa? Ohne Absicherung durch Bewaffnete sind sie verletzbar.«

»Nein«, sagte Mutter Elene. »Darüber wir schon nachdenken. Unter den Straßentempeln keine Loa. Alle gut verstecken. Sie können Kontakt aufnehmen mit ihren Priestern, dann die Loa hören, was Sie sagen.«

»Demnach trauen Sie uns nicht, was Ihren Aufenthaltsort betrifft? Nicht einmal, wenn wir Ihnen unser Wort geben, ihn geheim zu halten?«

»Euer Wort?«, fragte Mutter Elene. »Noch nicht.« Sie ging

zum Rollstuhl, drehte ihn in Richtung Tür und schob den Loa aus dem Konferenzzimmer. Sorgfältig schloss sie die Tür hinter sich, um sich nicht ihren langen purpurroten Rock einzuklemmen.

»Interessant«, sagte Haidan.

Dihana überlegte, was ihnen das jetzt eingebracht hatte. Einen Beschluss oder eine Zustimmung der Loa? Sie war schließlich nicht ihr Vater. Sie würden nicht einmal bei der Verteidigung helfen. Frustrierend.

»Dieses Manuskript, von dem Sie berichteten«, sagte Dihana. »Ich möchte eine Kopie davon haben. Wenn die Loa hinter derselben Sache her sind, will ich über alles informiert sein.«

»Ich sende Ihnen Kopie, aber ich Ihnen schon alles erzählen. Es ist Maschine. Mehr ich auch nicht wissen.«

Dihana fasste ihn am Unterarm. »Wir können es uns doch nicht leisten, auf auch nur ein einziges Luftschiff zu verzichten, nur damit wir zum Nutzen der Loa in den Norden kommen. Wir sind auf jedes einzelne angewiesen, wenn die Kämpfe beginnen.«

Ihnen fehlten die Mittel für eine erneute Reise in den Norden. Die vorhergehenden Expeditionen waren erfolglos geblieben, auch wenn sie nur mit normalen Schiffen, nicht per Luftschiff, unternommen worden waren. Nein, sie mussten warten, bis sie wussten, was die Zukunft für Capitol City bereithielt. Wenn es überhaupt eine …

»Sie das stoppen, weil wir es uns nicht erlauben können? Oder Sie nicht bereit dazu, weil Wunsch der Loa?«

Dihana hatte keine Lust, ihre Gedanken zu verbergen. »Vielleicht haben Sie Recht damit, aber wie können wir denn sicher sein, dass wir wirklich wissen, was die Loa von uns wollen? Wissen wir denn, was sie vorhaben?«

»Überleben«, sagte Haidan. »Wenn Aztecaner kommen, dann nur versuchen können zu überleben. Und wenn Loa jetzt so zurückhaltend, dann nur, weil wir alle erst müssen Vertrauen entwickeln. Aber wir brauchen sie. Die meisten Leute in der Stadt sie verehren und anbeten, das nicht einfach beiseitezuschieben.«

Auch wahr, dachte Dihana. Doch die Sache gefiel ihr immer noch nicht.

In Capitol City beteten Hindus in ihren Schreinen, die Moslems verrichteten nachts ihre Gebete in Richtung eines Sternbildes, das sie als Mekka bezeichneten, und die Christliche Kirche des Heiligen Geistes hatte ihre eigenen Gotteshäuser. Im Busch, wo die Wachsamkeit des Jägers zählte, machten die üblicherweise friedfertigen Rastafari die Krieger mit jenen Fertigkeiten vertraut, die Nanagada Sicherheit versprachen.

Doch keine andere Religion fand in Nanagada so viel Zuspruch wie Vodun, da jeder Gläubige nur eine Kirche aufzusuchen brauchte, um die Loa zu finden, bleich und missgebildet, die dort ihre wirren Prophezeiungen in einer heiligen Sprache zum Besten gaben, die nur die »Mütter« übersetzen konnten.

Haidan hatte Recht. Obgleich sie schon noch dahinterkommen *würde*, was die Loa sich vom Norden versprachen. Was sie unbedingt haben wollten. Doch jetzt standen erst einmal Gespräche mit Haidan über zusätzliche Unterbringungsmöglichkeiten in Capitol City an, über die Finanzierung der Verteidigungswälle an den Stadtmauern und über die Frage, wie man den ersten Ansturm der Aztecaner abfangen sollte.

Haidan fragte sie, ob er mehr Mungo-Männer zusammen mit den Streunern in den Straßen postieren dürfe, um Unruhen zu unterbinden und für Ordnung zu sorgen. In den Straßen sei es mittlerweile gefährlich. Für Straßenecken, Lagerhäuser und Ämter sowie Militärposten hatte er bereits Pläne ausgearbeitet.

Neunundzwanzigstes Kapitel

Der Schlafwagen schaukelte am Ende einer Kette von zehn weiteren ähnlich quadratischen Stahlgehäusen in Richtung Capitol City. Aus dem verrußten Schornstein der Zugmaschine stieg eine Säule schwarzen Qualms empor und wehte davon. In den dunklen, kastenförmigen Abteilen hockten überall müde Gestalten zwischen den ausgestreckt liegenden Schläfern. Dämmrige Streifen ersten Morgenlichts stahlen sich durch die verhängten Fenster und warfen Blitzlichter auf die ermatteten Insassen des Wagons.

Einige waren Mungo-Männer auf dem Weg nach Capitol City. Bei den übrigen handelte es sich um erschöpfte Mütter und Kinder mit Paketen ihrer Habseligkeiten zu ihren Füßen. Es wurde gemunkelt, ein paar Leute in diesem Wagon kämen aus Brewer's Village, und Anandale würde wohl auch im Laufe dieser Woche fallen. Drei Tage sollte die Eisenbahnverbindung noch aufrechterhalten bleiben, dann würde der gesamte Zugverkehr eingestellt, und die Mungo-Männer würden damit beginnen, die Strecke in nördlicher Richtung hinter sich zu zerstören. Der Zug war überfüllt mit Flüchtlingen, die es entlang der nördlichen Küste in die Stadt zog.

Oaxyctl saß auf der harten Sitzbank und schaute zu John deBruns Haken hinauf, der von der Koje über ihm herabhing. Er bewegte sich im Rhythmus des sich auf den Schienen wiegenden Wagons. Mit jedem Klack addierte Oaxyctl wieder etwas zu der wachsenden Kilometerzahl zwischen sich und den heranrückenden Aztecanern hinzu. Je weiter sie kamen, desto entspannter wurde er.

In den wenigen Tagen hatten sie eine große Strecke geschafft.

Bei seinem Bemühen, den Vorsprung gegenüber etwaigen aztecanischen Verfolgern zu halten, war Oaxyctl ohne Rücksicht auf ihre Spuren durch den Busch gestürmt. John hatte Schritt gehalten. Schweigend und kaum in der Lage, ein Wort zu wechseln, hatten sie sich vorangekämpft, ständig auf der Hut und nervös auf jedes ungewohnte Geräusch lauschend. So waren sie gelaufen, bis sie auf die Bahnlinie gestoßen und ihr bis zum nächsten Bahnhof gefolgt waren.

Oaxyctls Haut juckte von den klebrigen Blättern, seine Augen brannten, und er hatte Hunger. Doch er lebte. Das zählte. Und ihm winkte ein verlockender Preis: In Capitol City würde er Kontakt zu den Quimichtin aufnehmen, die sich als Toltecaner ausgaben, und er würde sich all jene Werkzeuge besorgen, die er benötigte, um diese grausige Aufgabe zu erfüllen und John die erwünschten Informationen zu entreißen. Vielleicht waren die Quimichtin ja sogar in der Lage, ihm einen schalldichten Raum zur Verfügung zu stellen.

Jetzt hatte er genügend Zeit, alles in Ruhe und wohlüberlegt angehen zu können. So wie es der Gott gefordert hatte. Oaxyctl lehnte sich zufrieden zurück. Alles wird glücklich enden, sagte er sich.

Oder unglücklich, dachte er.

Am besten war es immer noch, nicht darüber nachzudenken. Oaxyctl starrte auf einen dreieckigen Riss in der Matratze über sich, während John in seiner Koje schnarchte.

Oaxyctl war noch nie in Capitol City gewesen. Er saß am Fenster und verrenkte sich den Hals. Die Mauern erhoben sich höher als die mächtigsten Opferpyramiden von Tenochtitlanome.

Mütter rüttelten ihre Kinder wach und teilten ihnen mit, sie seien angekommen. Die Leute klappten die Betten gegen die Wand und holten ihre Siebensachen unter den Sitzen hervor.

»Wir jetzt zuhause, Mama?«, fragte ein kleiner Junge einige Plätze entfernt.

»Eine Weile noch, mein Liebling. Nur eine ganz kurze Weile!«

John saß neben Oaxyctl und schaute zu einem der anderen Züge hinüber, der gleichauf mit ihnen einen der Tunnel nach Capitol City langsam verließ. Zu beiden Seiten der Schienenstränge ragten bedrohliche Erdwälle mit großen spitzen Dornen empor. Erdwälle von verteidigungsfähigen Ausmaßen. Oaxyctl zählte zehn Geleise, die nach Süden und Nordwesten aus der Stadt herausführten. Jetzt verstand er, warum gesagt wurde, auf dieser Seite der Wicked Highs führten alle Wege nach Capitol City.

»Wir müssen eine Unterkunft für uns finden«, murmelte Oaxyctl. »Ich habe etwas Geld im Gepäck, aber es ist nicht viel.«

»Du arbeitest doch für die Mungo-Männer«, sagte John. »Hier im Zug hörte ich jemanden sagen, für die seien überall in der Stadt provisorische Unterbringungsmöglichkeiten bereitgestellt worden.«

»Ja.« Oaxyctl lachte. »Aber nach dieser ganzen Zeit im Dschungel wäre es doch wohl angenehmer, einen schöneren Platz zu finden. Vor allem ruhiger.«

»Gut.« John spreizte die Finger der gesunden Hand. »Ich verdanke dir mein Leben. Ich weiß gar nicht, wie ich das wiedergutmachen kann.« Der Zug bremste noch mehr ab. »Ich habe kein Geld, mit dem ich dir helfen oder das ich dir zurückgeben könnte. Mir bleibt nichts anderes übrig, als mich den Mungo-Männern anzuschließen und zu kämpfen. Hoffentlich den ganzen Weg zurück nach Brungstun.« John verzog das Gesicht. »Und hoffentlich begegnen wir uns dann wieder einmal. Damit ich mich entsprechend bei dir bedanken kann.«

»Wir können doch ein Zimmer teilen«, schlug Oaxyctl vor. Wenn nicht, müsste er John heute Abend oder nachts irgendwie aufstöbern.

»Eigentlich hatte ich gehofft, einige Freunde besuchen und . . .«

»Ich bestehe darauf.« Freunde von John waren wirklich das Allerletzte, was Oaxyctl jetzt brauchte. Er fummelte an einem Zipfel seines Hemdes herum. »Wenigstens diese erste Nacht. Wir sind doch gerade erst angekommen. Du musst etwas haben, wo du dich mal waschen kannst und wohin du zurückkommen kannst, wenn du deine Freunde nicht antriffst. Morgen gehe ich zu einem Mungo-Treff. Wenn du mitkommst, kannst du dich da gleich einschreiben.« Dann, so dachte Oaxyctl, könnte er John in dem Zimmer einschließen, fesseln und mit der Arbeit beginnen.

Der Zug kam an einem Bahnsteig innerhalb des Tunnels schnaufend zum Stillstand. John stand zusammen mit den anderen Reisenden auf. »Wenn es dir nicht zu viel Mühe macht.«

»Überhaupt kein Problem«, sagte Oaxyctl und griff nach seinem Gepäck.

Oaxyctl war völlig verwirrt. Menschen aller Hautfarben in bunten Kleidern bevölkerten die Bahnsteige. Ihre unterschiedlichen Dialekte hallten von den Wänden der hohen Felsen an ihrer Seite wider.

»Wenn ich mich recht entsinne«, sagte John, »gibt es ziemlich in der Stadtmitte Zimmer, nicht weit vom Hafen entfernt. Von dort ist es auch nicht weit nach Tolteca-Town. Die sind billiger.«

Tolteca. Je näher an den Toltecanern dran, desto besser. »Ja, lass uns das versuchen«, sagte Oaxyctl, während viereckige hölzerne Gefährte leise neben ihm auf dem Bahnsteig vorbeihuschten. Mit Körben beladene Esel trotteten an ihm vorüber, gelangweilt auf das Pflaster vor sich glotzend. Ein Durcheinander von Menschen und Waren schob und drängelte sich auf den Bahnsteigen.

Oaxyctl hielt seinen Atlatl in einer Hand, die Speere waren mittels einer Kordel zu einem engen Bündel zusammengeschnürt. Zwei Männer mit schmutzigen Füßen, die einen braunen Esel von einem der Eisenbahnwagons wegführten, musterten ihn von oben bis unten und runzelten die Stirn. Er nickte ihnen freundlich zu, doch sie wichen seinem Blick aus.

Eine Frau mit einem Weidenkorb voller Kleidung auf dem Kopf spuckte auf den Boden, als sie ihn sah. Irgendwie hing etwas Düsteres und Bedrohliches in der Luft. Er schaute sich um, fühlte sich von allen Seiten umzingelt und ungeschützt. Unsicher. John lief unbekümmert und blind voraus. Oaxyctl beeilte sich, ihn einzuholen.

Ein Stein traf ihn seitlich am Kopf, kräftig genug, um ihn nur noch Sterne sehen zu lassen. Oaxyctl begann zu taumeln.

Fünf Männer, die eben noch an einem Tisch Früchte begutachtet hatten, traten vor und umstellten ihn. »Wo du hinwollen, Taca-Mann?«

Oaxyctl richtete sich auf, und es juckte ihn, einen Pfeil fliegen zu lassen. »Ich bin ein Mungo-Mann. Werft noch einmal, dann habt ihr ein Problem!«

»Unser einziges Problem du selbst«, kam als Antwort. »Du wieder auf andere Seite von Berge gehen und uns hier alleine lassen.«

Oaxyctl trat einen Schritt vor. Die Männer wichen keinen Zentimeter zurück. Als er sich zwischen ihnen hindurchzuzwängen versuchte, bildeten sie mit ihren Schultern eine undurchdringliche Mauer. Der junge Mann zu seiner Linken versetzte Oaxyctl einen Schlag in die Magengrube. Oaxyctl ging in die Knie. Noch ein paar blitzartige Schläge und Tritte, und Oaxyctl wusste nicht mehr, wie ihm geschah und wo er war.

Instinktiv riss er seine Atlatl-Pfeile hoch und zog einen aus dem Bündel.

»Halt!«, schrie John, als er sich umdrehte. Die fünf zögerten, weil sie nicht wussten, mit wem sie es zu tun hatten. John trat auf sie zu. In einer kurzen gleitenden Bewegung hob er seinen Haken und schlang ihn dem am nächsten stehenden Mann um den Hals, mit der Spitze nur ein paar Millimeter vom Adamsapfel entfernt.

»Was das da sein?«, fragte der junge Mann. Er breitete die Arme vor sich aus und hüpfte von einem Bein auf das andere.

»Mein Haken«, sagte John. »Direkt an deiner Gurgel. Dieser Mann, den ihr da zusammenschlagt, ist ein Mungo-Mann. Den größten Teil seiner Zeit verbringt er draußen im Busch und schützt euch vor den Aztecanern.«

»Der aber haben feinen Job«, brüllte jemand im Hintergrund.

»Schnauze!«, schrie John. Er zeigte auf die vier anderen Männer. »Schlagt diesen Mann noch ein Mal, und ich schneide euch die Gurgel durch. Er hat mir das Leben gerettet. Lasst ihn gehen! Auf der Stelle!«

Sie fluchten, gaben Oaxyctl jedoch frei. Dieser stand auf. »Danke!«

Oaxyctl rang noch immer nach Luft. »Los, lass uns gehen.« Er steckte den Pfeil ins Bündel zurück und war heilfroh, dass er niemanden in aller Öffentlichkeit hatte erschießen müssen.

John zog den Haken zurück. Die Männer gingen davon, immer noch fluchend und gleichzeitig prahlend, als hätten sie soeben einen glänzenden Sieg errungen.

»He!« Ein Mungo-Mann trat auf John und Oaxyctl zu. »He, du da!«

Die beiden blieben stehen. »Entschuldigung!«, sagte Oaxyctl. »Wir . . .«

»In Ordnung«, sagte der Mungo-Mann. »Ich dich hören sagen, du Mungo-Mann. Ich alle Mungo-Männer, die verlassen Zug, hier in Empfang nehme und weiter dirigiere. Du dich ausweisen können?«

Oaxyctl krempelte den Hemdsärmel hoch. Die blaugraue Abbildung eines Mungo, dieses langgestreckten, dünnen mythischen Schlangenjägers, wand sich um seinen Arm. Die Zeichnung war neu und glänzte noch verflucht hell auf seiner Haut.

Der Mungo-Mann betrachtete sie voller Argwohn. »Die sein ziemlich frisch.«

John trat näher. »Der Mann hat mir das Leben gerettet. Er ist kein Agent. Du kannst mir glauben.«

»Und wer du?«

»John deBrun. Vielleicht erinnert sich hier jemand an die . . .«

»Expedition in den Norden!« Der Mungo-Mann schlug John auf die Schulter. »Natürlich, Mann! Natürlich ich mich erinnern an Sie.«

Oaxyctl entspannte sich.

»In Ordnung«, sagte der Mungo-Mann. »Sie das morgen klären können.« Er zog ein kleines rechteckiges Stück Pappe mit seiner Unterschrift darauf aus der Tasche. »Dieser Zettel für Zimmer in der Stadt für diese Nacht. Vorläufig. Auf Rückseite Adresse von nächste Kommandantur. Müssen warten bis morgen früh, um sich zu registrieren«, meinte der Mungo-Mann. »Viel Arbeit, alle Männer abzufertigen.«

Oaxyctl nahm den Schein entgegen. »Danke!«

Der Mungo-Mann nickte und schaute am Bahnsteig entlang auf die lange Schlange der Männer, die sich hinter Oaxyctl angestellt hatten. »Mehr ich für Sie nicht tun können. Wir Befehl haben, dies jedem Mungo-Mann zu geben, der zurückkommen.«

John griff nach der Bescheinigung und schaute sie sich an. Wind wirbelte den Staub am Bahnsteig auf und zerrte an den Kleidern. »Ich weiß, wo das ist.« Er blickte sich um. »Aber lass uns lieber eine etwas weniger auffällige Route wählen.«

Oaxyctl stimmte zu.

Der Eingang zu ihrem Zimmer befand sich in einer kleinen Seitengasse. Über ihnen hingen Kleider zum Trocknen in der

Luft. Zwei Frauen hatten sich wegen der Wäscheleinen in der Wolle.

Drinnen humpelte Oaxyctl zum Bett mit dem Lattenrost und ließ sich hineinfallen, während sich John in dem winzigen Badezimmer das Gesicht wusch. Das Geräusch tröpfelnden Wassers machte Oaxyctl durstig.

»Hier liegt ganz schön Spannung in der Luft«, sagte John. »Ich habe noch nirgends erlebt, dass sich die Leute auf der Straße so aggressiv verhalten.«

»Was hattest du denn erwartet?« Oaxyctl schaute an die Decke mit der abblätternden Farbe. Er hatte Bauchschmerzen. Und das Steißbein tat weh. Heute Nacht würde er vermutlich Blut pinkeln. Er befühlte den Unterkiefer und zog die Luft durch die Zähne ein. »Sie wissen, dass die Aztecaner anrücken. Und ich sehe wie ein Aztecaner aus. Die sind eben alle übernervös.«

Was hätte er tun sollen? Die Männer da auf dem Bahnsteig einfach umlegen? Das hätte die ganze Angelegenheit nur unnötig kompliziert. Die Streuner hätten ihn eingesperrt, und die hiesigen Mungo-Kommandeure hätten ihn ebenfalls ins Loch gesteckt. Nein, er hatte sich schon für das Richtige entschieden. Aber wenn das Ganze noch etwas länger gedauert hätte, dann hätte er aus reinem Überlebenstrieb kämpfen müssen.

Er konnte nicht einmal mehr aufstehen, ohne dass es ihn schmerzte.

Und jetzt musste er sich um John kümmern.

Jetzt? Er war sich nicht sicher, ob er diesen drahtigen Kerl überwältigen konnte. Schließlich hatte Oaxyctl mitbekommen, mit welcher Geschmeidigkeit John den jungen Mann mit seinem Haken am Hals gepackt hatte. In seinem Zustand war Johns Intervention gerade noch zur rechten Zeit gekommen. Aber jetzt wusste er wirklich nicht, ob er dem Haken im Nahkampf würde ausweichen können.

»Das ist doch noch kein Grund.« John setzte sich auf den

schmalen Stuhl neben dem Bett. »Die Toltecaner haben doch genauso viel zu verlieren wie du.«

»Oder mehr.« Die Toltecaner waren die übelste Sorte unter allen Verrätern. Aber sie würden einen ganz langsamen Tod sterben, wenn die aztecanische Armee die Mauern erst einmal überwunden hätte. Oaxyctl richtete sich auf und löste das Bündel mit den Atlatl-Speeren. Es lag offen vor ihm, und er legte die Hand auf einen der Speere.

John stand auf und wies ihm den Rücken zu. Oaxyctl verfolgte jede Bewegung seines Körpers. Stark, entschlossen. Wenn er wartete, bis John den Haken abgelegt oder sich schlafen gelegt hatte, wäre seine Chance größer. Oaxyctl fühlte sich momentan zu schwach.

John lehnte sich vornüber und zog die Schnürsenkel seiner Stiefel zu.

»Wohin willst du?«, fragte Oaxyctl scharf.

John hielt inne und schaute ihn überrascht an.

Oaxyctl schluckte. Er musste sich mit seinem Tonfall in Acht nehmen. »Entschuldige, ich habe Hunger, und ich wusste nicht, ob ich jetzt alleine rausgehen soll.« Oaxyctl öffnete den Rucksack, der am Bettrand stand, und fischte drei Silbermünzen mit dem Emblem der Triangel-Linie auf der Vorderseite heraus.

»Ich habe einen Freund in der Nähe des Hafens.« John fing die Münzen auf, die ihm Oaxyctl zuwarf. »Ich will mal sehen, ob er noch dort ist. Auf dem Rückweg kaufe ich noch etwas ein. Aber es könnte länger dauern.«

»In Ordnung.« Oaxyctl verzog keine Miene. John wollte also einen Freund treffen. Das war nicht gut. John schien hier in der Gegend ziemlich bekannt zu sein. Irgend jemand würde bestimmt aufkreuzen und nach ihm fragen, wenn man wüsste, dass er in der Stadt ist und sich tagelang nicht blicken ließ. Andererseits hatte Oaxyctl so Gelegenheit, sich bei den Agenten in der Stadt all die Dinge zu beschaffen, die er brauchte. Und danach konnte er sich dann noch etwas ausruhen.

Ein Schweißtropfen rann Oaxyctl die Wange hinab. John war nicht mehr an seiner Seite, um ihn auf der Straße zu beschützen. Er stellte sich vor, was John wohl für ein Gesicht machen würde, wenn er plötzlich erkennen musste, wer Oaxyctl wirklich war.

Doch so war nun einmal das Leben im Schatten der Götter. Die Missachtung eines Befehls war nicht erlaubt. Es gab Schlimmeres als den Tod. Die Sonne musste jeden Tag aufgehen, das Getreide musste wachsen. Und es war Blut, das allem Nahrung gab.

Die Kriegsgötter hatten die Aztecaner zu den wildesten menschlichen Kämpfern aller Zeiten erklärt. Die Götter hatten beschlossen, der Welt die Aztecaner zu bescheren, um Gefangene für ihre Opferhandlungen zu machen. Dadurch blieb diese Welt fruchtbar.

Manchmal tauchten in Oaxyctls Kopf Zweifel auf. Er sah die heidnischen Nanagadaner und all deren unterschiedliche Religionen diesseits der Berge, und das Getreide gedieh hier auch ohne Blutopfer bestens.

Doch mit den Nanagadanern würde es sowieso bald vorbei sein. Die Aztecaner waren nicht aufzuhalten. Die Götter würden alles beherrschen. Daher waren Zweifel unangebracht. In Kürze wäre es so weit, und dann würde Oaxyctl in einer Stadt leben und all dies hier hinter sich lassen. Weit hinter sich.

Oaxyctl beobachtete, wie John über die Türschwelle nach draußen trat. Sein Haken glänzte im Sonnenlicht, und gleich darauf fiel die Tür krachend zu. Leichter Staub wirbelte durch die Luft. Oaxyctl wartete, bis sich die winzigen Partikelchen wieder gelegt hatten. Dann stand er auf.

Er griff nach dem Atlatl und machte sich auf den Weg in die dunkelsten Gassen, wo er Leute, die ihn belästigen sollten, mit dem geringsten Aufwand töten könnte. Und wo man kaum Notiz davon nehmen würde.

Doch das Gehen tat immer noch weh.

Dreißigstes Kapitel

Die Passanten wichen Johns Blick scheu aus und huschten schnell an ihm vorüber. An sämtlichen Straßenecken patrouillierten Mungo-Männer mit unter den Arm geklemmtem Gewehr.

John blieb vor einer Familie stehen, die auf dem Bürgersteig um ein Feuer herum kauerte. Er versuchte sich zu orientieren. Der vorne hockende Mann schaute mit starrem Blick in die Ferne. John schmeckte das Salz in der Luft und wickelte sich fester in seine Jacke ein. Er schaute wieder auf die Familie hinab und sah gerade noch, wie der Vater blitzschnell ein Messer unter einem Stofffetzen verschwinden ließ, während die Tochter verstohlen zu den Mungo-Männern hinüberschielte.

»Babylon bald kommen, um zu führen jeden in die Tyrannei«, rief an der nächsten Straßenecke ein Zionist. Er stand auf einer kleinen Kiste, die sich unter seinen nackten Füßen gefährlich bog. Als John sich ihm näherte, begann er in dessen Richtung zu predigen. »Er selbst jetzt kommen über die Berge. Wir gefallen, und deshalb wir leiden in Knechtschaft in fremdes Land. Der Herr helfe uns, die wir gefallen!«

Eine gewaltige Explosion erschütterte die Luft. John duckte sich und bedeckte seinen Kopf mit den Armen. Der Zionist tat dasselbe, seine langen Locken schaukelten. Dann riss er die Arme hoch und wies nach oben, gen Osten: Eine dünne graue Rauchfahne stieg über den Häusern empor.

»Aztecanische Agenten!«, rief er. »Schon hier, mitten unter uns!«

Die beiden Mungo-Männer an der Straßenecke berieten sich kurz. Einer ging zu dem kleinen Elektrowagen, der dort parkte, und fuhr in Richtung der Rauchfahne davon. Der Zionist sprang von seiner Holzkiste. Er griff nach einem schmutzigen Paar Sandalen, das hinter der Kiste auf der Erde lag, und schlüpfte hinein. Dann schaute er John durchdringend an. »Nicht mehr sehr sicher in diesen Straßen!« Er schnappte sich die Kiste und ging die Straße hinunter.

Vielleicht war es doch vernünftiger, sich wieder nach drinnen zu verziehen. John wusste ja nicht einmal, ob Haidan immer noch dieses alte Haus besaß, das er erstanden hatte, kurz bevor John sich auf den Rückweg nach Brungstun gemacht hatte. Doch auf jeden Fall lohnte es sich, einmal nachzuschauen. John wollte Oaxyctl keine erneuten Unannehmlichkeiten bereiten.

Er marschierte weiter in Richtung Hafen.

Zwei Mungo-Männer klopften John auf der Suche nach versteckten Waffen von oben bis unten ab, bevor er die Straße betreten durfte. Zwei weitere Männer standen vor dem kleinen zweistöckigen Haus Wache. Sie entsicherten ihre Gewehre und stellten sich ihm in den Weg. »Was Sie hier wollen?«

»Ich möchte gerne Edward sprechen«, sagte John.

»Wen?«

»Edward Haidan.«

Die beiden Mungo-Männer schauten sich an. »Wer Sie sein, und warum Sie wollen sprechen mit General Haidan?«

»Mein Name ist John deBrun. Ich bin ein alter Freund. Aus Brungstun.«

Der Mungo-Mann zur Linken nickte. »Sie einen Moment warten!« Er verschwand durch die Tür.

John wartete. Drinnen waren Stimmen zu hören. Dann schaute ein übermüdetes Gesicht um die Ecke. Trotz der grauen Haare erkannte John Edward sofort. Die Tür schwang auf.

»John deBrun!«

»Edward Haidan!« John lachte. »Ist schon eine ganze Zeit her.«

»Ich in diesen Tagen nicht mehr erwarten, mich jemand wieder nennen Edward.« Auch Haidan lachte lauthals. »Mein Gott, John! Ich das gar nicht glauben kann. Du hier!«

John hob den Haken vor seine Brust und lächelte. Haidan fasste danach, schob John durch die Tür und umarmte ihn. Als John die Umarmung erwiderte, fühlte sich das an, als habe er ein kleines Kind vor sich, so knochig und mager war Haidan. Er musste aufpassen, dass er den alten Freund nicht mit seinem Haken aufspießte.

Haidan musterte John von oben bis unten. »Du nicht gut aussehen, Mann. Wie du herausgekommen aus Brungstun? Ich gehört, du geheiratet und hast Kind. Name von Frau Shanta, richtig? Ihr alle zusammen ganzen Weg auf Straße?«

John schaute zu Boden. Haidan bemerkte die Reaktion und verstand. Ihre Ausgelassenheit verschwand. Haidan legte John einen Arm auf die Schulter. »Kommst du ins Haus?«

John nickte. »Gerne.«

Drinnen bewachten zwei weitere Mungo-Männer die Tür. Muskulös, in Overalls gekleidet und mit Dolchen rechts und links. Sie stellten ihre Gewehre auf die Erde, mit denen sie durch zwei Schießscharten nach draußen gezielt hatten. John hatte die ganze Zeit vielleicht gerade mal zwanzig Zentimeter von der Mündung zweier Gewehrläufe entfernt gestanden.

»Gibt es hier noch mehr Wachen?« John schaute sich um. In der Diele standen alte Holzsessel, sämtliche Wände waren mit Bücherregalen bedeckt. Neben den Büchern lagen überall verrostete Metallstücke in den Borden, Schmuckstücke und Artefakte aus dem Meer.

»Bomben noch weit weg, sind bestimmt für Luftschiff- und Gewehrfabrik. Aber vielleicht nächste Bombe bestimmt für mich.«

»Aztecanische Agenten?«

»Wer sonst?«, sagte Haidan. »Aztecaner sind hier, geben sich aus für Toltecaner. Man sollte meinen, sie nach vielen Jahren hier sich fühlen frei. Vorher lebten viele Jahre in Angst vor Tod. Nein. Immer noch Agent. Immer noch Spion. Immer noch Aztecaner.« Er ging die Diele entlang zu einem schmalen Treppenaufgang in sein Arbeitszimmer. Auf der zweiten Stufe blieb er stehen und legte eine Hand auf das lackierte Geländer.

»Ich heute noch nicht gegessen«, sagte er, als sei ihm das erst jetzt aufgegangen. »Du haben Hunger?«

John schüttelte den Kopf.

»Na gut.« Haidan ging weiter und rief den Wachen zu: »Etwas Buschtee und Hanfbrot sein willkommen. Verstanden?«

Es entstand eine lange Pause. »Bereiten sie das jetzt für dich?«, fragte John.

»Manchmal sein gar nicht schlecht, Mann zu sein, der alles befiehlt«, antwortete Haidan.

John grinste. Im Obergeschoss ragte das Holzgeländer über die Diele und die Haustür hinweg. Ein Mungo-Mann stand mit verschränkten Armen neben der Tür, der andere wurstelte in der Küche im Speiseschrank herum.

Im Arbeitszimmer setzte sich John in einen verschlissenen Ledersessel. »Dann bist du also der Mann, der hier über alles zu bestimmen hat?«

Haidan seufzte. »Ich mein Bestes versuche, ja.« Er saß zusammengekrümmt John gegenüber. Auch hier waren sämtliche Wände mit Bücherregalen zugestellt. An einer Wand stand eine kleine Leiter. Abgesehen von den Bücherregalen machte das Arbeitszimmer auf John den Eindruck einer Schiffskabine: klein, beengt und zweckmäßig. Überall mit Lack überzogenes Holz.

»Du solltest dich nicht übernehmen. Was da über die Berge auf uns zurollt, ist höllisch. Wir beide wissen es.«

»Ja.« Haidan rieb sich die Augen, der Schlafmangel war für John deutlich erkennbar. »Aber deshalb erkenne ich jetzt, dass ich nicht hart genug an Verteidigung arbeite. Ich setze Mittel an falscher Stelle ein. Und jetzt wir dafür bezahlen müssen.«

»Wir alle haben getan, was wir konnten«, sagte John. »Worüber verfügst du denn an Ausrüstung?«

»Große Luftschiffe. Dampfwagen mit Panzerung. Noch anderes Ding, wo Ministerpräsidentin und ich basteln noch. Ding, das aztecanische Armee schwer in Bredouille bringen kann, wenn auf Stadt zumarschieren.«

Die Sonne blendete John durch die beiden Bullaugen im hinteren Teil des Arbeitszimmers. Er erkannte den hohen Schutzwall des Hafens, der die niedriger gelegenen Ränder der Stirnseite überspannte. »Ich will mich den Mungo-Männern anschließen.« John beugte sich nach vorne, dichter an Haidan heran. »Ich will kämpfen!«

Haidan lächelte. »Ich dich nicht als Mungo-Mann rekrutieren, John.«

»Du weißt genau, dass ich kämpfen kann.« John strich über die stählerne Spitze seines Hakens. »Ich habe mir den Weg durch verdammt große Strecken Dschungel freigeschlagen, um hierhin zu gelangen. Die Aztecaner waren mir dabei ganz schön auf den Fersen. Ich weiß also, wie das Ganze aussehen wird.«

»Ich nicht will, dass du bleibst auf Strecke, John. Aber jetzt, wo du schon hier, denk nach über ein Ding. Wir entwickeln Plan für Expedition mit Luftschiff. Wir wieder nach Norden gehen, aber schneller, mit viel Sicherheit, durch Luft.«

John starrte Haidan entgeistert an. »Nach Norden?« Der Sessel, in dem sein Freund saß, ließ diesen klein erscheinen, eingebettet in das Polster aus weichem Leder und die massiven Holzlehnen, die aus der Wand herausragten. »Mit einem Luftschiff?«

»Vielleicht«, sagte Haidan. »Haben schon sehr viel Probleme damit. Ministerpräsidentin noch nicht einer Meinung mit mir. Aber ich habe eigenen Ersatzplan.« Er wedelte mit der Hand zum Fenster hinüber. John wusste nicht recht, was er damit meinte. »Vielleicht ich diesen Weg gehen, vielleicht nicht. Egal, welcher Weg, du sehr bald dich entscheiden, deshalb in Kontakt bleiben und warten. In Ordnung, John?« Haidan lehnte sich vor und hustete. »Aber wir kommen ab von Thema, John. Du gerade erst von Brungstun gekommen. Du brauchst Zeit und Ruhe, du das weißt. Wie wirst du fertig mit allem?«

Haidan fixierte John. John schaute zu Boden und betrachtete die verstaubten Dielenbretter, um sich dem durchdringenden Blick seines Freundes zu entziehen. »Ich konnte nichts machen, Edward. Absolut nichts.« Er fasste sich mit der gesunden Hand an die Stirn. »Ich bin müde. Richtig müde. Und ich möchte es jemandem zurückzahlen. Ich will mich den Mungo-Männern anschließen. Ich will dort bewaffnet wieder aufkreuzen. Ich will kämpfen!« John hob den Kopf. »Und du erzählst mir, ich solle warten, du habest etwas anderes im Sinn!«

»Wie gut du denn kämpfen an Land? Du ein Seemann!« Haidan schlug die Beine übereinander. »Ich weiß, wo ich dich brauchen kann.«

»Nein.«

»Ach, John.«

»Ich werde dieses Flugschiff nicht mit dir besteigen. Ich werde nicht noch einmal in den Norden ziehen.« John hob seinen Haken in die Höhe. »Ich habe dem Eis bereits genügend Tribut gezollt. Und außerdem, meine Frau und mein Kind werden nicht dadurch gerettet, dass ich mich in den Norden aufmache.«

Dies war der entscheidende Punkt. Er schämte sich bereits, immer noch am Leben zu sein und vor den Aztecanern durch den Dschungel davongelaufen zu sein. Die ganze Zeit während der Flucht hatte er sich gesagt, es ginge nur um eine Neuorientierung, damit er sein Leben für den Kampf geben könne. Und dann der Druck des Adlersteins in seinem Rücken, dieses Gefühl der Hilflosigkeit, als er nicht einmal imstande gewesen war, sich selbst zu befreien, das hatte ihn fortwährend vorangetrieben.

Haidan seufzte. »Ich muss nachdenken darüber. Du meinst das ernst, John?«

»Ja.«

»Dann du mir erzählen, was geschehen.«

John holte tief Luft und lehnte sich im Sessel zurück. Er griff nach den großen flachen Armlehnen und spürte unter der empfindlichen Haut seiner Unterarme die raue Oberfläche des Holzes.

Er hatte die Geschichte seiner Reise nach Capitol City ungefähr zur Hälfte erzählt, als ihn ein Mungo-Mann unterbrach. John war froh, eine Pause machen zu können.

»Sie sein hier für Sie«, sagte der riesige Wächter.

John wischte sich die Augen trocken und räusperte sich.

»Ich muss gehen.« Haidan räusperte sich ebenfalls und tupfte seine Lippen mit einem schmutzigen braunen Taschentuch ab. »Zeit jetzt für ernsthaftere Vorbereitung auf Invasion von Aztecanern. Sie noch ungefähr fünf Tage von Anandale entfernt. Danach sie Grammalton einnehmen, und dann sie besetzen Städte an Triangel-Linie. Und selbst wenn wir bereit, die Bahnlinie aufzureißen, sie viel schneller vorankommen. Deshalb wir brauchen mehr Waffen und mehr Leute. Tut mir leid, wir Gespräch nicht fortsetzen können.«

»Ja.«

Beide standen auf. Haidan ergriff Johns gesunde Hand. »Wo wohnst du?«

John sagte es ihm. Haidan nickte. John wusste, dass er die Adresse nicht vergessen würde: Haidans Gedächtnis war einfach fabelhaft.

»Und wie steht es mit Geld?«, fragte Haidan. Als John den Kopf schüttelte, griff Haidan in die Tasche und holte einen Geldbeutel hervor. »Nimm alles. Du musst doch essen, oder? Ich dich besuchen, wenn ich etwas für dich habe. Ich finde etwas für dich. Versprochen.« Haidan fasste John an der Schulter. »Ich weiß, alles verrückt. Aber es sehr gut, dich zu sehen. Wenn fertig, ich dich besuche. Wir noch viel zusammen zu reden. Hörst du?«

»Ja. Danke! Für alles.«

»Du alter Freund, John. Für mich das kein Problem.«

Die Wache begleitete sie die Treppe hinab und auf die Straße. Ein Elektrowagen wartete auf Haidan. Er stieg ein und fuhr davon.

Die beiden Wachsoldaten blieben mit John an der Tür zurück. Dieser drehte sich um und fragte, wo er den nächsten Markt finden könne.

Einunddreißigstes Kapitel

Pepper hatte das Gefühl, Capitol City sei eine einzige Ansammlung übelster Gerüche. Die Früchte in den Marktständen, der Angstschweiß der Leute, die die Hauptstraße herunterkamen und auf den Markt zusteuerten. Er roch das frische Salz des Nördlichen Meeres, das sich über die Dächer hinabsenkte. Als feiner Nebel legte es sich auf seinen Mantel und musste nach dem Trocknen wie eine Schicht Dander abgebürstet werden.

Der Gestank nahm zu, und Pepper blieb stehen. Er ließ die Enden seines neuen Ledermantels, den er in einer der Städte entlang der Küstenstraße für aztecanisches Gold erstanden hatte, in der Brise flattern.

Die Leute wichen ihm in einer Art natürlichem Instinkt aus. Sie schauten ihn nur von der Seite oder aus sicherem Abstand an.

John deBrun, wo bist du? Pepper stellte verwundert fest, dass der Tonfall seiner Selbstgespräche ähnlich den Stimmen um ihn herum klang. Aber von der Abstammung her waren sie ja auch gleich.

Keine Spur von John. Sollte er John und dessen Begleiter unterwegs irgendwo überholt haben und vor ihm in Capitol City angekommen sein? Zwei Nächte lang war er überall in der Stadt umhergestreift. Möglich war es ja. John war gewiss langsamer im Dschungel als Pepper. Pepper war prädestiniert für das Meistern derartiger Situationen, John sehr viel weniger.

Doch noch etwas anderes weckte Peppers Interesse: Teotl. Und Loa. Fremdartige Witterungen, die sich ungeheuer glichen. Direkt an der Kreuzung zwischen der Hauptstraße und der Fünften Straße.

Pepper folgte den feinen Geruchsspuren, lief im Zickzack umher, um sie schließlich irgendwo wieder aufzunehmen, wenn sie durch schmutzige Schuhe, Jauche oder dreckiges Wasser ausgelöscht worden waren.

Die Fährte führte bis hinunter zum Hafen von Capitol City. Ein kleine Flotte von Segelschiffen lag dort vor Anker. Sehr viel mehr Boote waren entlang des Kais an Land gezogen worden. Pepper stützte sich auf Hände und Knie und folgte dann den Gerüchen bis zum Ende des Kais. Der Kai selbst zog sich am gesamten nahezu kreisförmig geschlossenen Hafen entlang. Lediglich der Brückenbogen mit der Durchfahrt zur offenen See verhinderte, dass sich das Ganze als perfekter Kreis darstellte. Zelte flatterten im Wind, eilig errichtete Notunterkünfte für den Ansturm der die Stadt überschwemmenden Flüchtlinge.

Sämtliche Gebäude und Bauernhöfe im Umkreis von Capitol City waren geräumt und dem Erdboden gleichgemacht worden, das Getreide hatte man geerntet und in die Vorratslager der Stadt geschafft, alles Brennbare war verbrannt worden. Da draußen sah es aus, als habe die Apokalypse das Land bereits heimgesucht und in den Ebenen nur noch tiefes Schwarz hinterlassen.

Wer immer die Verteidigung dieser Stadt befehligte, er plante gut und machte ganze Arbeit. Innerhalb der Reichweite der Stadt gab es für die Aztecaner auch nicht die geringste Möglichkeit, in Deckung zu gehen. Außerhalb der Mauern wurden Schützengräben ausgehoben, und zweifellos würden sie noch umgeben von Pfählen, Sprengstoff oder anderen Überraschungen.

Pepper fror, schüttelte den Kopf und wartete.

Eine Messerspitze bohrte sich in seinen Rücken.

»Mantel her!«

Pepper schaute aufs Wasser und zum äußersten Ende des Kais hinüber, ohne der Person hinter sich Beachtung zu schenken. Ein Streifen heller Wasserperlen kräuselte die Oberfläche.

Irgendetwas war da vorne auf der Jagd gewesen.

Pepper lächelte. Jetzt ging es nur noch darum, herauszufinden, was ein Teotl hier in Capitol City zu suchen hatte.

Hoffentlich war er nicht hinter derselben Sache her wie Pepper.

Und die Tatsache, dass ein Teotl sich in die Stadt hatte einschleichen können, verblüffte ihn. Der Teotl musste die gesamte Strecke bis zum Nördlichen Meer gesegelt sein und dann einen Weg in die Stadt gefunden haben. Aber wie? Mit einem Unterseeboot?

Pepper wirbelte auf dem Absatz herum, riss das Messer an sich und packte den Angreifer an der Kehle. Der ausgemergelte Mann zerrte an Peppers Handgelenken und rang nach Luft. Um den Ringfinger zog sich wie ein Band eine Einkerbung. Dort hatte der Ehering gesessen. Im Pfandhaus versetzt?

»Bitte!«, versuchte sich der Mann zu rechtfertigen. »Meine Frau fast erfroren in unserem Boot. Vermieter uns auf Straße geworfen. Jetzt Mungo-Männer wohnen da. Was soll ich machen?«

Pepper betrachtete das zum Entschuppen von Fischen bestimmte Messer in seiner Hand, dann ließ er den Hals des Mannes los. Er griff in die Tasche und warf dem Mann ein paar Münzen zu.

»Das Messer behalte ich«, sagte er und wandte sich schon halb zum Gehen. »Betrachte es als einen Handel. Und jetzt verschwinde!«

Der unglückliche Fischer nickte und rannte in Richtung der Zelte davon.

Am Ende des Kais fanden sich kleine Lücken zwischen den großen Steinplatten, aus denen der Hafendamm errichtet worden war. Pepper glitt mit seinen Fingern hinein und krallte sich daran fest, dann stieß er sich von der Kante ab, bis er unterhalb des Kais hing.

Ganz langsam und bedächtig bewegte sich Pepper in dem

unübersichtlichen Wald von Stützpfeilern. Sollten die Teotl in der Lage sein, Unterseeboote zu entwickeln, dann konnten sie möglicherweise auch größere, gefährlichere Dinge schaffen. Andererseits handelte es sich ja nur um ein einziges Unterseeboot und nur einen einzigen Teotl. Wenn die Teotl eine ganze Flotte gebaut und bemannt hätten, wären diese Abwasserkanäle binnen kurzem rot gefärbt vom Blut der Menschen da oben.

Ein Unterseeboot käme ihm jetzt gar nicht einmal so ungelegen, dachte Pepper. Der *Ma Wi Jung* war im nördlichen Kontinent vergraben. Und falls er John deBrun auftreiben sollte, würde er einen Weg finden müssen, um dorthin zu gelangen.

Es war an der Zeit, einmal nachzuschauen, was sich unter diesen Kais tat.

Zweiunddreißigstes Kapitel

Der Geruch von Salzfischeintopf und frischem Brot hing in der Luft. Die Sonne schwebte unbeweglich über dem Markt und sandte ihre Strahlen nur mühsam durch die schwere, stickige Luft, um die Haut zu wärmen. Ein Verkäufer schenkte aus einem Eisentopf, der über einem kleinen Feuer baumelte, Salzfischeintopf in eine Schüssel ein. John reichte zu viele Münzen hinüber und nahm dem Verkäufer die Holzschüssel ab. Er ging zur nächsten Mauer am Ende des Marktplatzes, führte die Schale an die Lippen und nippte daran.

Salziger, widerlicher Fisch in einer Wasserbrühe.

Der Geruch traf ihn.

Zuhause.

Shanta.

Jemand rempelte ihn an, und die Suppe rann an seinen Fingern hinab. John schaute sich auf dem Platz um. Hunderte von kleinen Buden und Schirmen, Leute mit Körben oder Schubkarren, die sich auf dem Weg von einem Tisch zum anderen aneinander vorbei zu drängeln versuchten. Alles war verstopft mit verzweifelten Stadtbewohnern auf der Suche nach irgendetwas, was es noch zu kaufen gab. Überreifes Obst, vergammeltes Fleisch, abgemagerte lebendige Tiere, fleckiges Gemüse, davon gab es genug auf den sich biegenden Holztischen. Hier auf dem Markt war die Atmosphäre genauso spannungsgeladen wie in den Straßen, wenn nicht vielleicht sogar noch mehr. Die Aztecaner rückten näher, und auf dem Markt wusste man das. Mütter schubsten Großmütter zur Seite, um an Büchsenfleisch zu kommen, und die wachsamen Streuner hatten manchen Streit zu schlichten.

Es war ein überwältigender Anblick.

Johns Magen rebellierte, und er hob seine Schüssel mit Salzfischeintopf hoch. Er lehnte sich an die Mauer und übergab sich. Dabei besudelte er den unteren Teil der leuchtend rot gestrichenen Wand.

Noch ein paar mal würgen und kotzen, dann war es vorbei. Er lehnte mit dem Kopf an der Mauer, die Augen waren geschlossen. Wie sollte es weitergehen? Jegliche Gelassenheit und jede Form von Gleichgewicht waren ihm abhanden gekommen. Keine Erinnerungen. Rein gar nichts. Was war ein Mensch ohne Erinnerungen?

Ein Kind.

In Brungstun war er tot zur Welt gekommen. Und verzweifelt nach einer Identität fahndend, war er ein Seemann geworden, ein Fischer, ein Abenteurer in Capitol City, rastlos und ständig auf der Suche nach etwas.

Niemand konnte auch nur ansatzweise nachfühlen, wie es war, ein Nichts zu sein. Immer wieder riss es ihn in diesen Strudel der Selbstzweifel und – Angst.

Angst: Man stelle sich nur einmal vor, er würde all dies wieder vergessen!

Ihn packte die Furcht, irgendetwas würde geschehen, und plötzlich wären alle Menschen, die ihm jetzt noch vertraut waren, nicht mehr existent für ihn. Das konnte jederzeit passieren, sagte ihm der Bauch. Von einem Moment auf den nächsten konnte er wieder alles verlieren.

Vor seiner Hochzeit hatte es düstere Zeiten gegeben. Zeiten, in denen er in seiner Unfähigkeit, das Dunkel seiner Herkunft zu erhellen, nicht mehr gewusst hatte, wie es weitergehen sollte.

Doch er hatte sich gefangen.

Laufen war aktives Handeln gewesen, eine Beschäftigung, die ihn vom fortwährenden Grübeln abgehalten hatte. Jetzt hatte er Zeit zum Nachdenken. Er hatte das Gefühl, als drehe sich alles um ihn herum.

John schlug den Kopf gegen die Wand. Der Schmerz und die Erschütterung seiner Stirn taten gut. Wie sollte er wissen, was er als Nächstes mit sich anstellen konnte, wenn er nicht wusste, was zu tun war?

Mal angenommen, Shanta und Jerome waren wirklich tot, wie Oaxyctl behauptet hatte. Was sollte er dann noch mit sich anfangen?

Sich in Staub auflösen? Weil er nicht noch einmal von vorne beginnen könnte? Nein!

Lösten sich seine neuen Erinnerungen auch bereits auf? Er geriet in Panik. Nein! Er entsann sich Haidans. Er entsann sich der ersten Begegnung mit Shanta, Jeromes Geburt. Ab jenem Moment, als er an Land gespült worden war, war alles präsent.

Das zumindest besaß er.

Doch er hatte keine Familie mehr, nur noch die Erinnerung. Und Erinnerungen durfte man nicht trauen. Oder doch? John wischte die Tränen mit dem Ärmel fort, dann schlug er auf die Mauer ein, bis seine Knöchel zu bluten begannen.

Handeln. Aktivität. Er musste ganz schnell etwas tun, sonst wäre er nicht mehr in der Lage, die Dinge im Griff zu behalten. Keiner der Umstehenden oder Passanten schenkte ihm Beachtung. Auf dem Markt herrschte eine Atmosphäre, wie er sie noch nie erlebt hatte. Die Leute schienen sich wie in einem Kokon zu bewegen, keiner sah den anderen an. Es ging nicht nur ihm so, dachte John, der gesamte Marktplatz löste sich in Einzelteile auf.

Er holte tief Luft und drehte sich um. Es wurde Zeit, etwas Essen einzukaufen, sodass er nicht mehr an die Familie zu denken brauchte, und danach zu Oaxyctl zurückzukehren.

Dreiunddreißigstes Kapitel

Vier verschmutzte Kinder und ihr Onkel, ein in Lumpen und einen Strohhut gekleideter Mann mit ledriger Haut, standen in Dihanas Büro.

»Sie im Kreis aufstellen alle Leute auf großem Platz von Stadt«, stammelte der alte Mann mit zittriger Stimme. Schützend legte er einen Arm um die Schulter des Mädchens. »Beginnen am Ende, treiben sie voran, schleifen zu ein Stein, dann . . .«

»Erst nehmen Mama. Dann Papa.« Das Mädchen starrte mit leeren, weit geöffneten Augen vor sich hin. Als es Dihana anschaute, wirkte es ruhig und unerschrocken. »Schneiden Herz herauz.« Es hatte etwas mit ansehen müssen, das Dihanas Magen in Aufruhr brachte, wenn sie nur daran dachte. Aber vor Dihana zeigte das Kind keinerlei Furcht.

Die Tür wurde geöffnet, und ein weiterer Streuner trat ein. »Papiere, von General Haidan.« Er legte das versiegelte Päckchen auf den Schreibtisch.

Dihana betrachtete den Grund der unerwarteten Unterbrechung. »Die Übersicht über die Sabotageakte?« Sie rechnete mit einer Karte jener Orte, an denen es Anschläge gegeben hatte, und einer Auflistung der dadurch verursachten Schäden.

»Und noch mehr.«

Sie schaute auf das kleine Mädchen, das sie immer noch unverwandt anblickte. »Wie habt ihr denn entkommen können?«, fragte sie.

»Wir nicht fliehen.« Der älteste Junge zitterte. »Sie uns schicken voraus. Wir laufen.«

Dihana schaute zu dem Streuner hoch, der sie ins Büro gebracht hatte. »Wir haben nicht mehr viel Platz, obwohl schon jeder versucht, möglichst viel Raum zu schaffen. Aber der Mann hinter euch wird Essen für euch besorgen und einen Ort finden, wo ihr bleiben könnt.«

Die Kinder trotteten aus dem Büro. Der Streuner, der die Papiere gebracht hatte, wartete an der Tür und schloss sie. »Brewer's Village?«

»Ja, die Letzten, die herausgekommen sind.«

»Leute sagen, mehr als Hälfte von allen Einwohner wurden geopfert.«

»Ja.« Dihana gab ihm ein Zeichen, er solle den Mund halten. Sie hatte schon genug unter dem gelitten, was sie von den Überlebenden gehört hatte, die es in die Stadt geschafft hatten. Vor ihrem geistigen Auge sah sie bereits sämtliche Bewohner von Capitol City sterben, und momentan konnte sie an nichts anderes denken.

Schließlich schob sie einen Stapel mit Briefen beiseite und öffnete das Päckchen, um sich die erbetene Karte anzuschauen. »Dann haben sie es also doch nicht nur auf die Waffen abgesehen«, murmelte sie. »Es geht ihnen auch um das Getreide.« Die Aztecaner rechneten offenbar selbst damit, dass es zu einer äußerst langen Belagerung kommen würde. Mithilfe ihrer Agenten unternahmen sie schon jetzt alles Erdenkliche, um die Einwohner zu zermürben.

»Versuchen, uns hier verhungern zu lassen«, sagte der Streuner.

»Ja.« Dihana schaute von der Karte hoch. »Treibt so viele Streuner wie möglich auf, und sagt den Mungo-Männern in Tolteca-Town, dass Folgendes von jetzt an eine ihrer Hauptaufgaben ist: Tolteca-Town wird Straße für Straße von allen anderen Gebieten abgetrennt! Jeder Toltecaner, der außerhalb von Tolteca-Town angetroffen wird, wird aufgegriffen und dorthin zurückgeschafft. Bei Wiederholung wandert er ins Gefängnis.«

»Das wird Revolte auslösen.«

»Haidan lässt seine Mungo-Männer die Bahngleise aufreißen

und sämtliche Brücken zwischen Harford und Capitol City zerstören. Aber wenn die Aztecaner erst einmal die Triangel-Linie erreichen, wird es nicht mehr lange dauern, bis sie hier sind. In der Zwischenzeit können die Agenten aus Tolteca-Town ungeheuren Schaden anrichten. Das dürfen wir nicht zulassen.«

Dihana hatte ihrerseits die Silos füllen lassen und den Fischern beim Bau neuer Boote mit gepanzerten Bordwänden und Kanonen an Deck geholfen, um während der Belagerung die Versorgung mit frischem Fisch sicherzustellen. Sie hatte Banken schließen lassen, dem Handel Schranken auferlegt und weitere Maßnahmen für den Ausnahmezustand ergriffen. Jeden Abend wurden Flugblätter und öffentliche Ausrufer aufgeboten, um der Bevölkerung mitzuteilen, was Dihana unternahm und wie sie angesichts der Herausforderung alle zusammenstehen müssten.

»Gut.« Der Streuner schaute ihr starr ins Gesicht.

»Auf jeden Fall aber muss Xippilli informiert werden, bevor die Order ausgegeben wird«, sagte Dihana. »Besorgt eine Eskorte für ihn, sodass er direkt zu mir kommen kann, wenn er es wünscht. Er wird ziemlich aufgebracht sein.«

Der Streuner nickte und verschwand.

Dihana drehte sich um und begann die Briefe zu lesen. Obenauf lag eine simple handschriftliche Notiz von Haidan: *Dies mein kleines Geheimnis und Grund, warum ich denke, Reise in Norden sehr wichtig.*

Darunter befand sich ein altes Stück Papier. »Lieber Stucky«, las Dihana.

Nachdem sie zu Ende gelesen hatte, war sie nahe daran, ihre Meinung zu ändern. Was um alles in der Welt war da oben im kalten Norden eingeschlossen? Eine Maschine, eine Waffe . . .? Doch welchen Nutzen durfte man sich von einer archäologischen Expedition zu genau diesem Zeitpunkt versprechen? Entweder würden sie die Aztecaner zu Füßen ihrer Stadtmauern vernichtend schlagen oder selbst deren Messern zum Opfer fallen. Eine Spurensuche in der Vergangenheit würde viel zu viel Zeit in Anspruch nehmen.

Außerdem brauchten sie sämtliche Luftschiffe für die Verteidigung der Stadt. Ausgerechnet Haidan musste das doch eigentlich wissen.

Vierunddreißigstes Kapitel

Oaxyctl streifte noch immer leicht benommen durch das labyrinthartige Straßennetz von Capitol City. Er hielt sich im Schatten, ging den Menschen so weit wie möglich aus dem Wege und folgte von Straße zu Straße dem vor einem Jahr einstudierten Muster, bis er in eine Gegend mit schäbigen Häusern kam.

Tolteca-Town.

Er beruhigte sich etwas. Obwohl hier nicht zuhause, fühlte er sich doch wie daheim: die Schilder und Aufschriften auf Nahuatl, hier und da vertraut klingende Gesprächsfetzen.

Bis zu diesem Moment war es ihm noch gar nicht aufgefallen, aber unter all den schwarzhäutigen Nanagadanern war er der einzige Mensch mit brauner Haut gewesen. Jetzt fiel er mit seinen glatten Haaren und der Ponyfrisur kaum noch auf.

Oaxyctl hielt eine Frau an, die einen Korb mit Wäsche auf dem Kopf balancierte.

»Könnten Sie mir sagen, wie ich zum Haus von Xippilli finde?«, fragte er. Auch wenn dieser bereits sehr alt war, so genoss Xippilli doch das größte Ansehen unter den Toltecanern in Capitol City, und deshalb musste es ein Leichtes sein, seine Adresse in Erfahrung zu bringen. Die Frau schickte Oaxyctl zu einem zweistöckigen Sandsteinhaus, vor dem etliche Toltecaner herumlungerten.

»Ich bin auf der Suche nach Cipactli«, sagte Oaxyctl. »Könnt ihr mir da helfen?«

Sie betrachteten ihn von oben bis unten. »Wir bringen dich hin.«

Cipactli arbeitete als Berater für Xippilli, wie Oaxyctl der Urkunde auf Cipactlis Schreibtisch entnehmen konnte. Cipactli selbst betrat den Raum, gekleidet in einen schwarzen Anzug mit Silberkrawatte.

Er ging an seinen Schreibtisch und spielte mit einer Schublade, dann blickte er auf. »Entschuldigung«, sagte er mit ausdrucksloser Miene, »aber ich habe Sie nie zuvor gesehen.«

»Ich bin Iccauhtli«, sagte Oaxyctl, »neu in der Stadt. Ich erlaube mir zu fragen, ob Sie vielleicht so großzügig wären, einem Fremden einen kleinen Dienst zu erweisen.«

»Tut mir leid, Bruder.« Cipactli hörte auf, Papiere hin und her zu schieben. »Ich kann nicht . . . Aber ich kann Ihnen etwas Geld geben.«

Er drückte Oaxyctl ein paar Münzen und noch etwas anderes, Federleichtes in die Hand.

»Sie sind äußerst zuvorkommend, mein Herr.« Oaxyctl schloss blitzschnell die Hand. »Ich werde Ihre Großzügigkeit nie vergessen.«

Cipactli begleitete ihn zur Tür.

Erst am Ende der Straße öffnete Oaxyctl die Hand und betrachtete die Münzen. Ein winziges Stück Papier lag dazwischen, mit der Privatadresse von Cipactli. Kommen Sie in einer halben Stunde, stand darunter.

Oaxyctl steckte das Papier in den Mund und die Münzen in seine Tasche.

Oaxyctl zündete ein Streichholz an und bemerkte, wie Cipactli zusammenzuckte. Das trübe gelbe Licht tanzte über Felswände und stabile Deckenbalken. Staubmuster wehten aus den entfernten Ecken des Gangs heran und wurden durch die Bewegung zerstört.

»Seid mir gegrüßt, Kamerad Quimichtin!«, sagte Oaxyctl förmlich.

»Was wünschst du?« Cipactli ging weiter in das Kellergewölbe seines Hauses hinein. »Ich muss derzeit äußerst vorsichtig sein. Die Mungo-Männer sind überall. Die Lage ist verdammt angespannt.«

»Mir wurde von einem Gott ein Auftrag zuteil.«

Cipactli fiel die Kinnlade herunter. »Entschuldige bitte! Dir steht alles zur Verfügung, was du brauchst.« Er schluckte, seine Augen waren weit geöffnet. »Kannst du mir sagen, um welchen Gott es sich handelt?«

Der Gang endete, und sie kamen in einen dunklen Raum des Kellers. Cipactli tastete an der Mauer entlang, um in der Nähe der Tür zur Treppe den Schalter eines schwachen elektrischen Lichtes zu finden.

»Ich habe nicht zu fragen gewagt.« Oaxyctl stand nicht der Sinn danach, an die unangenehme Begegnung im Regen des Waldes zurückzudenken. Bring es einfach hinter dich, dachte er. Bring es so schnell wie irgend möglich hinter dich, und sieh zu, dass du wieder verschwunden bist, bevor die Truppen hier in der Stadt einrücken. »Ist die Armee noch weit entfernt?« Oaxyctl wollte herausfinden, wie viel Zeit ihm verblieb.

»Sie haben mehr als die Hälfte zur Triangel-Linie geschafft«, sagte Cipactli. »Es gibt Verzögerungen. An manchen Stellen werden sie von Mungo-Männern aufgehalten. Aber die Götter werden die Oberhand behalten. Anandale wird schon in wenigen Tagen fallen.«

»Die Götter werden die Oberhand behalten«, wiederholte Oaxyctl. Unterwegs hatte er sich Papier und Bleistift besorgt. Er überreichte Cipactli eine Liste. »Das hier brauche ich alles.«

»Der Auftrag eines Gottes ehrt dich.« Cipactli hielt die Liste ins spärliche Licht und las sie. »Wen willst du foltern?«

Oaxyctl überlegte, ob er Cipactli erzählen sollte, dass er den Auftrag durchaus nicht als Ehre empfand. Er wusste ja auch nicht einmal, wie sicher er sich fühlen durfte. Der Umstand, dass andere Götter nicht einverstanden waren mit dem Verlangen seines Gottes, aus John den Code des *Ma Wi Jung* herauszubekommen, worum auch immer es sich dabei handeln mochte, konnte ohnehin bedeuten, dass all dies hier mit Oaxyctls Tod enden würde.

Er schluckte. Die Götter, eine Invasionsarmee und wer weiß welch anderes Geschick befanden sich auf dem Weg, um Nanagadas letzte Enklave innerhalb der nächsten zwei Wochen zu zerstören.

Was konnte er dagegen unternehmen?

Nichts.

Den forschen Kerl heraushängen lassen, so gut es eben ging. Das war es ja sowieso, was er immer getan hatte. Obgleich ihm das Glück nie hold gewesen war, hatte er dennoch länger überlebt, als jedermann erwartet hatte. Es gab nur einen Weg, sein Leben zu retten.

Oaxyctl räusperte sich. »Beschaffe mir einfach diese Dinge. Bitte!«

»Natürlich. Bleib hier und warte, ich komme hierhin zurück.«

Cipactli machte das Licht aus und ging die Treppe hinauf. Oaxyctl blieb nichts anderes übrig, als in der Dunkelheit vor sich hinzubrüten.

Mit der Zeit gewöhnten sich Oaxyctls Augen an das Dunkel. Durch ein kleines, übertünchtes Fenster in der hintersten Ecke fiel ein winziger Lichtstrahl. Zwischen mehreren kurzen Nickerchen behielt Oaxyctl den Lichtstrahl im Auge und verfolgte, wie sich dessen Farbe von klarem Weiß über Orange bis zum Nichts wandelte. Dann erschien Cipactli und schaltete das elektrische Licht ein.

Im Leinensack klimperte es, als er diesen auf die Erde stellte.

»Alles?«, fragte Oaxyctl.

»Alles.«

Oaxyctl lächelte. Das Ende war in Sicht. »Ich benötige Hilfe. Ein paar Leute, um den Mann zu überwältigen und ihn vielleicht irgendwo hinzuschaffen. Heute Nacht wird es erledigt. Ich kann es mir nicht leisten, länger zu warten. Diese Art von Glücksspielen geht einem ganz schön auf die Nerven.«

»Da gibt es ein Problem.« Cipactli schaute ziemlich ernst drein, wie er es zuvor schon einmal getan hatte. »Es gibt eine Sperrstunde und ein Ausgehverbot. Es hat gerade begonnen, mit Sonnenuntergang.«

»Na gut. Dann warten wir eben, bis die Sonne wieder aufgegangen ist.«

»Niemand aztecanischer Herkunft kommt ohne Eskorte aus Tolteca-Town hinaus. Jederzeit.«

»Dann mache ich mich jetzt auf.« Oaxyctl nahm seinen Atlatl mit den Speeren und griff nach dem Leinensack.

»Es gibt noch andere Möglichkeiten, wie wir dir helfen können. Das kostet nur etwas Zeit, weil Vorbereitungen getroffen werden müssen.«

»Nein, ich kann nicht warten«, sagte Oaxyctl. »Ich gehe jetzt.«

Er eilte an Cipactli vorbei und die Treppenstufen hinauf. Der Quimichtin aus Capitol City folgte ihm und ließ ihn durch eine Seitentür aus dem Haus.

Oaxyctl schaute nicht mehr zurück, nach Sekunden war er mit der Dunkelheit verschmolzen.

Das hier war nicht der Dschungel, doch Oaxyctl beherrschte es, außer Sicht zu bleiben. Einige Male verlor er die Orientierung, und es kostete ihn ein wenig Angstschweiß, doch letztlich fand er sich immer wieder zurecht. Er hatte es fast bis zur Unterkunft geschafft, als ihn doch noch jemand entdeckte.

Ein Mungo-Mann rief ihm zu, er solle stehen bleiben. Oaxyctl verharrte wie eine Salzsäule an der Mauer. Er musste aus diesen Gassen herauskommen und eine größere Straße erreichen.

Er wartete, bis der Mungo-Mann direkt hinter ihm war, und krempelte dann den Ärmel hoch, um seine Tätowierung zu zeigen. Bislang hatte sie wenig bewirkt, doch hier hatte sie zumindest zur Folge, dass er den Mungo-Mann in Reichweite bekam.

»Ich bin ein Mungo-Mann.«

»Richtig«, sagte der Mann. »Aber toltecanische Mungos sind in Tolteca-Town, Patrouille zu gehen. Auch du das tun müssen.« Oaxyctl hielt die Luft an, als sich der Mann die Tätowierung genauer anschaute. »Sieht gut aus. Nicht viele Toltecaner hier bei uns. Ich habe Respekt. Du nur etwas warten, Partner um Ecke und pinkeln. Wir dich dann nach Tolteca-Town zurückbringen.«

»Warum kann ich denn nicht alleine gehen?«, fragte Oaxyctl lächelnd. Er drehte sich um und schaute dem Mungo-Mann in die Augen. Dieser war noch sehr jung. Oaxyctl hielt seine Hüfte verdeckt, fasste mit der linken Hand in die Tasche und spürte den Griff seines Messers.

»Das darf ich nicht zulassen.« Der Mungo-Mann erwiderte das Lächeln. »Und warum du alleine? Wo dein Partner?«

»Oh.« Oaxyctl beugte sich vor. »Er ist gerade . . .« Er riss den jungen Mann am Hemd zu sich heran, wirbelte ihn gleichzeitig herum und schlitzte ihm mit einem Schnitt die Kehle auf.

Der Mungo-Mann spuckte gurgelnd Blut und presste verzweifelt seine Hände an den Hals. Oaxyctl führte ihn behutsam zur Straße, ließ ihn langsam zu Boden gleiten, rollte ihn auf den Rücken und schaute ihm in die brechenden Augen.

Dann blickte er sich vorsichtig nach allen Seiten um, wischte das Messer und seine Hände am Hemd des Mungo-Mannes ab und rannte davon, bevor der andere Mungo-Mann um die Ecke kommen konnte.

Fünfunddreißigstes Kapitel

Capitol Citys eigentliche Wurzeln lagen tief verborgen in Nanagadas festem Felsgestein. Ein honigwabenähnliches System von Abwasserkanälen, Zufahrtstunneln und riesigen Höhlen befand sich unter den Straßen der Stadt. Pepper war zwar schon früher einmal hier unten gewesen, doch jetzt wirkte alles sehr viel baufälliger, altersschwach und marode im Vergleich zu damals, als die Stadt gerade gebaut worden war.

Um zu den Abwasserkanälen zu gelangen, hatte Pepper mehrere hundert Meter zurücklegen müssen. Dann hatte er endlich das Wasser im Stehen betrachten können, statt sich wie ein verfluchter Affe in den Spalten zwischen den Steinplatten des Kais festzuhalten. Das hatte er einige Stunden tun müssen.

Jetzt war er endlich wieder oben zwischen den Stützpfeilern angelangt und wartete darauf, dass sich der Teotl zeigen würde.

»Ganz ruhig, Mensch, aufpassen wo hintreten!«

Pepper erstarrte.

Abflussrohre mit herausströmendem Abwasser aus Gullys und Toiletten, überschüssige schlechte Luft, die über die Seitenmauern entlang des Ozeans hinausgeführt wurde. All dies war so konstruiert worden, dass es ohne Zuhilfenahme von Maschinen funktionierte, obgleich das unaufhörliche Geräusch gurgelnden und strömenden Wassers überall von den Wänden widerhallte. Pepper versuchte herauszufinden, aus welcher Richtung die Stimmen kamen.

Jemand fluchte. »Nichts. Mein Netz leer.«

Pepper hangelte sich zu einem der massiven Stützpfeiler hinüber und bemühte sich, sich so weit wie möglich im Schatten zu halten.

»Warum du nicht schöpfen Wasser raus?«, schimpfte eine andere Stimme etwas weiter weg.

Hier unten im Hafen von Capitol City landete der gesamte Abfall. Und jetzt sah es so aus, als würde er durchstöbert und auf Brauchbares untersucht. Kleine Gestalten in vermodernden Booten ruderten durch das braune Wasser. Pepper entspannte sich und benutzte beide Hände, um sich festzuhalten, statt eine Hand an seine Pistole zu legen.

»Was? Das Wasser scheußlich!«

»Treo! Du nimmst jetzt Büchse und schöpfst! Sonst wir sinken, und dann kannst du schwimmen in scheußlichem Wasser.«

Das Geräusch über die Bordwand eines Bootes geschütteten Wassers war zu hören.

Pepper ließ abwechselnd eine Hand los, sodass sich die überstrapazierten Muskeln der anderen Hand erholen konnten. Dann hangelte er sich weiter und griff nach einem rostigen Haken, der in die Seite eines mächtigen Pfeilers eingelassen war. Von diesen Haken gab es viele, und sie ermöglichten es den kleinen Aasgeiern da unten, ihre Netze zu befestigen, die sie im Hafen auslegten.

Hier konnte er sich leichter festhalten.

Eines der kleinen Ruderboote glitt unter ihn. Es waren Kinder, wie Pepper feststellte. Und zwar spindeldürre Kinder.

Einer der Jungen lehnte sich über den Bootsrand und zog ein Netz aus dem Wasser. Ein brauner Fisch zappelte darin. Der Bengel packte geschickt zu und schleuderte ihn ins Boot. »Ein Fisch!«

»Noch paar mehr, dann wir suchen Zitrone, sie einweichen und panieren. Das schmeckt gut.«

Die Kinder zogen das Netz weiter hoch, während Pepper wartete.

»Oh.« Der kleinere Junge hinten im Boot winkte aufgeregt. »Was das?«

»Eine Leiche!«

Die beiden Kinder lehnten sich über den Bootsrand.

Pepper schielte nach unten. Rosa Fleisch stieß gegen den Rumpf des Bootes. Einer der Jungen nahm das Ruder und stocherte am Netz herum. Noch mehr rosa Fleisch kam an die Oberfläche. Durchsichtige Augenklappen glänzten im dunklen Wasser.

»Scheiße! Das Loa!«

»Was?«

»Ich dir sagen, das Loa!«

Ein kurzer und dicker Fangarm mit einer Eisenspitze wurde im Wasser sichtbar.

Der Junge mit dem Ruder schaute sich unruhig um. »Wir verschwinden! Alle, wir müssen abhauen!«, schrie er zu einem anderen Boot hinüber. »Schnell!« Seine Körpersprache verriet, dass er befürchtete, als Nächster dran zu sein. Er suchte das Wasser ab, und dann, ganz zum Schluss, blickte er vorsichtig nach oben.

Als er Pepper drei Meter über sich hängen sah, riss er die Augen auf. Er fiel zurück, grabschte nach den Rudern und bekam den Mund nicht mehr zu.

Pepper traf eine Entscheidung. Sie mussten und würden ihm helfen. Sie kannten dieses Gebiet, konnten vielleicht herausfinden, durch was der Loa getötet worden war. Und wenn hier irgendwo ein Teotl herumschwirren sollte, dann waren die Kinder schon so gut wie tot. Vielleicht müssten einige Kinder sterben, wenn Pepper sie als Köder benutzen würde, wie er es beabsichtigte, doch gemeinsam mit Pepper besaßen sie zumindest eine Chance.

Pepper ließ den Haken los, stoppte den Fall, indem er nach einem weiteren Haken griff, und landete mit einer schnellen geschmeidigen Bewegung hinten im Boot. Der Junge hob sein Ruder und versuchte den kleineren Knaben hinter sich zu schützen.

»Ganz ruhig, Junge!« Pepper streckte die geöffneten Hände aus.

»Ja.« Die Haare des Kindes begannen sich zu Rastalocken zu formen, seine Hände waren schwielig vom vielen Rudern. Verschmutzte, zerrissene Kleider, zerfleddert und an manchen Stellen mit Netz- und Angelleinen zusammengehalten, wie Pepper feststellte. »Wir nichts sehen, nichts erzählen! Lassen uns gehen. Bitte!«

»Ich habe das Wesen da nicht getötet.« Pepper beugte sich vor und betrachtete den Loa. »Aber ich weiß, wer es getan hat.« Er drehte den Loa um und deutete auf die Krallenspuren und herausgerissenen Hautfetzen, die vom Torso des Loa herabhingen. »Das waren Teotl.« Pepper hob eine Hand. »Schau, ich habe keine Krallen.«

Der Junge zitterte. Gewiss hatte man ihm früher Geschichten über die Teotl erzählt, um ihm damit zu drohen, wenn er nicht gehorchen wollte, dachte Pepper. Falls er Eltern gehabt hatte.

Ein zweites Ruderboot kam um den Pfeiler. Der Junge im Bug hielt einen Speer hoch und zielte damit auf Pepper. »Wie du heißen? Wenn du berühren nur einen von uns, ich dich töten!«, rief der Junge.

»Ich an deiner Stelle würde das Ding da nicht auf mich richten«, warnte Pepper. Er drehte sich um und schaute den Jungen neben sich an. Soweit er es bis jetzt beurteilen konnte, schien dieser am ehesten ihr Anführer zu sein. Pepper nahm einen Goldzahn aus der Tasche, an dessen Wurzel sich noch ein Flecken braunen Blutes befand. Er gab ihn dem Jungen, der schnell danach grabschte.

»Ich bin Pepper. Wie heißt du?«

»Adamu«, sagte der Knabe. Dann musste der andere Kleine, den er zu schützen versucht hatte, Treo sein, soweit Pepper das von dem, was er da oben am Pfeiler mitbekommen hatte, aufgrund der Stimmen beurteilen konnte. »Was du von uns wollen?«, fragte Adamu misstrauisch.

»Ich möchte, dass ihr mir dabei helft, den Teotl zu fangen.«

Adamu schaute Pepper in die Augen. Tapfer. »Wie? Wir noch klein.«

Pepper nickte. Am besten war es immer noch, ehrlich zu sein. Zu viele Leute nutzten diese Kinder aus und warfen sie dann wie abgetragene Kleidung weg. Sie verdienten seine Aufrichtigkeit.

»Ich brauche euch als Köder, als Lockvogel.«

Treo lehnte sich vor und klammerte sich an Adamu. »Bitte, das nicht tun! Das gefährlich!«

»Ich habe noch mehr Gold.« Pepper klopfte auf die Tasche seines Mantels.

Adamu schaute zu dem sterbenden Fisch auf dem Bootsboden hinab. »Nein. Wir helfen!«

»Gut«, sagte Pepper. »Wie nennt ihr euch denn?«

»Wir der Trupp«, sagte Adamu.

»Der Trupp?«

»Das nur Name.« Adamu zuckte die Achseln. Er schaute hoch, als das andere Boot sie von hinten rammte. Der Junge mit dem Speer sprang herüber und stieß mit der Waffe nach Pepper.

Dieser entriss sie ihm und brach sie in der Mitte durch. Dann nahm er das eine Ende und versetzte dem Jungen damit einen Schlag in die Rippen.

»Wie heißt er?«, fragte Pepper Adamu.

»Tito.«

»Gut, Tito«, sagte Pepper, während Tito sich auf dem Bootsboden krümmte und nach Luft schnappte. »Ich habe dir gesagt, du sollst nicht auf mich zielen. Und das habe ich auch so gemeint!«

Adamu biss sich auf die Lippen und steckte die Hand in die Tasche. Seine Finger tasteten nach dem Gold. Pepper wusste, noch ein paar mehr Goldzähne, und die Welt der Knaben würde sich ändern. Und er wusste auch, dass Adamu es wusste.

Wenn sie den Teotl zu fassen bekämen, würde Pepper sie reich machen.

Für ein paar Tage. Denn sobald die Aztecaner in Capitol City einfallen würden, würde das alles keine Rolle mehr spielen.

Zunächst einmal brauchte Pepper sie, um ihr Ziel auszumachen.

»Was wir suchen?«, fragte Tito. Sein Mund und seine Augen waren nur noch Schlitze. Aber Gold war schließlich Gold. Er würde tun, was Pepper befahl.

»Etwas im Wasser, unter der Oberfläche. Ein Unterseeboot«, sagte Pepper.

»Wie Ding aus Metall oben in Museum?«, fragte Adamu. »Das aus Hafen, im Schlick gefunden. Und niemand weiß, wie Ding arbeitet.«

»Kann sein.« Pepper tat es mit einem Achselzucken ab. »Aber ich möchte wetten, dass das hier aus Holz gemacht ist.«

»Aus Holz?«, fragte einer des Trupps.

Pepper nickte.

»Was mit Schutz?«, fragte Adamu. »Das aussehen wie scharfe Kralle, die Loa aufgerissen.«

Er lächelte unsicher.

»Der sicherste Platz für jeden von euch ist hier.« Pepper zwinkerte mit den Augen. »Aber kommt jetzt, wir müssen beginnen.«

Die beiden Boote fuhren los und holten zusätzliche Netze. Zehn Minuten später waren diese an der Unterseite mit Gewichten ausgerüstet, sodass sie über den Boden gezogen werden konnten.

Pepper schaute zu, dann sprang er in Adamus Boot.

Treo stand auf. »Adamu, du mich musst zurückbringen! Ich will zurück in Abwasserkanal, ich will raus! Ich habe Angst.«

»Treo«, sagte Adamu. »Ich will nicht, dass du alleine. Dann kommt Ding und frisst dich!«

Treo ließ die Worte eine Weile auf sich wirken und blieb, wo er war.

Adamu begann zu rudern. Treo verkroch sich in den Bug des Bootes.

»Wo Teotl jetzt?«, fragte Adamu.

»Sicher beobachtet es uns«, antwortete Pepper. Treo wimmerte. »Macht euch keine Sorgen. Noch wird es nichts unternehmen. Nicht bevor wir sein Fahrzeug aufgetrieben haben.«

Pepper kauerte sich auf seinen Sitz und verkroch sich in seinen langen Mantel. Er schaute sich im Boot um und pfiff vor sich hin.

Komm raus, komm raus, wo immer du auch sein magst, sang er lautlos.

Komm, sag Pepper »Guten Tag«.

Nachdem sie drei Stunden lang vorsichtig mit dem Schleppnetz gesucht hatten, stand Tito im anderen Boot auf und warf sein Ruder weg. Es knallte auf die Holzsitze.

Pepper schaute sie alle nacheinander an.

Dann nahm er einen weiteren Goldzahn aus der Brusttasche seines Mantels und hielt ihn über den Bootsrand. Er öffnete die Hand, und das Goldstück plumpste ins Wasser.

Die winzigen Wellen glätteten sich.

Sie fuhren mit dem Suchen fort.

»He!« Der Schrei hallte von allen Seiten wieder, prallte zurück und sprang über das Wasser davon.

»Ja, ja, das ist es!« Die Boote verlangsamten die Fahrt, während sich das Netz um einen großen Gegenstand unter Wasser wickelte.

Tito stand auf und winkte triumphierend mit seinem Ruder. Das Netz spannte sich um ein etwa sieben Meter langes gebogenes Etwas aus glattem schwarzen Holz, das die Wasseroberfläche durchbrach, als sie die Netze einholten.

Pepper stand auf und warf seinen Mantel ab. Er löste das Gewehr aus der Halterung an seinem Oberschenkel und ließ seine Augen in kämpferischem Zwiegespräch auf der Waffe ruhen.

Farben lösten sich auf und verwandelten sich in einen Strudel nächtliches Dunkel aufhebenden Grüns.

Seine Haut prickelte. Der Herzschlag verdoppelte sich, die Zusatzvenen sangen.

Pepper balancierte auf der Quersprosse des Bootes, die Mündung seines Gewehrs auf dieses Etwas aus glattem schwarzen Holz im Netz gerichtet. Adamu ließ das Boot mit einem Ruck vorwärts schnellen, ohne dass Pepper dadurch ins Schwanken geriet.

Als der Aufprall erfolgte, sprang Pepper in die Luft und landete lautlos mitten auf dem fremden Objekt. In den schwarzen Bögen war nicht eine einzige Nahtstelle auszumachen, bis Pepper sich hinabbeugte und einen kleinen Hebel fand.

Mit einer Hand schob er ihn nach unten, anschließend zog er daran. Die Luke öffnete sich. Pepper duckte sich schnell und zielte mit dem Gewehr hinein, den Abzug fast bis zum Ende durchgedrückt.

Wieder zurück.

Die Kinder starrten ihn an. Diese Geschwindigkeit war unmenschlich, und sie fragten sich bestimmt, was zum Teufel er war.

»Nichts drin«, sagte Pepper.

»Wir es versenken?«, fragte Adamu.

»Nein, ich möchte es haben.« Pepper schaute zu der langen Reihe der Stützpfeiler hinüber und dann ins dunkle Wasser. Irgendwo da draußen war es.

Jetzt die linke Seite. Sei vorsichtig und gründlich, sagte er sich. Vielleicht gelingt es dir ja, dieses Wesen lebend zu fangen.

Hol Informationen aus ihm heraus!

»Teotl können schwimmen?«, fragte Adamu.

»Vielleicht fliegt dieses«, sagte Pepper. »Vielleicht schwimmt es auch. Ich weiß es nicht. Sie treten in den unterschiedlichsten Erscheinungsformen, Gestalten und Größen auf. Kommt ganz darauf an, wofür sie gezüchtet wurden.« Manche verpuppten sich sogar wieder, um in einem späteren Leben eine ganz andere Form anzunehmen.

In der Ferne plätscherte etwas. So leise, dass nur Peppers Ohren es vernahmen.

»Es kommt!« Pepper hob eine Hand. »Kommt mit euren Booten hinter mich!«

Sie verloren keinen Augenblick, die Ruder einzulegen und loszufahren.

Sechsunddreißigstes Kapitel

Fünfzehn Minuten, in denen auf dem Flur mal Ruhe geherrscht hatte, fanden für Dihana ein abruptes Ende. Sie hörte, wie hinten im Korridor ihr Name gerufen wurde, und versuchte es zu ignorieren.

Nicht gerade jetzt! Nur noch weitere fünf Minuten, dachte sie.

Haidan warf die Türen auf. Der rechte Türflügel prallte gegen die Wand, der Glaseinsatz zersplitterte, und tausend kleine Scherben tanzten auf dem Steinboden.

»Haidan!« Er blieb wie angewurzelt stehen. Dihana verschränkte die Arme. Das Wichtigste zuerst: »Anandale und Grammalton antworten nicht mehr! Sie scheinen abgeschnitten zu sein. Sie sagten, uns bliebe mehr als eine Woche, bevor Anandale fallen würde.«

»Oh, das ich noch nicht gehört habe.« Er hielt sich am Türrahmen fest. »Sie ganz sicher?«

»Ich kann Harford erreichen. Damit hat es sich.«

Haidan biss sich auf die Unterlippe. »Sie wissen, meine Berechnung, wann Aztecaner erreichen Anandale, nur grobe Schätzung. Sie ganz sicher benutzen Flugschiff, um Krieger in Busch außerhalb von Stadt abzusetzen. Die können Leitung von Telegraph unterbrechen.«

»Aber verfügen sie über genügend Krieger, um diese Städte anzugreifen? Oder schneiden sie sie nur von der Außenwelt ab?«

»Ich weiß nicht. Keine Ahnung.« Die Glassplitter knirschten unter seinen Stiefeln, als er zur Fensterbank hinüberging und mit einer Hand auf die Stadt wies. »Ich wollte mit Ihnen über Ausgehverbot sprechen, Sie über Tolteca-Town verhängt.«

»Bomben, Haidan! Sie versuchen, unsere Flugschiffe zu zerstören und die Nahrungsmittel zu vernichten.«

»Ich weiß. Aber Sie uns kompromittieren, uns schaden. Ich dort habe Agenten. Wenn Sie fragen mich, wo Aztecaner und ob sie eine Stadt einnehmen können, dann ich nichts erfahren nicht mehr von Toltecaner. Wir jetzt blind und taub in Tolteca-Town. Also Sie nicht überrascht sein, wenn ich nichts berichten kann. Und außerdem, Sie scheinen zu viel Freude daran zu haben, meinen Mungo-Männern zu befehlen, was tun sollen.«

»Ich musste etwas unternehmen. Und auch wenn Sie da noch so viele Agenten rumlaufen haben mögen, wurden wir hart getroffen. Die Zerstörung all der Flugschiffe wird uns lähmen. Und dann die ganzen Getreidesilos, die sie in die Luft gejagt haben . . .«

Haidan setzte sich und rieb sich die Augen. »Vielleicht ich nicht Recht habe, so aufgebracht zu sein. Aber Lage ist so diffus. Sie wollen wissen, wie viele Aztecaner marschieren zu uns? Sie wollen wissen, wie Ausrüstung von ihnen? Wie viel Proviant sie haben? Bis zu Zeitpunkt, wo Sie Tolteca-Town abriegeln, Leute mir all das erzählen. Jetzt sie nicht mehr haben Vertrauen zu mir. Wir das nicht können weiter zulassen, Dihana.«

»Ich weiß. Sie werden mich hassen. Und Xippilli wird kein Wort mehr mit mir reden.«

»Erklären Ausgangssperre für alle«, sagte Haidan. »Ich schon einen Mungo-Mann verloren. Toltecaner und Leute von Stadt sich prügeln.«

Dihana trat auf ihn zu. »Tut mir leid.«

Er biss sich wieder auf die Lippe. »Ausgangssperre für alle«, wiederholte er. »Da draußen nicht nur Saboteure, die aussehen wie Aztecaner. Sie wissen das genau, Sie gesehen, wer Ratsmitglied damals in Lagerhaus getötet.«

Dihana blinzelte ihm zu. Er hatte Recht.

Sie setzte sich auf den Boden, weit genug weg von den Scherben, mit dem Rücken an der schmiedeeisernen Verkleidung des Kamins. »Vollständige Ausgangssperre«, sagte sie. »Ausgangssperre für alle. Nachts darf niemand auf die Straße, außer in Begleitung der Streuner oder Ihrer Leute. Ganz egal, ob es sich um Toltecaner, Hindi, Nanagadaner oder Frenchies handelt. Tagsüber Patrouillen wie gewohnt, um alles unter Kontrolle zu halten.«

»Und dann wir hoffen, Leute uns genug vertrauen, um uns zu berichten, wenn ungewöhnliche Dinge passieren.«

»Ja. Das können wir nur hoffen.« Dihana schloss für einen Moment die Augen. Hoffen! »Ich habe übrigens Ihre Post gelesen.«

Haidan kam näher und stellte sich vor sie. »Interessanter Teil von Geschichte«, sagte er sanft. »Was denken Sie darüber?«

»Was ich von Ihren Plänen zu der Reise in den Norden halte?« Dihana stand auf und ging zum Fenster. Die Sonne war gerade untergegangen, und der Himmel glühte in sattem Orange. Überall in der Stadt wurden die ersten Lichter angezündet. »Diese Briefe haben mir keine Ruhe gelassen, Haidan. Ich verstehe, warum Sie die Sache so dringlich machen. Aber wir beide wissen auch, dass wir uns nicht selbst damit in den Finger schneiden dürfen, dass wir die Sache so angehen, Haidan. Drei Flugschiffe ...«

Haidan stellte sich zu ihr und schaute zu den beiden Mungo-Männern hinab, die die Tür bewachten. Im Gras zeichneten sich niedergetretene Muster und kleine Trampelwege von den regelmäßigen Kontrollgängen um das Gebäude herum ab.

»Ich nicht feilschen«, sagte Haidan. »Ich bitte nicht um zwei Flugschiffe, auch nicht um ein Flugschiff. Wir vergessen Flugschiffe. Aber was Sie sagen, wenn ich habe Plan in Reserve?«

»Einen anderen Plan?«

Haidan schaute sie lächelnd an. Natürlich hatte er das. Schließlich war er Haidan. Und zweifellos hätte er auch noch Pläne innerhalb der Pläne.

Dihana lehnte sich mit der Hüfte gegen die schmiedeeiserne Brüstung. »Was haben Sie vor?«

»Sie sich noch erinnern an Dampfschiff draußen in Hafen, von dem Sie sagen, ich das einsetzen kann?« Er grinste. »Ich helfen alle Konservatoren mit Ausbau. Wir hoffen, es nutzen zu können, um Aztecaner an Küste auszuspionieren. Wir unten machen Rumpf ganz flach, damit wir können operieren in seichtem Wasser. Aber mit diesem Rumpf wir auch in Eis sehr gut zurechtkommen. Darauf ich wette!«

Dihana schüttelte den Kopf. »Das überrascht mich gar nicht. Sie haben schon vorher daran gedacht, es für die Reise in den Norden zu verwenden?«

Haidan hustete in seinen Ärmel. »Muss noch hier und da Modifikation anbringen, wenn es in Schnee geht. Besonderes Ding, worüber ich nachdenke, seit letzter Expedition ins Nördliche Meer und ich mit allen Teilnehmern gesprochen. Kann aber hohe Kosten verursachen.«

»So viel wie ein Flugschiff?«, fragte Dihana.

Haidan schüttelte den Kopf. »Männer. Zuerst ich dafür muss abziehen manche von Konservatoren für kurze Zeit.« Er verzog das Gesicht und räusperte sich, betupfte seine Lippen mit dem Taschentuch, das Dihana immer häufiger bei ihm bemerkte. »Müssen Schiff wieder herrichten, dass sie einbauen Lauffläche unter Rumpf, um über Eis zu rutschen. Ich das einmal so ähnlich in einem See gesehen, und ich immer gedacht, das wir machen in groß.«

»Trotzdem ziemlich gewagt, für eine derart ungewisse Geschichte so viele Ressourcen zu binden.«

»Ungewiss?« Haidan fasste sie am Arm. »Loa sind begeistert von der Idee. Sie wissen, da oben ist etwas, das schon immer dort. Jetzt sie haben Angst. Aztecaner kommen, und Teotl kommen mit Aztecanern, und das heißt, Loa blicken Tod ins Auge. Egal was da oben in Norden, egal was dieser *Ma Wi Jung*, es ist sichere Sache, und Loa weiß, es uns helfen, sonst sie nicht versuchen uns helfen. Vielleicht eine Waffe von besondere Art, Loa nicht verraten, was das sein. Aber wir sicher brauchen *Ma Wi*

Jung. Unsere Vorväter es brauchen damals und nicht bekommen. Wir es jetzt haben müssen.«

Dihana legte ihm eine Hand auf die Schulter. »Gut. Machen Sie es. Stellen Sie eine Mannschaft zusammen. Finden Sie so viele Leute, wie Sie brauchen und die bereit sind, diese Reise in den Norden anzutreten. Dann haben Sie bereits halb gewonnen. Mich hat es mindestens zwei Zusammenkünfte und viel Überredungskunst gekostet, um die verängstigten Fischer dazu zu bewegen, wieder aufs Meer hinauszufahren. Sie fürchten, die Aztecaner lauern hinter jeder Welle.«

Haidan machte ein paar Schritte und verschränkte die Arme. »Keine Angst. Ich habe noch ganz andere Überraschung für Sie.«

»Was?«

Er schüttelte den Kopf. »Später. Wenn Sache klar und in trockenen Tüchern. Verstanden? Jetzt muss ich schicken Nachricht. Muss sicherstellen, meine Mungo-Männer nicht laufen in Hinterhalt bei Eisenbahnstrecke. Muss sicherstellen, die zwei Brücken zwischen Aztecaner und hier fliegen in Luft. Und Sie müssen allen Leuten in Städten da draußen sagen, sie sollen Stadt verlassen und in Busch verstecken.«

Dihana antwortete nicht. Und er erwartete wohl auch keine Antwort. Die Türen blieben offen, und die auf dem Boden verstreuten Glasscherben glitzerten im Abendlicht von Capitol City.

Sie erschienen Dihana wie Sterne, die man wahllos über die Fliesen geworfen hatte.

Nachdem die Scherben beseitigt worden waren, begegnete ihr Emil auf dem Korridor. Am Ende des Flurs lungerte ein anderes Ratsmitglied herum, um zu erfahren, wie ihre Antwort lautete.

»Frau Ministerpräsidentin.« Emils Stimme zerfloss in dem Bemühen, gleichzeitig Freundlichkeit und Vertrautheit hineinzulegen.

»Ratsherr.«

Emil wahrte den Abstand und legte den Kopf schief. »Wir haben eine Bitte, falls Sie Zeit und Güte haben, um mit uns darüber zu reden.«

Dihana schaute den Korridor entlang zu dem anderen Ratsmitglied, das ihren Blick erwiderte. »Was wünschen Sie denn?«

Emil spreizte die Hände. »Wir bitten Sie, dass wir uns wieder frei bewegen dürfen.«

»Das ist mir zu riskant. Außerdem herrscht nachts eine Ausgangssperre. Nur für den Fall, dass Sie vorhaben sollten, sich davonzuschleichen.«

Sie beobachtete seine Reaktion, ein leichtes Öffnen des Mundes und einen kurzen Blick in Richtung des anderen Ratsmitgliedes. Folglich hatten sie einen Weg gefunden, sich heimlich aus dem Gebäude zu entfernen. Aber wie? Indem sie die Streuner bestachen? Dem würde sie unbedingt nachgehen müssen.

Diese Heimlichtuerei vergrätzte sie aufs Neue.

»Wir bereiten gerade einen Einsatz im Norden vor«, sagte sie. »Es geht zu einem Ort namens Starport. Wissen Sie, wo das ist?«

Emil faltete die Hände. »Ich erinnere mich daran nur noch ganz dunkel. Dort wir damals landen auf Nanagada. Aber ich damals ja noch sein sehr kleines Kind.« Er schloss die Augen.

»Wir gehen auf die Suche nach dem *Ma Wi Jung*.«

»Sie wissen davon?«, flüsterte Emil. »Sie kennen *Ma Wi Jung*?«

Dihana lächelte. »Die Loa interessieren sich auch brennend dafür.«

»Das egal.« Emil schüttelte den Kopf. »Sowieso niemand mehr leben, der damit umgehen kann. Jedenfalls nicht auf diesem Planeten. Und ganz bestimmt nicht Ihre Konservatoren, die haben überhaupt keine Ahnung. Es handeln sich nur um ein Schiff. Ein Schiff wie das, mit dem wir landen in Starport gelandet sind. Nichts Besonderes, man sagt, nur dass Loa bei Bau halfen. Aber noch einmal: Niemand unter uns, der dieses Ding bedienen kann! Der Letzte, der dazu imstande, lange tot. Sie verstehen? Ich mich jetzt verabschieden muss.« Seine Stimme wurde ganz weich. »Wir uns vorbereiten auf Schlimmstes. Wir wissen immer, dass Zeit kommen, aber wir dennoch haben Hoffnung, dass nicht geschieht. Sie verstehen unsere Lage?«

Dihana ließ ihn an sich vorbeigehen. »Emil.«

»Ja.« Er blieb stehen, ohne sich zu ihr umzudrehen.

»Verlasst auf keinen Fall das Gebäude! Es ist gefährlich!«

Er verschwand wortlos.

Sie scheinen gebrochen und mutlos zu sein, dachte Dihana. Sie hatten mit ansehen müssen, wie alles in sich zusammengestürzt war, tiefer ging es kaum noch. Von der Zeit vor der Legendenbildung über den Fall des Mafolie-Passes bis hin zur heutigen Situation, wo sie erleben mussten, dass Capitol City direkt angegriffen wurde. Sie mussten ihrer eigenen Sterblichkeit ins Auge blicken; etwas, das sie schon seit langem nicht mehr getan hatten.

Sie empfand Mitleid mit ihnen. Und damit verschwand auch ein Teil der Verbitterung, die sie ihnen gegenüber gehegt hatte.

Dihana machte sich daran, eine Nachricht an die Priesterinnen der Loa zu schicken, in der Haidans geänderte Planungen erläutert wurden.

Siebenunddreißigstes Kapitel

John war noch nicht wieder zurückgekehrt, deshalb wusch Oaxyctl sich die Hände, warf das blutverschmierte Hemd weg und zog sein Ersatzhemd an. Dann wickelte er sich ganz langsam die Enden eines kurzen Stricks um die Hände, so als habe er an jedem Finger ein Gewicht, und stellte sich neben der Tür auf.

Er atmete mehrmals tief durch.

Nach einigen Minuten ließ ein heftiges Pochen die Tür in den Angeln beben. DeBrun würde niemals anklopfen, dachte Oaxyctl. Schnell wickelte er den Strick von den Händen und versteckte ihn zwischen der weichen Matratze und dem Bettgestell.

Als er die Tür aufriss, sah er sich drei Männern gegenüber.

Der vorne stehende Mann mit den silbergrauen Rastalocken hielt sich ein Taschentuch vor den Mund und hustete. Als er fertig war, faltete er das Tuch zusammen und steckte es in die Brusttasche.

»Wo ist John?«, fragte er. »John deBrun.«

»Er ist nicht hier«, antwortete Oaxyctl. »Sie können aber eine Nachricht für ihn hinterlassen.«

»Nein, das nicht nötig.« Die Augen des Mannes wurden zu schmalen Schlitzen. »Vielleicht wir können kurz warten auf John.«

»Hier ist nicht sehr viel Platz, ziemlich beengt«, murmelte Oaxyctl. Seine Kehle war wie zugeschnürt, er konnte kaum atmen.

»Das schon in Ordnung. Ich kann alleine hereinkommen.«

Einer der beiden Männer hinter ihm streckte einen Arm aus. »Haidan ...«

Haidan! Der Mungo-General! Oaxyctl schaute sich die beiden Mungo-Männer an. Gegen sie hatte er nicht den Hauch einer Chance. Seine Welt zerbrach. Der Atlatl war zu weit weg, das Schicksal hatte sich gegen ihn verschworen. Die Mungo-Männer musterten ihn ebenfalls. Ihre Gewehre lagen schussbereit in den Armbeugen.

»Ja, warum sollen wir uns nicht alle gemeinsam hineinzwängen?«, sagte Oaxyctl.

Einen Moment lang zögerten die drei. Dann trat Haidan ein, und die beiden Mungo-Männer folgten ihm. Oaxyctl schloss die Tür hinter ihnen.

Haidan lächelte. »So, da wir nun alle sind. Und wer Sie?«

Oaxyctl antwortete nicht. Er hob eine Ecke seines Hemdes hoch und zeigte seine Tätowierung. Die beiden Wächter nickten, doch Haidans Blick blieb neutral. Mit einem Anflug von schlechtem Gewissen gegenüber den Mungo-Männern, deren Kameradschaft er schon wieder missbrauchte, ging Oaxyctl ganz ruhig ins Badezimmer. Er machte das Licht an und verriegelte die Tür.

In dem kleinen Schränkchen lag das Werkzeug, das er gerade aus dem Leinensack ausgepackt hatte. Scheren, Skalpelle, Messer, Oaxyctl verstaute alles vorsichtig in einer Ledertasche. Dann setzte er sich auf die Toilette und atmete noch ein paar Mal kräftig durch.

Um John in seine Gewalt zu bringen, müsste er vielleicht all diese Männer töten. Und bei dem Versuch würde er möglicherweise selbst draufgehen. Vielleicht auch nicht. Doch sein Gott hatte ihm einen klaren Auftrag erteilt, und der besagte, dass er den Code für den *Ma Wi Jung* besorgen sollte. Nur das hatte er zu erledigen, egal auf welche Weise.

Oaxyctl war nervös. Wenn er sterben sollte, hätte er seine Pflicht gegenüber dem Gott versäumt...

In den Tod zu gehen ist ein erlösender Akt, flüsterte er. Deinem Gott gegenüberzutreten zu dürfen ist eine Ehre. Deinen Körper der Erde zu übergeben ist deine letzte Bestimmung.

Jedenfalls heißt es so. Oaxyctl hatte größere Schwierigkeiten mit dem Gedanken an das, was die Götter mit ihm anstellen konnten, solange er noch lebte; und was sie gewiss auch tun würden, falls er mit seinem Auftrag scheitern sollte.

Die Außentür wurde geöffnet, wie Oaxyctl auf dem stillen Örtchen hören konnte.

»John«, sagte der Mungo-General.

»Haidan?«, vernahm Oaxyctl die überraschte Antwort von John.

Oaxyctl atmete noch ein letztes Mal kräftig durch und öffnete die Tür.

Für einen kurzen Moment richteten sich alle Blicke auf ihn.

John setzte einen Papierbeutel mit Lebensmitteln ab. Ein Bündel Selleriestauden, die von einem blauen Faden zusammengehalten wurden, ragte oben aus der Tüte heraus und fiel zu Boden.

»Was ist denn hier los?«

Haidan trat auf ihn zu. »Wir brauchen dich, John!«

John setzte sich erst einmal aufs Bett. Das Untergestell quietschte, beruhigte sich aber bald. Die beiden Mungo-Männer bewegten sich zur Tür und stellten sich neben ihr auf. »Ich fliege nicht in den Norden. Ich bleibe hier und kämpfe.«

Oaxyctl setzte sich an den kleinen Tisch.

»Dann du sehr wahrscheinlich sterben«, sagte Haidan. »Irgendwann. Du kein so guter Krieger, denn du nur hast eine Hand.«

»Dann sterbe ich eben«, sagte John.

»Was soll das, Mann?«, zischte Haidan. »Du doch kein Mann, der schnell aufgibt. Du tapfer. Ich weiß das. Ich dich schon sehen, wie durch Dschungel kämpfen.«

John schüttelte den Kopf. »Das ist lange her. Andere Zeiten.«

»Du Angst?«

»Angst?« John hob seinen Haken und beobachtete, wie das Licht mit den Rundungen spielte. »Nein. Müde, verloren. Meine Familie ist tot. Und ich habe sie dort zurückgelassen.« Er schlug sich mit der Seite des blinkenden Stahls auf die Brust. »Haidan ... Für mich gibt es nichts mehr zu tun.«

Haidan setzte sich neben John auf das Bett. Das billige Gestell protestierte, indem es krachend zusammenbrach. Oaxyctl hielt seine Hände unbeweglich auf dem Tisch, doch jeder Muskel seines Körpers war angespannt.

»John.« Haidan holte das fleckige Taschentuch aus der Brusttasche und hielt es hoch. »Wenn hier jemand sterben muss, dann ich das. Du und ich wissen, ich krank seit Moment, wo du mich aus Sumpf in Hope's Loss gezogen und ich angefangen mit verdammtem Husten.« Haidan schleuderte das Tuch auf die Erde. »Ich jetzt brauche jemanden, der nicht aufgibt. Ich jemanden brauche, der stark ist. Ich brauche dich, um den ganzen Weg zu gehen nach Norden. Für mich! Ich weiß, du kannst Männer führen. Ich sprach mit Seemännern, wie du Leute zurück nach Capitol City gebracht. Du dafür genau richtiger Mann. Ich weiß das.«

Haidan stand auf, und Oaxyctl ließ die angehaltene Luft ganz langsam entweichen.

»John«, sagte Haidan, »du willst Rache? Du willst, dass Aztecaner bezahlen?«

Oaxyctl kratzte sich an der Kuppe des linken Zeigefingers.

»Die Bastarde töteten deine Familie, sie töteten Shanta«, fuhr Haidan fort. »Sie töteten unseren Freund in Brungstun. Du willst Blut, ich dir gebe Blut: *Ma Wi Jung*.«

Oaxyctl erschrak. Diese Wörter! Waren diese Leute etwa über den Auftrag seines Gottes informiert?

»Lassen Sie ihn in Ruhe!« Seine Stimme brach. »Er hat doch schon genug mitgemacht.«

»Warum stören Sie mich?«, fragte Haidan, während er herumfuhr. »Sie sind Mungo, das ist wahr, aber ich kenne Sie nicht, und Tätowierung ganz neu. Kommen mir nicht in die Quere!«

John stellte sich zwischen die beiden. Oaxyctl stützte sich mit seinen Händen immer noch auf die raue Oberfläche des Tisches. Wenn er nur kräftig genug drückte und schob, würde er spüren, wie sich ein Splitter in seine Handfläche bohrte. Schmerz half ihm, sich zu konzentrieren.

»Nun macht mal halblang«, sagte John.

Haidan hustete. Auf seinen Lippen erschienen rote Flecken. Er wischte mit der Rückseite seines Unterarms darüber.

»Schön. Du hör zu, John! Ich dir verschaffe größte Rache. Du willst drängen Aztecaner zurück? Dann du musst nach Norden gehen. Du im Norden und etwas findest. Etwas aus Zeit unserer Vorväter, und du damit Aztecaner bedrängen. Das *wirkliche* Rache! Ich dir geben.«

John beugte sich vor. »Erzähl mir mehr!« Oaxyctl spürte, dass dies für John ein Wendepunkt war.

»Mit Dampfschiff«, sagte Haidan. »Und dir als Kapitän.«

»Mit einer wild zusammengewürfelten Mannschaft? Hauptsächlich Fischer, stimmt's? Das habe ich schon einmal mitgemacht.« John schwieg, und alle im Raum hingen an jeder Bewegung seines Rückens, am Scharren seiner Füße, einem Naserümpfen. »Vielleicht. Wenn ich das Schiff führe.«

Haidan nickte. »Dann sage ich, du Kapitän.«

»Wer sind die Offiziere?«

»Leute, die ich aussuche.«

»Gute Männer? Ich werde einige Mungo-Männer benötigen, die meinen Befehlen gehorchen.«

»Wenn du einverstanden, ich gebe dir meinen besten Mungo-Mann«, sagte Haidan.

John schaute sich im Raum um. Dann wandte er sich an Oaxyctl. »Kommst du mit an Bord?«

Oaxyctl presste seine Handfläche noch kräftiger in den Holzsplitter des Tisches. »Was verstehe ich denn schon von Schiffen?«

»Du wirst es von mir lernen«, sagte John.

»Ich will, dass diese Expedition startet noch diese Woche«,

sagte Haidan, »bevor Agenten in der Stadt bemerken, was geschieht, und versuchen uns aufzuhalten, und bevor Aztecaner erreichen Verteidigungslinie um Stadt. Etwas muss geschehen, und schnell.«

Oaxyctl nahm die Hand vom Tisch, sodass der Splitter in seiner Hand abbrach. »Ich packe dann schon mal meine Sachen.« Sogar für ihn selbst klang das lustlos.

Götter, welche Katastrophe!

Ma Wi Jung. Was blieb ihm anderes übrig, als ihnen dorthin zu folgen? Die Gruppe versammelte sich vor der Tür zu der kleinen Wohnung. John trug die Tüte mit den Lebensmitteln, sonst gab es nichts, was er sein Eigen nennen konnte. Oaxyctl hatte immerhin seinen Atlatl mit dem Bündel voller Speere und in der linken Hand eine kleine Ledertasche.

Im Hinausgehen trat Oaxyctl mit dem Absatz seiner zerfetzten Stiefel auf das blutige Taschentuch, das Edward achtlos auf den Fußboden geworfen hatte.

Geboren im Zeichen des Ozelots, sagte er zu sich selbst.

Kein Zweifel.

Achtunddreißigstes Kapitel

Pepper verharrte mehrere Minuten regungslos und horchte auf die Geräusche im Wasser. Er hörte, wie das Wesen hochkam und Luft ausstieß. Es verfolgte mit den Augen, wie die Jungen in ihren Booten herumpaddelten, um die Aufmerksamkeit des Wesens auf sich zu ziehen. Pepper gab Adamu ein Zeichen, er solle näher kommen, und glitt ins Boot.

Die Wasseroberfläche blieb unerträglich lange ruhig. Winzige Wellen schlugen gegen die Stützpfeiler. Aus den Abwasserrohren der Stadt tropfte es, als in der Nähe Wasser herausgepumpt wurde.

Da drüben. Pepper bemerkte ganz dicht neben Titos Boot unter Wasser die undeutlichen Schatten einer Gestalt. Pepper deutete darauf, und Tito griff nach einem Speer. Wie ein kleiner Harpunier balancierte der Junge an der Bootskante und schleuderte die Waffe.

Die Gestalt schnellte davon, und Titos Boot zersplitterte. Aus dem Boden schoss Wasser empor, und die Kinder hopsten ins Wasser.

»Bleib beim Unterseeboot«, befahl Pepper, weil er nicht wollte, dass Adamu sie wegruderte.

Die Bretter unter ihnen zerbarsten, und Pepper sprang zurück. Graue Haut wurde sichtbar, und ein glattes, skelettartiges Gesicht zwängte sich hinein. Adamu krümmte sich über die Ruder und wandte dem Wesen zitternd den Rücken zu.

Die Augenlider blinzelten, der Blick des Ungeheuers war verständnislos auf die beiden Flinten gerichtet, mit denen Pepper auf den Kopf zielte.

Treo vorne im Bug kreischte. Eine blitzschnelle Bewegung

der rasiermesserscharfen Klauen genügte, und aus Treos Kehle sprudelte das Blut hervor.

Adamu drehte sich um, den Ansatz eines Schreis auf den Lippen. Pepper stieß ihn mit dem Ellbogen zur Seite und schlug mit den Gewehren auf den Teotl ein.

Die Klauen verfolgten ihn.

Er konnte dem Wesen nicht ausweichen, deshalb umklammerte er es und schoss gleichzeitig. Dann schleuderte er es auf die Seite, griff nach dem Schädel und versetzte ihm einen Kopfstoß. Die Kreatur versuchte ins Wasser zu entkommen, doch Pepper ließ nicht los und zerkratzte ihr mit den Fingern die Augen.

Nach drei weiteren Schüssen gelang es Pepper endlich, ein Netz um das Wesen zu schlingen. Er verlor genauso viel Blut wie der Teotl Eiter, einen hellen Schleim, der es so glitschig machte, dass Pepper Mühe hatte, es aus dem Boot auf das Unterseeboot zu schaffen.

Pepper warf es durch die Luke hinab, noch immer benommen und erregt von der Hitze des Kampfes. Für einen kurzen Moment unterbrach er die Arbeit, um seinen Mantel aus dem sinkenden Ruderboot zu zerren. Die Kinder waren mit Wassertreten beschäftigt oder kletterten auf das Unterseeboot. Dann folgte Pepper dem Teotl durch die Luke nach unten.

Er zog ein Messer aus der Scheide an seinem Fußknöchel und betrachtete den vor ihm liegenden Teotl. Seine Beine waren von der Wade abwärts flossenartig geformt, doch er besaß dennoch Füße. Die Hände waren tödliche Waffen.

Jetzt kann das Geschrei beginnen, dachte Pepper.

Er nahm das Messer und vollzog einige Probeschnitte, dann legte er die Klauen frei.

Die Klagelaute waren ohrenbetäubend.

Und das war erst der Anfang.

Pepper verstand die Sprache des Wesens nur mit allergrößter Mühe. Und er hatte so gut wie keine Ahnung von seiner Physiologie. Doch nur mit diesem Wissen könnte er etwas foltern und erkennen, ob dieses Ding ihn anlog.

Es dauerte lange, viele Stunden, aber schließlich begriff er genug vom Wesen des Teotl, um ihn zum Schreien und schließlich zu einem Geständnis zu bringen. Er führte die Agenten in Capitol City. Er wies sie an, was sie wann zerstören sollten. Und er war auf der Jagd nach John deBrun.

Der Teotl war überzeugt davon, dass John lebte und wohlauf war und sich in der Stadt aufhielt.

Sie wussten demnach über John Bescheid. Und den *Ma Wi Jung*. Der Teotl hatte den Loa zu Tode gefoltert und dabei erfahren, dass John Vorbereitungen für eine Reise mit einem Dampfschiff in den Norden traf.

Nördlich der Stadt lauerten auf hoher See aztecanische Kriegsschiffe. Sie lagen dort bereit, um das Dampfschiff abzufangen und John gefangen zu nehmen. Falls John ein Flugschiff benutzen sollte, warteten bereits Saboteure mit Bomben, um das Flugschiff zu zerstören.

Für diese Informationen hatte sich das Risiko gelohnt.

Schließlich manövrierte Pepper das Unterseeboot in die Nähe der Pfeiler, damit Adamu und dessen »Trupp« sich nicht mehr länger draußen festzuklammern brauchten. Als er nach fünf Stunden aus der Luke ausstieg, stank er nach dem Eiter des Teotl, und einer der Jungen würgte und übergab sich bei Peppers Anblick.

Er war von oben bis unten mit seinem eigenen Blut besudelt, Fleischfetzen – eigene und des Teotl – klebten an ihm. Pepper trug wieder seinen Mantel und zog ihn eng um sich zusammen, ohne auf den Schmerz zu achten, als der Stoff an seinen Wunden scheuerte.

Adamu und Tito fischten Treos Körper aus dem Wasser. Sie legten ihn am Pfeiler ab und schauten Pepper mit müden Augen an.

Dieser ging neben dem winzigen Körper in die Hocke. Treo konnte nicht älter als sieben gewesen sein. »Es tut mir leid.«

»Leidtun. Das alles für Sie«, sagte Adamu. »Sie auch nicht der, der ihn letztes Jahr auf Straße gefunden, gefesselt und … blutend da oben auf der Straße, um zu sterben.« Adamu schaute hoch, zu den Steinen. »Sie also uns jetzt geben mehr Gold und verschwinden mit Unterseeboot. Würde gerne wissen warum. Ich höre, Aztecaner kommen. Sie nur schnell fliehen, oder?« Adamus Lippen kräuselten sich vor lauter Abscheu. »Sie nicht erschießen Ungeheuer, Sie es wollten lebendig. Dafür ein Junge musste bezahlen, ein Junge, den Sie nicht kannten, verständlich. Sie wie alle Menschen, wir nichts für Sie.«

Pepper zog einen kleinen Stoffbeutel unter seinem Mantel hervor und warf ihn Adamu zu. »Da ist eine Menge Gold drin. Schmelzt es ein, bevor irgendjemand sieht, was es ist. Sonst werden euch noch Fragen gestellt, und man wird es euch wegnehmen.«

Adamu öffnete den Beutel. Eine Krone mit einem Panther. Ein Fußkettchen mit Jade-Einlagen. Armbänder. Alles aztecanisch. Er schaute Pepper an. »Wo Sie das alles her haben? Wer Sie wirklich?«

»Aztecaner unheimliche Gutenachtgeschichte, nicht wahr?«, fragte Pepper.

Adamu nickte.

»Siehst du, ich bin die unheimliche Gutenachtgeschichte der Aztecaner. Und das schon seit langer, langer Zeit. Sie marschieren auf Capitol City zu. Sie werden bald hier sein.« Pepper zwinkerte dem Jungen zu. »Nehmt das Gold. Ich brauche es nicht mehr. Aber verschleudert es nicht.«

Adamu schluckte.

»Mir tut es wirklich leid! Alles!« Pepper kletterte wieder auf das Unterseeboot. Während er sich in die Luke schlängelte, drehte er sich noch einmal zu Adamu um. »Wenn die Aztecaner kommen, bleibt hier unten, und verhaltet euch ganz ruhig. Und lasst euch nicht oben blicken. Niemand sonst kennt sich mit den Gezeiten und den Abwasserkanälen aus. Sie werden elendig ersaufen, während ihr sicher seid. Kauft diese Woche mit dem Gold so viele Lebensmittel und andere Vorräte, wie ihr ergattern könnt.«

Adamu zitterte, als Pepper weiter hinabstieg. »Du schnell verschwinden! Bitte!«, flüsterte er dem, was von Pepper noch zu sehen war, hinterher.

Pepper kletterte weiter. Und verschwand.

Was er ihnen gegeben hatte, war fast sein gesamtes Gold. Doch egal wie viel er ihnen gegeben hätte, er wusste, dass es nicht genug war. Es war nie genug.

Er schaute auf den Teotl hinab. Es wurde Zeit, die Leiche loszuwerden, das Unterseeboot zu säubern und es dann irgendwo zu verstecken. Danach musste er sich selbst erst einmal auf Vordermann bringen. Sich waschen, acht Stunden schlafen und essen, so viel es eben ging, damit die Wiederherstellungsprozesse in seinem Körper Überstunden machten.

Danach ging es darum, John zu finden. Der offenbar lebte und sich in der Stadt befand.

Doch zunächst brauchte er ein wenig Ruhe.

Neununddreißigstes Kapitel

John stand an der höchsten Stelle der Fußgängerbrücke von Grantie's Arch. Dies war der nördlichste Zipfel der Stadt, ein Bogen, der sich turmhoch über die Hafeneinfahrt wölbte. Es war der entlegenste Punkt von Nanagada, und der Ozean erstreckte sich darunter ohne Unterbrechung bis zum Horizont.

Zwei Tage waren mit den Vorbereitungen auf dem Schiff vergangen, und John wusste immer noch nicht, ob er sich Haidans Zugriff entziehen sollte, um sich den Mungo-Männern anzuschließen, wenn diese auf den Stadtmauern gegen die anstürmenden Aztecaner kämpften. Alles sah danach aus, als habe die aztecanische Armee Anandale und Grammalton überrannt, was bedeutete, dass sie in Kürze die Triangel-Linie erreichen würde. Selbst Haidan gab zu, nicht genau zu wissen, wie viel von der Bahnstrecke hatte zerstört werden können oder ob seine Leute imstande gewesen waren, überhaupt irgendeine Brücke auf dem Weg nach Capitol City in die Luft zu sprengen. Bald würde der Feind hier sein. In wenigen Wochen.

Für Haidan würde es ein Leichtes sein, ihn wieder aufzutreiben, wenn er sich absetzte und unter die Mungo-Männer zu mischen versuchte. Wie viele Männer mit nur einer Hand und einem Haken mochte es denn wohl in Capitol City geben?

Haidan hatte sich alle Mühe gegeben, jegliche Zweifel bei John zu zerstreuen, indem er ihm gezeigt hatte, wie das Schiff umgebaut werden sollte, damit es über das Eis fahren konnte. Er hatte es ursprünglich so konzipiert, dass es über Riffe hinwegrollen sollte, mittels mit der Dampfmaschine verbundener Laufflächen aus Metall, die unter dem Rumpf angebracht wurden. Es war dazu gedacht, die Mungo-Männer um die Wicked

Highs herum in das Gebiet der Aztecaner segeln und dort die Küste erreichen zu lassen. Das Schiff hatte kurz vor der Vollendung gestanden, als die Aztecaner über die Wicked Highs in Nanagada eingefallen waren. Es gab sogar einen neuen Kompass und Sextanten sowie neue Seekarten für die Reise. Haidan hatte wirklich alles Erdenkliche berücksichtigt.

Ein vor der Hafeneinfahrt ankerndes Feuerschiff schickte in regelmäßigen Abständen seine Signale in die trübe graue Weite des Meeres hinaus.

Sollte er es tun? Sollte er eine weitere Expedition in den Norden leiten, nachdem die letzte fehlgeschlagen war? Haidan besaß große Überredungskünste. Wenn ich doch nur genauso überzeugt vom Erfolg wäre, dachte John. Doch ohne das Dampfschiff von vorne bis hinten zu begutachten, um sich damit vertraut zu machen, würde er seine Zweifel nie loswerden.

Er hatte das Gefühl, schon wieder gehetzt und auf der Flucht zu sein. Er war aus Brungstun fortgelaufen, und er fühlte sich wie ein Feigling, weil er es immer noch tat. Dabei hatte er doch gar keine andere Wahl gehabt. Jetzt sollte er sich dafür entscheiden, nicht im Kampf gegen die Aztecaner anzutreten, sondern sich in den Norden abzusetzen, um irgendeine mysteriöse Erfindung aufzutreiben.

An wen sollte er sich wenden? John konnte nicht mit Haidan reden, weil der zu sehr damit beschäftigt war, alle Vorbereitungen in Capitol City zu überwachen. Oaxyctl gehörte jetzt zur Schiffsbesatzung, und das machte zwar keinen Unterschied, doch irgendetwas Seltsames lag in der Luft, wenn John mit ihm zu sprechen versuchte.

Er kratzte sich am Handgelenk, wo die Schnallen seine Haut reizten. An der Spitze seines Hakens hatte sich ein kleiner Rostfleck gebildet. In den letzten Tagen war er nachlässig damit umgegangen, und er hatte es versäumt, den Haken jeden Abend mit Öl einzureiben und anschließend wieder zu trocknen.

John drehte sich mit dem Rücken zum Ozean, legte die Ellbogen auf das Brückengeländer und schaute auf die Schiffsmasten im Hafen. Ein kleines Boot wendete, um einen Anlegeplatz in der Nähe des Kais anzulaufen. Auf dem Kai selbst brannten mehrere Feuer und beleuchteten die Zeltstädte, die mit jedem Tag größer wurden.

In der Mitte des Hafens lag Haidans Dampfschiff vor Anker. Lang, schnittig, mit drei schräg nach hinten abfallenden Schornsteinen. Keine Schaufelräder. Haidan hatte die Kopie einer Schraube einbauen lassen, die ein Team von Konservatoren aus den unteren Schlickschichten des Hafens ausgegraben hatte.

Das Schiff verfügte über genügend Kohle für die Reise. Sogar jetzt noch lag ein flaches Ruderboot neben dem Schiff und entlud Proviant.

John umklammerte das Geländer. Sie brauchten Kanonen. Sie brauchten mehr Gewehre. Ein größeres Kontingent an Mungo-Männern. Und entsprechende Ausbildung. John und Haidan hatten jeden verfügbaren und brauchbaren Fischer aufgetrieben, jeden in der Stadt lebenden Frenchie. Sie hatten alte Hasen an Bord, die die blutigen Anfänger drillten und ihnen die Knoten zeigten. Einschließlich Oaxyctl. Außer Haidan und John blieb die gesamte Mannschaft an Bord, jederzeit bereit, alles stehen und liegen zu lassen, wenn der Befehl zum Auslaufen kam.

Ein paar Männer der Besatzung murrten bereits, weil sie zu ihren Familien oder Frauen wollten, die sich in Sichtweite befanden.

Kein guter Start.

Es musste gehen. Im Laufe der letzten beiden Tage, nachdem John zugesagt hatte, hatte Haidan ihm Bilder vom Vormarsch der Aztecaner entlang der Küste Richtung Anandale gezeigt, die von Aufklärungsluftschiffen gemacht worden waren.

Zwei Tage reichten eigentlich nicht, um eine Expedition vorzubereiten. Doch Haidan hatte im Vorhinein bereits vieles davon bedacht. Und was war die Alternative? Warten, bis die Aztecaner da waren?

John atmete tief durch. Es gibt einen Plan, eine Aufgabe, etwas zu tun. Zwar kein direkter Kampf, sagte er sich, doch vielleicht kann man den Aztecanern damit nachhaltigen Schaden zufügen.

Damit fühlte er sich schon besser. Aber es reichte noch nicht, um die Leere zu füllen, die er tief in seinem Inneren spürte.

Manchmal fragte er sich, wie viel mehr er eigentlich aushalten konnte.

John seufzte. Haidan hatte ihm eine besondere Ehre erwiesen, um ihm auf seine eigene Weise dabei zu helfen, mit dem Verlust fertig zu werden. Er hatte dem Dampfschiff den Namen *La Revanche* gegeben. Die Rache, in einer der alten Sprachen, die direkt nach Hope's Loss ausgestorben waren, wie Haidan erklärt hatte. Zugleich war es seine Art, sich Johns voller Unterstützung zu versichern. John wusste, dass Haidan ihn zu manipulieren versuchte, doch er akzeptierte es. Denn natürlich sann er auf Rache.

La Revanche also. Seine Rache.

Die Stadtuhr, im Glockenturm des Amtssitzes der Ministerpräsidentin untergebracht, schlug fünf. John musste zu einer Sitzung.

Die gräulichen Bohlen der Fußbrücke bogen sich.

»Guten Tag.« Jemand kam auf ihn zu. John zögerte. Der große Mann mit strähnigem, nassem, schulterlangem Haar und ramponiertem Mantel schaute ihn direkt an. »Mr. deBrun.« Der Mann lächelte. Er sah aus wie ein Mungo-Mann.

Vielleicht. Ein winziger Fetzen Erinnerung meldete sich in John. »Entschuldigung.« Er runzelte die Stirn. »Ich ... kenne Sie wirklich nicht.«

Der Mann blieb stehen. John spürte, dass der Mann etwas überrascht war, doch nichts in seinem Gesicht oder seinen Augen verriet dies. Dieser Mann hatte eine gefährliche Ausstrahlung. Dennoch spürte John, dass ihm keine Gefahr drohte. Sei vorsichtig, sagte er sich.

»Sie haben Recht«, sagte der große Mann. »Sie wissen nicht, wer ich bin.«

»Woher sollte ich Sie kennen?«

»Es ist lange her, sehr lange.« Ein Auge des Mannes wirkte durchsichtig und verletzt. Ein Fetzen seines Mantels flatterte im Wind.

John versteifte sich. Dies *war* demnach jemand, der ihn gekannt hatte, bevor er sein Gedächtnis verloren hatte. *Und er hatte ihn zuerst erkannt.* Nur ein winziges Stück Erinnerung, aber immerhin. Das war neu für ihn.

»Wer sind Sie?«, stammelte John, da er nicht wusste, was er sonst sagen sollte. Dies war der bislang wichtigste Schlüssel zu seinem früheren Leben, und er stand direkt vor ihm.

»Unglaublich.« Der Mann lachte.

»Wie haben Sie mich erkannt?« John wollte den Mann beim Mantel fassen. »Wer oder was war ich? Sie müssen mit mir reden.«

Der Mann schüttelte den Kopf. »Dies verändert die Situation total. Sie erinnern sich wirklich an überhaupt nichts mehr?«

John zermarterte sich den Kopf in der Hoffnung, einen Namen zu finden, der mit seinem Gefühl korrespondierte. Da war nichts. Dennoch musste dieser Name einmal präsent gewesen sein. Es war, als läge er ihm auf der Zunge.

»Bitte, darf ich Sie zum Essen einladen? Möchten Sie etwas trinken?«, fragte John.

»Ich hatte eigentlich etwas anderes vor.« Der Mann verschränkte die Arme. »Sie stecken mitten in den Vorbereitungen für eine Reise. Nach Norden. Ich könnte Ihnen behilflich sein.«

John spürte Misstrauen in sich aufwallen. Sein erster Eindruck war gewesen, dass von diesem Mann Gefahr ausging. Dieses Gefühl hatte sich jetzt verflüchtigt, dennoch wollte er seinem Instinkt folgen. Etliche Leute waren darauf aus, ihre Reise zu sabotieren: aztecanische Agenten und deren Sympathisanten. Ein beharrlich recherchierender Mensch konnte ohne große Mühe herausgefunden haben, dass ihn Gedächtnisschwund befallen hatte, als er in Brungstun an Land gespült worden war. Und jetzt konnte diese Tatsache dazu benutzt werden, um ihn zu manipulieren.

Wenn Johns Vergangenheit ihn mit Aztecanern in Berührung gebracht haben sollte, wer wollte dann sagen, was hier gerade ablief?

Was bedeutete dieses schemenhafte Gefühl der Erinnerung oder was immer er beim Anblick dieses Mannes empfunden hatte, im Vergleich zu all dem, was er gerade mitgemacht hatte?

»Wie steht es mit Ihren Segelkenntnissen?«, fragte John. Er musste den Mann zum Reden bringen, um einen Anhaltspunkt zu finden; irgendetwas, das ihm helfen würde, diese Begegnung richtig einzuschätzen.

»Mit Kälte habe ich keinerlei Probleme. Und ich bin ein guter Kämpfer.«

Johns Nackenhaare stellten sich auf. »Tut mir leid.« John traf eine weitere harte Entscheidung und tat es äußerst ungern. Er hob seinen Haken und bereitete sich auf das Schlimmste vor. »Ich gebe nur einem alten Freund Ratschläge, wie er sein Schiff ausrüsten soll. Sie müssen da etwas falsch verstanden haben, es gibt keine Reise in den Norden, ganz egal, was man Ihnen erzählt hat. Aber wenn ich etwas hören sollte, wäre ich Ihnen gerne behilflich. Wie, sagten Sie doch, war Ihr Name?«

»Pepper.«

»Wenn Sie mir Ihre Adresse geben, könnte ich Sie aufsuchen. Ich bin an meiner Vergangenheit interessiert. Und falls Sie mich wirklich kannten, bevor ich mein Gedächtnis verloren habe, können Sie mir helfen ...« Sollte Pepper kein feindlicher Agent sein, verspielte er möglicherweise eine große Chance, indem er jemanden abwies, mit dem er früher vielleicht befreundet gewesen war. Johns Herz schlug dumpf. Er wollte kaum glauben, dass er sich so verhalten musste: aus Angst vor der Bestätigung der Expedition in den Norden einen Schlüssel zu seiner eigenen Vergangenheit aufgeben! Doch der Preis, den die Aztecaner für die Ermordung seiner Familie zahlen sollten, hatte Vorrang.

Er hatte einfach die Verpflichtung, in den Norden zu gehen. Irgendetwas tief in ihm drin spürte, dass dies der einzige Weg war. Und ihm wurde klar, dass er sich einem längst vergessenen inneren Impuls folgend bereits vorher für diese Nordreise entschieden hatte.

Pepper schüttelte den Kopf. »Gib dir keine Mühe, John. Ich weiß, dass du schon sehr bald aufbrechen wirst. Also lass die Spielchen. Etwas riskant für dich, aber ich habe Verständnis für deine Vorsicht. Ich schlage dir einen Handel vor: Du bringst mich an Bord der *La Revanche*, und unterwegs erzähle ich dir mehr über deine Vergangenheit.«

John ärgerte sich maßlos über diesen Erpressungsversuch. Pepper schien in ihm wie in einem offenen Buch lesen zu können.

»Wer sagt mir denn, dass Sie nicht lügen?« Wenn John und Pepper sich zu irgendeinem Zeitpunkt vor dem Einmarsch der Aztecaner und der Reise in den Norden getroffen hätten, wäre die Situation total anders gewesen. »Sie können mir viel erzählen, und niemand kann überprüfen, ob es stimmt.« John knirschte mit den Zähnen. »Ich würde mich gerne an Sie erinnern. Aber es tut mir furchtbar leid, ich kenne Sie nicht.«

Außerdem, wäre es nicht möglich, dass Pepper ihn in irgendeinem Zimmer in Capitol City einschloss und ihn folterte, um Informationen über *La Revanche* aus ihm herauszuholen, statt ihm über seine Vergangenheit zu berichten? Dieses Risiko durfte John keinesfalls eingehen. Schon wenn Haidan zu Ohren kommen sollte, dass er ganz alleine auf Grantie's Arch gewesen war, würde er stocksauer reagieren.

»Das Bedauern ist ganz meinerseits, aber lass dir deswegen keine grauen Haare wachsen.« Pepper reichte John die Hand. Dieser schüttelte sie. »Dann werde ich mal gehen. Vielleicht bis später einmal?«

Pepper drehte sich um. Er humpelte auf der Fußgängerbrücke den Weg zurück, den er gekommen war.

Wenn er wirklich ein alter Freund gewesen war, dann hatte John ihm einen schlechten Dienst erwiesen.

Vielleicht war es sogar ein Fehler gewesen, ihm eine Abfuhr zu erteilen.

Unwillig blickte John auf den Chronometer an seinem Hosenbund, ein Geschenk von Haidan. Verdammt, er war spät dran.

Als er noch einmal nach hinten schaute, war von Pepper nichts mehr zu sehen.

Jetzt erst wurde sich John dessen bewusst, dass Pepper die gleiche Ausdrucksweise gehabt hatte wie er selbst.

Einsam auf der Brücke stehend, schlug John mit der Faust Löcher in die Luft und fluchte.

Vierzigstes Kapitel

John beobachtete, wie Haidan seinen Ellbogen auf die hölzerne Armlehne stützte und sein Kinn in die rechte Hand bettete. Die Fenster waren geschlossen. Nur ein paar elektrische Lichter in der Mitte des Tisches beleuchteten die Szene.

Haidan seufzte. »Wir Schluss machen«, sagte er. »*Revanche* voll. Genug Proviant für Hin- und Rückfahrt.« Er räusperte sich. Dann hob er den Kopf, verschränkte die Hände und schaute über die rissigen Knöchel hinweg John in die Augen. »Wie fühlst du dich?«

John ging nicht darauf ein. »Wird Ministerpräsidentin Dihana das Schiff morgen taufen?« Momentan war sie unterwegs und traf sich mit Abgesandten der Flüchtlinge, um für Ordnung zu sorgen und eine Erhebung zu machen, wie viele Menschen bereits in den Straßen der Stadt und den Zelten am Kai kampierten.

»Ja. Und du übermorgen lossegelst«, sagte Haidan. »Alles, Karten und Kopien von Dokumenten, die du lesen sollst, liegt in deiner Kabine, versiegelt.«

»Danke. Wie sieht es mit dir aus?«

»Was meinst du?«

»Kommst du nicht mit? Wer kennt sich besser mit dem Plan aus als du?«

»Ich muss hierbleiben.« Haidan legte die Handflächen an den Tischrand und trommelte mit den Fingern auf die Platte. »Ich mich muss blicken lassen. Ganze Stadt kennt mich, weiß von meiner Aufgabe und Fähigkeit, Mungo-Männer zu leiten. Wenn ich mitreise, was Leute dann denken? DeBrun, du bester Seemann, der jemals in Capitol City aufgekreuzt. Du und ich wissen, du mit Karte umgehen und Schiff führen kannst.«

»Ist diese Angelegenheit denn wirklich so wichtig?« John grub die Spitze des Hakens in den Tisch und brach ein kleines Stück Holz heraus.

»Loa denkt so. Ich glaube es. Dihana glaubt es. Drei der besten Konservatoren in der Stadt sind bereit, um auf Schiff mitzufahren. John, ich dir gebe besten Mungo-Mann mit: Avasa. Und beste Mungo-Männer. Ich kann dir nicht noch geben mehr mit, weil wir in der Stadt sonst furchtbar geschwächt. Dir jetzt klar, wie wichtig Reise wahrscheinlich?«

Die Tür wurde geöffnet. Ein Mungo-Mann trat ein und flüsterte Haidan etwas ins Ohr.

»Gut«, sagte Haidan, als der Mann wieder ging. »Sie jetzt hier.«

Haidan ließ den Tisch los. Die Lichter strahlten ihn von unten an. Seine Rastalocken schienen kaskadenartig aus dem Nichts herabzufallen.

»Wir jetzt treffen einen Loa.« Haidan beugte sich nach vorn, und das Licht beleuchtete einen größeren Teil seines verwitterten Gesichts. »Sie darauf besteht, so wie besteht auf Reise. Du siehst, wie wichtig ganze Angelegenheit?«

John lief ein Schauer über den Rücken. Würden Loa auf seinem Schiff sein? Was für ein Meinungsumschwung seit der letzten Expedition, gegen die die Loa heftig protestiert hatten und wo die Priesterinnen im Hafenviertel Stimmung gegen das Unternehmen gemacht hatten. Die Loa selbst hatten sogar ihre sechs zur Straße hin gelegenen Häuser verlassen und sich auf die Balkone gestellt, um ihre Missbilligung öffentlich zu demonstrieren.

»Dieser Loa mir sagt, er dir helfen will. Wir brauchen das wirklich.«

»In Ordnung«, sagte John. »Und wo ist die Priesterin?«

Räder quietschten. Ein Diwan kam durch die Tür hereingerollt und blieb einen Moment im Schein des elektrischen Lichtes stehen. Der Körper eines gekrümmten Loa lag auf dem Sofa: eine nass glänzende rosa Silhouette auf purpurnem

Plüsch. Dann schabten die stahlbewehrten Spitzen der Tentakel wieder über den Boden und schoben den Diwan voran.

»Dies nicht derselbe Loa, den wir das letzte Mal sahen«, stellte Haidan fest.

»Ich benötige keinen Übersetzer«, zischte ihnen der Loa zu. John spürte ein Kribbeln im Nacken. »Meine Helferin bleibt draußen im Flur.« Die Tür wurde geschlossen. »Und ich wünsche auch nicht, dass irgendjemand außerhalb dieses Raumes hört, was ich zu sagen habe.« Mit scharfem und argwöhnischem Blick schaute sich die Kreatur im Zimmer um. Sie stützte ihren massigen Oberkörper auf einen Tentakel und betrachtete die beiden.

»Der *Ma Wi Jung*«, krächzte sie. »Die Ihnen zur Verfügung stehenden Koordinaten der augenblicklichen Position stimmen. Und Sie mutmaßen zu Recht, dass er dazu benutzt werden kann, die Aztecaner zu stoppen.«

»Gut zu wissen«, meinte Haidan. »Aber was ist *Ma Wi Jung?* Wie können wir *Ma Wi Jung* verwenden, um Aztecaner zu stoppen? Und welcher Loa sind Sie?«

»Der Loa, mit dem Sie gesprochen haben, ist tot«, sagte der Loa seufzend. »Aber das ist unerheblich. Bei dieser Expedition gibt es eine Schwierigkeit. Sie müssen bedenken, dass Sie nicht in der Lage sind, den *Ma Wi Jung* zu benutzen. In dieser Hinsicht ist Ihre Technologie um Hunderte von Jahren zu rückständig, selbst wenn wir Sie genau anleiten wollten. Doch unsere Spezies verfügt über etwas, das von großem Nutzen sein kann. Wir müssen also zusammenarbeiten.«

Mit einem seiner Tentakel hielt er einen Kegel hoch und setzte ihn auf dem Tisch ab. John nahm ihn und betrachtete ihn von allen Seiten. »Wie kann uns dieses Ding helfen, den Artefakt unserer Vorväter einzusetzen?«

»Wenn Sie den Koordinaten genau folgen und sich durch das Eis hindurchgraben, um zum *Ma Wi Jung* zu gelangen, werden Sie auf eine ovale Tür treffen, und links davon befindet sich ein viereckiger Kasten. Setzen Sie das Ding auf diesen Kasten. Es wird eine Woche dauern, vielleicht sogar zwei, doch es ist in der Lage, den *Ma Wi Jung* für Sie zu öffnen«, sagte der Loa. »Es wird Ihnen mitteilen, wenn es so weit ist. Und sie können ihm dann befehlen, das Schiff für Sie zugänglich zu machen.«

»Aber was geschieht dann?«, fragte Haidan. »Wie das Ding zu bedienen? Was *tut* es?«

»Ich bin noch nicht fertig«, sagte der Loa. »Um eine wirksame und mächtige Waffe daraus zu machen, benötigt der *Ma Wi Jung* mehr als nur das, womit Sie ihn ausrüsten können. Unser Gerät wird Ihren Anweisungen gehorchen. Sie müssen ihm sagen, dass es den *Ma Wi Jung* zwingen soll, nach Capitol City zu kommen. Befehlen Sie ihm: ›Khafou, fliege dieses Gerät zu den Koordinaten von Capitol City zurück!‹ Sie müssen genau diese Worte benutzen. Es ist bereits darauf vorbereitet worden, dass sie ihm sagen, was es tun soll. Verstehen Sie?«

John und Haidan nickten.

»Bitte wiederholen Sie den Befehl«, sagte der Loa. John wiederholte ihn. Der Loa ließ sich in das Sofa zurücksinken. »Gut. Achten Sie darauf, dass Sie in der Tür stehen, wenn Sie den Befehl geben. Sie werden in die Stadt zurückkehren, und dann können wir uns die Einsatzmöglichkeiten der Funktionen des *Ma Wi Jung* teilen.« Er verlagerte seinen schwammigen Körper. »Und vergessen Sie nie, dass Sie den *Ma Wi Jung* niemals ohne uns kontrollieren können. Nur im Zusammenwirken mit uns wird der *Ma Wi Jung* zu einer Waffe. Wenn Sie die Absicht haben sollten, es auf eigene Faust zu probieren oder den *Ma Wi Jung* vor uns zu verstecken, werden Sie mit Sicherheit dafür büßen.«

Haidan beugte sich wieder nach vorn. »Ratsherr Emil erzählte Dihana, *Ma Wi Jung* sei ein Schiff und es weiter fliegen kann als Himmel«, sagte er zum Loa. »Ich Sie höre sprechen, und es klingt, als ob Sie derselben Meinung. Ist das so?«

Der Loa verlagerte erneut sein Gewicht. »Ich denke schon.«

»Dann wie machen daraus Waffe?«

»Wenn Ihnen etwas zur Verfügung stünde, mit dem Sie innerhalb von Minuten jeden Punkt dieser Welt erreichen können«, sagte der Loa, »wie würden Sie es dann als Waffe einsetzen?«

John lehnte sich über den Tisch, während Haidan noch an der Antwort des Loa herumkaute. »Was genau ist denn nun dieses Ding?« John nahm den Kegel vom Tisch und hielt ihn hoch.

»Ich wurde als Sprachlehrer für meine Spezies geboren, und sonst nichts«, erklärte der Loa. Er schien mit seinen Kräften fast am Ende und atmete heftig. Es klang beinahe, als sei er derartige Anstrengungen nicht gewöhnt. »Mein Gedächtnis schwindet mit den Jahren, aber an die letzten dreihundert Jahre erinnere ich mich. Einige unter uns wurden dazu erzogen, in alte Maschinen einzudringen und diese zu beherrschen. Sie nennen sich die Kha. Das war in den langen Jahren, bevor ich erschaffen wurde, als es Maschinen gab, die gesteuert werden mussten, Maschinen, die bekämpft und eingesetzt wurden. Doch seitdem wurden die Kha nie wieder gebraucht, und so starben sie. Unsere Meisterzüchter bewahrten lediglich eine Kopie auf, für den Fall, dass sie doch einmal benötigt würde. Wir ernährten diese Kha und zogen sie auf, seit der alte Ministerpräsident starb. Wir unterrichteten sie in dem wenigen, das wir wissen, wir konfrontieren sie mit den Alten unter uns, die sich immer noch an frühere Dinge erinnern. Wenn Sie dort ankommen, wird die Kha den *Ma Wi Jung* aufbrechen, indem sie alte Erinnerungen nutzt, die wir für sie gespeichert haben. Sie wird dafür sorgen, dass Sie hineingelangen.«

»Und Sie bringen Maschine zurück in Stadt?«, fragte Haidan.

»Ja. Dann können wir diese Maschine untersuchen und so einsetzen, dass sie uns Schutz bietet. Das werden wir gemeinsam tun. Wir müssen die Arbeitsweise dieser Maschine gemeinsam erforschen. Sie müssen die Kha benutzen, um den *Ma Wi Jung* herzubringen, sonst werden wir alle sterben, wenn die Teotl angreifen. Und Sie müssen sich beeilen. Einer von uns wurde in dieser Woche bereits getötet. So etwas darf nicht passieren.«

Die Tentakel krümmten sich, ihre Metallspitzen klickten auf dem Zementboden, und der Diwan auf Rädern rollte aus dem Raum.

»Da etwas nicht in Ordnung.« Haidan beugte sich in seinem Sessel vor, um den Metallkegel in Johns Hand genauer zu inspizieren. »Solange Menschen denken zurück, Loa immer kämpften gegen Metalltechnologie. Jetzt sie wollen uns helfen, Technologie zurückzubringen. Das seltsamer Wandel im Denken.«

»Ich schätze, sie wollen einfach überleben.« John war beim Anblick des Loa wie gelähmt gewesen. Eine zweite Erinnerung meldete sich in ihm. Misstrauen. Es machte sich in seiner Magengrube breit. »Sie haben den Tod vor Augen.«

»Ja. Und sie lehnen unseren Schutz ab. Etwas im Busch.«

»So weit man zurückdenken kann, haben sie zu Capitol City gehört.« John zerbrach sich den Kopf über seine eigenen Zweifel. »Mag sein, dass ihr Vorschlag dir nicht gefällt, aber haben sie der Stadt nicht immer geholfen?«

»Gemeinsame Interessen«, sagte Haidan. »Loa gegen Invasion durch Aztecaner, das einzige Sache, die uns verbindet. Richtig, sie nicht sind wie wir, und wir nicht wissen, was Loa denken, deshalb Vorsicht geboten. Aber sie immerhin wollen fernhalten Aztecaner von Stadt. Ich glaube, das wirklich einziges Ding, wo wir Loa trauen können.«

»Ja, wahrscheinlich ist es ihnen in diesem Punkt ernst.« John stand auf. Er wollte zum Schiff, alles überprüfen, sich Sicherheit verschaffen. Die Kha der Loa und die anderen Papiere, die er brauchte, um das Schiff erfolgreich nach Norden zu führen, mussten irgendwo sicher vor fremdem Zugriff aufbewahrt werden. Und er wollte endlich aktiv werden, bevor ihn neue Zweifel und böse Vorahnungen überfallen konnten. »Jetzt sollten wir aber endlich aktiv werden«, sagte er.

»Ja.«

John streckte seine gesunde Hand aus, während er die Kha in die Beuge des anderen Arms bettete. Obwohl sie metallisch glänzte, fühlte sich die Kha genauso warm an wie sein Körper. »Du hast trotz allem Recht. Wenn die Loa etwas Böses vorhaben, wird dieses Unterfangen ganz bestimmt zu einem Höllenritt werden.«

Haidan stand auf und ergriff Johns Hand. »Gut. Ich dich brauche als Navigator und Schiffsführer. Du bist der beste. Wir großes Glück haben, dass du in die Stadt zurückgekehrt.«

»Der Norden wird den Männern und mir ganz schön zusetzen.« John ließ Haidans Hand los und zeigte auf seinen Haken.

Haidan betrachtete die Lederbänder. »In Hope's Loss auch nicht so einfach, als du und ich dort waren. Ich froh, dass noch am Leben.«

Sie schauten sich an und erinnerten sich an die anderen Männer, die damals im Dschungel durch irgendetwas, in das sie hineingeraten waren, den Tod gefunden hatten.

John war der Einzige gewesen, dem es nichts ausgemacht hatte.

»Wenigstens«, sagte Haidan nachdenklich, »wir haben diesmal eine Chance. Vorher ich noch im Dunkeln getappt und gehofft, *Ma Wi Jung* uns kann helfen. Total unsicherer Plan. Jetzt ich ganz sicher, das gute Aussichten. Durch dich Chancen um einiges besser, John, wenn alles klappt, wir Aztecaner empfindlich treffen.«

Einundvierzigstes Kapitel

Das entfernte, gleichmäßige Geräusch hoch über Jerome gegen die Felsen donnernder Wellen mischte sich unter jedes Gespräch, jedes Wispern und jeden Seufzer in den Unterwasserhöhlen. Manchmal kühlte das vom Zugang heranflutende Wasser die Luft ab, und Nebel kam über den Sand herangekrochen. Jerome kauerte in einer Sandkuhle in der Nähe der Felswände. Dort konnte er das Aufschlagen des Wassers in seinem Kreuz spüren.

Die Woche war fast vorüber, und Jerome bekam langsam ein Gefühl dafür, dass ihr Aufenthalt hier noch sehr lange dauern konnte. Troy und andere Männer kamen und verschwanden wieder, bei ihren Tauchgängen stets von Flatterfischen geleitet.

So ging Jerome im hinteren Teil der großen Höhle auf Entdeckungsreise, während Troy draußen unterwegs war. Dabei verhielt er sich vorsichtig, weil er befürchtete, ausgeschimpft zu werden. Doch niemand schien auf ihn zu achten. Weit weg von der Feuerstelle und dem grünen Wasserteich war er nicht zu sehen.

Mit den Händen ertastete Jerome seinen Weg an der Wand entlang und wartete darauf, dass sich seine Augen an die Dunkelheit gewöhnten. Nachdem er bereits mehrere Minuten in der Höhle herumgegeistert war, weiter und weiter entfernt von dem flackernden orangefarbenen Licht des Lagerfeuers und dem ständigen Palavern der gedämpften Frenchie-Stimmen, stieß er auf einige große Metallbrocken, die aus dem Felsgestein herausragten. Rostpartikel blätterten ab, als er mit der Hand darüberfuhr.

»Was machst du da?«, flüsterte Sandy.

Jerome erstarrte, sein Herz pochte. »Warum folgst du mir?«

»Entschuldige. Ich sah dich weggehen, deshalb ich dachte, ich komme mit und leiste dir Gesellschaft.«

Sie stellte sich zwischen ihn und das Licht und war als Silhouette zu erkennen.

»Ich mich hier umschaue. Weißt du, was das ist?« Jerome nahm ihre Hände und legte sie auf einen der Metallblöcke. Ihre Fingernägel kratzten an dem Eisen, und Rost fiel in den Sand.

»Das alt«, sagte Sandy. »Meistens wir haben nicht viel Zeit, um Höhle zu untersuchen, wenn wir hierherkommen.«

»Dann ihr lange nicht hier?«

»Eigentlich ich noch nie hier gewesen.« Sandy bewegte sich, ihr Schattenriss setzte sich. »Da sind andere kleine Höhlen, in denen wir Kinder tauchen lernen. Aber diese ganz geheim.«

»Oh. Dann du diese nicht besser kennst als ich?«

»Wahrscheinlich.«

Jerome taste sich wieder an der Wand entlang. Sandy wirbelte Sand auf, als sie sich erhob und ihm folgte. »Du offenbar nicht sehr erstaunt«, sagte Jerome, »über rostiges Metall.«

»Nöh. Das in jeder Höhle, die ich kenne. Aber ich nicht weiß, was das ist.«

Jerome ging weiter. »Wer das gemacht?«, fragte er sich laut.

»Die Vorväter. Ist ein Ort zum Verstecken vor Aztecanern, tief unten. Leute sagen, dies Ding geht noch viel tiefer. Aber niemand weiß genau. Leute nennen es Tolor's Chimney. Ist hier, weil wir leben draußen auf Riff, kann jeden Moment zusammenbrechen und untergehen.«

Sie fasste Jeromes Hand. Er blieb stehen und drehte sich zu ihrem Schatten um. »Du musst reden mit Troy. Er das hier alles gut kennt.«

»Gut.« Jerome wendete sich ab und wollte seine Hand zurückziehen, doch Sandy hielt ihn fest.

»Jerome?«

»Ja.«

»Hier niemand, der uns sehen kann.«

Jeromes Mund wurde trocken, und er trat von einem Fuß auf den anderen. Sandy stand direkt vor ihm, ihr langes Haar ein dunkler Schatten, der ihr Gesicht umrahmte.

»Du schon einmal geküsst?«, fragte Jerome.

»Ja. Einen von den anderen Jungen.«

»Oh.«

Jerome scharrte mit dem Fuß im Sand. »Heißt aber nicht, dass ich dich nicht küssen will.«

Sie beugte sich nach vorn, und Jerome berührte ihre Lippen leicht mit seinen. Das Rätsel der verrosteten Metallblöcke war vergessen.

Die lauten Rufe einer Frau schreckten sie auf. Das Essen war fertig. Jetzt aber schnell! Das Rufen wurde ungeduldiger, und Jerome wusste, dass er später nichts mehr bekommen würde, wenn er sich nicht direkt aufmachte.

Die beiden hielten inne, schauten einander kurz an und rannten dann über den dunklen Sand in Richtung des flackernden Feuers.

Jerome stellte bald fest, dass die alten Frauen ihn im Auge behielten. Jede halbe Stunde machten sie einen Rundgang im Lager und hatten so ständig einen Überblick, wer wo war. Und wenn er vermisst wurde, sich in den dunklen Ecken der Höhle herumtrieb, bekam er jedes Mal etwas zu hören: »Was du da tun, Junge? Du keine Angst vor der Dunkelheit? Bleib beim Feuer, damit wir dich sehen! Wir jetzt kochen heiße Suppe für euch alle.«

So gestalteten sich seine Entdeckungsreisen als kurze Ausflüge. Dennoch hatte er bald heraus, dass die Metallblöcke in einem regelmäßigen Abstand von weniger als zwei Metern in den Fels eingelassen waren. Im hinteren Teil der Höhle gab es vier dieser Blöcke, und wenn er die Arme ausstreckte, konnte er zwei gleichzeitig berühren.

An ihrer Oberfläche befanden sich weder Knöpfe noch Hebel. Es waren nichts weiter als nichtssagende Metallblöcke. Nur zu gerne hätte er eine Fackel gehabt.

Auf vielen seiner Erkundungsgänge wartete er auf Sandy, bis sie ihn eingeholt hatte. Dann blieben ihnen zehn Minuten, bis die alten Frauen entdeckten, dass sie sich davongemacht hatten, und ihre Namen riefen.

Dennoch reichte ihm die Zeit, um eine Menge über das Küssen zu lernen.

Am zehnten Tag nach dem Fall von Brungstun saß Jerome auf einem kleinen Sandhügel am Ufer des Wassers. Neben ihm knisterte ein kleines Feuer, und er stocherte mit einem Ast darin herum. Über dem Wasser bildete sich Nebel.

»Du wieder zurück vom Sondieren?«, fragte Troy. Er setzte sich mit übereinandergeschlagenen Beinen auf die andere Seite des Feuers. Kurz zuvor hatte er noch einen Rundgang gemacht. »Du warst im hinteren Teil von Höhle?«

»Ja«, antwortete Jerome. »Was das für ein Ding da? Ding aus Metall?«

»Hm.« Troy schürte das Feuer, und Asche wirbelte in die Luft, flog herum und landete schließlich im Sand. »Niemand von Frenchies erinnern, was das wirklich ist. Alle glauben, das nur ein geheimes Versteck.« Troy erhob sich wieder. »Komm mit mir.«

Er ging über den Sand in die Dunkelheit. Ohne Licht. Jerome hatte große Mühe, ihm zu folgen.

Sie erreichten die Wand und einen der Metallblöcke. Troy legte eine Hand darauf. Der Block begann zu glühen, und der Felsen vor ihnen öffnete sich knarrend. Es blieb dunkel, doch es war nicht die Dunkelheit des Felsgesteins. Ein unbeleuchteter Durchgang mitten im Felsen. Ein Tunnel.

Troy ging hinein. Jerome hörte seine Stimme vor sich, sehen konnte er so gut wie nichts. Troy kam zurück und fasste ihn an der Schulter. »Komm, Junge, ich tu dir nichts, aber ich dir muss etwas zeigen.«

Jerome trat ein – und zuckte zusammen, als sich die Felswand hinter ihm schloss.

Gespenstisches grünes Licht flammte an den Seiten eines Ganges auf, und jetzt sah er Troy vor sich stehen. Troys Augen waren für einen kurzen Moment völlig grau. Ein Lichtspiel, dachte Jerome, dann zwinkerte Troy.

Sie gingen etwa dreißig Meter, dann betraten sie einen Raum. Dort gab es einen Tisch und zwei Sessel. Troy setzte sich und seufzte.

»Ich jedes Jahr hier.« Er gab Jerome ein Zeichen, dass er sich ebenfalls setzen solle. »Um zu überprüfen, ob alles noch funktioniert.«

»Was ist das?«, fragte Jerome, immer noch geschockt. Er ließ sich in den Sessel fallen. Dieser war weder zu hart noch zu weich. Doch man konnte nur kerzengerade darin Platz nehmen.

»Ein Schutzbunker«, sagte Troy.

Jerome blickte sich um. »Für Vorväter?«

Troy nickte. »Für mich. Ich bin Vorvater.«

»Aber . . .« Jerome stellte fest, dass es gar nicht so lange dauerte, sich mit diesem Gedanken vertraut zu machen. Er war Pepper begegnet. Die Vorstellung, dass es solche Männer gab, wurde zu einem Bestandteil von Jeromes neuem Weltbild.

»Ich fast vierhundert Jahre alt«, sagte Troy. »Ich kam nach Nanagada. Um mich zur Ruhe zu setzen. Schönes Land, gutes Fischen, viel Garten. Sie mir sagten, ich könnte Land haben überall. Ich entschied, mich bei anderen Karibik-Leuten niederzulassen.«

»Und Frenchies nicht wissen, du Vorvater?«

»Ich änderte Nachnamen. Tat so, als sei ich eigener Sohn. Hier war immer ein Troy. Frenchies außerdem Frenchies durch mich.«

»Was meinst du?«

»Meiste Frenchies sind Nachkommen von mir, von mehreren Frauen, als ich damals hier. Deshalb ich jetzt alleine. Darf nicht eigene Familie heiraten.«

Jerome schaute sich noch einmal im Raum um. Das Ganze war unglaublich. »Warum Sie mir erzählen alles?«

Troy lehnte sich auf den Tisch, und Jerome betrachtete die Oberfläche. In die Platte waren kleine Glasscheiben eingelassen, wie er erst jetzt bemerkte.

»Wegen deinem Vater, Jerome. Er wie ich. Er Vorvater.«

»Nein.« Jerome schüttelte den Kopf. »Mein Vater das nicht kann sein«, protestierte er.

»Denk nach. Du jemals sehen, dass dein Vater älter wurde? Du jemals Bild von ihm gesehen, wie er hier ankam? Er immer genauso ausgesehen. Aber deine Mutter, Shanta, hast du nicht graue Strähnen in ihrem Haar gesehen?«

Jerome starrte zu Boden. »Wenn Sie das wussten, dann die ganze Zeit gelogen.« Er schaute zu Troy hoch. »Sie ihm hätten helfen können. Sie ihm alles hätten zeigen können. Warum nicht getan? Er so sehr gelitten, weil keine Erinnerung!«

Troy wich Jeromes anklagendem Blick aus. »Ich musste Entscheidung treffen, Jerome. Ich ihm nicht konnte Erinnerung zurückgeben, ich ihm nur konnte erzählen manches Ding. Und Dinge erzählt zu bekommen ist nicht wie Erinnerung. Ich ihn hätte anlügen können, aber wie er wissen, ob Wahrheit?« Troy atmete tief durch. »Dein Vater tat etwas, etwas sehr Schwieriges. Ich glaube, Erinnerung daran ihn fast umbringen. Ich glaube, um zu überleben, er alles vergessen. Das Art von Verteidigung. Und du denkst, ich könnte Erinnerung wecken, ohne dass Schlimmes geschieht? Nein. Ich muss schweigen, beobachten und dafür sorgen, dass zugegen und ihm helfen, wenn Erinnerung zu ihm zurückkehren sollte.« Troy lehnte sich im Sessel zurück. »Aber vielleicht habe ich Fehler gemacht. Ich heimlich nachts nach Brungstun geschlichen und ihn da nicht gefunden.

Und selbst wenn er konnte fliehen und bis nach Capitol City geschafft, ich in großer Sorge. Manche Ratsmitglieder in Capitol City wissen, er noch immer lebt, und die ihm könnten erzählen Dinge, die Albtraum wachrufen.«

Jerome rutschte unruhig in seinem Sessel hin und her. »Welchen Albtraum? Was so furchtbar?«

Troy schaute ihn über den glatten, glänzenden Tisch hinweg an.

»Ich vierhundert Jahre alt, Jerome. Und meiste Zeit davon ich war frei. Ich kam nach Nanagada und konnte tun und lassen, was ich wollte. Selbst nach Hope's Loss, als alle Maschinen zerstört und fast ganze Technologie vergessen, ich konnte leben hier auf Insel. Aber stell dir vor, du sitzt in Falle, fast die ganze Zeit gefangen, und du wach die ganze Zeit. Kannst du dir vorstellen, dreihundert Jahre lang zu sitzen in winzigem Raum wie diesem, vielleicht sogar in noch kleinerem Raum?«

Jerome schaute sich um. Die kurze Zeit in der Höhle war schon schwierig genug für ihn gewesen.

»Stell dir vor, du hundert und hundert und noch mal hundert Jahre eingesperrt in kleines Ding, nicht viel größer als das hier. Deshalb dein Vater sich an nichts erinnert. Und ich würde es auch nicht an seiner Stelle.«

Troy stand auf. »Ich habe noch mehr, Jerome. Aber nicht jetzt. Du erst verarbeiten, was gehört. Verstanden?«

»Verstanden.« Jerome nickte. Er war völlig aufgewühlt.

Alles um ihn herum veränderte sich. Das Bild seines Vaters, unerschütterlich und in Stein gemeißelt, war plötzlich zertrümmert.

»Gut«, sagte Troy. »Du jetzt leg deine Hand auf den Tisch.«

Jerome tat es. Der Tisch begann zu flackern, und ein grünes Viereck leuchtete auf.

»Also, wenn Aztecaner uns finden und du musst fliehen, dann lege deine Hand auf Block draußen so wie ich vorhin, und er lässt dich ein. Ich ihn angewiesen, dich hereinzulassen. Verstanden? Du sollst sein in Sicherheit. Hier unten viele Gänge zum Verstecken und Fliehen, in Ordnung?«

Sein Dad war ein Vorvater. Dad war Hunderte von Jahren alt.

»In Ordnung«, sagte Jerome.

Was hatte das alles nur zu bedeuten?

Zweiundvierzigstes Kapitel

Oaxyctl hangelte sich in einem Wirrwarr von Tauen empor und wagte es nicht, nach unten zu schauen. Die stetige Geschwindigkeit eines kleinen Luftschiffs war dem hier allemal vorzuziehen. Das Geflecht der Taue unter seinen Füßen schwang locker hin und her, und das ganze Schiff neigte sich auf die Seite.

»Beeilung, Beeilung!«, brüllte der Mann im Top zu ihm hinunter.

Es hatte geheißen, der Dampfer benötige die Segel, um richtig voranzukommen. Ihm wollte das nicht einleuchten; entweder man hatte eine Maschine, oder man hatte keine. Oaxyctl betrachtete Segel und Masten nur als zusätzliches Durcheinander, über das man stolperte.

»Das muss man sehen!«, gackerte jemand vom anderen Mast herüber. »Schnell wie Schildkröte. Halte durch, vielleicht du Rennen gewinnst trotzdem!«

Oaxyctl schaute hinunter auf das Deck tief unter sich. Seine Füße rutschten ab, und er strampelte wild in der Takelage.

Wenn er so weitermachte, wären seine Tage gezählt.

Doch was blieb ihm anderes übrig? Oaxyctl betrachtete diese Frage unter verschiedenen Aspekten. Er musste an Johns Seite bleiben. Aber sobald sich ihm eine Gelegenheit bot, würde er diesmal sofort zuschlagen. Er konnte John in einem Rettungsboot wegschaffen, aber was verstand er schon vom Segeln?

Der Ozelot hatte ihm mächtig Glück gebracht.

Oaxyctl schloss die Augen. Die Taue, an denen er hing, schnürten sich tief in seine Handgelenke, und die Sonne brannte in seinen Nacken.

»Du in Ordnung?«

Jemand kam die Takelage hinabgeklettert und wartete dann. Ein zweites Paar Füße ließ die Taue erzittern, und von zwei Seiten griffen Hände nach Oaxyctl. Er schlug die Augen wieder auf. Der Mann vor ihm zwinkerte ihm zu. »Wir hier, um zu helfen.«

»Danke!«

Oaxyctl wurde nach oben gezogen. Er umklammerte das Tauwerk, während er zunächst vergebens versuchte, mit den Füßen, die jetzt frei in der Luft herumbaumelten, irgendwo Halt zu finden.

»Nein«, sagte der Mann. »Wir hier, um *dir* zu helfen!« Er ließ Oaxyctl los.

Oaxyctl verstand.

Der Mann sah nicht wie ein Toltecaner aus, aber vielleicht war er ja auf der anderen Seite der Berge aufgewachsen. Man brauchte schließlich nicht unbedingt braune Haut zu haben, um an die Götter zu glauben. »Woher weißt du das?«, fragte Oaxyctl.

»Mehrere Götter kamen in Stadt.« Der Mann zeigte auf das Wasser im Hafen. »Kamen wegen uns. Sagten: ›Haltet euch bereit, um nächste Expedition mitzumachen.‹ Manche schafften auf Schiff zu kommen, manche nicht. Wie du wir Schiff nicht verlassen seit Anheuern. Aber wir auf dich gewartet. Ja. Wir wissen, wer du bist.«

»Danke!« Oaxyctls Herz klopfte. Ein Gott? Hier in Capitol City? Waren die denn überall?

Jeder Gedanke an einen Versuch, sich aus seiner Verantwortung zu stehlen, war damit hinfällig geworden, obgleich er an dieses Schiff gefesselt war und damit praktisch machtlos. Auch so war er gefesselt, denn er musste den Befehlen des Gottes Folge leisten.

»He«, sagte der Mann. »Was ist *Tlacateccatl*?«

»Ein Anführer von Männern«, sagte Oaxyctl. »So etwas wie ein Kommandant.«

Der Mann nickte. »Das gut. Ich Anführer von Männern, mit viel Gold und Frauen, wenn das alles hier vorbei ist.« Er grinste. Oaxyctl wollte ihn nach seinem Namen fragen, doch der Mann kletterte schon wie ein Affe durch die Takelage empor in die Spitze.

Oaxyctl folgte ihm, und ihm war jetzt leichter ums Herz. Er besaß heimliche Verbündete an Bord. Wie viele es waren, wusste er nicht. Jetzt musste er hellwach bleiben, einen Plan aushecken und herausfinden, wer hier auf dem Schiff wer war.

Als er die Mastspitze erreichte, lümmelten drei Männer im stählernen Krähennest herum. »Du es geschafft!«

»Kommen rein!«

Oaxyctl kletterte gerade über das Metallgitter, als er ein kleines Schiff näher kommen sah. Es war mit Girlanden geschmückt und in leuchtend gelben und roten Farben angestrichen. »Was da im Gange?«

»Ich glaube, jetzt Zeit zum Stapellauf«, sagte einer der Männer. »Das ist Schiff von Ministerpräsidentin.«

Der Mann direkt neben Oaxyctl, der ihn eben aus seiner misslichen Lage befreit hatte, schaute aufs Wasser hinaus. »Seht dort.« Er deutete mit einem Kopfnicken zur anderen Seite hinüber.

Oaxyctl folgte dem Kopfnicken und blinzelte verdutzt. Eine riesige Flottille von Dingis, kleinen Segelbooten und Barken, bis an den Rand mit Menschen gefüllt, näherte sich ihnen.

»Wer ist das?«

Alle zuckten die Achseln.

Unter sich sah Oaxyctl, wie die Ministerpräsidentin ausstieg, eine Dame in rotem Gewand. Hinter ihr stiegen noch weitere Menschen aus, unter ihnen auch John deBrun. Er trug eine neue blaue Uniform und bewegte sich mit sicheren Schritten. Sein Haken war frisch poliert, sodass die Sonne sich darin spiegelte und ihre Strahlen in alle Richtungen warf.

Jetzt befand er sich in John deBruns Welt, wurde Oaxyctl

schlagartig klar. Diese Reise würde alles andere als ein Zucker-schlecken werden.

Doch schließlich hatte er die Götter auf seiner Seite, sagte sich Oaxyctl, während er zur Sonne hochschaute und auf den Mann neben sich. Außerdem war er ein ganzer Kerl, kräftig. Hier würde er triumphieren und den Göttern seine Ehre erwei-sen.

Er würde John deBrun die Geheimnisse entreißen. Dazu war er immer noch in der Lage, und dann würde er sie seinem Gott zu Füßen legen.

Oaxyctl glaubte daran. Mehr noch, er klammerte sich an diese Vorstellung.

Dreiundvierzigstes Kapitel

Dihana ließ sich von zwei Besatzungsmitgliedern über das Fallreep und die Landungsbrücke helfen, die neben dem Dampfschiff angebracht war. *La Revanche*, flüsterte sie unhörbar.

»Sind all diese Boote da drüben wegen der Schiffstaufe gekommen?«, fragte sie jetzt laut.

»Ich weiß nicht«, antwortete Haidan.

John, vom Scheitel bis zur Sohle Kapitän, schritt das Deck entlang und inspizierte alles. Dabei nickte er verschiedenen Mitgliedern der Mannschaft zu, die in Habachtstellung angetreten war.

Vor etwas mehr als zwanzig Jahren war Dihana John deBrun zum ersten Mal begegnet, als dieser zu der Expedition in den Norden aufgebrochen war. Er hatte damals sogar Land betreten, bevor Mangel an Proviant und anderen Vorräten die Schiffe zur Umkehr gezwungen hatte. Mit zwei Händen war er in See gestochen, mit nur noch einer lief er in den Heimathafen ein. Danach hatte er Capitol City in Richtung Brungstun verlassen, um sich zu erholen und Ruhe zu finden, doch er war nie mehr zurückgekehrt.

»Ich wünschte, ich könnte mitfahren«, knurrte Haidan. Er trug einen beigefarbenen Mantel, der im Wind flatterte. Dihana registrierte die beiden Pistolen in Lederhalftern an seinen Hüften. »Sie wissen, dass ich meinen besten Mungo-Mann hergegeben für diese Reise?« Dihana beschloss, nicht darauf einzugehen. »Meine Aufzeichnungen. Meine Expedition. Verdammt schwer, losziehen zu lassen. Sie verstehen?« Er spuckte zur Seite und wischte sich den Mund mit dem Taschentuch ab.

John trat zu ihnen.

»Was machen wir denn nun hier heute genau?«, wollte Dihana wissen.

»Es wird wohl nur eine kurze Nummer sein.« John grinste. »Haidan hätte die Angelegenheit lieber etwas in die Länge gezogen. Aber hier sind zu viele Leute um das Schiff herum und an Bord.«

»Dann sollten wir mal voranmachen«, sagte Dihana.

»Ja, lasst uns beginnen.«

John ging nach achtern, wo das Steuerrad über das Deck hinausragte. Eine schützende Wand aus Holz und Stahl umschloss das Schiffsdeck, obwohl Dihana Löcher darin entdeckte, die man wohl angebracht hatte, damit das Wasser ablaufen konnte.

Drei Männer umringten John. Er stellte sie einen nach dem anderen vor. »Barclay, mein Erster Offizier.« Der große Mann in der blauen Uniform nickte und schüttelte Dihanas ausgestreckte Hand. »Harrison, Zweiter Offizier.« Dihana schüttelte eine weitere Hand. »Und unser Mungo-Major, Avasa.« Avasa, ein schmächtiger Hindu, verbeugte sich knapp. Haidan hatte in höchsten Tönen von den kämpferischen Fähigkeiten dieses Mannes geschwärmt. Die fünfzehn Mungo-Männer an Bord standen unter seinem Befehl.

Von allen Seiten ertönten Kommandos. John hatte begonnen, die Mannschaft griff sie auf. Taue wurden hin- und hergerückt, und aus den drei Schornsteinen stieg Rauch empor. Schließlich wurde die Vertäuung gelöst, wobei die Seeleute peinlichst darauf achteten, wohin die Taue fielen.

In diesem Moment war Dihana nicht mehr als eine stille Beobachterin. Niemand beachtete sie; jeder war mit seinen eigenen Aufgaben beschäftigt.

Sie verfolgte, wie sie alle ihr Bestes gaben, das Schiff in Fahrt zu bringen. Es suchte sich seinen Weg durch den Hafen und musste dabei verankerten Fischerbooten und großen auf und nieder tanzenden Festmachebojen ausweichen.

Haidan ging weiter nach vorne zum Bug und suchte sich dort einen Platz zum Hinsetzen. Dihana schlenderte über das Deck, sorgfältig darauf achtend, mit ihren Füßen keine der bedrohlich herausstehenden Klampen zu berühren. Sie lehnte sich an die Reling und spürte das glatte lackierte Holz unter ihren Händen.

»Ein außergewöhnliches Schiff«, sagte sie.

Haidan schaute über die glänzende Reling hinweg in das Hafenwasser.

»Hoffentlich außergewöhnlich genug«, sagte er.

Dihana setzte sich neben ihn auf das Dach einer Kabine, nicht weit von einer großen Luke und einer Treppe entfernt, die in die Kabine hinabführte.

»Unsere Hoffnung gründet doch nicht nur hierauf, Haidan. Wir haben Verteidigungsanlagen, mächtige Stadtmauern. Und die Aztecaner werden in ihren Lagern an Krankheiten sterben. Ein Jahr wird es mindestens dauern, bis sie eine Bresche in unseren Verteidigungsring geschlagen haben.«

»Wir nur Zeit gewinnen können. Vielleicht wir halten durch lange genug, bis Aztecaner aufgeben. Aber wenn sie nicht aufgeben, über Berge zu kommen, was bringt Sie auf Gedanken, dass sie sich hier und jetzt geschlagen geben? Wie viele sie wohl opfern, bis wir kapitulieren?«

Dihana schützte sich mit verschränkten Armen gegen den schwachen Wind und konzentrierte sich auf das leichte Zittern, mit dem sich die *La Revanche* vorwärtsbewegte. Plötzlich schien das Schiff zu beben.

Haidan hob den Kopf und lauschte. »Wir jetzt rückwärts fahren.«

Von unten kamen Rufe, drei Schüsse ertönten. Haidan stand auf und stellte sich schützend vor Dihana. Er schaute über die Reling.

»Sie sind überall«, rief er.

Dihana kam herbei und blickte auf das Spektakel hinab.

Die Flottille aus kleinen Barken, Dingis, Leuten in Kajaks und auf Flößen hatte sich vor der *La Revanche* versammelt. Menschen mit Gepäck an ihrer Seite winkten. Mungo-Männer standen an der Reling des Dampfschiffs, die Gewehre im Anschlag.

»Mich mitnehmen!«, schrie eine alte Frau mit einer kleinen Kiste vor ihren Füßen. »Bitte, Frau Ministerpräsidentin, Sie uns nicht verlassen! Aztecaner uns alle töten!«

Jetzt war es mit der Stille vorbei. Die Leute drohten, baten, forderten, bettelten darum, Capitol City verlassen zu dürfen. Manche verfluchten sie und beschuldigten sie, sich absetzen zu wollen, andere saßen nur stumm da und starrten aus leeren, ausdruckslosen Augen zu ihr hoch. Dihana stand an der Reling und hatte Hunderte Einwohner von Capitol City vor sich, die darauf hofften, fliehen zu können.

»Das sieht übel aus«, sagte sie zu Haidan. »Besorgen Sie mir eine Flasche Wein, die ich hier gegen den Bug werfen kann. Wir müssen die Schiffstaufe sofort vornehmen. Und morgen in aller Herrgottsfrühe, vor Sonnenaufgang und ehe irgendjemand mitkriegt, was geschehen ist, muss das Schiff verschwunden sein.«

»Verstanden.« Haidans Locken schaukelten, als er sich umdrehte, um irgendwo eine Flasche mit x-beliebigem Inhalt aufzutreiben. Dann musste der feierliche Akt eben früher als geplant durchgezogen werden.

»Das ist ja eine schöne Bescherung!« Dihana wollte so schnell wie möglich vom Schiff herunter, um den Leuten von Capitol City zu zeigen, dass sie sich nicht auf und davon machte. Mit einer Hand hob sie den Rocksaum hoch, mit der anderen griff sie nach einem dicken Tau, das vom Mast herabhing. Mit einem leichten Ächzer zog sie sich daran hoch, bis sie auf der Reling stand, wo sie jedermann sehen konnte.

»Was Sie tun?«, fragte Haidan.

Das Boot, nicht das Schiff, sagte sie sich, schaukelte. Und

noch nicht einmal stark genug, um sie ins Wasser stürzen zu lassen, wenn sie sich mit festem Griff an das Tau klammerte.

»Wir gehen nirgendwohin«, rief sie so laut sie konnte und benutzte dabei bewusst die andere Ausdrucksweise, um sich bei der Menge verständlich zu machen. Sie fühlte sich wieder wie als junges Mädchen, wenn sie von der Wortwahl, der Grammatik und dem Rhythmus der Sprache ihres Vaters in das Kauderwelsch ihrer Freundinnen verfiel, mit denen sie im Hofgarten spielte. »Niemand verschwindet irgendwohin!«

Die Leute wurden still.

»Dies Schiff hier ist ein *Kampf*schiff«, brüllte Dihana. »Dies kein Fluchtschiff. Verstanden? Niemand hier flieht. Wenn Aztecaner kommen, ich werde auf Stadtmauer stehen und auf sie hinabschauen, genau wie ihr anderen auch.

Aztecaner auf der Suche nach Menschenopfern für ihre Götter. Und ich lasse nicht zu, sie nach Capitol City kommen.

Also, macht keinen Sinn für euch, zu belagern dieses Schiff. Wenn ihr fliehen wollt, da draußen sind die Stadttore.« Dihana deutete landeinwärts. »Oder verschwindet durch Grantie's Arch auf einem eurer Boote. Aber nicht auf diesem Schiff. Dies Schiff hier hat besondere Aufgabe.«

Sie drehte sich um und streckte eine leere Hand aus.

»Geben Sie mir die Flasche!«, forderte sie. Haidan stand unter ihr, und ein leichtes Zucken der Mundwinkel verriet seine Freude. Er reichte ihr eine grüne Flasche Bier.

»Hier!«, brüllte Dihana. »Ich taufe dieses Schiff auf den Namen *La Revanche*. Man mir gesagt, in irgendeiner alten Sprache unserer Vorväter dieses Wort heißt ›Rache‹. Möge dieses Schiff seinem Namen gerecht werden und uns helfen, Angst und Schrecken von Capitol City zu Aztecanern zu bringen!« Sie zerschmetterte die Flasche an der Reling.

Als sie herunterkletterte, ergriff Haidan ihren Arm. »Sie mich erinnern an Ihren Vater. Stets entschlossener Anführer. Niemals gut, ihm in die Quere zu kommen.«

Dihana stieg über die Glasscherben hinweg. Das Letzte, was sie heute brauchen konnte, war, mit ihrem Vater verglichen zu werden. Soviel ihr bekannt war, hatte er vom *Ma Wi Jung* gewusst. Demnach musste er irgendetwas äußerst Wichtiges von den Loa gewollt haben, um gar nicht erst zu versuchen, in den Norden zu gelangen.

Vielleicht war es so etwas wie das, was der Loa John mit auf die Reise gegeben hatte. Haidan hatte ihr erzählt, John habe es in einem Safe in seiner Kabine eingeschlossen, und kein Mitglied der Schiffsbesatzung habe Kenntnis von der Existenz dieses Geräts, mit dem der *Ma Wi Jung* in Betrieb genommen werden konnte. Aber wenn die Loa noch damit beschäftigt gewesen waren, den Apparat funktionstüchtig zu machen, war ihr Vater vielleicht doch nicht so töricht gewesen, wie sie angenommen hatte.

Diese Möglichkeit versetzte ihr einen kleinen Schock.

»Komm, wir müssen schleunigst an Land«, rief sich Dihana selbst zur Ordnung. »Wir sollten dafür sorgen, dass uns so viele Boote wie möglich folgen. Haidan, lassen Sie Ihre Leute unter den Männern auf den Booten da unten Kämpfer rekrutieren. Jeder von ihnen kann uns im Kampf gegen die Aztecaner helfen.«

Haidan stellte den Kragen seines Mantels hoch. »Nun, wir wohl oder übel vertrauen unser Schicksal diesem Schiff an.«

Dihana schaute ihm direkt in die Augen. »Ein Mann, der schon mal im Norden war. Und ein Geschenk der Loa. Wir brauchen nur eine Sache, Haidan, eine einzige Sache.«

Haidan nickte. »Ich weiß.«

Bevor sie das Schiff verließen, blieb Dihana stehen, um noch ein letztes Mal mit John deBrun zu reden. Sie schüttelte ihm die gesunde Hand. Niemand weiß, was auf dieser ungewissen Reise als Nächstes passieren wird, dachte sie. Doch es lag nicht mehr in ihren Händen. Sie mussten erst mal eine Stadt verteidigen.

»Viel Glück, Kapitän«, sagte sie. »Ab jetzt sind Sie auf sich selbst gestellt.«

»Danke, Frau Ministerpräsidentin«, erwiderte John.

Und dann wurde ihr geholfen, das Schiff zu verlassen, begleitet von den Hochrufen der bunten Armada ringsum.

Vierundvierzigstes Kapitel

Die warmen Farben der Morgensonne zogen sich am östlichen Horizont als schmales Band über die Wasserspiegelungen, während in der anderen Richtung noch alles schwarz war, als sie den Hafen verließen. Grantie's Arch glitt an der *La Revanche* vorüber, und die Mannschaft unterhielt sich in verschlafenem Flüsterton, während sie ihrer Arbeit nachging. Eine kleine Feuerstelle verbreitete den Geruch von Kaffee über das Deck.

Dies war genau der richtige Zeitpunkt für die Abreise, dachte John. Er stand in der Ecke des achtern gelegenen Steuerhauses und schaute den beiden Rudergängern zu, wie sie an dem Rad drehten.

In der gesunden Hand hielt er eine Tasse Kaffee, unter den anderen Arm hatte er seinen Haken geklemmt, jedoch so, dass er immer noch sichtbar war. Dieser Haken verschaffte ihm bei den mit dem Segeln vertrauten Fischern, die zur Mannschaft der *La Revanche* gehörten, Respekt und Glaubwürdigkeit. John konnte das nur recht sein.

Das Dampfschiff war schnell. Das Deck zitterte unter ihren Füßen, als sie durch die Hafeneinfahrt von Capitol City rauschten.

Sie kamen heil durch die Barriere aus Wellenbrechern, eine wirre Ansammlung von Felsen, die Grantie's Arch vor den heftigsten Attacken des Nördlichen Meeres schützten. Die *La Revanche* begann zu stampfen.

»Segel setzen!«, befahl John. »Volles Tuch!«

Der Befehl wurde von kratzigen Stimmen weitergetragen. Drei Teams warfen sich in die Takelage und kletterten hoch, um die Segel loszumachen. Das Segeltuch rauschte mit einem angenehm schurrenden Geräusch herab, dann gab es einen Knall, als die Bäume unten angekommen waren.

»Das ist besser«, murmelte jemand. Das Bocken des Schiffes ging langsam in das leichte Schaukeln einer Wiege über, als sich die Segel füllten und sich das Tauwerk knirschend stramm zog. John trank einen Schluck Kaffee. Grantie's Arch machte aus der Ferne den Eindruck, als sei der Bogen gerade hoch genug, um darunter hindurchlaufen zu können.

Ein Fischerboot tanzte in der Nähe kleiner, unterschiedlich gefärbter Vertäubojen auf dem Wasser. Die Fischer unterbrachen das Einholen der Fischreusen und winkten ihnen zu.

Selbst angesichts eines unmittelbar bevorstehenden Krieges gab es noch ein Stück Normalität.

Nach einigen Stunden zügiger Fahrt verschwanden die Mauern von Capitol City hinter dem Horizont. In der Zwischenzeit hatten die Köche einigen Seeleuten bereits ihr zweites Frühstück serviert. Die meisten Mungo-Männer hingen mit dem Oberkörper über der Reling, klammerten sich mit aller Kraft an den letzten verbliebenen Rest Lebenswillen und kotzten sich die Seele aus dem Leib.

Für John war dies nicht das berauschende Abenteuer wie bei seiner letzten Reise vor mehr als zwei Jahrzehnten. Eine Menge Zeit und einschneidende Erfahrungen lagen zwischen damals und heute; sechs Ehejahre alleine mit Shanta plus dreizehn Jahre des Großziehens von Jerome. Die Erinnerungen drohten ihn zu überwältigen. Er schaute auf die wogende See und schob alle Gedanken beiseite.

John fragte sich, ob er im Laufe der Zeit reifer für diesen zweiten Anlauf geworden war oder ob er jetzt zu weich für die Aufgabe sein könnte. Diesmal wusste er um die Gefahren von Eis und Kälte.

Und diesmal ging es um mehr, als er sich jemals hätte träumen lassen.

Fünfundvierzigstes Kapitel

Ein Streuner weckte Dihana im Morgengrauen und teilte ihr mit, die Ratsmitglieder seien geflohen. Sie befahl ihm, sofort Haidan zu holen. Sie brauchte eine Truppe, um die Flüchtigen zu stellen.

Während sie noch ihr zweites Frühstück mit Würstchen, Eiern und etwas frischer Milch einnahm, hatte Haidan die Ratsmitglieder bereits gefangen genommen.

»Wir sie fanden in Tolteca-Town«, sagte Haidan.

Emil war mit Stricken gefesselt. Er saß Dihana am Tisch gegenüber. Sie ließ ihre Gabel sinken. Die anderen Ratsmitglieder standen mit düsterer Miene draußen in der Eingangshalle, Mungo-Männer mit Gewehren im Anschlag ließen sie nicht aus den Augen.

»Aufstehen!«, fuhr Dihana Emil an.

Er gehorchte und schaute sie erschrocken an.

»Lassen Sie sie zum Stadttor schaffen«, sagte sie zu Haidan. »Und dann soll man sie in den Dschungel hinausjagen. Da können sie zusehen, wo sie bleiben.«

»Dihana.« Emil setzte zu einer Rechtfertigung an.

»Für Sie immer noch *Ministerpräsidentin* oder *Frau Präsidentin!*«

Jemand hüstelte.

Haidan rührte sich nicht und schaute zu. »Sie nicht wollen wissen«, sagte er, »was Ratsmitglieder machen in Tolteca-Town? Wir sie finden . . .«

Dihana schüttelte den Kopf, griff nach der Gabel und nippte an der Milch. »Die Kerle interessieren mich nicht mehr, ich brauche sie nicht. Sie haben keinerlei Ahnung von der Technologie der Vorväter. Sie haben ja noch nicht einmal einen Begriff von der Geschichte und den Umständen, die uns hierher führten. Die Konservatoren haben mit ihnen gesprochen, es war fruchtlos. Und das bisschen, das sie wissen, verheimlichen sie mir auch noch.« Dihana zuckte die Achseln. »Deshalb sind sie für mich absolut wertlos.«

»Sie das müssen verstehen.« Emil legte die gefesselten Hände auf den Tisch. »Wir in der Zeit damals waren Händler. Keine bedeutenden Händler nicht. Mancher von uns damals noch ganz jung. Keiner von uns hatte leitende Funktion oder kämpfte beim Militär gegen Teotl. Wir nur einfach hier waren in der Stadt, als das alles passierte. Und wir niemals gingen fort bis jetzt.«

»Erzählen Sie meinetwegen Haidan, was Sie getan oder nicht getan haben. Vielleicht hat der ja ein Herz für Sie und wirft Sie nicht aus der Stadt.«

Haidan schaute finster drein.

»Wir hier reden mit Agenten von Aztecaner«, murmelte Emil. »Geben sie Informationen für Garantie, wir nicht Opfer werden, wenn Armee kommt.« Er hob die Hände hoch und kratzte sich an der Nase.

»Welche Art Informationen?«, fragte Dihana. Dass die Ratsmitglieder jedermann derart hintergangen hatten, verwunderte sie nicht. Sie hatten schon einmal ihre Position erschüttert, und sie wollte nicht zulassen, dass ihr das ein zweites Mal widerfuhr.

»Wir ihnen erzählen, Sie wieder starten Expedition in Norden.«

Dihana aß den Rest ihrer Frühstückseier. »Sie sind ein Verräter!« Wütend knallte sie die Gabel auf den Tisch. »Und jetzt erklären Sie mir auch noch, ein wie übler Verräter Sie sind. Was erwarten Sie von mir?«

»Nein, Sie müssen verstehen«, sagte Emil. »Wir doch schon lange Zeit darüber sprechen. Wir geben Aztecaner keine Information, um Stadt einzunehmen. Deshalb, wenn Stadt gewinnt, wir helfen, und alles ist gut. Aber wenn Stadt nicht gewinnt und fällt ... Sie verstehen? Darum als Erstes wir ihnen erzählt von Expedition in den Norden. Wird wahrscheinlich scheitern genauso wie die andere. Das kein großes Geheimnis. Nur eine Expedition jemals kam zurück, und das nur ...«

»Weil DeBrun sie leitete«, sagte Dihana. »Er leitet auch diese Expedition.«

»Was?« Der Schrecken in seiner Stimme war so echt, dass Dihana zusammenzuckte. Aus der Vorhalle hörte man das Fluchen der anderen Ratsmitglieder.

Emils Knie gaben nach, und er musste sich gegen den Tisch lehnen. »DeBrun lebt«, flüsterte er. »Er lebt!« Dann schaute er hoch.

Jetzt wurde es interessant für Dihana. »Was hat es mit DeBrun auf sich?«

»Er damals Anführer im Kampf gegen erste Teotl«, sagte Emil. »Als er vor zwanzig Jahren kam nach Capitol City, wir dachten, wir in Sicherheit. Dann wir festgestellt, er keine Erinnerung mehr. Nichts bis er ankam in Brungstun, davor alles weg. Wir glaubten, wenn er nach Norden geht, Erinnerung kommt zurück, aber Mission schlug fehl.« Emil sah frustriert aus. »Vielleicht das hilft seiner Erinnerung. Aber er jetzt in großen Schwierigkeiten.«

Dihana stand auf. »Sperren sie die Leute ein!«, sagte sie zu Haidan. »Sorgen Sie bloß dafür, dass sie keine Schwierigkeiten mehr machen können.«

Am Vortag waren Harford und Malair verstummt. Die Aztecaner hatten die Triangel-Linie erreicht. Und jetzt das. Dihana betrat den Balkon und schaute die Straße hinab auf den Hafen. Von hier aus sah sie gerade noch Grantie's Arch, und durch den Bogen erhaschte sie einen Blick auf ein kleines Stück Ozean. Wir streiten uns hier in der Stadt, dachte sie, während die Aztecaner noch nicht einmal in Schussweite der Mauern sind.

Alles Gute euch da draußen!

Dritter Teil

NORDLAND

Sechsundvierzigstes Kapitel

Sie waren jetzt etwas über eine Woche unterwegs. Die *La Revanche* stürmte weiter voran, wobei Woge um Woge des Nördlichen Meeres sie kräftig durchrüttelte. Alle paar Stunden geriet sie ins Schlingern, wenn sie von einer mächtigen Welle im falschen Winkel erwischt wurde, doch der Bug tauchte wieder und wieder auf der anderen Seite dieser Mauer schwarzer Dunkelheit auf, und dann fegte Wasser über das Deck und floss langsam ab.

Es war ein gleichmäßiger Rhythmus, auch wenn John ihn gerne beschleunigt hätte. Jede Woche bedeutete sieben Tage, an denen die Stadt ohne ihn den Aztecanern widerstehen musste.

Zwei Tage hatte es gedauert, bis die Empfindlichsten, die Mungo-Männer, einigermaßen seefest geworden waren. Einen weiteren Tag hatte es gekostet, ehe der letzte unter ihnen sich nicht mehr übergeben musste. Zu diesem Zeitpunkt hatte das Salz aus der Luft bereits alles bedeckt. Die feine Patina glänzender Kristalle erzeugte jedes Mal ein kratzendes Geräusch, wenn jemand mit der Hand über die Reling fuhr.

Mittlerweile hatte wohl jeder eine Vorstellung davon, was eine längere Seereise einem bescheren konnte. Schlechtes Wetter, Stürme und unglaublich hohe Wellen, die einen bis auf die Haut nass werden ließen. Dörrfleisch, Ungeziefer in der Suppe, ständige Jagd auf Ratten im Kielraum. Kakerlaken, Gemüse aus Dosen und lediglich eine Orange pro Tag. Der Ozean war hier mörderisch, nicht mehr die freundliche Erscheinung hinter den schützenden Riffen außerhalb von Brungstun.

John stand oberhalb einer Kajüte, während das Dampfschiff unter seinen Füßen langsam rollte. Oaxyctl kam über das Deck und blieb neben ihm stehen.

»Wie wirst du damit fertig?« John lehnte sich an die Reling, an der entlang er jeden Tag hin und her ging, immer wieder auf und ab. Es war eine spontane Entscheidung gewesen, den Mungo-Mann mit auf die Reise zu nehmen, doch John erinnerte sich noch sehr gut daran, wie Oaxyctl auf der Straße behandelt worden war. An Bord dieses Schiffes würde sich dies nicht wiederholen. Oaxyctl hatte ihm das Leben gerettet, und John schuldete ihm so viel, wie dieser Mann zu akzeptieren bereit war.

»Ich glaube, mein Magen wird mir das mein ganzes Leben lang nicht verzeihen.«

John gab leicht in den Knien nach, um aufrecht zum Horizont zu stehen, und lächelte. Die *La Revanche* schlingerte unter ihm. »Eine Woche noch, dann hast du ...«

Eine kleine gemeine Welle unterbrach den Rhythmus der See, schlug gegen die Bordwand und überschüttete sie beide mit ihrer Gischt. Das Wasser perlte von Johns wasserdichtem Mantel ab, doch einige Tropfen hatten es durch den Kragen geschafft und krochen ihm als winziges Rinnsal den Rücken hinab.

»Oh, ihr Götter!« Oaxyctl klammerte sich an die Reling. »Noch eine Woche!«

»Du gewöhnst dich schon noch daran.« John verschränkte die Arme. Solange man nicht ständig daran dachte, konnte man sich wirklich daran gewöhnen.

»Was tust du denn, um die Zeit herumzukriegen?«, wollte Oaxyctl wissen.

»Knoten.«

»Knoten?«

»Manchen Leuten gelingt es, Bücher mit an Bord zu nehmen. Wenn sie die gelesen haben, verhökern sie die Bücher«, sagte John. »Andere beschäftigen sich mit irgendeinem Kunsthandwerk. Knoten sind dafür kein schlechter Einstieg. Das Schnitzen nackter Frauen aus Fischgräten bietet sich ebenfalls an.«

Oaxyctl schnaubte verächtlich. Er schaute John an, ließ eine

Hand von der Reling los und versuchte es John gleichzutun, indem er sich im Rhythmus des Schiffes mitbewegte.

»Ich glaube, das hier unterscheidet sich nicht so sehr von den Schluchten in den Bergen«, sagte Oaxyctl.

»Auf See ist sich jeder selbst der ärgste Feind.«

»Das ist überall so.« Oaxyctl verlor die Balance und scharrte mit den Füßen. Er starrte durch das Speigatt auf die ständig wechselnde Wasserlandschaft. »Ich bin weit von zuhause weg, John. Sehr weit.«

»Einsam?«

Oaxyctl nickte. »Ich fühle mich, als hätte ich keine Freunde, keine Familie, niemanden, dem es etwas ausmacht, wenn ich von Bord dieses Bootes gespült werde.«

»Es handelt sich um ein Schiff«, korrigierte ihn John. »Aber ja, ich verstehe dich.« Hier draußen konnte man sich vorkommen wie in einem fremden, fernen Land, in dem der Horizont nirgends ein Ende findet, die Landschaft sich ständig verändert und selbst zerstört.

Fremde Welt. Diese Vorstellung sprudelte aus Johns Unterbewusstsein hervor. Es war eines von vielen unterschiedlichen Bildern und Gefühlen, die seit dem Beginn der Reise in ihm aufgetaucht waren. Sie ärgerten ihn. Er hatte versucht, die Bilder von Shanta und Jerome in seinem Kopf zu bewahren. Diese verrückten Gefühle, die sich in der Magengegend festsetzten, beunruhigten ihn. Seitdem er in Brungstun an Land gespült und von Albträumen wachgerüttelt worden war, hatte er derart ausgeprägte Gefühle nie mehr gehabt. Warum ausgerechnet jetzt?

Mit jeder Nacht wurden die Erinnerungen an Shanta und Jerome verwaschener, zerschmettert von den brutalen Albtraumbildern, die damals in ihm herumspukten, bevor er die Familie gegründet hatte. Bilder von dem von Dornen aufgespießten Ei mit dem herabtropfenden Wasser waren Johns häufigster Traum.

Das war es, und dazu ein unaufhörliches Gefühl totaler Einsamkeit in einem dunklen Nichts, das ihn über unvorstellbare Entfernungen hinweg einschloss und das ihn jetzt nachts schweißgebadet aufschrecken ließ.

»Oaxyctl, bitte gib mir eine ehrliche Antwort. Was hat meine Familie in Brungstun zu erwarten?«, fragte John.

»Wenn deine Frau Glück hat, wird sie als Dienerin arbeiten.« Oaxyctl hob eine Hand, um eine Haarsträhne aus dem Gesicht zu wischen. Er blinzelte. Eine neue Welle traf das Schiff, er verlor die Balance und landete mit dem Allerwertesten auf dem harten Deck. John hockte sich neben ihn. »Ich weiß nicht«, fuhr Oaxyctl fort, »was man mit deinem Sohn machen wird. Es gibt einige ... Feierlichkeiten für die Götter, die kurz bevorstehen.«

John setzte sich ebenfalls hin und lehnte den Kopf gegen die Kajüte. »Feierlichkeiten? Dabei werden Menschenopfer dargebracht, stimmt's?«

Oaxyctl antwortete nicht. Doch sein Schweigen war beredt genug.

John knirschte mit den Zähnen. »Warum?«, fragte er. »Warum das Blut?«

»Es ist nicht so, dass sie das Leben hassen. Sie lieben es. Sie schätzen, hegen und ehren es. Es ist die heiligste aller Gaben.«

»Aber warum ...« Weiter weg, unter Deck, ertönte ein schwacher Schrei.

»Was würdest du deinem Gott opfern?«, fragte Oaxyctl. »Den Schlick vom Grund eines Flusses? Oder die heiligste aller Gaben? Ich habe Verszeilen gelesen, in denen geschrieben steht, dass die Hingabe menschlichen Lebens eine heilige Handlung ist. Ist das nicht sogar einer der Lehr- oder Grundsätze jener Christen, die auf dieser Seite der Berge wohnen?«

»Dieser Vergleich ist nun wirklich pervers.« Die *La Revanche* ändert ihren Kurs, dachte John. Das Rollen des Schiffes fühlt sich anders an. Er stand auf.

»Pervers?« Oaxyctl hob die Stimme. »Auf jeden Fall nicht perverser als jede andere Religion. Welche Religion besitzt denn keinen starken Bezug zum Blut? Der Glaube von Vodun und Christentum verlangt doch auch auf die eine oder andere Art nach Blut. Und bei den anderen ebenfalls. Welchen Gott betest du an? Ich bin sicher, dass du dort auch irgendwelchen seltsamen, wenn nicht entsetzlichen Bräuchen begegnen wirst.«

»Ich bete zu überhaupt keinem Gott.« John stand auf und ging in Richtung des Mittelschiffs, um sich zwischen all den Masten und Segeln einen Überblick zu verschaffen. Irgendetwas stimmte da nicht. Eine Welle erfasste die *La Revanche*, sodass sie sich stark auf die Seite legte. Gegenstände schlitterten durch die Gegend und prallten aufeinander. Unten hörte man durch eine der Luken die Seeleute fluchen, irgendwelche Dinge gingen zu Bruch.

Oaxyctl schaute sich um. »Was ist hier los?«

Das ohrenbetäubende Dröhnen einer Explosion im Inneren des Schiffes drang durch die hinteren Luken. John rannte zum nächsten Guckloch. Das Gespräch mit Oaxyctl war vergessen. Er stürzte den Niedergang hinab und stieß unten einen Mungo-Mann zur Seite.

Rauchschwaden quollen ihm entgegen. Hadley, nur mit einer Hose bekleidet und die Pistole in der rechten Hand, fasste John am Arm.

»Ich glaube, wir Mann geschnappt, der das getan«, berichtete Hadley. »Blinder Passagier. Aber Explosion tötete drei Mann von Mannschaft.«

»Wir nicht steuern können!«, schrie jemand inmitten des Rauches. »Haben schweren Wassereinbruch!«

Sabotage.

»Alle Luken offen lassen!« John hustete, die Augen tränten ihm vom Rauch. »Zeigt mir den Kerl, der das getan hat!«

Zwei bullige Fischer in schmutzigen Overalls zogen jemanden herbei, der mit seinen langen Rastalocken wie ein Mungo-Mann aussah.

»Ich kenne Sie!« John hob das Kinn des Mannes an und

starrte ihm in die Augen. »Bei Grantie's Arch, auf der Fußgängerbrücke. Pepper, heißen Sie nicht so?« John versuchte, sich alle Eindrücke ins Gedächtnis zurückzurufen, die er in jener Nacht gesammelt hatte, um zu einer Entscheidung zu kommen.

»Guten Tag!« Pepper zerrte an einem der Fischer und brachte damit auch den anderen ins Wanken. Hadley richtete drohend das Gewehr auf ihn. Pepper schaute sie an. Sein Gesicht war durch das Schießpulver völlig schwarz, die Locken waren angesengt. Offensichtlich hatte er Glück gehabt, die Explosion überlebt zu haben.

Pepper hält sich im Zaum, dachte John. Er konnte es an der Körpersprache ablesen. Dieser Pepper war gefährlich.

Doch das wusste er ja bereits. Er brauchte sich dessen nicht noch einmal zu vergewissern, er hatte es in dem Moment registriert, als er ihn zum ersten Mal gesehen hatte. Sein Bauchgefühl sagte ihm, dass er sich dessen ganz sicher sein durfte. »Legt ihn in Fesseln, und schließt ihn ein! Wir kümmern uns später um ihn.« Augenblicklich gab es Wichtigeres zu tun. Zunächst mussten sie den Schaden so schnell wie möglich beheben, wieder Fahrt aufnehmen. Danach konnten sie sich mit Pepper befassen.

Pepper starrte ihn an.

»Besser wir töten ihn gleich hier«, sagte einer der Fischer.

»Lass dich zu keiner Dummheit hinreißen, John«, sagte Pepper mit eisiger Stimme.

»Ich bin mir nicht sicher, wer Sie eigentlich genau sind«, meinte John bissig. »Sprechen Sie mich daher gefälligst nicht mit meinem Vornamen an! Und duzen Sie mich auch nicht!« Zu Hadley sagte er: »Stecken Sie ihn in den Karzer.«

»Karzer?«

Hadley und John starrten sich an.

»Schließen Sie ihn in einem Raum ein. Egal wo. Sie haben hier doch sicher so etwas?«

Hadley nickte. »In den Karzer«, wiederholte er, das R genüsslich rollend.

Es war ein Wort, das John ganz leicht über die Lippen gekommen war. In den nördlichen Landesteilen scheint man es nicht häufig zu benutzen, dachte John.

»Los, voran!« Hadley richtete das Gewehr wieder auf Pepper.

John ging an ihnen vorbei auf den langsam abziehenden Rauch zu. Im hinteren Teil des Laderaums sprudelte Wasser herein, und John musste bereits durch tiefe Pfützen waten. Zwei blutüberströmte Männer lagen tot auf dem Boden. Einem fehlte das Gesicht, in der Hirnschale befand sich nur noch eine rosa breiige Masse.

»Wer kann lange den Atem anhalten?«, brüllte John. Sie mussten die Reparatur sofort durchführen. Ein Blech galt es zu verschweißen und einige Streben einzuziehen, doch zuallererst musste von draußen etwas über den geborstenen Rumpf gezogen werden, irgendeine wasserdichte Leinwand. John konnte nur hoffen, dass die Explosion nicht Edwards Maschinerie für die Lauffläche zerstört hatte, die sie benötigten, wenn sie im Norden über das Eis fahren wollten.

Und Pepper.

Er würde später mit ihm reden, nachdem er sich um diesen Schlamassel gekümmert hatte.

Siebenundvierzigstes Kapitel

Zwei Mungo-Männer räumten eiligst ein paar Sachen aus dem Segelschaff im vorderen Teil des Schiffes, dann rissen sie Pepper den Mantel vom Leib und warfen ihn zur Seite. Sie holten sämtliche Waffen und Messer zum Vorschein, die sie finden konnten, und warfen sie zusammen mit dem Fernglas auf einen Haufen. Danach banden sie Pepper mit einem Strick die Hände auf den Rücken und stießen ihn in das Schaff. Die aus Latten zusammengezimmerte Tür wurde mit einem Schloss verriegelt, und die beiden Mungo-Männer stellten sich davor, um den Gefangenen zu bewachen.

Ärgerlich.

Pepper lugte durch die Spalten in der Holztür und beobachtete, wie da draußen Männer herumliefen. Die *La Revanche* stampfte wie verrückt, bis John einen Treibanker am Heck des Schiffes auszuwerfen befahl, einen großen aus Leinen gefertigten Fallschirm mit Holzstreben, die das Ganze auseinanderhielten. Dadurch trieb das Schiff vor dem Wind und mit den Wellen.

Zwei Männer mit um die Hüften geknoteten Stricken sprangen über Bord, um Taue und Leinwand zum Abdichten des Lecks herabzulassen.

Pepper spannte seine Muskeln an, und schließlich sprengte er den Strick um seine Arme. Mit den Händen immer noch auf dem Rücken grub er die Finger in seinen Unterarm. Er spürte, wie die Haut Widerstand bot, doch unbeirrt presste er seinen Daumennagel hinein, bis warmes Blut auf das Wirrwarr aus salzverkrusteten Tauen und als Ersatz gedachtem Segeltuch unter ihm tropfte.

Er grub weiter, und endlich spürte er eine scharfe Kante, klemmte sie zwischen Daumen und Zeigefinger und zog ein schmales Röhrchen hervor.

Immer noch blutend nahm er es in seine linke Hand und wartete. Seinen rechten Fuß stemmte er gegen die Unterkante der Tür, jederzeit bereit, sie aufzustoßen.

Der wahre Saboteur würde hier auftauchen müssen, um Pepper zu töten. Doch die simple Pfeilpistole, die er aus seinem Unterarm herausgerissen hatte, sollte genügen, wenn plötzlich unerwünschter Besuch aufkreuzte. Und aus dem Schaff hatte Pepper einen hervorragenden Überblick über das gesamte Deck.

Die Stunden verstrichen. Es sah nicht danach aus, als sollte die *La Revanche* sinken, obgleich Pepper das Schlürfen und Gurgeln der Pumpen, über die das Wasser ins Meer zurückgespült wurde, und das Zischen und Knistern eines Schweißgerätes hörte. Die See hatte sich beruhigt, und es ging auf den Abend zu. Pepper blieb auf der Hut, spähte die ganze Zeit nach draußen und war auf alles gefasst.

Die Person, die sich ihm auf dem Deck näherte, war nicht der Saboteur, sondern John DeBrun. Mit seinem Haken war er unverwechselbar. John hockte sich neben dem Segelschaff hin. »Sie sagten, Sie hätten es nicht getan. Können Sie das beweisen?«

»Welchen Beweis hast du denn, dass ich den Anschlag auf das Schiff verübt habe?«, antwortete Pepper. »Offenbar machte sich niemand die Mühe, darüber auch nur nachzudenken.«

Pepper hatte sich unten im Schiff in der hintersten Ecke des Laderaums verschanzt, in der Nähe der Kabel des Steuerruders, als sich ein Mitglied der Schiffsbesatzung herangeschlichen und zwischen Ruder und Bordwand etwas angebracht hatte.

»Richtig«, sagte John. Pepper konnte lediglich dessen Augen sehen. »Aber Sie sind zweifellos ein blinder Passagier.«

Pepper bewegte sich, den rechten Fuß immer noch an der Tür, die Pfeilpistole schussbereit in der Hand. Das Blut an seinem Arm war getrocknet und geronnen. Die Haut um die klaffende Wunde herum spannte sich und vibrierte im Selbstheilungsprozess. »John, du hast Probleme. Du bist meinetwegen beunruhigt, aber in Wirklichkeit bin ich der Allerletzte, dessentwegen du dir Sorgen machen solltest. Du hast hier Leute an Bord, die mit aller Macht zu verhindern suchen, dass du dein Ziel erreichst. Und dann gibt es da noch ein weit größeres Problem, das dir den Hintern kosten kann.«

»Und das wäre?«

»Hier draußen schwirren aztecanische Schiffe herum, die Jagd auf dich machen. Diese Bombe sollte eigentlich erst ein paar Tage später hochgehen, wenn wir näher an den Lantails sind.« Pepper war total erschöpft aufgewacht und hatte den ersten Seemann überrascht. Er hatte ihn getötet, doch es war ihm nicht gelungen, den zweiten zu erwischen, bevor die Bombe hochgegangen war. Die Gehirnerschütterung machte Pepper immer noch zu schaffen. Und jetzt war seine Situation noch komplizierter geworden. Das stank ihm.

»Die Aztecaner verfügen über keine Schiffe, mit denen sie sich auf den Ozean wagen würden.«

»Sie tun es aber«, sagte Pepper. »Die Teotl haben ihnen geholfen.«

»Und woher wissen Sie das alles?«

»Kneipen.«

»Kneipen?«

»Kneipen sind die erste Adresse, wenn man auf der Suche nach Informationen ist, John. Eigentlich solltest du das noch wissen. Mit eigenen Ohren habe ich den ganzen Klatsch und Tratsch gehört, die Wahrheit, ausgeplauderte Geheimnisse in Suff und Prahlerei: Auf den Inseln der Lantails sind zwei hochseetüchtige Fischerboote verschwunden, und Fischer aus Capitol City haben ein eigenartiges, ganz neu aussehendes Schiff gesehen. Sie baten um Begleitschutz, doch niemand schenkte ihnen Glauben. Und dann ist da noch die Geschichte mit dem Teotl, den ich in Capitol City gefangen genommen und gefoltert habe. Er gestand, dass hier draußen drei große Schiffe auf dich warten, John.«

»Sie versuchen, uns zur Rückkehr zu bewegen und unsere Pläne aufzugeben.«

»Wenn ich das vorhätte, hätte ich in den ersten Nächten auf See jeden an Bord getötet und das Schiff in Brand gesteckt. Vielleicht erinnerst du dich nicht mehr, aber achte auf meine Stimme, und dann sag mir, ob du mir das zutraust oder nicht.« John schwieg. »Doch zurück zu den Schiffen«, fuhr Pepper fort. »Wenn sie uns zu stoppen versuchen, solltest du mich freilassen. Sie werden das Schiff nicht versenken; sie wollen es entern. Sie wollen dich gefangen nehmen.«

»Sie kommen nicht frei!«

»Auch gut. Ich habe unendlich viel Zeit in eng begrenzten Räumlichkeiten verbracht . . . und habe mich daraus immer wieder befreit. Bitte sorge nur dafür, dass ich anständig zu essen bekomme.«

»Woher kennen Sie mich?«, fragte John. »Ich meine, wo sind wir uns wirklich begegnet?«

Pepper steckte einen Finger zwischen den Latten hindurch und wackelte damit. »Wenn ich dir das erzählen würde, ohne dass deine Erinnerungen dich leiten könnten, das Ganze einzuordnen, würde sich deine Reaktion gegen mich richten. Du würdest mich für geisteskrank erklären. Wie die Dinge jetzt stehen, haben wir bereits genug Schwierigkeiten. Warum da noch etwas draufsetzen?«

Was sollte er auch sagen? Hallo, John, du bist übrigens ein paar hundert Jahre alt. Früher bist du zwischen den Sternen gereist, während du jetzt in einem dampfspuckenden Spielzeugbötchen herumtuckerst, auf einem winzigen Planeten, fernab und abgeschnitten vom Rest der menschlichen Rasse.

Nein, er musste warten.

»Wie sind Sie an Bord gelangt?« John verschränkte die Arme, sodass der Haken deutlich sichtbar war. »Wir hatten Wachen aufgestellt, die *La Revanche* war durch andere Schiffe hermetisch abgeriegelt.«

»Ich bin geschwommen.« Pepper hatte das Unterseeboot des Teotl am Grund des Hafens verlassen, war neben dem Schiff aufgetaucht, hatte sich hochgehangelt und dann an Bord geschmuggelt.

»Woher nehmen Sie die Sicherheit, dass ich Sie nicht jetzt schon für verrückt halte?«

Pepper zog seinen Finger zwischen den Latten zurück und ordnete die Taue hinter sich, sodass er sich bequem zurücklehnen konnte. Er sah, wie John aufstand, sich umdrehte und weggehen wollte.

»Übrigens, John, Jerome geht es gut.«

John schoss herum und drohte Pepper mit dem Haken. »Wenn Sie ...«

»Er ist bei den Frenchies. Dort ist er in Sicherheit.« Pepper machte es sich in der Dunkelheit des Schaffs noch bequemer.

»Und Shanta?«

»Deine Frau? Ich bin ihr nicht begegnet. Tut mir leid.«

John stellte sich an die Reling, Pepper den Rücken zugewandt. »Ich schwöre Ihnen, Pepper, wenn Sie sich einen Scherz mit mir erlauben, werfe ich Sie eigenhändig über Bord.«

»In Ordnung.«

John ließ die Reling los und ging davon. Pepper lehnte sich zurück, um ein kurzes Nickerchen zu machen, doch wie immer blieb eine Hälfte von ihm in Alarmbereitschaft. John deBrun hat wirklich alles komplett vergessen, dachte Pepper, während er wegdöste. Dabei war diesem John wahrlich zuzutrauen, dass er zu derart drastischen Maßnahmen greifen würde.

Pepper hatte fast 298 Jahre in einer Falle verbracht, in einem totenähnlichen Fluchtkokon, bevor er auf Nanagada gelandet war. Sie beide, John und er, waren auf den Impuls vorbereitet gewesen, der die Zivilisation ausgelöscht hatte. Entweder dieser Impuls oder die Teotl hätten sich ihrer bemächtigt. Sie hatten sich auch darauf vorbereitet, dass die Rückreise von den zerstörten Spirallöchern in winzigen, kaum funktionierenden Raumfahrzeugen, deren Hülle sie mit einer Schutzschicht gehärtet hatten, um den Impuls zu überleben, etliche Jahrzehnte dauern würde. Doch die Sache ging schief, und aus den Jahrzehnten wurden Jahrhunderte. Zum Glück verfügten sie beide über die erforderlichen Modifikationen, und in den Raumschiffen befanden sich die Möglichkeiten eines beständigen Recycling, sodass sie diese unglaubliche Zeitspanne zu überstehen vermochten.

Doch Pepper war darüber fast wahnsinnig geworden. Und offenbar hatte John genauso gelitten.

Pepper hatte nach seiner Landung auf Nanagada Monate damit verbracht, sich mit den Veränderungen vertraut zu machen und nach John zu suchen. Als er in Brungstun angekommen war, glaubte er, sein Ziel erreicht zu haben, stattdessen waren die Aztecaner einmarschiert. In Capitol City glaubte er, mit dem Auffinden von John habe die Suche ein glückliches Ende gefunden, und dann stellte sich heraus, dass John sich an nichts mehr erinnerte.

Jetzt befand er sich mit John auf einem Dampfschiff Richtung Norden, doch John hatte keine Ahnung, warum das Ganze so eminent wichtig war.

Anscheinend aber hatten die Loa noch Kenntnis vom *Ma Wi Jung* und daher für eine Expedition gesorgt. Dass sie John ausgewählt hatten, um diese zu leiten, wies darauf hin, dass sie einiges über seine Vergangenheit wussten. Die Teotl wussten ebenfalls einiges über John. Und Pepper wusste eine Menge über John. Jeder wusste etwas über Johns Vergangenheit – mit Ausnahme von John.

Es war schon verdammt ärgerlich, John endlich lebend aufgetrieben zu haben und feststellen zu müssen, dass er weder ihn noch sich selbst kannte.

Dennoch, die richtigen Leute waren unterwegs zu den richtigen Orten. Daher konnte Pepper auf seinem Polster aus Tauen zufrieden einnicken und der Dinge harren, die da kommen sollten.

Achtundvierzigstes Kapitel

Haidan ging mit Dihana die unbefestigte Straße zu einem der großen Torbögen hinunter, durch die man aus Capitol City hinaus in die umliegenden Städte und Wälder kam.

»Als ich noch ein kleines Mädchen war«, sagte Dihana mit einer weitausholenden Handbewegung, »habe ich mich immer heimlich davongeschlichen, um das hier alles zu erkunden. Es ist wunderschön.«

Haidan schaute sich um. »Vor kurzer Zeit noch wollten errichten neues Walzwerk für Stahl«, sagte er mit einer Spur von Trauer in der Stimme. »Jetzt damit aufgehört und gekommen innerhalb Stadtmauer und vorbereiten auf Angriff von Aztecaner.«

Vor der Bedrohung durch die Aztecaner hatten sie sich wegen derartiger Fragen des technischen Fortschritts in der Wolle gehabt. Dihana zeigte sich begeistert davon, dass die Stadt ihre Enge sprengte und die Halbinsel mehr und mehr bevölkerte. Haidan liebte den Dschungel und machte sich Sorgen, wie die Siedlungen außerhalb der Stadtmauern verteidigt werden sollten. Doch jetzt hatte Haidan ein Interesse daran, über zusätzliche Luftschiffe zu verfügen, und er wollte Tests mit den fahrbaren Geschützen auf den hohen Mauern durchführen. Ihm war daran gelegen, dass die Schützen zu Beginn der Kämpfe freie Sicht auf die Aztecaner hatten. Dihanas Fabriken sollten mehr Gewehre, mehr Munition produzieren.

Die Gegend um Capitol City hatte gespenstische Formen angenommen. Der reinste Albtraum. Männer waren schichtweise damit beschäftigt, die Bäume zu fällen, um rund um die Mauern ein ungehindertes Schussfeld zu schaffen. Bogenförmige Schützengräben wurden Zoll für Zoll um die Stadt gezogen. Haidan hatte drei Zonen mit Ausweichschützengräben entworfen, dazwischen lag freies Schussfeld mit Sprengladungen und pyrotechnischen Überraschungen. Überall waren lange Stacheldrahtzäune zwischen starken spitzen Pfählen gespannt.

Ganze Karawanen von Nanagadanern wälzten sich auf den von Mungo-Männern bewachten Straßen durch die Verteidigungsanlagen und mit Eisenspitzen bewehrten Tore, um in den Mauern von Capitol City Schutz zu suchen. Tausende kamen immer noch täglich. Und jedes Mal, wenn Haidan glaubte, die Kapazitäten zur Aufnahme weiterer Flüchtlinge seien endgültig erschöpft, fand Dihana irgendwo einen Ausweg.

»Wie viele Tore sind geschlossen?«, fragte Dihana.

»Die Hälfte«, sagte Haidan. Darüber warteten Granatwerfer, Kanonen und Gewehre auf ihren Einsatz zur Verteidigung der Anlage. »Am Ende dieses Tages nur noch zwei Tore sein offen.« Die nördlichste Zufahrt, durch die eine schmale Straße führte, würde es den Soldaten erlauben, zu den Schützengräben zu gelangen. Die südlichste Öffnung barg größere Risiken, denn dabei handelte es sich um ein großes Eisenbahntor. Züge sollten hier unter schwerer Bewachung die Stadt verlassen und wieder in sie zurückkehren können.

»Wie lange werden die feindlichen Truppen brauchen, um die Tore einzunehmen?«, fragte Dihana.

Schwer zu sagen. Haidan schaute auf das, was als Schlachtplan für seine Mungo-Männer in der Landschaft reale Formen angenommen hatte. »Einen Monat, wenn alles gut läuft«, schätzte er. »Und sie dabei viele Männer verlieren. Wir ziehen uns zurück, verlieren auch Männer, aber hier wir sind stark.« Die Aztecaner würden über die nördliche Eisenbahnlinie heranrücken, und Haidan beabsichtigte, sie dort festzunageln. Zusätzlich zu den Schützengräben hatte er das Gebiet zwischen der nördlichen und der südlichen Bahnlinie fluten lassen. Außerdem hatte er entlang der südlichen Strecke Männer postiert, um die Gleise unter Kontrolle der Stadt zu halten. Diese starke Bewachung der südlichen Linie im Verbund mit den gefluteten mittleren Abschnitten sollte die Aztecaner zwingen, sich über die nördliche Eisenbahnstrecke voranzukämpfen. Genau das aber wollte Haidan nutzen. Und solange die südliche Strecke noch befahrbar war, konnten Freiwillige und, was erheblich wichtiger war, Vorräte wie Nahrungsmittel und Material aus den südlichen Küstenstädten Linton oder Hawk's Nest herangeschafft werden.

Die klügsten Köpfe von Capitol City hatten beratschlagt, wie man die Stadtmauern am besten verteidigen konnte. Unter der Leitung von Dihana und Haidan hatten sie Pläne ausgearbeitet, die sicherstellen sollten, dass beim Versuch, das Feld vor Capitol City zu überwinden, möglichst viele Aztecaner ausgeschaltet würden. Wenn Haidan diese Schlacht den Plänen entsprechend im Griff behalten sollte, musste es ihm gelingen, die Aztecaner sehr viel länger als einen Monat von den Mauern fernzuhalten. Vielleicht zwei oder gar drei Monate. Und wenn man sie erst einmal gezwungen hätte, ihre Lager entlang der Mauern aufzuschlagen, würde es zum reinen Wartespiel. Dann war nur noch die Frage, wer als Erster verhungerte.

Haidan machte sich Sorgen wegen der Bedrohung aus der Luft. Zahlreiche aztecanische Luftschiffe waren über die Berge gekommen und begleiteten die vorrückende Armee. Sie versorgten diese und wiesen ihr den Weg, wodurch sie die Einnahme der Küstenstädte beschleunigten. Haidans Luftaufklärer berichteten von einer kilometerlangen Schlange knallbunter aztecanischer Luftschiffe, die über den endlosen Kolonnen aztecanischer Truppen entlang der Triangel-Linie in der Nähe von Petite Mabayu schwebten, auf halbem Wege nach Capitol City. Diese Luftschiffe waren auch in der Lage, die Mauern von Capitol City zu überfliegen und Bomben abzuwerfen. Im Verlauf der Kämpfe konnten sie sogar Krieger in der Stadt selbst absetzen. Haidan versuchte, mit den wenigen vorhandenen Raketen etwas dagegenzusetzen. Seine eigenen Luftschiffe waren jetzt ebenfalls mit Waffen ausgerüstet.

»Wir bei Rückzug viele Männer verloren«, sagte er, während er mit Dihana unter der dicken Mauer hindurchlief. »Männer immer noch im Busch und verstecken sich. Viele wahrscheinlich tot. Ich werde verrückt, wenn ich über alle Möglichkeiten nachdenke, wie Aztecaner in Stadt gelangen können.«

»Ja«, stimmte Dihana ihm zu.

»Jemand sagen, wir brauchen spezielles Geschütz auf Mauer, um Hafen zu bewachen.«

»Den Hafen?« Dihana schüttelte den Kopf.

»Ich glaube nicht, wir brauchen dort irgendwas. Kein Mensch jemals etwas gehört von aztecanischem Schiff. Trotzdem ich habe aufstellen lassen kleines Geschütz.« Haidan ging weiter. »Und wenn nötig, wir dort auffahren mehr Geschütze.«

Dihana nickte. »Für den Fall der Fälle kann ich ja ein paar Beobachtungsposten einrichten.«

»Das ist gut.« Haidan zog ein Taschentuch hervor und hustete hinein.

Dihana blieb stehen. »Ist mit Ihnen wirklich alles in Ordnung?«

Haidan blieb ebenfalls stehen, wischte sich den Mund ab und ging dann weiter. Er wollte nicht, dass Dihana erfuhr, wie schlimm es um seinen Husten stand. Er blieb von Tag zu Tag länger auf und zwang sich, Pläne für jede erdenkliche Eventualität zu entwerfen. Und die Durchführung delegierte er, damit er für den Fall, dass er sterben sollte, das für ihn Mögliche getan hatte.

»Ja.«

Zu Wasser, zu Land, in der Luft.

Am schwersten jedoch fiel ihm das Warten. Das angespannte Hinaufschauen zum Himmel, der besorgte und müde Gesichtsausdruck auf allen Gesichtern. Haidan konnte nicht umhin, die gelegentlichen nervösen Blicke der ganz gewöhnlichen Passanten in den Straßen der Stadt hinüber zum Rand des Dschungels zu bemerken. Und vor dem Dschungel breitete sich dieser gut einen Kilometer breite Streifen nackter brauner Erde aus.

Das Beste, was er jetzt tun konnte, so viel war Haidan klar, war, weiter aktiv zu bleiben.

Neunundvierzigstes Kapitel

John saß zusammen mit Oaxyctl am Heck des Dampfschiffes. Der Mond blieb durch bedrohlich wirkende Wolken verdeckt. Vom Baum des Besanmastes baumelte eine Lampe herab und verbreitete ihr Licht im Takt des leichten Schwankens der *La Revanche*.

»Knotenzauber«, sagte John. Immer wieder neue Knoten, durch die er sich die Zeit zu verkürzen suchte, die seit Tagen nur noch quälend langsam verstrich. Er überlegte, wie nahe die Aztecaner Capitol City inzwischen gekommen sein mochten. »Seeleute knüpfen schon seit Jahrhunderten ihre besonderen Knoten. In allen erdenklichen Welten.« Er hielt ein zwei Meter langes und ein Zoll dickes Tau hoch. »Zumindest behaupten sie dies.« Hier nur vor sich hinzutreiben und auf das Ende der Reparaturarbeiten warten zu müssen verursachte ihm vor Ungeduld Bauchschmerzen.

»Ich kenne ein paar Knoten.« Oaxyctl hob sein Stück Tau hoch.

»Aber kennst du auch viele der auf einem Schiff benutzten Knoten?«

Oaxyctl zuckte die Achseln.

John nahm das eine Ende des Taus in die Hand. »Dies nennt man das Arbeitsende.«

»Das Arbeitsende. Und das andere Ende?« Oaxyctl deutete auf das Tauende zu seinen Füßen.

»Stehender Part.«

»Arbeitsende und Stehender Part.« Oaxyctl warf das Ende über das Tau und zog es durch die Schlaufe. »Das ist ein guter Knoten.«

»Ein Einfacher Überhandknoten. Damit fangen die Kinder an«, gluckste John. »Damit kannst du dir die Schuhe zubinden. Wenn man zwei Taue miteinander verknüpfen will, ist das in Ordnung, aber für ein einzelnes Tau ziemlich unbrauchbar.«

»Oh.« Oaxyctl schaute auf den Knoten hinab, als handle es sich dabei um eine Schlange, die ihn beißen wolle.

»Dies hier ist ein Knoten, den du unbedingt beherrschen solltest.« John streckte seinen Hakenarm aus. Er nahm das Tau, legte es über den Arm, führte es darunter hindurch in einer Schlaufe wieder auf sich zu, kreuzte es über die Schlaufe, schlang es um den Arm und steckte es durch die so entstandene neue Schlaufe. Dann zog er an beiden Enden. »Der Webeleinstek.«

»Den hat man mir im Hafen für die Fender gezeigt, die außen am Schiff herabhingen.« Oaxyctl zurrte sein Tau an der Reling fest.

»Schön zu sehen, dass du die Dinge so schnell lernst.« John löste das Tau von der Reling. »Der folgende ist einer der Lieblingsknoten unter den Seeleuten.« Für einen kurzen Moment hielt er das Tau in seinen Händen. Er war nie dazu gekommen, Jerome das kleine Kunststück zu zeigen. Er hätte es tun sollen. Doch das Segeln war immer wichtiger gewesen, der Spaß hatte Vorrang gehabt.

Er schaute über das Deck zum Schaff hinüber. War Jerome wirklich in Sicherheit?

»Alles in Ordnung?«, fragte Oaxyctl.

»Ja.« John schaute wieder auf das Tau hinab. »Gut. Den nächsten Knoten mache ich mit nur einer Hand. Man nimmt das Ende, macht eine Schlaufe und legt sie über das Tau. Dann führt man das Ende von unten durch die Schlaufe, wobei man hinten eine größere Schlaufe offen lässt. Danach schlingt man das Ende um den oberen Teil des Taus und schiebt das Ende von hinten durch die erste Schlaufe.« John hielt die größere Schlaufe mit dem Haken und zog den Knoten fest. »Die Schlaufe sitzt jetzt bombensicher. Besonders geeignet für Anker und Schleppseile. Der Grund dafür, dass wir ihn so mögen, ist«, John zog am Knoten, und dieser fiel auseinander, »dass er sich nicht selbst zusammenzieht. Dadurch können wir ihn leicht lösen.«

»Verstehe.«

»Wir nennen ihn Palstek.« Das auf seinem Haken drapierte Tau wirkte wie eine bleiche, biegsame Schlange.

Oaxyctl machte die Bewegungen nach.

»Das Arbeitsende muss hinten wieder durchgesteckt werden – ja, genau so.« John schaute prüfend zu.

Barclay erschien in seiner nassen und abgenutzten blauen Uniform und hockte sich neben sie. »Knotenzauber?«

»Ja.« John nickte. »Palstek.«

»Das prima Sache.« Barclay lachte. »Mr. deBrun, wir sind fertig mit dem Aufschweißen der Bleche und ziehen jetzt schon Leinwand hoch.«

»Sehr gut, ausgezeichnet!«, sagte John erfreut. »Und wird es halten?«

»Ja. Wir absichern mit zusätzlichem Querbalken, nehmen Ersatzbaum dafür. Drücken dagegen.«

»Sehr gut! Und die Seile des Steuerruders?«

»Sind fertig. Und halten.«

John klopfte dem Ersten Offizier auf die Schulter. »Dann lasst uns mal wieder Fahrt aufnehmen. Jetzt, direkt. Wir haben keine Zeit zu verlieren.«

Barclay lief davon, und John ging zum Steuerhaus. »Segel setzen!«, befahl er. Die Seeleute, die bis dahin an der Reling herumgegangen oder auf den Kajütendächern ein Nickerchen gehalten hatten, rührten sich, standen auf und rieben sich die Augen. »Treibanker einholen! Bewegung, meine Herren, Bewegung!«

Endlich ging es vorwärts. Das war gut. Sie hatten wirklich keine Zeit zu verlieren.

Sehr viel später, nachdem John einige Männer ins Krähennest hinaufgeschickt hatte, um mit Ferngläsern den Horizont abzusuchen, schaute er unten in einer der vorderen Kajüten der Mannschaftsquartiere bei Oaxyctl vorbei. In der Kombüse musste er sich an dampfenden Herden entlangschlängeln. Der durchdringende Geruch von Erbsensuppe machte die schwere Luft im Unterdeck noch unerträglicher.

Zwischen lauter beständig hin und her pendelnden Hängematten mit schlafenden Männern darin fand er Oaxyctl unter seiner schlaff herabhängenden Liegestatt sitzend. »Hallo.« John ließ sich auf den Boden fallen und lehnte seinen Kopf an den Schiffsrumpf, während Oaxyctl das Stück Tau aus der Hand legte.

»Tut mir leid, dass ich etwas barsch reagiert habe, als wir uns damals über die Aztecaner unterhielten.« John spürte das Neigen des Schiffes, wenn es sich über die Wellen schob. Im gleichen Rhythmus fing alles zu knacken und zu knarren an. »Seit dem Einmarsch der Aztecaner war ich nur noch gehetzt. Ich bin nie richtig zur Ruhe gekommen und hatte keine Zeit zum Nachdenken.«

Oaxyctl legte die Hände übereinander und schaute John an.

»Ich will ehrlich sein«, fuhr John fort. »Ich weiß ... lediglich ein paar Dinge über die Aztecaner. Vermutungen. Gerüchte aus dritter Hand, Vorurteile. Aber ich bin den Toltecanern begegnet, habe sie kennen gelernt. Und dich. Deswegen weiß ich auch, dass es einen Weg der Verständigung geben muss. Wir müssen eine gemeinsame Basis haben. Habe ich Recht? Es sind nur diese Berge, die uns trennen.« John bewegte sich und lehnte sich auf den gesunden Arm. Er fixierte Oaxyctl. »Wie lebt es sich auf der anderen Seite der Berge, Oaxyctl?«

»Es ist das Land der Götter.« Oaxyctl sprach leise und langsam, tief unten im Bauch des Schiffes, umgeben von schlafenden Männern in ihren Hängematten. »Die Götter werden prächtig ausstaffiert in einer Prozession durch die Straßen getragen. Dann geht es hoch hinauf zu den Pyramiden, wo das Blut der zu ihren Ehren Geopferten die Treppenstufen hinabfließt.« Oaxyctl lehnte sich zurück und schloss die Augen. Er lächelte. »Dort sind alle Menschen hellbraun, wie Bronze, und mandeläugig. Mit glatter, weicher Haut, wunderschön getönt. Kannst du dir vorstellen, dass ich selbst die Strichmädchen vermisse, wie sie ihr Nahuatl kauend die Straße am Seeufer bevölkern?«

John bewegte sich vorsichtig, um Oaxyctl nicht zu unterbrechen.

»In Capitol City herrscht Angst«, fuhr dieser fort. »Und das zu Recht, denn die Priester sind bereits erschienen und haben die Stadt zur Kapitulation aufgefordert. In Kürze werden die ersten Wellen von Kriegern eintreffen, um möglichst viele Nanagadaner gefangen zu nehmen und zu Sklaven zu machen. Manchen Gefangenen wird die größte Ehre zuteil, indem sie geopfert werden. Capitol City wird eingenommen werden. Durch diese neuen Opfer wird die Sonne verpflichtet werden, sich wieder zu erheben, und das Getreide wird üppige Ähren hervorbringen.«

»Bist du dir wirklich sicher, dass sie die Stadt erobern werden?«

»Ja.« Oaxyctl hielt die Augen geschlossen, in Gedanken war er in einem anderen Land.

»Wieso?«

»Weil sie die Besten sind. Seit Hunderten von Jahren bekämpfen sie einander in den Blumenkriegen. Alle sieben Königreiche tun dies. Ein ums andere Mal. Wir nehmen die Priester gefangen, zeigen damit, wessen Gott der mächtigere ist, und schleppen die Gefangenen zu den Altären, um deren Blut zu opfern. Oder wir nehmen sie als Diener in unser Haus. Jetzt aber marschieren all diese sieben Königreiche vereint auf Capitol City zu.«

»Und warum ausgerechnet jetzt? Genügen den Göttern die Blumenkriege nicht mehr? Was haben wir getan, womit haben wir all dies heraufbeschworen?«

»Die Götter verlangen es«, sagte Oaxyctl schlicht. »Das genügt.«

»Welche Götter? Jene, die in den Blumenkriegen gefangen genommen werden, wie du mir damals erzählt hast? Was geschieht mit ihnen? Verfolgen all diese Götter dasselbe Ziel? Wie regieren sie eigentlich? Wie ...«

»Sterbliche stellen den Göttern keine Fragen. Die Götter reden und verhandeln miteinander. Die Götter bestimmen über unser Schicksal.« Oaxyctls Stimme begann zu zittern. »So sind das Land und die Menschen«, sagte er, öffnete die Augen und schaute sich um. »Dort drüben, auf der anderen Seite der Wicked Highs. So lebt es sich dort.«

»Es war einmal dein Land«, sagte John. »Jetzt nicht mehr.«

»Stimmt. Aber ich vermisse es immer noch.«

John streckte den Arm mit dem Haken aus und berührte Oaxyctls Schulter. »Das muss ziemlich hart sein.«

»Das ist es. Sehr hart sogar.«

»Immerhin aber gibt es für dich ein Leben, an das du dich erinnern kannst. Für mich gibt es nichts, zu dem ich in Gedanken zurückkehren kann, wenn ich nachts wach liege. Und das Leben, das ich mir jetzt eingerichtet habe, wurde mir genommen.«

Beide schwiegen. Die *La Revanche* tauchte in die Wellen, kämpfte sich vorwärts und ließ das Meerwasser durch die Speigatte wieder abfließen. Wenn die Wolken den Mond nicht verdeckten, warf dieser sein Licht durch die Luken und Bullaugen. Meist aber versank alles in pechschwarzer Dunkelheit.

Fünfzigstes Kapitel

Der Seegang beruhigte sich. Das Dampfschiff stürzte sich nicht mehr mit dem Bug voran in die Wellentäler eines brutalen Nördlichen Meeres, sondern suchte sich seinen Weg durch die schmalen Streifen weißer Gischt, die vom heftigen Wind aufgeworfen wurde. Eine vereinzelte Seemöwe stieß neben *La Revanche* in die niedrigen Wellen herab. Ihr Schnabel fasste blitzschnell zu, und als sie sich wieder in die Lüfte erhob, zappelte ein silbern in der Sonne glänzender Fisch darin.

»Ich sehe ein Riff.« John hielt ein Fernrohr aus Messing an sein linkes Auge und stützte es mit der Spitze seines Hakens. Dann reichte er es Barclay hinüber.

Barclay schaute angestrengt hindurch. »Ja, das sieht so aus.«

»Gut, sehr gut!« John lächelte. Barclays blaue Uniform war immer noch zerlumpt und schmutzstarrend. »Haben Sie schon mal die Lantail-Riffe passiert?«

»Einmal ich sie gesehen, ich kenne Riffe.«

»Dann übernehmen Sie das Ruder. Steuern Sie uns direkt durch den mittleren Kanal.« Wenn sie die Inseln zu umfahren versuchten, bestand immer die Gefahr, dank ungenauer Seekarten auf verborgene Unterwasserriffe aufzulaufen. Das Gebiet um die Inseln selbst und der Kanal waren erforscht, und so bot sich hier die sicherste Durchfahrt. »Ich steige ins Krähennest.« John ging über das Deck, schwang sich auf die Reling, griff nach den Tauen und begann zu den Männern im Ausguck hinaufzuklettern. Diese beobachteten, wie er seinen Haken einsetzte, um sich zwischen den Tauen hochzuhangeln, und reichten ihm schließlich die Hand, damit er hineinklettern konnte.

»Eine tolle Aussicht von hier oben, was?« John stellte sich neben sie.

»Ja, aber sieht aus nach verdammt viele Riffe hier in Gegend.«

In der Ferne tauchten die zerklüfteten Hügel der Lantails auf, und das Wasser ging dort, wo sich die ersten Untiefen zeigten, von dunklem Blau in ein helleres Aquamarin über. John blieb bei seinen Leuten im Ausguck, bis sie die schwierigsten Passagen der Riffe hinter sich gebracht hatten. Wenn das Schiff den braunen Flächen von Korallenbänken und Felsen zu nahe kam, brüllten sie ihre Warnungen nach unten.

Als sie die Mitte des Kanals erreicht hatten, erhoben sich zu beiden Seiten die Küsten der Inseln.

Die Lantails. Somit hatten sie mehr als ein Drittel der Strecke geschafft. Sie kamen gut voran.

Als John zu Beginn ihrer letzten Expedition Steuermann gewesen war, hatten die Lantails das Ende ihrer Seekarten bedeutet: Dies war der Ort, wo die größten Fischerboote ihren Fang beendeten und zurückkehrten. Die Riffe erstreckten sich dahinter Kilometer um Kilometer, berüchtigt als Grab übermütiger Entdecker des hohen Nordens.

Bevor sie die Passage zwischen den Hügeln der Lantails verließen, musste John noch eine andere Entscheidung treffen.

Er stieg aus dem Krähennest hinab.

Als seine Füße das Deck berührten, ging er nach vorne zum Bugspriet. Die beiden Mungo-Männer, die an der Holztür des Segelschaffs mit freiem Oberkörper Wache hielten, sprangen auf und salutierten.

»Pepper, sind Sie da?« John bog die Latten mit der Hand auseinander. »Pepper?«

»Ich bin hier«, sagte Pepper.

»Wir haben die Lantails erreicht.«

»Nicht schlecht.«

John hockte sich vor die Tür und schaute hinein. Zwischen den schmalen Holzbrettern konnte er nur dunkle Schatten erkennen.

»Was soll ich denn nun mit Ihnen anstellen?«, fragte John. »Sie sagen, Sie seien nicht derjenige, der den hinteren Teil des Schiffes in die Luft gesprengt hat. Sie sagen, meinem Sohn gehe es gut. Und Sie scheinen gut über alles informiert zu sein, was sich um uns herum abspielt.« John schaute sich um. »Was halten Sie davon, wenn ich Sie auf diesen Inseln zurücklasse?«

»Das wäre äußerst unklug. Wenn ihr überleben wollt, braucht ihr mich.«

»Wirklich? Wartet etwa eine weitere Bombe auf uns? Und wird sie hochgehen, wenn Sie nicht zufriedengestellt werden?«

»John.« Pepper seufzte. »Wofür hältst du mich? Ich bin nicht so.«

»Vielleicht. Aber sicher sein kann ich auch nicht. Oder?«

»Das ist wahr. Lass mich raus. Ich werde den Saboteur finden und dich vor einer Menge Unannehmlichkeiten bewahren.«

»Nein.«

»Mach schon, John.« Peppers Augen waren zwischen den Latten zu sehen, als er sich vornüberbeugte. John überlegte, ob Pepper eine Chance hätte, auf den felsigen Lantails zu überleben, und ob es fair wäre, einen Mann aufgrund eines Verdachtes auf einer einsamen Insel auszusetzen.

Das Dampfschiff begann zu schaukeln, als sie das kabbelige Wasser erreichten. Sie mussten den Klippen ausweichen und sich dann wieder ins offene Gewässer begeben. John blieben zwanzig Minuten für die Entscheidung, ob er Pepper mit genügend Proviant bis zum Auftauchen des nächsten Fischerbootes in ein kleines Beiboot werfen und auf den Lantails zurücklassen sollte.

Es konnte Monate dauern, ehe hier ein anderes Schiff aufkreuzte.

»Achtung!« Die beiden Männer im Krähennest schrien aufgeregt. »Da ist Boot!«

John sprang auf. Ein schwaches Dröhnen war an Deck zu hören. John hastete zur Reling und schaute nach vorne. Direkt vor dem Bug der *La Revanche* schoss eine gewaltige Wasserfontäne in die Höhe. John rannte zur anderen Seite. Ein großes grünes Schiff hielt unter vollen Segeln auf sie zu. Offenbar hatte es hinter den Klippen und Inseln auf der Lauer gelegen. Verdammt! Verdammter Mist! Sie mussten wenden und sich schleunigst aus dem Staub machen, entlang der Inseln und Riffe. Das würde Zeit kosten.

Ein zweiter Schuss aus der Bugkanone des fremden Schiffes pfiff über ihre Köpfe hinweg.

»Eine Falle!«, schrie Harrison, der aus dem Unterdeck heraufgestürzt kam. In der linken Hand hielt er sein Hemd, in der rechten sein Gewehr.

»Holt die Waffen!«, brüllte John. »Legt das Bordgeschütz frei!«

»John«, rief Pepper aus seinem Verlies. »Vergiss die beiden anderen Schiffe nicht!«

Richtig. John raste das Deck entlang, Tauen und Werkzeug, Seeleuten und Luken ausweichend. Mitschiffs blieb er stehen und legte den Kopf in den Nacken, um zum Krähennest hinaufzuschreien.

Einer der Männer war herausgekrabbelt und hatte sich bereits halb durch die Netze nach unten gekämpft.

»Was zum Teufel machen Sie da?«, brüllte John.

»Ich kommen runter.«

»Einen Teufel werden Sie tun! Da draußen sind möglicherweise noch zwei Schiffe. Machen Sie sie aus, und sagen Sie mir, wo sie sind!«

Der nächste Schuss landete vielleicht gerade noch fünf Meter vor der *La Revanche*. Die Gischt spritzte über die Reling. John sah sich das aztecanische Schiff genau an. Es war mit Segeln bestückt; eine Rauchfahne entdeckte er nicht. Sollten sie den

Beschuss überstehen, konnten sie ihm entkommen. Er ging hinüber zu Barclay.

»Aztecaner nie bauen Schiff nicht«, sagte Barclay. »Wir nicht richtig vorbereitet auf Kampf.«

Zwei Mungo-Männer hatten die wasserdichte Abdeckung des Bordgeschützes entfernt. Ein dritter Mungo-Mann kam mit einer einzigen Granate aus dem Frachtraum heraufgestolpert. Hinter ihm kam noch jemand mit einer Granate, und an Deck mühten sich zwei weitere Männer mit einer Kiste voll Munition ab.

»Wir müssen improvisieren«, sagte John, als sie das Geschützrohr auf das aztecanische Schiff richteten. »Jeder soll zu den Waffen greifen. Laufen wir schon mit voller Kraft?«

»So schnell wie es eben geht, wenn nicht alles in die Luft fliegen soll«, sagte Barclay.

Harrison kam zu ihnen und zog sich das Hemd an. Er schaute zum aztecanischen Schiff hinüber. »Zehn Minuten, dann sie uns packen«, meinte er. »Ich sage, müssen wenden, an Insel entlang.«

Die *La Revanche* dampfte geradeaus in nördlicher Richtung, und das aztecanische Schiff näherte sich ihr schräg von Steuerbord.

»Riffe zu beiden Seiten«, sagte John. Es würde schwierig werden, dem anderen Schiff auszuweichen. Er schaute den Kanal hinab, durch den sie vorhin in anderer Richtung gefahren waren. Harrison hatte Recht. Er öffnete den Mund, um die neue Order zu geben.

»Zwei andere Schiffe hinter uns!«, schrie jemand aus dem Krähennest.

John nahm Barclays Fernglas und schaute nach hinten. Die beiden anderen Schiffe, vor denen Pepper ihn gewarnt hatte, fuhren gerade in den Kanal. Sie konnten die *La Revanche* nicht einholen, doch der Weg zurück war abgeschnitten.

»Was wir sollen tun?«, fragte Barclay.

John betrachtete die großen gelblichen Segel des aztecanischen Schiffes. Ein weiterer Donnerschlag ertönte, und an der Vorderseite des feindlichen Schiffes stieg eine weiße Rauchwolke auf. Diesmal hörten sie das Zischen der Granate und das Schwirren der Takelage ganz dicht über sich. Alles ging in Deckung. Der Schuss landete fünfzehn Meter neben ihnen.

»Wir halten Kurs. Volle Fahrt voraus!«, befahl John. Barclay öffnete den Mund, doch John ließ ihn nicht zu Wort kommen. »Sagen Sie Ihrem Maschinisten, er soll gefälligst schneller machen, oder wir fahren alle zur Hölle!«

»Zu Befehl!« Barclay hastete zum nächsten Niedergang. Er erwischte gerade noch das Holzgeländer, riss sich an der Kante einen Finger auf und verschwand mit einem gewaltigen Satz nach unten.

Nachdem John sich davon überzeugt hatte, dass das aztecanische Schiff die *La Revanche* auf jeden Fall abfangen würde, rannte er zur Mitte des Schiffes.

»Was das da auf Segel?«, fragte jemand hinter ihm. John kniff die Augen zusammen und betrachtete das Bild auf den geblähten Segeln der feindlichen Fregatte.

»Das Gesicht einer Frau.« An beiden Seiten des fraglichen Antlitzes hingen Quasten herab, und die Ränder waren mit blauen und weißen Figuren dekoriert.

»Chalchiuhtlicue.« Oaxyctl lehnte neben John an der Reling. In einer Hand hielt er seinen Atlatl, in der anderen das Bündel mit Wurfspeeren. »Jade-Saum-Göttin. ›Sie, die das Wasser war‹. Das sind ihre Symbole.«

Für aztecanische Seeleute durchaus passend, dachte John.

Das Geschütz der *La Revanche* feuerte. Eine dichte Rauchwolke wehte über die hinteren Kajüten hinweg. Mungo-Männer gingen auf dem Deck in Position und überprüften ihre Gewehre.

Harrison erschien neben John. »Sie uns rammen?«, fragte er.

»Könnte sein. Sie brauchen uns ja nur zu stoppen und können dann abwarten, dass die anderen beiden Schiffe kommen und sie aus dem Wasser fischen, falls sie sinken«, sagte John. »Sie können es sich ohne weiteres leisten, ein Boot zu verlieren.«

»Wenn Bug sein von gutes Holz oder mit Metall in Holz, sie reißen auf unsere Seite ganz furchtbar.«

»Da mögen Sie Recht haben.« John hielt Ausschau. Ein erneuter Schuss ließ jeden an Deck zusammenfahren. Ein Baum knickte um und kippte in die Takelage. Die *La Revanche* antwortete mit eigenem Geschützfeuer.

»Wir verfügen über größere Manövrierfähigkeit und höhere Geschwindigkeit«, sagte John. »Das müssen wir nutzen.« Er ging hinab zum Steuermann, wobei er einem Stapel Taue ausweichen musste. Das Geschütz der *La Revanche* feuerte erneut mit ohrenbetäubendem Lärm.

Vom aztecanischen Schiff kam die prompte Antwort. Und jetzt, da es näher war, hörte es sich noch lauter an. Kleine Geschosse kamen über das schäumende Wasser herangeflogen: Gewehrkugeln der Aztecaner. Die Mungo-Männer schossen zurück, doch Major Avasa brüllte, sie sollten warten. Das feindliche Schiff war noch zu weit entfernt.

»Ich sage Ihnen jetzt, was wir tun werden«, rief John dem Steuermann zu. Er hatte sich so gestellt, dass er gleichzeitig reden und das aztecanische Schiff im Auge behalten konnte. »Und hören Sie genau zu! Warten Sie bis zum allerletzten Moment, dann steuern Sie hart steuerbord und versuchen, um den Feind herumzukommen. Wir müssen vermeiden, dass er uns rammt. Und wenn wir gewendet und ihn vor uns haben, rammen wir ihn selbst. Haben Sie verstanden?«

Der Steuermann nickte. Das aztecanische Schiff kam aus nordöstlicher Richtung auf die *La Revanche* zu, während die *La Revanche* nach Norden fuhr. Die Aztecaner befanden sich auf einem Segelschiff; folglich würde das Wendemanöver sie einige Zeit kosten, und somit war es schwierig für sie, die *La Revanche* in die Enge zu treiben. Die *La Revanche* konnte weiter ihren nördlichen Kurs halten und bis zur letzten Sekunde warten, um dann blitzartig nach Steuerbord zu gehen und hinter das aztecanische Schiff zu kommen. Doch das Ganze war wegen der Riffe zu beiden Seiten eine äußerst enge Angelegenheit.

Die *La Revanche* schoss. Die Männer am Geschütz jubelten, offenbar hatten sie getroffen.

»Und sorgen Sie dafür, dass jemand anderer Ihren Posten einnimmt, falls Sie ausfallen.«

Der Steuermann machte große Augen. Vom aztecanischen Schiff wurde zurückgeschossen. Ein zischendes Geräusch durchschnitt die Luft, und das Knistern und Knirschen zersplitternden Holzes ließ jeden auffahren. Die Reling auf der Steuerbordseite war zerfetzt. Drei blutüberströmte Seeleute lagen auf einem Haufen, einer stöhnte fürchterlich. Johns Herz raste.

»Ich mache das!« Der Steuermann drehte sich um und schrie einem Seemann an Deck zu, er solle kommen und das Steuerrad übernehmen.

»Barclay«, brüllte John. Barclay war wieder nach oben gekommen. »In einer Minute gehen wir hart nach Steuerbord und versuchen hinter sie zu kommen.«

Barclay grinste tatsächlich. »Verstehen. Maschine volle Kraft zurück für Wenden, dann volle Kraft voraus. Das gefällt mir!«

»Ich gehe nach vorne.«

John ließ die anderen stehen. Dies war zwar nicht Capitol City, doch sie standen den Aztecanern gegenüber. Es war ein nahezu angenehmes Gefühl, in diese Falle gelockt worden zu sein. Der Wind frischte auf und zerzauste Johns Haare und seinen Hemdkragen. Das feindliche Schiff wurde dadurch schneller, und die aztecanischen Seeleute nutzten die Gelegenheit mit dem Versuch, ihr Schiff direkt vor *La Revanche* fast zum Stillstand zu bringen.

»Scheiße!« Die *La Revanche* schoss erneut.

»Hier.« Einer der Mungo-Männer drückte John ein Gewehr in die Hand.

»Alle Mann an Backbord!«, brüllte John. »Dort werden sie uns treffen!«

Die Mungo-Männer begaben sich nach Backbord, obgleich das aztecanische Schiff so ungünstig lag, dass es zwecklos war, jetzt mit dem Gewehr darauf zu schießen. John schob den Haken in den Abzugsbügel, jedoch hinter den Abzug selbst, und ließ das Gewehr baumeln, während er weiter zum Bug lief. Die Segel der Aztecaner ragten drohend vor ihnen auf, das überlebensgroße Symbol ihrer Wassergöttin schaute auf sie hinab. Das Schiff näherte sich ihnen rapide, die Segel standen prall im Wind, und die *La Revanche* stampfte unbeirrt vorwärts, dem Aufprall entgegen.

Die Geschütze der Aztecaner feuerten aus allen Rohren, die Geschosse klatschten auf das Metall der Bordwand, zerrissen die Takelage und ließen rings um sie herum hohe Wasserfontänen aufsteigen. Die Mungo-Männer erwiderten das Feuer mit dem einzigen vorhandenen Geschütz der *La Revanche*.

John schaute sich zum Steuermann um. »Hart Steuerbord!«, brüllte er. Die Seeleute gaben den Befehl weiter. Die Dampfmaschine im Inneren des Schiffes brachte den gesamten Rumpf zum Vibrieren, als das Wendemanöver begann und die Schraube mit voller Kraft in die andere Richtung drehte. Die *La Revanche* machte einen Schwenk nach Osten, und die beiden Schiffe glitten Bord an Bord aneinander vorbei.

Die *La Revanche* setzte ihr Wendemanöver fort. Jetzt bot das aztecanische Schiff den Männern an Backbord die gesamte Breitseite.

»Feuer!«, brüllte Avasa. Die Mungo-Männer schossen, was das Zeug hielt.

»Weiter, weiter, weiter!«, schrie John.

Die *La Revanche* drängte vorwärts. Auf dem aztecanischen Schiff flatterten die Segel im Wind, als versucht wurde, schnell zu wenden und die *La Revanche* doch noch zu rammen. Die Gefahr bestand weiterhin.

Die Mungo-Männer feuerten eine Gewehrsalve nach der anderen ab. John sah, wie die Aztecaner auf dem anderen Schiff auf ihre Seite herübergerannt kamen und wild durcheinander riefen. Einige stolperten und fielen aufs Deck, getroffen von den tödlichen Kugeln der Mungo-Männer.

Die *La Revanche* nahm wieder nördlichen Kurs, eingezwängt zwischen Aztecanern und Riffen. John hoffte, das andere Schiff mit voller Wucht rammen und dabei dennoch so viel Schwung mitnehmen zu können, dass sie an ihm vorbeikämen und das offene Meer erreichen würden.

»Passt auf die Enterhaken auf!«, schrie John. »Gleich kracht's!« Er hielt sich an der Takelage fest.

Die beiden Schiffe kamen sich näher, bis sie aufeinanderprallten. John schwankte, konnte sich jedoch halten. Der Bug der *La Revanche* riss die Backbordseite des aztecanischen Schiffes auf. Etliche Aztecaner versuchten herüberzuspringen, manche schafften es nicht und fielen ins eisige Wasser.

Drei schwere Haken mit Tauen landeten auf dem Deck und schleiften über das Holz, bis sie irgendwo hängen blieben. Seeleute eilten mit Macheten herbei, um die Taue zu kappen. Einem schlug der Strick mitten ins Gesicht, als er ihn durchtrennte. Überall auf der *La Revanche* wimmelte es von Aztecanern. Sie schwangen sich an Seilen herüber oder sprangen einfach.

John hatte sein Gleichgewicht wiedergefunden und nahm das Gewehr in die gesunde Hand. Er schoss auf den ersten anstürmenden Krieger mit gefiederter Maske und gepolsterter Baumwollkleidung, die wie eine Rüstung wirkte. Der Mann stürzte über die Reling ins Meer.

Ein anderer wich einem Mungo-Mann aus, setzte ihn mit einem gekonnten Messerstich außer Gefecht und stürzte sich mit schussbereiter Pistole auf John.

John wollte zielen, hatte aber Schwierigkeiten mit seinem Haken.

Dicht hinter ihm zerbarst die Tür des Segelschaffs. Um John

herum regnete es Holzsplitter. Ein winziger Pfeil traf den Azte-caner. Dieser schoss, dann stürzte er zu Boden. John glaubte, sein rechter Oberschenkel explodiere vor Schmerz. Er fiel aufs Deck.

Pepper beugte sich über John. John stöhnte und kniff die Augen zusammen. Pepper schleppte ihn in das Schaff, riss sich das Hemd herunter und gab es John. »Press das auf die Wunde. Ich bin gleich zurück.«

Pepper verließ das dunkle Schaff, trat ans Licht und vernahm das tosende Kampfgetümmel an Deck. John schloss die Augen, jedoch erst, nachdem die wilden Schreie eingesetzt hatten.

Eine Viertelstunde später rüttelte ihn Pepper wach. Barclay stand neben ihm und schaute zu.

Von Peppers Haut tropfte Blut. Eigenes und das der anderen. Von seinen Armen und der Brust hingen rote Hautfetzen he-rab. Aus einer Schusswunde an der Schulter sickerte Blut.

»Ich schätze mal, dass die Medizin hier nicht besonders weit entwickelt ist«, sagte er. »Deine Verletzung könnte ziemlich übel sein.«

»Wir sind vorbei an Schiff. Was jetzt tun?«, fragte Barclay. »Umdrehen und kämpfen? Nach Hause fahren? Sie uns einho-len, wenn erreichen Eis.«

John schüttelte den Kopf. »Weiter Kurs Nord. Schüttelt sie ab.«

Barclay nickte und zog sich aus dem Schaff zurück.

Pepper nahm John auf die Arme, und John wurde schon wie-der bewusstlos, als er von dem Knäuel blutdurchtränkter Taue hochgehoben wurde.

Einundfünfzigstes Kapitel

Der Loa zog sich mit den Metallspitzen seiner hellen Tentakeln auf dem glatten Fußboden vorwärts und schnaufte vor Anstrengung, als er in Dihanas Büro hineinrollte. Diese war überrascht, das Wesen alleine zu sehen, und erhob sich.

»Dies ist das letzte Mal, dass wir miteinander reden«, sagte der Loa.

»Habe ich irgendetwas verbrochen?« Dihana war gut zu ihnen gewesen, entgegenkommend, hatte sie in jede Diskussion über die Verteidigungsmaßnahmen einbezogen und immer auf dem Laufenden gehalten. Die Loa hingegen hatten keinerlei Vorschläge gemacht und seit dem Auslaufen des Schiffes nach Norden nur noch zugehört. Offenbar war die Expedition ihr einziges Interesse gewesen. Alles andere war ihnen anscheinend völlig egal.

»Nein«, sagte der Loa. »Wir sind über alles informiert und kennen die Einzelheiten. Auch was die Reise in den Norden und die Person John deBruns betrifft. Wir hatten eine Versammlung und sind zu dem Entschluss gekommen, uns nicht mehr blicken zu lassen und damit das Risiko einzugehen, in Gefangenschaft zu geraten. Für uns ist es an der Zeit, uns zu verstecken und die Dinge ohne unsere Anwesenheit ihren Lauf nehmen zu lassen.«

»Die Dinge ihren Lauf nehmen lassen?«, schnaubte Dihana wütend. »Was verlangen Sie denn von uns? Warum sollten wir es Ihnen erlauben, in unserer Mitte zu leben?«

Der Loa überlegte kurz, dann sagte er: »Wenn wir uns recht entsinnen, kommen wir trotz eines leicht getrübten Erinnerungsvermögens zu der Erkenntnis, dass die Teotl und meine

Art denselben Ursprung haben. Wir wirkten als Abgesandte in dieser Region und waren uneins über die Behandlung des menschlichen Problems. Unsere Verwandten bevölkern immer noch weit entfernte Sternensysteme. Wenn die Teotl diesen Planeten in ihre Gewalt bekommen, werden sie die totale Unterwerfung der menschlichen Rasse verlangen, sobald meine Art in großer Zahl zurückkehrt. Wir bevorzugen subtilere Formen der Manipulation, die keinerlei sinnlose Gewalt erforderlich machen. Dennoch, unser beider Anstrengungen, Sie in technologischer Hinsicht zu unterstützen und für den Selbsterhalt militärisch aufzurüsten, schlugen katastrophal fehl und führten zu diesem ganzen Desaster. Daher werden wir uns verstecken, in einer Schattenwelt. Wir bleiben im Verborgenen und hoffen, überleben und die Dinge beeinflussen zu können, sobald die restlichen Vertreter unserer Art den Weg durch die Spirallöcher zu uns gefunden haben.«

Angesichts all dieser Informationen hatte Dihana nur eine Frage: »Verstecken? Wo wollen Sie sich denn verstecken? Die Aztecaner haben Limkin eingenommen, zwischen ihnen und unseren Stadtmauern befinden sich gerade noch drei Städte. Und wenn die Expedition mit dem *Ma Wi Jung* zurückkehren sollte, wie wollen Sie uns dann helfen, richtig damit umzugehen?«

»Einer von uns ist bei der Expedition mit dabei und wartet darauf, in dem Moment, wenn Ihre Leute im Norden angekommen sind, diesen Hilfe zu leisten. Bei der Ankunft dort wird er sein Versteck verlassen und sich offen zeigen. Und wenn die Expedition nach Capitol City zurückkehrt, wird er Kontakt mit uns aufnehmen. Wenn wir Ihnen verraten würden, wo wir zu finden sind, könnten Sie uns betrügen.« Der Loa kramte in seinem Rollstuhl herum und zog schließlich etwas aus der Tasche neben der Armlehne. »Dennoch haben wir eine Art Geschenk für Sie. Mehrere Generationen haben daran gearbeitet, um für diesen Fall vorzusorgen.«

Er legte eine kleine mit Wachs versiegelte Kalebasse auf den Tisch.

»Was ist das?«

Müde Augen schauten Dihana an. »Wenn jede Hoffnung geschwunden ist«, sagte der Loa, »wenn alle Mittel ausgeschöpft sind, sollten Sie dies dem Trinkwasser hinzufügen.«

»Welche Wirkung hat es?« Dihana schaute auf das Wesen im Rollstuhl hinab.

Der Loa seufzte. »Es wird alles und jeden töten. Eine Seuche, die sich in Windeseile in ihrer überfüllten Stadt und darüber hinaus ausbreiten wird. Der Tod wird auch vor den Bergen nicht haltmachen, wenn die Aztecaner ihm zu entkommen versuchen. Sie werden die Seuche mit sich schleppen und von ihr bei lebendigem Leibe aufgefressen werden. Viel wichtiger aber ist, dass diese Epidemie auch auf die Teotl übergreifen und diese ebenfalls vernichten wird.«

Dihana betrachtete die Kalebasse und schluckte. »Wie können Sie von mir erwarten, meine eigenen Leute zu töten? Die gesamte Stadt, unsere ganze Welt!«

Der Loa holte tief Luft. »Es ist als allerletzte Maßnahme gedacht.«

»Und es gibt kein Gegenmittel? Auch für Sie selbst nicht?«

»Nein, das gibt es nicht. Deswegen werden wir uns jetzt verstecken. Nehmen Sie es, wenn Sie wollen. Oder lassen Sie es. Die Entscheidung liegt ganz bei Ihnen.« Der Loa drehte den Rollstuhl herum. Als er quietschend an der Tür ankam, hob Dihana die Kalebasse in die Höhe.

»Sie hätten mir diese Entscheidung nicht aufzwingen dürfen. Sie selbst sind schlicht zu feige dazu, einen Entschluss zu fassen und die Folgen zu tragen. Die Loa machen sich einfach aus dem Staube, um mit nichts etwas zu tun zu haben!«

Durfte sie die Mungo-Männer einsetzen, um die Loa aufzuhalten? Was würde wohl geschehen, wenn sie es versuchen sollte? Unruhen, Revolte? Weitaus größere Schwierigkeiten in der Stadt als die, die sie jetzt schon täglich zu bewältigen hatte?

Das Risiko war zu groß.

Ein Wort hatte sie elektrisiert: *Generationen.*

»Wusste mein Vater davon?« Dihana verließ ihr Büro und folgte dem Loa auf den Korridor. Der Loa setzte seinen Weg ungerührt fort. »Antworten Sie mir! Oder ich lasse die Wachen kommen, und Sie werden keine Gelegenheit haben, sich gemeinsam mit Ihren Freunden zu verstecken.«

Der Loa hielt seinen Rollstuhl an.

»Ja, Dihana. Ihr Vater war über diese Dinge informiert.«

Mutter Elene rannte zum Regierungsgebäude. Sie blieb stehen, als Mungo-Männer ihr mit vorgehaltenem Gewehr entgegentraten. Als Dihana die Rasenfläche betrat, lag Mutter Elene zusammengebrochen im Gras.

»Sie weg!«, schrie sie. »Sie verschwunden!«

Dihana hockte sich neben sie. »Sie haben Ihnen vorher nichts gesagt?«

Mutter Elene schüttelte den Kopf. Ihre silbernen Ohrringe bewegten sich im Takt. »Wo sie gehen hin? Sie wissen?«

»Sie haben es mir nicht gesagt.«

Mutter Elene schlang die Arme um die Knie und schluchzte. Eine Priesterin, deren Götter sie im Stich gelassen hatten.

»Mutter Elene.« Dihana legte ihr eine Hand auf die Schulter und kam um sie herum, sodass sie ihr direkt in die Augen schauen konnte. »Hinterließen sie Ihnen irgendeine Art von Kalebasse mit besonderen Anweisungen?«

Mutter Elene nickte. »Da sind drei Stück.«

»Ich weiß, dies ist ein schlechter Zeitpunkt, aber Sie müssen mir die drei Kalebassen geben. Verstehen Sie? Ich weiß, dass die Loa kapituliert haben. Im Gegensatz zu uns. Wir sind imstande, gegen die Aztecaner zu kämpfen. Bitte tun Sie, was ich Ihnen gesagt habe!« Dihana stand auf und wandte sich an zwei Mungo-Männer. »Begleiten Sie Mutter Elene, und stellen Sie sicher, dass sie mir die Kalebassen bringt. Sorgen Sie vor allem dafür, dass ich auch wirklich alle drei bekomme.«

Dihana ging zum Haus zurück und überlegte, wie viele Kalebassen die Loa wohl in der Stadt als Geschenke verteilt haben mochten.

»Frau Ministerpräsidentin«, rief ihr Mutter Elene nach, »was wir sollen machen ohne die Loa?«

Dihana blieb stehen. »Dasselbe wie vorher, als sie noch da waren.«

Dann ging sie die Stufen hinauf.

Zweiundfünfzigstes Kapitel

John wurde wieder von den Träumen heimgesucht. An den Seiten eines durchbohrten Eis tropfte Wasser herab, als es aus den Wellen auftauchte. Der riesige Metallvogel kehrte zurück und flatterte auf ihn zu. Dunkle Brecher warfen alles um ihn herum hin und her.

Johns eigenes Gesicht wurde in dem flüssigen Metall sichtbar, das oberhalb des Vogelhalses zusammenfloss.

Pepper stand neben ihm, in eine glänzende Rüstung aus Metall gekleidet. An seiner Hüfte war ein Gewehr befestigt, das ebenso lang war wie er selbst. Er zwinkerte John zu. »Halte sie schön ruhig, deBrun! Ich bin gleich wieder da.«

Jetzt war John in dem Ei gefangen. Er war ganz allein, und um ihn herum war nichts. Hier drin würde er sterben. Verbrauchte Luft und Gestank ließen ihn würgen.

Es barst auf. Meerwasser und frische Luft drangen herein, und er drohte zu ersticken. Um das Ei herum qualmte es. Als er sich ins Wasser hinauszwängte, verbrannte er sich an der Innenseite des Risses die Finger.

Hinter ihm versank das Ei. Er war ganz alleine im weiten Meer. Er wusste nicht, wer er war. Aufgeplatzte Eiterbläschen schmerzten. Blut rann an seinem Kopf herab und aus der Nase.

Ob es in diesem Meer Haie gab? Er wusste es nicht mehr. Er wusste nicht einmal mehr, wie Haie aussahen.

John erwachte auf dem Tisch des Schiffsarztes. Eine kleine Kerosinlampe schaukelte über ihm und tauchte den Raum in ein Licht aus wandernden Halbschatten und Mustern. Pepper saß in einer Ecke des kleinen Raums auf einem Stuhl und beobachtete John. Er trug wetterfeste Kleidung.

Johns linker Oberschenkel war stramm bandagiert. Das Hosenbein war abgeschnitten.

»Haben Sie das gemacht?«, fragte John und stützte sich auf einen Ellenbogen.

»Nein. Der Arzt der Mungo-Männer. Ich habe nur zugeschaut.« Pepper stand auf. »Willst du mich also an Bord lassen?«

John nickte, immer noch nicht ganz wach. Peppers Stimme klang vertraut und angenehm. »Wenn du diese Expedition hättest torpedieren wollen, hättest du mich getötet. Aber es gibt da noch etwas anderes, das dir durch den Kopf geht.« John wollte wissen, was zum Teufel Pepper als Nächstes vorhatte.

Alles zu seiner Zeit. Behutsam bewegte er das lädierte Bein, um sich vom Tisch zu wälzen. Peppers Absichten und Gedanken waren für ihn schon immer ein Buch mit sieben Siegeln gewesen.

Halt, dies war eine Erinnerung! John erstarrte, und das Gefühl der Vertrautheit verflüchtigte sich schlagartig.

Er war wieder alleine auf dem Schiff, und der Mann vor ihm war kein Freund mehr, sondern wieder ein Fremder für ihn. Pepper.

»Warte«, sagte Pepper. »Das muss erst geschient werden, ehe du laufen kannst.« Er ging zur Tür und rief nach dem Arzt.

An Deck fiel John etwas Seltsames auf. Die Art und Weise, wie die Schiffsbesatzung Pepper ansah. Sobald er irgendwo erschien, hörten die Leute auf zu reden. Sie wurden nervös.

Respekt oder Furcht?

Offenbar hatte Pepper viele Aztecaner brutal getötet. In Anbetracht des Blutes, mit dem er besudelt gewesen war, musste es so gewesen sein.

Selbst Oaxyctl verstummte und trat nervös von einem Fuß auf den anderen.

Nachdem er den ganzen Morgen an Deck herumgehumpelt war, setzte sich John zu Oaxyctl neben eine Kajüte gegenüber der Reling. Oaxyctl war gerade dabei, eine Reihe neuer Knoten auszuprobieren.

»Was hat er getan?«, fragte John.

»Wer?« Oaxyctl konzentrierte sich darauf, zwei Taue mit einem Kreuzknoten zu verknüpfen.

»Pepper.«

Oaxyctl war mit seinem Knoten fertig. Er hielt ihn hoch. »Den ersten Mann brachte er mit bloßen Händen um.« Oaxyctl zog den Knoten fest. »Schnappte sich dessen Gewehr. Damit erschoss er den zweiten. Dem nächsten schlug er mit dem Kolben den Schädel ein. Den vierten schleuderte er über Bord, zwischen die beiden Schiffskörper. Danach folgten noch viele andere. Es heißt, er sei auf das andere Schiff gesprungen, habe dort gewütet und sei dann wieder auf unser Dampfschiff gekommen, bevor wir uns von dem Segelschiff lösten.«

»Ist das wahr?«

Oaxyctl zuckte die Achseln. »Soweit ich weiß, ja.«

John schaute auf die verschiedenen Knoten. »Scheiße!«

»Der Mann kann einem Angst einflößen. Du suchst dir seltsame Freunde aus.«

John schüttelte den Kopf. Er entdeckte Barclay, der am Großmast herumturnte und die Position des Schiffes berechnete. »Es scheint eher so, dass die seltsamen Freunde mich aussuchen.«

»Eines Tages wird dich das noch dein Leben kosten.«

»Kümmere du dich lieber um deine Knoten, sie könnten dir eines Tages von Nutzen sein.«

John stand auf und humpelte zu Barclay hinüber und stützte sich dabei auf die Reling, um den Druck auf sein Bein zu reduzieren.

Er wartete, bis Barclay mit seinen Berechnungen fertig war. »Ich will mir das mal eben auf den Karten anschauen gehen«, sagte er.

»Ich auch kann Kurs ermitteln«, sagte Barclay. »Ich beherrsche das. Sie mir nur müssen Karte zeigen.«

»Ich weiß.« John runzelte die Stirn. »Dennoch möchte ich die Karten lieber nicht aus der Hand geben. Bevor wir in See stachen, wurde ich ausdrücklich darum gebeten.« Weder die Ministerpräsidentin noch Haidan hatten gewollt, dass irgendjemandem außer John die Koordinaten für ihr Ziel bekannt würden. Nur wenn John im Sterben liegen sollte, müsste eine Lösung für die Fortführung der Expedition gefunden werden. Dann würde John die Koordinaten und das eigenartige Artefakt, das der Loa ihm ausgehändigt hatte, jemand anderem übergeben.

Oaxyctl? Der hatte ihm das Leben gerettet. Barclay? Barclay beschäftigte sich bereits damit und versuchte, Einsicht in die genauen Zielkoordinaten und die Karten zu bekommen. Oder Pepper?

Pepper? Dieser Gedanke hatte sich zu seinem eigenen Erstaunen in ihm gemeldet. Doch einen Sinn ergab er nicht. Denn das ging nun wahrlich nicht.

Barclays Neugier in Bezug auf die Karten machte ihn nervös.

»Barclay, bitte.« John streckte die Hand aus. »Unsere Position. Ich bin sicher, dass Sie sie richtig berechnet haben, und ich weiß auch, dass Sie mit unseren Karten gut umgehen können.«

Barclay gab ihm das Stück Papier.

Später, wenn Barclay nicht in der Nähe war, musste er einen Weg finden, um die Positionsberechnung noch einmal zu überprüfen.

Nur für den Fall der Fälle.

John humpelte zum nächsten Niedergang. Einer der Seeleute half ihm die Treppe hinab.

Als er unten in seinem kleinen Zimmer am Kartentisch saß, fragte er sich, ob er inzwischen schon paranoid geworden sei.

Doch die Explosion und die drei aztecanischen Schiffe sprachen für sich.

Die Welt steht kopf, dachte er und holte Lineal und Winkelmesser hervor. Ein wenig Paranoia ist vonnöten. John trug ihre Position in Edwards Karte ein.

Alles sah zufriedenstellend aus.

Harrison klopfte an. »Ein Problem«, sagte er.

Nachdem er seine Kabine abgeschlossen hatte, humpelte John hinter Harrison her zum Laderaum in der Nähe des Bugs. Er lehnte sich an ein Schott. Sein Oberschenkel pochte dermaßen, dass ihm fast schwindlig wurde. »Unser Süßwasser?«

»Ja. Das war ein Schuss aus ganz kurzer Entfernung von aztecanischem Schiff.« Harrison öffnete die Tür. »Zweifellos auf Wasserlinie gezielt.«

Aus zerborstenen Fässern sickerten die letzten Tropfen Trinkwasser auf den triefnassen Boden. Das Loch in der Bordwand war mit einer Metallplatte abgedichtet worden. Ein Segen, dass der Schuss nicht tiefer getroffen hatte. Sonst wäre es den Aztecanern möglicherweise noch gelungen, sie zu versenken.

»Was wir machen jetzt?«, fragte Harrison. In dem schwachen elektrischen Licht aus der kleinen Glühbirne an der Decke des Laderaums wirkte sein Gesicht gelblich und übermüdet.

»Wir müssen es eben bis dorthin schaffen.« Nach der Attacke dachte John noch weniger an Umkehren. Die Aztecaner versuchten verzweifelt, diese Expedition zum Scheitern zu bringen. Das war ihm jetzt endgültig klar. Mit diesem Unterfangen konnte er ihre Pläne durchkreuzen, und deshalb fühlte er sich jetzt auch umso mehr zu einem erfolgreichen Abschluss verpflichtet.

»Aber wir dann haben kein Wasser mehr für Rückreise.« Harrison trat zur Seite, um jemanden mit einem Arm voller Fasstrümmer vorbeizulassen.

»Wo wir hinfahren, gibt es jede Menge Süßwasser«, sagte John.

»Vielleicht wir schaffen es gar nicht bis dorthin.«

Eine Pumpe, über pneumatische Schläuche mit dem Maschinenraum verbunden, verrichtete zischend ihre Arbeit. Ein Schlauch schlängelte sich durch eine geöffnete Luke in den Bauch der *La Revanche*, der andere führte aus dem Laderaum über die Treppe aufs Deck, wo das heraufgepumpte Salzwasser ins Meer abfloss.

»Lassen Sie ein paar neue Fässer anfertigen. Die kommen dann in die Mitte des Schiffes. Hängen Sie sie auf, damit sie nicht umkippen können. Und sorgen Sie für eine Plane aus Gummi oder zumindest aus gummiertem Segeltuch. Danach suchen Sie alle großen Gefäße auf dem Schiff zusammen, füllen sie mit Salzwasser und bringen es zum Kochen«, sagte John. Harrison lächelte.

»Eine Destillieranlage?«

»Ja.« John massierte das gestreckte Bein mit der gesunden Hand und lehnte sich mit der Schulter an den Türrahmen, um die Balance nicht zu verlieren. »Süßwasser-Destillieranlage.« Er stöhnte. »Fangen Sie direkt damit an, bevor die Leute darüber zu reden beginnen, dass wir kein Wasser haben. Spannen Sie möglichst viele ein. Und unterdessen soll jemand einen Gehstock für mich herstellen.«

»In Ordnung.« Harrison zögerte immer noch. »Da ist noch etwas anderes, das Sie ansehen müssen.«

John bemerkte hinten in der Ecke einen Seemann, der sich noch nicht bewegt hatte. Der Mann stand dort nur und beobachtete sie unentwegt. »Was gibt es noch?«

Harrison ging zwischen den unbeschädigten Wasserfässern nach vorne. Er schaute sich um. »Tür schließen!«, befahl er. »Und ihr zwei bei der Pumpe Laderaum verlassen!«

Als die Tür geschlossen war, rissen Harrison und der andere Seemann eine Seite eines Fasses auf. Zotteliges Fell ergoss sich über das zersplitterte Holz und die zerbrochenen Eisenringe.

»Was zum Teufel ist das?« John humpelte herbei.

Harrison ächzte vor Anstrengung und zerrte das Wesen aus dem Fass. Es plumpste auf den Boden, eine dicke Hand baumelte am Körper herab. Das Gesicht war weggeblasen worden und hatte nur noch einen schmutzigen Stumpf auf den Schultern des Geschöpfes hinterlassen.

»Welche Art von Gott das könnte sein?«, fragte der Seemann und hockte sich neben den Körper. »Teotl oder Loa?«

John betrachtete die scharfkantigen Krallen an den kräftigen behaarten Händen. Die Muskeln traten hervor. Selbst unter dem Fett und Speck erahnte John die Kraft, mit der diese massige Kreatur, als sie noch lebte, jeden im Handumdrehen hätte töten können.

»Könnte alles Mögliche sein«, sagte John. »Wickeln Sie es in irgendetwas ein, und werfen Sie es über Bord.«

»Sie glauben, es ist Loa?«, fragte Harrison.

»Und wenn es so ist«, sagte John. »Was soll ich sonst damit tun? Die Überreste aufbewahren und vermodern lassen? Sie feierlich bestatten?«

Harrison schaute auf den Boden. »Nein. Sie haben Recht.«

»Sorgen Sie dafür, dass die Destillieranlage installiert wird.« John verließ den Laderaum. »Lassen Sie diesen Ort reinigen. Ich muss mich jetzt ausruhen.« Sein Oberschenkel schmerzte. Am Verband war ein kleiner Blutfleck zu sehen. John vermied es, hinzuschauen. Als er das letzte Mal diese Reise gemacht hatte, war eine Hand der Säge zum Opfer gefallen. Er hatte keine Lust, noch einmal Bekanntschaft mit diesem Werkzeug zu machen. Der bloße Gedanke daran ließ ihn frösteln.

Also lieber nicht darüber nachdenken.

Besser war es, zu hoffen, nach vorne zu schauen und zu planen. In Bewegung zu bleiben.

Dreiundfünfzigstes Kapitel

Auf der Takelage hatte sich eine dünne Eisschicht gebildet. Oaxyctl presste seine Finger auf die Reling und ließ die Kälte in seine Handflächen eindringen. Seine Fingernägel waren schwarz, und er stank. Schwarzes Schmierfett und Schmutz klebten an seiner Kleidung. Er war in den hintersten Ecken des Kielraums gewesen und hatte Schläuche der Pumpe herumgeschleppt, um das Wasser abfließen zu lassen. Durch die Lecks trat immer noch Wasser ein. Die Lecks rührten von dem Schuss her, den sie vorne am Bug abbekommen hatten, und von der Explosion im hinteren Schiffsteil. Selbst die stabile Stopfbüchse, durch die das Gestänge der Schiffsschraube geführt wurde, hatte zu lecken begonnen.

Jetzt konnte er einen Moment ausruhen, und er beschloss, auf dem Deck zum Bugspriet zu klettern. Er balancierte über die lange Stange und sprang in das Netz direkt darunter hinab.

Harte Arbeit tat gut. Sie hatte ihn davon abgehalten, über den Angriff nachzudenken. Dieser hatte ihn erschüttert und total durcheinandergebracht. Er war sich immer noch nicht sicher, ob es der Versuch gewesen war, sie alle gefangen zu nehmen oder zu töten. Vergiss nicht, sagte er sich, dein Gott scheint anderes im Sinn zu haben als einige andere Götter.

Das war ein Gedanke, der einem Mann nachts den Schlaf rauben konnte.

Und es war weitaus besser, nicht darüber nachzugrübeln.

Deshalb tat die Arbeit gut, sie zwang ihn, sich mit anderen Dingen zu beschäftigen.

Heute Abend blieb das Meer ruhig. Es schien ihm, als seien die Tage kürzer geworden. Die Monde schienen ihr mattes Licht länger zu verbreiten. Und die Luft wurde kälter.

Es war wie das Besteigen eines Berges. Je höher man kam, desto kälter wurde es. Und sie waren erst seit zwei Wochen unterwegs.

Oaxyctl lag zurückgelehnt im Netz, beobachtete die Sterne und wurde im Rücken zuweilen von ein paar nicht einmal unangenehmen Spritzern der Gischt getroffen, während die *La Revanche* auf dem großen, scheinbar unendlichen Ozean weiter gen Norden stampfte, bis die letzten dünnen Streifen des orangefarbenen Abendhimmels in der aufkommenden Nacht untergingen.

Wie konnte man den Göttern gehorchen, wenn sich die Götter nicht einmal untereinander einig waren?

Oaxyctl hielt eine Schlaufe hoch und flocht einen Trompetenknoten.

»Weißt du noch, wie die anderen Knoten gehen?«, fragte John. Er kam mit Unterstützung eines Gehstocks herangehumpelt. Oaxyctl bemerkte, dass der Verband um Johns Oberschenkel durch die Verletzung blutdurchtränkt war und dass John bei jeder Bewegung vor Schmerzen zusammenzuckte.

»Ja.« Oaxyctl löste den Knoten und demonstrierte den Palstek, einen einfachen Vierecksknoten und einen Bogendreher.

John stöhnte und setzte sich neben ihn. Den eilig zurechtgeschnittenen Gehstock legte er auf den Boden. »Haben die auf der anderen Seite der Berge nicht schon genug Land? Wofür brauchen die Götter noch eine Invasion?«

Oaxyctl blickte auf das Tau in seinen Händen hinab. »Es geht ihnen nicht um Land.«

»Worum denn?«

John suchte nach Antworten. Oaxyctl konnte es seiner Stimme entnehmen. John würde sterben, wurde ihm mit einem Mal klar. Diese Schusswunde am Bein war tödlich. Nicht direkt, nicht heute oder morgen, aber irgendwann in naher Zukunft. Und bevor er starb, wollte John seine Antworten haben.

Die Frage war nur, *wann* John sterben würde. Vor oder nach dem Fund dieses geheimnisvollen Dings, dessentwegen sie unterwegs waren? Dieses mythischen *Ma Wi Jungs*, das alle so heiß begehrten. Für ihn war viel wichtiger, ob es ihm vorher gelang, den Code aus John herauszuholen.

»Sie wollen mehr Blut. Sie wollen mehr Land. Mehr Diener und Sklaven. Sie befehlen ihren Leuten: Zieht los, geht über die Berge! Die meisten realisieren nicht einmal, was dieser Befehl zu bedeuten hat. Aber Götter sind nun einmal Götter, und woher sollten wir Menschenkinder wissen, was sie auf lange Sicht planen?«

John schlug mit dem Haken auf das Deck. »Ich glaube an keine Götter.«

Oaxyctl zeigte sich keineswegs überrascht von dieser Erklärung. Ich habe mich schon viel zu lange unter den Nanagadanern aufgehalten, dachte er. Zu viele unterschiedliche Meinungen, Vorstellungen, Religionen und Volksgruppen.

Der Gedanke an ein Leben ohne die Bedrohung, einmal geopfert zu werden, war verführerisch. Auch wenn er früher gemeint hatte, das Sterben zu Ehren der Götter sei das Höchste im Leben, bereitete die Todesangst Oaxyctl instinktiv immer noch Schwierigkeiten. Diesen häretischen Überlebensdrang hatte er tief in sich gespürt, damals in der Umgebung von Brungstun, zitternd und total verängstigt im Sumpf.

Andererseits, wie konnte jemand sein Leben ohne die Anleitungen und Direktiven der Götter führen? Es gäbe keinerlei Sicherheit, für nichts und niemanden.

Diese Unsicherheit war genauso beängstigend wie eine direkte Konfrontation mit dem Adlerstein.

»Wie kannst du nur ohne den Glauben an Götter leben?«, fragte Oaxyctl. »Du kannst sie doch auf diesem Planeten herumgehen sehen! Die Götter von Capitol City sind für jedermann sichtbar.«

John legte seine gesunde Hand ans Kinn. Er wirkte müde. »Wenn ich als erster schwarzhäutiger Mensch in Aztlan auftauchen würde, und niemand hätte je zuvor ein solches Wesen gesehen, würdest du mir dann glauben, wenn ich behaupte, ein Gott zu sein?«

Oaxyctl schüttelte den Kopf. »Ich würde Beweise von dir fordern.«

John lächelte. »Eure Priester. Verfügen sie über große Macht?«

»Sie kontrollieren alles. Es ist die höchste Position, die man innerhalb der Gesellschaft erreichen kann.« Oaxyctl hob den Kopf. »Warum fragst du?«

»Darum.« John schaute durch das Speigatt auf das Wasser. »Wenn dies hier alles vorüber ist, werden wir in das Land der Aztecaner eindringen müssen, sie mitten ins Herz treffen, das Übel mit der Wurzel ausreißen.« Seine Gesichtszüge wurden hart. »Wenn man den Feind effektiv bekämpfen will, muss man ihn verstehen.«

Es war seltsam: Einerseits klang das nach John, andererseits nicht. Mit dem Mann ging eine Veränderung vor. Das musste der Stress sein. Vorher war er damit zufrieden gewesen, sich leiten zu lassen. Jetzt dachte er über andere Dinge nach.

»Bin ich dein Feind?«, fragte Oaxyctl.

John schüttelte den Kopf. »Du bist ein Freund.« Er streckte sich. »Es wird verdammt kalt. Schau!« Er stieß den Atem aus; für einen Moment hielt sich eine dünne weiße Fahne in der Luft.

Oaxyctl nickte. »Ich glaube, bald sehen wir ... Wie heißt das auch wieder?« Er zögerte kurz, bevor er das richtige Wort gefunden hatte. »Kristallregen?«

John lächelte. »Das ist eine schöne Metapher. Das richtige Wort heißt ›Schnee‹. Zuhause benutzen wir dieses Wort so gut wie nie, aber man begegnet ihm manchmal in alten Büchern. In Erzählungen. In Geschichten von mutigen Fischern auf Entdeckungsfahrt in den Norden. Manche wurden nie wieder gesehen.«

Oaxyctl lehnte sich zurück und stieß die Luft aus, um seinen eigenen Atem zu beobachten. »Ja, manchmal kann man es auf den Bergen sehen. Hoch oben auf den Gipfeln. Wenn ich als

Kundschafter unterwegs war, bin ich ihm das eine oder andere Mal begegnet.«

Als er aufstand und John auf die Beine half, sprang der Wind um und fuhr ihm durch die Kleider. Er war kalt genug, um ihn frösteln zu lassen.

Wie bei einem Marsch über die Berge, dachte er.

Leise tappende Schritte weckten ihn. Oaxyctl blinzelte, um die Ursache auszumachen. Seine Hängematte begann zu schaukeln, als jemand dagegen stieß.

»*Quimichtin*?«, fragte eine Stimme.

Das Wort ließ Oaxyctl erschauern. Agent oder Spion. Er schluckte. Wenn er mit ›ja‹ antwortete, konnte es den Tod bedeuten.

»Aztecaner, du hier?«, flüsterte die Stimme.

»Ja«, sagte Oaxyctl.

Der Seemann, dem er in der Takelage begegnet war, schaute in seine Hängematte hinab. Er sah beunruhigt aus. »Komm mit mir.« Der Mann hatte eine alte elektrische Lampe mit einem Schirm bei sich. Ein einzelner dünner Lichtstrahl leuchtete kurz in der Düsternis auf, dann war es wieder stockdunkel.

»Es kam an Bord während Attacke«, erklärte der Mann. »Angriff nur Ablenkungsmanöver, um es aufs Schiff zu bringen. Du siehst es?«

Oaxyctl hatte nichts bemerkt. Er zögerte, da ihm nicht klar war, wovon der Mann überhaupt sprach. Er griff nach Oaxyctl. Seine Hand war schleimig und glitschig vom Bilgenwasser. Ein Hauch von Verwesung erreichte Oaxyctl. Ein ihm vertrauter Geruch. Verfaultes Fleisch.

Zusammen tasteten sie sich nach unten zu den Laderäumen, vorsichtig darauf bedacht, niemanden zu wecken. Der Mann öffnete eine Luke. Oaxyctl roch totes Fleisch und hörte unten das Schwappen von Wasser.

»Komm!«

Oaxyctl ließ sich in den brackigen Schlamm hinab und hielt sich die Nase zu. Die eklige Brühe reichte ihm bis über die Knie. Wenn das Schiff in die hohen Wellen eintauchte, schwappte das Wasser von einer Seite zur anderen, und schon winzige Wogen reichten, um ihm das fürchterliche Wasser zwischen die Beine klatschen zu lassen, sodass ihm die Geschlechtsteile in der Baumwollhose zusammenschrumpften.

Es war so kalt, dass bereits das Atmen wehtat, als sie durch das Wasser wateten.

Oaxyctl prallte auf den Rücken des Mannes. Die Lampe ging an, und ihr dünner, konzentrierter Strahl fiel auf stumpfes, rostiges Metall und schlammiges Wasser.

Der Lichtstrahl blieb an einem riesigen eiförmigen Klumpen schwarzen Fleisches hängen, der an der Bordwand herabbaumelte.

»Es spricht mit mir«, sagte der Mann.

Das Ei bewegte sich. Oaxyctl hatte das Gefühl, als könne er durch das Gebilde hindurchsehen, auf eine ihm vertraut erscheinende Gestalt, die sich dahinter oder darin befand.

Ihm blieb fast das Herz stehen. Er fiel auf die Knie und ignorierte die Schmerzen in der Hüfte durch das eiskalte Wasser.

»Es mir sagt«, flüsterte der Mann, »wir dicht bei nördlichem Land, wo *Ma Wi Jung* liegt. Es sagt weiter, es darauf wartet, dass du ihm Code lieferst. Es muss sich vorbereiten auf schlechtes Wetter und Gestalt ändern. Es wartet dringend. Wenn du Code lieferst vor Ende von Verwandlung, du erhältst Belohnung. Wenn du wieder erfolglos, du leiden wie nie zuvor. Und den Code es bekommt sowieso.«

»Ich habe verstanden«, sagte Oaxyctl. Entweder war dies sein Gott, der ihnen den ganzen Weg bis hierhin gefolgt war, oder es handelte sich um einen anderen Gott, der über Oaxyctl und dessen Plan, den Code herauszubekommen, informiert war.

»Es bald wieder erholt und frei«, sagte der Mann. »Deshalb du musst dich beeilen.«

Oaxyctl stand auf, und das Wasser lief ihm aus den Taschen. »Ich mache mich sofort daran.«

»Gut. Wir fertig hier. Komm!« Der Mann löschte das Licht, sodass sie erneut von Dunkelheit umgeben waren. Oaxyctl sträubten sich die Nackenhaare. Er beeilte sich, den Rückweg anzutreten und den Gott hinter sich zu lassen. In Erinnerung an das Gefühl der Klauen um seinen Hals rieb er sich die Kehle. So furchtbar lange war das noch nicht her.

Bevor sie sich durch die Luke hinaufhangelten, hielt Oaxyctl den Mann am Arm fest. »Wie heißt du? Ich brauche dich, um etwas für mich zu tun.«

»Was du brauchen?«

»Wir müssen die Kontrolle über dieses Schiff übernehmen. Wir müssen John deBrun in unsere Gewalt bekommen.«

Der Mann dachte darüber nach. »Gut. Einer von uns hat hohe Position hier auf Schiff. Wir können säen genug Zweifel, dass Schiff umkehrt.«

»Wer?«

Der Mann seufzte. »Hoch genug. Du nicht so viel fragen.«

»Warum nicht?«, fragte Oaxyctl frustriert.

»Viel besser, wenn nur wenige Leute wissen. Ich keine Lust auf Risiko.«

Der Mann zog sich am Rahmen der Luke hoch. Als auch Oaxyctl oben war, warf er einen letzten Blick auf das dunkle Wasser unter sich und den Kielraum, dann ging er weg. Hinter ihm schloss sich die Luke mit einem lauten Quietschen der Scharniere.

Für sein Gefühl lag immer noch nicht genug Metall zwischen ihm und dem noch nicht vollständig ausgebrüteten Gott. Oaxyctl würde wohl keinen Schlaf finden, solange er wusste, was sich da in den tiefsten Tiefen des Schiffes befand. Den Göttern kann man nicht entkommen, dachte er bei sich.

Vierundfünfzigstes Kapitel

Jemand wollte Pepper töten. Im Unterbewusstsein hörte er, wie sich zögernde Schritte seiner Hängematte näherten, dann war es still. Pepper wartete und war auf den Angriff vorbereitet, die Nerven waren gespannt, seine Sinne registrierten jedes Klirren und jeden Piepser.

Plötzlich schien es sich der Möchtegern-Attentäter überlegt zu haben und rannte davon.

Pepper richtete sich halb auf. Das Dampfschiff wurde von einer großen Welle heftig durchgeschüttelt. Die Hängematte schaukelte von einer Seite zur anderen, und jemand wimmerte und würgte, als er gegen das harte Schott knallte.

Pepper legte die Arme übereinander und ging wieder in die Horizontale. Seine stahlblauen Augen sahen seinen warmen Atem in der Luft, obwohl keiner sonst irgendetwas außer der dämmrigen Ölfunzel erkennen konnte, die zwischen all den Hängematten hin und her schwang.

Drei Tage dauerte dieser Sturm jetzt schon. Davor eine kurze ruhige Phase. Und davor der erste richtige Sturm. Sie bewegten sich aus den wärmeren Gefilden in das Reich der Kälte. Ein ziemlich plötzlicher und alles andere als angenehmer Übergang.

Die Gefahr war vorüber. Pepper begab sich erneut in diesen Zustand zwischen Schlafen und Wachen, in dem er gedankenlos vor sich hin döste und Kraft für all das sammelte, was noch auf ihn zukam.

Heute machte der Sturm sich selbst ein Ende und zog in Form von tief dahinfegenden, unheilvollen Wolken an ihnen vorüber.

Vor ihnen zischten Blitze in das aufschäumende Wasser und explodierten wie in einem auf den Kopf gestellten Feuerwerk.

Die Schiffsbesatzung und die Mungo-Männer bevölkerten gemeinsam das Deck. Sie hatten sich dick vermummt und schwangen Spitzhacken und Beile, um die kunstvollen Gebilde aus Eis wegzuschlagen, die sich an der gesamten Schiffsoberfläche gebildet hatten.

Pepper half ebenfalls, auch wenn seine Finger bereits taub vom Säubern der Takelage mit einem Brecheisen waren. Noch betrachteten die meisten es als Spaß, als etwas Neues, als Abwechslung im ewigen Einerlei. Morgen jedoch würde das Eis bereits eine gefährlich schwere Last für das Schiff bedeuten, stellte Pepper fest, als er sich umschaute. Dann würde es zu einer Frage des Eiskratzens oder des Ersaufens im kalten Wasser werden.

Er schwang weiter sein Brecheisen. Alle machten einen großen Bogen um ihn. Das genau war es, was Pepper am liebsten war.

Während einer Pause saß Pepper achtern an der Reling und schaute ins Wasser hinab, wo von der Schiffsschraube kleine Eisbrocken hochgewirbelt wurden. Steuerbord glitt ein großer Eisberg vorbei und reflektierte an seinen glatten Flächen das Sonnenlicht. Mungo-Männer und Seeleute drängten sich staunend an der Reling, um das seltsame Schauspiel zu betrachten.

John kam angehumpelt und blieb neben Pepper stehen.

Pepper schaute sorgenvoll auf die Bandage um Johns Oberschenkel. »Du wirst dein Bein verlieren«, sagte er.

John zog eine Grimasse und fasste mit der behandschuhten Hand nach der Reling. Den Haken presste er auf die schmerzende Wunde.

»Da wir einmal dabei sind«, fuhr Pepper fort, »wieso hast du immer noch den Haken? Bevor ich mich an Bord geschmuggelt habe, bin ich einige Zeit in Capitol City herumgeturnt. Man verfügt jetzt über die Mittel, eine mechanische Hand herzustellen. Konntest du dir keine besorgen?«

»Nein, das ging nicht.« John schaute zu Boden. »Nicht mit der Familie.« Er drehte Pepper den Rücken zu und betrachtete den Eisberg. »Vielleicht hätten wir heute Nacht die Fahrt etwas drosseln sollen, oder was meinen Sie? Ob wir es uns wohl leisten können, Zeit zu verlieren?«

»Wir sind in der Nähe von Land.« Pepper schnippte mit dem Mittelfinger ein vereinzeltes Eisstück über die Kante. »Die Eisberge kalben hier große Brocken. Da ist es besser, mit der Fahrt herunterzugehen.«

John nickte. »Auf jeden Fall können wir uns bald unser Süßwasser besorgen.«

»Und dann?«

»Dann wartet eine Menge Arbeit auf uns.«

»Meinst du, dass du es schaffst?«

»Je eher wir dieses Gerät finden, desto eher können wir herausbekommen, was zum Teufel es bewirkt, und desto schneller können wir auch zurückkehren und es gegen die Aztecaner einsetzen.« John kauerte sich vor Pepper auf den Boden. Und für einen kurzen Moment erkannte Pepper in ihm etwas von dem alten John, so wie er ihn kannte: als Kommandant, Feuer und Entschlusskraft versprühend. »Was ist dieser *Ma Wi Jung*?«

Pepper lächelte. »Wenn du dich wirklich an absolut nichts erinnern kannst . . .«

»Sie dürfen es mir glauben.«

Pepper überlegte. »Ich kann Worte benutzen und Analogien herstellen, doch die sind ziemlich nichtssagend. Es handelt sich um Technologie. Sehr weit fortgeschrittene Technologie.«

»Alle wollen in den Besitz dieses *Ma Wi Jung* gelangen. Die Loa wollen ihn zweifellos haben oder zumindest die Kontrolle darüber ausüben. Haidan glaubt, er würde uns einen Vorteil verschaffen. Und Sie behaupten, selbst die aztecanischen Göt-

374

ter seien darauf aus, uns am Auftreiben dieses Dings zu hindern. Vielleicht wollen sie es ja sogar selbst haben.«

»Und du?«, fragte Pepper neugierig.

»Können wir die Aztecaner damit angreifen? Handelt es sich um eine Waffe?«

»Nicht in der Form einer Waffe, wie man es sich gemeinhin vorstellt«, sagte Pepper. Das war halb gelogen. Und dies wiederum machte ihn nervös. John mochte ja unter Amnesie leiden, aber war er nicht doch noch in der Lage, jeden mühelos bei einer Lüge zu ertappen? Pepper wollte nichts von dem bisschen Vertrauen, das sich zwischen ihnen entwickelt hatte, aufs Spiel setzen.

»Dann werde ich ihn mit meiner eigenen Hand vom Eis ziehen«, sagte John. »Wenn er uns hilft, die Aztecaner wieder über die Berge zu scheuchen, und wenn er dazu beitragen kann, meine Frau und meinen Sohn wiederzufinden, dann werde ich ihn nach Capitol City bringen.«

»Kaum zu glauben! Ich fasse es immer noch nicht. John deBrun wird sesshaft und gründet eine Familie! Das ist wahrlich nicht der John, den ich kannte.«

John erhob sich. Ein lautes Krachen und Knacken zerriss die relative Stille, und die Seitenwände des Eisbergs, an dem sie soeben vorbeigefahren waren, stürzten ins Wasser. Eine kleine, schäumende Welle bewegte sich auf das Schiff zu.

»Jenen John gibt es nicht mehr.« John zeigte mit seinem Haken auf Pepper. »Sie sind der Einzige, der sich an ihn erinnert, und Sie reden ja kaum mit mir darüber.«

»Es wird sich alles wieder einrenken, John.« Wenn John sein Gedächtnis selbst blockiert hatte, wollte Pepper nichts erzwingen.

Zu gefährlich.

Es gab keinen Anhaltspunkt, keine Verbindung, über die er etwas hätte deutlich machen können; außer wenn John freiwillig mitgemacht hätte. Pepper durfte auf keinen Fall riskieren, zu heftig an der Blockade zu rütteln, weil nicht abzusehen war, wie er dann auf jene Dinge reagieren würde, derentwegen er die Sperre aufgebaut hatte. »Es bringt nichts, wenn ich dir jetzt das eine oder andere erzähle. Was wichtig für dich ist, werde ich dir zu gegebener Zeit schon noch mitteilen.«

John wechselte das Thema. »Sie haben mich gefragt, warum ich den *Ma Wi Jung* haben will. Mich interessiert viel mehr, was Sie damit vorhaben.«

Das Dampfschiff begann zu schaukeln, als die Welle gegen das Heck schlug.

»Wir beide, du und ich, teilten einmal gemeinsame Ziele und Geschäftsinteressen«, sagte Pepper. »Ich bin mir sicher, dass wir diese wieder teilen werden, sobald du dein Gedächtnis wiedererlangt hast. Hör mir mal gut zu!« Pepper stand auf und ließ den müden, nahezu anämisch wirkenden John ziemlich klein erscheinen. »Ich sehe dich noch vor mir, John. Manche Dinge ändern sich nicht. Und eines dieser Dinge ist die Tatsache, dass du, selbst jetzt noch, der gefährlichste Mann bist, dem ich je begegnet bin.«

Er bemerkte, wie John immer noch überlegte, was er mit ihm anstellen sollte. Und ohne sein Gedächtnis ... Pepper war sich darüber im Klaren, dass er selbst noch ein unbeschriebenes Blatt für John war. Und eine potentielle Belastung.

»Du kannst mich nicht über Bord werfen«, sagte Pepper. »Du hast mich in Aktion gesehen. Es könnte dich das Leben kosten, und dieser Preis ist doch wohl zu hoch. Du brauchst nur zu wissen, dass ich ein alter Bekannter von dir bin und dass du dafür sorgen solltest, mich immer in deiner Nähe zu wissen. Ich werde dein Leben schützen. Gibt es ein besseres Abkommen zwischen uns?«

»Alte Bekannte, sagen Sie? Was darf ich mir darunter vorstellen?«

»Wir waren nicht unbedingt Busenfreunde, John. Leute, die tun, was wir getan haben, sind nicht auf Freundschaften angewiesen.«

John lief auf dem Deck hin und her. Pepper bemerkte, wie sehr ihm das Gehen Schmerzen bereitete. Ein sicheres Anzeichen dafür, dass die Verletzung des Oberschenkels nicht besser werden wollte.

John seufzte. »Sind Sie in der Lage, mir bei der Suche nach meiner Familie zu helfen? Und beim Vertreiben der Aztecaner?«

»Ich kann für nichts garantieren, John.« Pepper ließ den Blick über das Wasser schweifen, betrachtete die aufgerollten Taue an Deck, vermied es jedoch, John in die Augen zu blicken, als er einen Moment überlegte. »Aber eine Sache gibt es, die ich dir auf jeden Fall geben kann.«

»Ja?«

»Dein altes Leben, ich kann es dir zurückgeben.« Ihre Augen trafen sich. Pepper hielt dem Blick stand, keiner wollte nachgeben.

»Sie wollen mir mein altes Leben zurückgeben und nicht über meine Vergangenheit reden?«, fragte John.

Pepper nickte.

»Pepper, selbst wenn Sie der mir nahestehendste Freund wären, wüsste ich nicht, ob ich dieses alte Leben ohne meine Erinnerungen zurückhaben will. Ich sehe ja, wer oder was Sie sind, und das ist schlicht und ergreifend pure Gefahr. Das gefällt mir nicht.«

Keine Umschweife, keine Drohung, kein Machtspielchen, nur die Wahrheit, dachte Pepper. »Du hast Recht. Da ich dir augenblicklich deine Vergangenheit nicht aufrollen kann, musst du es schon selbst bewerkstelligen. Und so bist du ein Spieler in einem Spiel, dessen Regeln du noch nicht einmal kennst. Doch wenn wir es bis zum *Ma Wi Jung* schaffen, werde ich dir deine Erinnerungen zurückgeben. Ich verspreche es dir. Dann wirst du wieder in dein altes Leben eintreten, du wirst wissen, wer du bist, und du wirst auch wissen, was du zu tun hast.«

»Mal angenommen, ich sterbe lieber, als dieses ›alte Leben‹ zu führen. Was dann?«

»Das bezweifle ich, John. Sterben und deine Familie im Stich lassen? So ein Feigling bist du nicht.« John versteifte sich, und Pepper biss sich auf die Lippen. Er hatte sich im Wort vergriffen. »Übrigens, ich würde nicht zulassen, dass du dich umbringst.«

»Warum?«

»Du bist der Schlüssel zum *Ma Wi Jung*. Du bist die einzige Person auf diesem Planeten, die über den Code verfügt, mit dem man dort hineinkommt.« Nachdem Pepper sich an Bord geschmuggelt hatte, war er in Johns Kajüte eingedrungen, um auszukundschaften, wie man in den *Ma Wi Jung* zu gelangen hoffte. Er war auf ein Artefakt aus alten Kriegszeiten gestoßen, ein Gerät, mit dem die Loa fremde Raumschiffe hatten knacken und in ihre Gewalt bringen können. Doch selbst diese uralte Erfindung der Loa, die John vor jedermann zu verbergen suchte, würde nicht schnell genug funktionieren. Die Loa würden mehrere Wochen benötigen, um sich des *Ma Wi Jungs* zu bemächtigen, und selbst dann wäre dieser für sie absolut nutzlos. Der *Ma Wi Jung* war für Menschen konstruiert worden, und ausschließlich diese konnten ihn bedienen. Diese Vereinbarung war damals getroffen worden, als die Loa beim Bau des Raumschiffs geholfen hatten.

»Warum bin ich die einzige Person? Hat denn niemand sonst den Code?«

Pepper räusperte sich. »Du selbst bist der Code. Deine Haut, dein Blut. Deine Stimme, deine Augen, deine Fingerabdrücke, dein Gesicht und als Wichtigstes dein Herzschlag.« Dies war auch der Grund, weshalb John unbedingt leben musste und nicht unter Zwang stehen durfte, wenn das Raumschiff für sie geöffnet werden sollte. Außerdem konnte nur John Pepper die Erlaubnis erteilen, an Bord zu gehen. John war der einzige lebende Pilot auf diesem Planeten, doch er war offenbar nicht imstande, dies zu begreifen. »Du bist es wirklich, du bist die einzige Person, die diese Welt retten kann.«

John starrte ihn ungläubig an. Pepper zuckte gleichgültig die

Achseln. »Wie auch immer«, sagte er, »im Augenblick spielt das alles keine Rolle. Zunächst einmal müssen wir überleben, um zum *Ma Wi Jung* zu gelangen.«

Pepper stand auf und ging. Genug der Konversation. Wortgefechte langweilten ihn und fand er ärgerlich. Sehr viel einfacher wäre es für ihn gewesen, sich John zu schnappen, ihm die Spitze des rechten Zeigefingers in die Schläfe zu drücken, sich bei ihm anzukoppeln und die dadurch gewonnenen Informationen in seinem Gehirn zu speichern.

Doch das hätte Johns Tod bedeutet. Die Erinnerungsblockade war ein Garant dafür.

Ein weiterer Eisberg näherte sich dem Schiff. Pepper stand alleine an der Reling und betrachtete ihn, während die anderen Leute sich eifrig über das Eis hermachten, das sich noch immer auf dem Deck ansammelte.

Später am Abend fiel Pepper noch etwas anderes auf. Irgendwo war eine Luke geöffnet worden, und er nahm den schwachen, unangenehmen Geruch wahr. Pepper war überrascht, denn bislang hatte er auf dem Schiff noch nichts dergleichen gerochen. Fäulnis.

Teotl.

Pepper stieg aus seiner Hängematte und folgte dem Gestank. Mehrmals musste er umkehren, verlor die Spur, landete aber schließlich unten im Schiff und ging weiter, bis er vor einer geschlossenen Luke zum Kielraum stand.

Er öffnete sie ganz vorsichtig und leise, hielt dann inne. Eine gute Minute saß er regungslos neben der Luke und führte ein stilles Selbstgespräch, dessen er sich nicht einmal bewusst war.

Ein Abschätzen der Chancen.

Würde er es überleben, wenn er sich hinunter ins Wasser begab?

Vielleicht nicht.

Da unten war ein Teotl. Eine dieser verfluchten Kreaturen. Wahrscheinlich in der Häutung begriffen, sich in einen erbarmungslosen Jäger und Killer verwandelnd.

In diesem Stadium war die Hülle des Wesens absolut gefeit gegen Gewehrkugeln, Speere und alles andere, was Pepper hier auftreiben konnte. Die einzige Möglichkeit bestünde darin, es aus seinem Kokon herauszulocken. Über Werkzeuge, mit denen er es von der Wand hätte reißen können, verfügte er auch nicht.

Es war ihm gegenüber im Vorteil, sobald es wusste, dass er hier war, und es konnte mit dem Herauskommen warten, bis er ermüdete. Dann aber wäre Pepper derjenige, der sich verteidigen müsste. Und diese Aussicht gefiel ihm keineswegs. Jedenfalls nicht, wenn sich alles auf so engem Raum abspielen würde.

Er entschied sich gegen das Hinabsteigen. Es war auch besser, den Teotl gar nicht erst wissen zu lassen, dass er hier war. Sollte er ruhig seine Schritte unternehmen. Damals in Capitol City, als die Kinder den Kampf unübersichtlich gemacht und den Teotl verwirrt hatten, hatte ihm das Glück zur Seite gestanden; diesmal konnte es ganz anders laufen.

Wenn der Teotl seine Hülle einmal verlassen hatte, war er verletzlicher. Dann konnte er ihn töten, vor allem, da dieser nichts von seiner Anwesenheit wusste. Im Kampf gegen die Teotl war Pepper immer darauf bedacht, sich irgendwie einen Vorteil zu verschaffen.

Bislang hatte er noch keine Auseinandersetzung verloren, doch was bedeutete das schon?

Sie waren ungeheuer anpassungsfähig und verdammt gefährliche Gegner.

Pepper schloss die Luke und schlich wieder nach oben. Ihm war klar, dass seine Überlebenschancen mit dem Auftauchen des Teotl um einiges gesunken waren.

Fünfundfünfzigstes Kapitel

Die aztecanischen Truppen erreichten die Halbinsel, und die Mungo-Männer wichen vor der Übermacht zurück. Doch Haidans Männern gelang es, den Vormarsch der Aztecaner zu erschweren, indem sie auf dem Rückzug die Bahnlinien und Lagerhäuser zerstörten. Gebirgspässe wurden durch gewaltige Sprengungen unpassierbar gemacht.

Die in funkelnden Farben daherkommenden Horden der Aztecaner ließen sich nicht beeindrucken, beseitigten die Hindernisse und marschierten weiter. Dabei wussten sie nicht, dass sie genau jenem Weg folgten, den sich Haidan erhofft hatte. Stündlich erschienen die Anführer der Mungo-Männer bei Dihana, um sie über den Stand der Dinge zu informieren.

Bis zu diesem Morgen. Die Anführer berichteten ihr, es gebe nichts mehr zu berichten. Die Luftschiffe hätten die Aztecaner im Blick, und die Stadt warte auf den ersten Ansturm des Feindes.

Dihana verließ das Regierungsgebäude, um Haidan aufzusuchen.

Haidan stand auf einer der Mauern und schaute auf die verlassenen Dörfer und Depots im Umfeld der Stadtmauern hinab. Jenseits der Einöde aus Stacheldraht, Schützengräben, Truppen und verbrannter Erde erstreckten sich die grünen Ränder des Dschungels. Dihana hatte das Gefühl, als könne sie dort die Schatten der heranschleichenden Aztecaner erkennen.

»Wie steht es mit deren Luftschiffen?«

»Die meisten wir können fernhalten mit unseren Mitteln. Wir

haben Granaten zum Abfeuern von diesen Mauern. Und wenn sie zu nahe kommen, wir sie bekämpfen mit eigenen Luftschiffen. Aber in genügend Entfernung sie können fliegen, Schlacht beobachten, versuchen, Blick in die Stadt zu werfen.«

Dihana erlaubte ihm, sie bei der Hand zu nehmen und mit ihr die übrigen Abschnitte der Mauern zu besichtigen, wo entschlossen dreinschauende Männer mit Macheten an der Hüfte bei Geschützen jeglicher Größe Stellung bezogen hatten. Die Mehrzahl der Waffen auf der Mauer war nicht einsetzbar, solange die Aztecaner nicht die äußeren Ringe der Schützengräben überwunden hatten und sich den Mauern näherten.

»Haidan, was hätten wir tun können, um dies zu verhindern?«

»Ich weiß nicht. Vielleicht mehr Agenten und Spione in Land der Aztecaner schicken?«

Haidan war schon seit Tagen nicht mehr ins Bett gekommen, hatte alle erdenklichen Details studiert und seine Leute angetrieben. Seine geschwollenen Augen und die heisere Stimme legten beredtes Zeugnis davon ab. Er stützte sich auf die Mauer und legte den Kopf in die Hände. »Wenn wir dies überleben, wir müssen ändern viele Dinge. Größere Streitkraft, mehr Dörfer. Mehr Städte. Das ganze Land hier um Stadt muss stark sein und dynamisch. Wir dürfen nicht nur abwarten, nicht zurücklehnen. Wir brauchen tausend Dinge.«

Dihana nickte. »Wir müssen es sein, die sich bewegen und weiterentwickeln, nicht sie. In Zukunft gibt es kein defensives Abwarten mehr.«

»Das auch.« Haidan stand auf. »Wir noch immer keinen Loa gefunden.«

»Haben Sie eine Ahnung, wohin sie sich abgesetzt haben könnten?«

»Vielleicht tief unter Stadt.«

Dihana nickte. »Haben Sie auch eine Kalebasse von ihnen bekommen? Eine mit einem Seuchenerreger darin?«

»Wir können die Flasche mitten unter Aztecaner feuern,

wenn anrennen gegen unsere Mauern«, schlug Haidan vor. »Und selbst in Deckung gehen. Vielleicht wir uns nicht damit anstecken.«

»Ich denke, die Loa hätten uns diesen Rat erteilt, wenn es funktionieren würde. Glauben Sie nicht auch?«

Sie gingen zu einer der mächtigen Plattformen zurück, über die sie wieder nach unten hinabgelangen konnten.

»Ich habe sämtliche Kalebassen eingesammelt«, sagte Dihana, »und in einen Safe eingeschlossen. Jene, die die Loa den Priesterinnen hinterlassen haben, dann die für die Ratsmitglieder und auch meine eigene. Ihre Kalebasse sollten Sie mir ebenfalls geben.«

Haidan half ihr auf die Plattform hinauf. Das Holz knackte unter ihren Füßen.

»Sie wollen Erreger benutzen, wenn kein anderer Ausweg?«, fragte Haidan. Er verzog das Gesicht. Doch sein Lachen verrutschte ihm eher zur Grimasse. »Sie wollen alles vernichten, damit niemand etwas kriegt?«

»Das würde auf ein zweites Hope's Loss hinauslaufen. Und für uns hieße das, unsere Waffen gegen uns selbst zu richten, so wie damals unsere Vorväter gegenseitig sämtliche vorhandenen Maschinen zerstörten, bis schließlich keiner mehr etwas besaß. Dabei starben unglaublich viele Menschen, Haidan. Glauben Sie, ich sei zu dergleichen imstande?«

Die Plattform ruckte. Der dampfbetriebene Motor zischte, als die Bremse gelöst wurde und sie langsam nach unten glitten. »Sie hoffen, mit allem zu sterben«, sagte Haidan, »und niemals zur Verantwortung gezogen zu werden.«

»Die Loa hoffen, alles aussitzen zu können und erst wieder aufzutauchen, wenn entweder die gesamte Bevölkerung durch die Seuche dahingerafft wurde oder wenn wir wie durch ein Wunder überlebt haben. Vielleicht war es das, was sich auch die Vorväter vorgenommen hatten. Die Sache einfach aussitzen. Möglicherweise war es ihr Versuch, etwas Zeit zu gewinnen.«

Haidan gluckste. »Alles was übriggeblieben von Vorvätern, sind Ratsmitglieder. Nicht sehr gut, oder?«

Die Plattform verlangsamte ihre Fahrt und hielt auf Straßenniveau an.

Immer mehr Versammlungen mit den Einwohnern der Stadt wurden erforderlich. Niemand wusste, wie viel Zeit dies in Anspruch nehmen würde. Die Vorräte an Nahrung und Trinkwasser waren bereits bedenklich knapp geworden, und sie zu rationieren hieß gefährliche Entscheidungen treffen. Niemand konnte auch voraussagen, wie lange sie den Attacken der Aztecaner standhalten würden, doch mit derartig vielen Menschen innerhalb der Mauern glaubte Dihana, dass es nicht allzu lange sein würde. Vielleicht ein paar Monate? Unter Umständen etwas länger, falls die Fischer die Speisekammern der Leute zu füllen vermochten.

Dihana fragte sich, wie lange sie es ohne Schlaf noch aushalten würde. Als sie in den wartenden Wagen stieg, beschloss sie, sich am Nachmittag ein wenig Zeit für ein Nickerchen zu gönnen.

Später in der Nacht wurde sie von einigen dumpfen Schlägen geweckt. Als sie zum Fenster ging, hörte sie die lauten Schreie der Leute auf der Straße.

Über den Mauern von Capitol City erhellten die Feuergarben der Geschütze den nächtlichen Himmel mit funkelnden orangefarbenen Blitzen. Eine Wolke aus von hinten beleuchtetem, unheimlich gefärbtem Pulverdampf schwebte in der Luft. Unter dieser Wolke bewegten sich saatkornförmige Gebilde über der Stadt und warfen Leuchtfeuer ab.

Dihana lehnte sich an den Fensterrahmen und weinte.

Die Aztecaner waren da.

Sechsundfünfzigstes Kapitel

Die *La Revanche* landete am dritten Tag der dritten Woche. Pepper stand zusammen mit den Besatzungsmitgliedern an Deck, und alle zitterten vor Kälte, konnten ihre ehrfurchtsvollen Blicke aber nicht von den majestätischen Bergen mit ihrem Schneekleid abwenden. Um sie herum war die Luft erfüllt vom Knacken brechenden Eises und dem ohrenbetäubenden Rauschen kalbender Eisberge.

Es dauerte einen Tag, dann waren sie im Eis eingeschlossen. Die Besatzung wurde nervös, doch Pepper erkannte an Johns Ruhe und Gelassenheit, dass er damit gerechnet hatte.

Der Boden des Dampfschiffs war flach und abgerundet, im Gegensatz zu der unten spitz zulaufenden Form des Rumpfs herkömmlicher Segelschiffe. John erklärte, dass er bei seiner letzten Reise beobachtet hatte, wie kleine Jollen mit flachem Boden das Einfrieren im Eis mühelos überstanden hatten, während Boote mit tieferem Kiel einfach zerquetscht worden waren. Pepper passte in der folgenden Nacht darauf auf, was geschah. Seine Augen durchbohrten die Dunkelheit, und so sah er, wie sich unaufhaltsame Eisschichten zunächst gegen die Bordwände der *La Revanche* pressten, sich dann unter den Schiffboden schoben und schließlich den gesamten Schiffskörper auf das Eis hoben.

Die *La Revanche* war ähnlich geformt wie die kleinen Fischerboote, die leicht an Land gezogen werden konnten und in seichtem, von Riffen durchzogenem Wasser problemlos dahinglitten. John hatte Recht. Das Eis konnte sich unten auftürmen, ohne die Bordwand zu beschädigen.

Pepper lächelte und erklärte das Phänomen einigen Mungo-

Männern, die an Deck herumirrten und nur darauf warteten, dass in den Seitenwänden des Schiffes erste Löcher entstünden, was gleichbedeutend mit dem Einläuten ihres letzten Stündleins wäre.

Die Stimmung hob sich ein wenig. Das Land war fremdartig, dunkel, es erinnerte an Teile eines Albtraums, doch das Schiff gab ihnen wieder ein wenig Sicherheit.

Jetzt begannen die ernsthaften Vorbereitungen. Der Ballast wurde aus den Bilgen des Dampfschiffes entfernt. Pepper fiel auf, dass niemand etwas über einen sich häutenden Teotl sagte. Er half, den Ballast zu entfernen, und sah sich dabei auf dem Weg durch die Kielräume nach dem Teotl um.

Alles, was er fand, war ein Stück einer sauberen Hülle auf dem schmutzigen Boden. Vermutlich hatte sich das Wesen hier an die Wand gehängt, um sich seinen Kokon zu spinnen. Pepper schaute sich um. Für ihn stand fest, dass der Teotl das Schiff in der Nacht verlassen und sich über das Eis davongemacht hatte.

Irgendwo da draußen hockte er jetzt und beobachtete sie.

Seeleute blafften Pepper an, er solle voranmachen. Große Bleigewichte und Steinbrocken mussten über das Rahnock hochgehievt und außerhalb des Schiffes wieder auf einer leuchtendroten Persenning abgelassen werden, sodass sie leicht zu finden waren, wenn sie zurückkehrten und das Schiff zu Wasser bringen wollten. Das Ganze war ein hartes Stück Arbeit.

Mehrere Männer waren mit nichts anderem beschäftigt, als Wasser abzukochen und ihre Vorräte damit aufzufüllen. Sämtliche Nahrungsmittel wurden inventarisiert und aufgeteilt: Eine Hälfte kam auf die Persenning, die andere Hälfte blieb im Schiff. Der gesamte Reserveproviant wurde zu dem Ballast in den Schnee gepackt und mit hohen Flaggen markiert.

Sie erleichterten das Schiff beträchtlich. Der Teotl konnte die zurückgelassenen Vorräte vergiften oder beiseiteschaffen, wenn sie sich erst einmal aufgemacht hatten, doch das war Pepper relativ egal. Ihn interessierte nur noch, möglichst schnell zum *Ma Wi Jung* zu kommen.

Pepper erlebte seine nächste große Überraschung, als am Bug und am Achterschiff auf beiden Seiten gewaltige Radachsen ausgefahren wurden. Danach wurden vergleichsweise winzige Achsen an die Seiten der Bordwand geschweißt. Als Nächstes wurden Zahnräder montiert, und schließlich legten die ächzenden Mungo-Männer mehrere hundert Meter Lauffläche darum herum. Ihre Augenbrauen waren weiß von gefrorenem Schweiß.

Innerhalb eines guten Tages hatten sie die *La Revanche* in einen riesigen Schneepanzer verwandelt. Einen weiteren Tag benötigten die Mungo-Ingenieure, um in den Maschinenräumen den Antrieb von der Schiffsschraube auf die Radachsen zu übertragen. Aus den Schiffsluken hallten ihre Rufe und Flüche in die kristallklare Luft, als sie sich bemühten, den Umbau des Schiffes endlich zu beenden.

Pepper schritt die Lauffläche der Schneekette der Länge nach ab. Zunächst war er ein wenig skeptisch gewesen, doch je genauer er die Sache betrachtete, desto mehr wuchs seine Zuversicht, dass die Konstruktion funktionieren würde. Mehrere zusätzliche kleine Achsen und Räder waren in einer oberen und unteren Reihe an der Bordwand angebracht worden, um die Kette stramm zu halten und die Halterung zu stabilisieren.

Die Sterne leuchteten am Himmel, und für einen Moment genoss Pepper die unzähligen Sternbilder, von denen er viele immer noch nicht kannte.

Irgendetwas vor ihm ließ seine Nüstern beben, und er kauerte sich auf den Boden.

Blut.

Scharlachrote Tropfen hatten sich in den Schnee gefressen.

Etliche Meter weiter vorne fand Pepper einen Mungo-Mann. Um den zerfetzten Pelzmantel herum hatten sich ganze Lachen frischen Blutes gebildet. Er bückte sich und betrachtete die Wunden. Ein Schnitt durch die Kehle hatte dem Mann die Stimmbänder durchtrennt, und danach hatten zahllose Stöße in Bauch, Brust und Leistengegend zu dem enormen Blutverlust geführt.

Der Teotl. Er war entkommen. Dieser arme Mungo-Mann hatte ihn offenbar überrascht und dafür mit seinem Leben bezahlen müssen.

Ein Lichtstrahl erfasste Pepper und ließ ihn erstarren. An der Schiffsreling erschienen Männer, liefen aufgeregt durcheinander und begannen zu flüstern, als sie ihn dort unten entdeckten.

»Das glaubt ihr doch wohl nicht im Ernst!« Pepper drehte sich um und schaute ins grelle Licht. Seine Augen stellten sich darauf ein, und er registrierte jedes Gesicht an Deck, jede Regung und jeden Gesichtsausdruck, um sie später zu analysieren.

»Er tot?«, fragte jemand.

Pepper nickte.

»Du ihn töten!«, geiferte jemand anderes.

Johns hageres Gesicht erschien an Deck. Er schaute zu Pepper hinab und runzelte die Stirn. Mit Unterstützung seines aztecanischen Freundes lief er über die Laufplanke auf den schneebedeckten Grund und näherte sich mit knirschenden Schritten der schaurigen Szene.

Die beiden Männer musterten Pepper im gleißenden Scheinwerferlicht.

Pepper erwiderte Johns Blick. Komm, Junge, dachte er, du wirst diese Scheiße doch nicht glauben! Doch er konnte sagen, was er wollte, es war witzlos.

»Ich habe es nicht getan«, sagte er.

John antwortete nicht, sondern schaute sich den Toten an. Oaxyctl schien keineswegs beunruhigt zu sein, stellte Pepper fest. Stattdessen versuchte er, Pepper so lange anzustarren, bis dieser den Blick abwendete. Hinter diesen braunen Augen und der Ponyfrisur aus pechschwarzem Haar spielte sich irgendetwas ab.

»Wir können nicht sicher sein, dass er es getan hat«, sagte Oaxyctl. »Aber während des Angriffs haben wir ihn in Aktion gesehen. Er hat auf unserer Seite gekämpft. Gleichzeitig wissen wir jedoch auch, dass er zu einer derartigen Metzelei durchaus fähig ist. Und darüber hinaus haben wir noch immer keinen Schimmer, was er hier eigentlich will. Wir müssen ihn einsperren. Zu unserer eigenen Sicherheit.«

In diesem Moment stand für Pepper fest, wer auf jeden Fall zu den Feinden zählte. Pepper konzentrierte sich auf den gefrorenen Schweiß auf Johns Stirn. John ging es überhaupt nicht gut.

Oaxyctl schwebte wie ein Geier über ihm. John nickte ziemlich abwesend, während er über Oaxyctls Worte nachdachte. »Ja, ja, ich glaube, dass das im Moment am besten ist.« Er schaute Pepper an, begegnete seinem Blick. »Nur eine Vorsichtsmaßnahme.«

Wieder entdeckte Pepper einen Schimmer des alten John: ruhig, abwägend, planend. Dies war der einfachste Weg, die Besatzung zu beruhigen. Ein Stück Vertrauen ist noch vorhanden, schienen Johns Augen zu sagen. Auch ohne die Erinnerungen wusste John, was zu tun war. Pepper rührte sich nicht, als mehrere Männer die Laufplanke hinabkamen und ihn umzingelten. Einige standen weiter weg und richteten ihre Gewehre auf ihn. Es wäre leichtes Spiel für ihn gewesen, sie samt und sonders zu töten. Stattdessen ließ er sich von ihnen an Bord führen.

Die Türen des Segelschaffs, in das man ihn beim letzten Mal gesperrt hatte, waren noch nicht erneuert. Deshalb wurde er zwischen zwei stabilen Pfosten angekettet.

Nur für kurze Zeit, dachte er. John wird wissen, was er tut. Und er konnte John jetzt nicht im Stich lassen. John war Peppers einzige Möglichkeit, wenn er den *Ma Wi Jung* betreten wollte.

Stell dich nicht gegen ihn!

Gewehrläufe wurden ihm in die Seite gedrückt, Ketten rasselten. Er saß mit überkreuzten Beinen, spitzte die Ohren und schnipste mit den Fingern, als aus der Dunkelheit unter Deck Geräusche zu ihm heraufdrangen.

Nach einigen Stunden war wieder Leben an Deck. Die Leute polterten herum, aus den Kesseln der Schiffsmaschine entwich zischend Dampf, und die Männer riefen sich nach dem Ablesen der Anzeigen auf ihren Skalen gegenseitig Instruktionen zu.

Die Zahnräder knirschten, als sie in Bewegung gesetzt wurden, und durch den Schiffskörper lief ein leichtes Zittern. Pepper wechselte die Lage, als das Dampfschiff ruckend in Fahrt kam. Die Maschine geriet ins Stocken, und sofort ertönten von irgendwoher aufgeregte Rufe, die drei Maschinisten sollten mehr Treibstoff nachlegen.

Pepper hörte, wie an den Schiffsseiten die Ketten zu rumpeln und quietschen begannen. Die *La Revanche* ratterte ungehindert über das Eis. Einige Männer jauchzten begeistert, als sie von den sich langsam vorwärts bewegenden Ketten auf das Schiff zurückkletterten.

Da waren aber auch noch andere Geräusche. Pepper vernahm vor sich an der anderen Seite des Schotts, wo die Besatzung in den Hängematten schlief, Stimmen und das heftige Atmen eines Mannes. Er konzentrierte sich auf die Stimmen und intensivierte sein Hörvermögen zu unnatürlicher Sensibilität.

Jemand sprach.

»Können wir ihm vertrauen?« Die Stimme klang nervös, doch die Nervosität war nur vorgetäuscht.

Das heftige Atmen brach ab. Ein Löffel fiel zu Boden, und suchende Hände tasteten danach. »Er der Kapitän, er weiß, was zu tun.«

»Aber weiß er auch, wohin wir fahren müssen?« Die Stimme der zweiten Person nahm einen Unterton von Ungläubigkeit an.

»Leute sagen, er hat Karte.« Es klang nach Verteidigung.

»Du sie gesehen?«

»Oh, oh.« Eine Hängematte knirschte, als jemand sie verließ. »Was willst du damit sagen?«

»Dass wir nicht können sicher sein.«

»Du weißt, umkehren für uns nicht möglich. Mungo-Männer damit nicht einverstanden. Das ist gefährlich. Und dann du musst daran denken, wovor wir gerade noch konnten fliehen. Aztecaner!«

Ein lange Pause trat ein. Pepper absorbierte sämtliche Geräusche der rasselnden Ketten, um sich voll auf das vorsichtige Flüstern konzentrieren zu können, das jetzt folgte.

»Was du aber sagst, wenn ich weiß, dass manche von Mungo-Männer genauso unruhig? Sie denken, ausweichen nach Cowfoot Island besser und könnten uns alle retten.«

Das schwere Atmen setzte wieder ein, zusammen mit Schritten, die sich entfernten. Die Antwort war nicht mehr zu verstehen, nur ein ganz schwaches Wispern, das außerhalb Peppers Wahrnehmungsvermögen lag.

Meuterei, dachte Pepper.

Siebenundfünfzigstes Kapitel

Fünf aztecanische Flugschiffe kamen im Schutz der Wolken herangeschwebt. Sie warfen ihre Bomben ab, wendeten und verschwanden wieder. Sie waren so hoch geflogen, dass sie für die Geschütze auf den Mauern von Capitol City unerreichbar blieben, und sie hatten sich schon davongemacht, bevor auch nur eines der Flugschiffe in Capitol City hatte aufsteigen können. So ging das nun schon seit Tagen.

Haidan hatte schließlich regelmäßige Patrouillen in der Luft eingerichtet, um sich die aztecanischen Luftschiffe vom Leibe zu halten.

Er war auf dem Weg durch die Straßen zu seinem Haus. Er war müde, sein Husten war schlimmer geworden, und ständig kam er außer Atem. Drei Mungo-Männer begleiteten ihn. Wenn er über einen herausstehenden Pflasterstein stolperte, fasste ihn einer der drei am Arm.

»Entschuldigung!«, sagte Haidan. »Kurze Pause.« Er lehnte sich an eine Backsteinmauer und atmete schwer. Zu viele durchwachte Nächte und ununterbrochen mit hundert Prozent Einsatz auf Achse. Die fliegenden Bomber der Aztecaner waren eingetroffen, Firstop war telegraphisch nicht mehr zu erreichen, und die Wellen aztecanischer Krieger rollten in großen Kolonnen heran, um die Schützengräben vor Capitol City unter Beschuss zu nehmen. Sie hatten sich in genau jenen Abschnitt der Halbinsel schleusen lassen, wo er sie haben wollte, doch sie setzten die Verteidigungslinien bereits mächtig unter Druck und warteten auf die übrigen Aztecaner, um sich mit ihnen zusammenzuschließen. Und ausgerechnet jetzt hatte die Krankheit Haidan voll erwischt. Die Belagerung hatte begonnen, und er musste sich ausruhen.

Ein Trupp bewaffneter, grimmig dreinschauender Toltecaner kam ihnen entgegen und nickte.

»Wo sie hingehen?«, fragte Haidan.

»Verlassen Stadt, um zu kämpfen. Sind Freiwillige.«

»Frage mich, wie lange sie noch kämpfen gegen eigene Leute«, sagte Haidan.

»Sie Toltecanern nicht trauen«, sagte der andere Leibwächter. »Warum?«

»Sind nicht Toltecaner, die Sorgen bereiten.« Haidan stützte
sich mit den Händen auf den Knien ab. »Ich bin besorgt wegen
Agenten und Spionen, die sich unter anderen Toltecanern verbergen, die freiwillig kämpfen.«

Die beiden Leibwächter zuckten die Achseln. »Jetzt zu spät
für Sorgen.«

»Für Sorgen und Gedanken nie zu spät.«

»Das ist wahr.«

Für eine Weile standen sie einfach nur da und blickten sich an.
Dann schaute Haidan den Toltecanern nach, die auszogen, um
die Stadt zu verteidigen. »So oder so doch verdammt gut, dass so
viele Mungo-Männer da draußen«, sagte er. Ein hoher Pfeifton
schrillte in seinen Ohren, und im nächsten Moment explodierte
die Welt um ihn herum. Die Mauer, an die er sich gelehnt hatte,
fiel langsam in sich zusammen. Die Backsteine trafen ihn. Er
wurde unter den Trümmern begraben, und ringsum war nur
noch stockfinstere Nacht. Als er den Staub einatmete, musste
Haidan fürchterlich husten.

Das Dröhnen in seinen Ohren hörte auf.

Er versuchte sich zu bewegen.

Die Schmerzen waren überall. An manchen Stellen war es
mehr als nur der Druck der Steine, da war offenbar etwas gebrochen, so höllisch schmerzte es. Haidan stöhnte und ächzte, während er sich krampfhaft bemühte, die schwere Last wegzustoßen, doch er war zu schwach.

Dann hörte er Stimmen über sich. Wenige Minuten später

wurden große Mauerstücke abgetragen, und bald lag er frei. Einer der Leibwächter und mehrere Toltecaner räumten die restlichen Brocken beiseite und zogen ihn heraus.

Sie legten ihn auf ein breites Brett, schnallten ihn fest und trugen ihn die Straße hinunter. Alle paar Sekunden beugte sich ein besorgtes Gesicht über ihn und fragte, ob alles in Ordnung sei.

Er versuchte zu antworten, doch mehr als ein unverständliches Krächzen brachte er nicht zustande, und alles um ihn herum schien voller Blut zu sein. Ich habe genügend geplant und vorgesorgt, sodass es auch ohne mich weitergeht, redete er sich ein. Ganz egal, wie anstrengend dies alles ist und wie stark die Verletzungen sein mögen, die Stadt wird kämpfen. Dihana und meine Männer werden schon dafür sorgen.

Weit, sehr weit über der Stadt sah Haidan, wie zwei Flugschiffe zusammenstießen und brennend ins Trudeln gerieten.

Er fand Erleichterung, als er die Augen schloss, das Bewusstsein verlor und so schließlich doch noch zu seiner verdienten Ruhe kam.

Achtundfünfzigstes Kapitel

Die Eiswüste erstreckte sich vor ihnen, so weit das Auge reichte. Schneidender Wind erfasste die *La Revanche* und brachte die Takelage zum Singen. Jeder, der nicht gerade Wache hatte, verkroch sich irgendwo unten in der Nähe der Kombüse oder in den Kesselräumen.

Am zweiten Tag, als sie zwischen zwei hohen Bergen hindurchfuhren, wurde überall auf dem Schiff darüber getuschelt, dass man vom Deck aus etwas Sonderbares sehen könne. Dort, wo die Oberfläche schneefrei und durchsichtig sei, könne man unter dem Eis große silbern glänzende Metallplatten erkennen.

Gewaltige Gebäude, mehrere hundert Meter hoch, seien dort vom Eis eingeschlossen.

John stand mit mehreren Mungo-Männern an der Schiffsreling. Endlich stellte irgendjemand die unausweichliche Frage.

»Was ist das da unten?«

»Relikte von den Vorvätern«, sagte John. Riesige Bauten, die durch die Verschiebung des Eises ganz langsam mitgerissen worden waren und sich in seltsamen Winkeln geneigt hatten.

Herzlich willkommen, dachte John. Ja, dies war …

Oaxyctl stellte sich neben John. »Ist das da alles aus Metall gemacht?«

»Es glänzt nur wie Metall«, sagte John und verlor das Gefühl einer weiteren flüchtigen Erinnerung. »Aber da unten ist auch überall Glas dazwischen.« Er deutete auf eine bestimmte Stelle. Die Gebäude besaßen Zimmer, und in diesen konnte man sogar Möbel erkennen. John lief ein Schauer den Rücken hinab. Es war, als schaue er auf ein perfekt erhaltenes Stück Vorgeschichte.

Das Gefühl seltsamer Vertrautheit stellte sich wieder ein.

John ließ die Reling los, wendete sich um und wollte gehen, doch das verletzte Bein gab nach. Oaxyctl griff nach seiner Schulter und fing ihn auf.

»Häuser von Göttern«, murmelte jemand. »Menschen können so etwas nicht bauen.«

John schüttelte den Kopf. »Die Vorväter haben auch Capitol City errichtet.« Die Seeleute schauten ihn ziemlich ungläubig an. »Das waren mächtige Menschen. Keine Götter. Gewöhnliche Menschen, die sehr viel konnten.«

»Wie lange noch, bis wir ankommen?«, fragte jemand.

»Drei Tage.« John beugte sich zur Seite und schaute aufs Deck. Als er fortfuhr, klang es fast wie ein Selbstgespräch. »Direkt außerhalb der Stadt.«

Auf der Karte war an dieser Stelle der Name »Starport« verzeichnet. In Johns Kopf geisterten eine Zeit lang die seltsamsten Dinge herum. Sterne. Die Vorfahren schickten von hier aus ihre riesigen Raumschiffe auf die Reise zu entfernten Sternen.

»Halt!«, sagte Oaxyctl etwas unwirsch und fing John erneut auf.

Johns Bein wollte einfach nicht mehr mitspielen. Frustriert stützte er sich auf Oaxyctl.

Auf diese Weise konnte er keine Expedition zum Erfolg führen.

»Bring mich bitte in meine Kajüte. Und lass den Arzt der Mungos kommen«, sagte John.

Oaxyctl half ihm, zum nächsten Niedergang zu humpeln und sich nach unten zu kämpfen.

John begann zu schwitzen. Die Feuchtigkeit unter Deck, dumpfig und schwer, löste zusammen mit dem Halbdunkel etwas in ihm aus. Ein Anflug von Klaustrophobie machte ihm zu schaffen. Die Stahlwände und die feuerfeste Tür der Kajüte stürzten auf ihn ein, und vor seinen Augen verschwamm alles.

Alles war zu eng, zu dunkel. Eine Ewigkeit hatte er in düsteren, die Brust einschnürenden Räumen verbracht. Er durfte gar nicht daran denken, es machte ihn krank.

»Mir geht es nicht gut«, sagte er, als Avasa die Kajüte betrat und Barclay ihm folgte.

»Sir«, sagte Avasa, »wenn das so ist, Sie sollten uns die Karte übergeben. Dann wir navigieren weiter. Sie müssen unten bleiben in warmer Kajüte. Sie müssen ausruhen und schlafen. Sie dürfen verletztes Bein nicht benutzen.«

Vielleicht zeigt sich dieser Avasa doch ein wenig zu besorgt und hilfsbereit, dachte John. Was würde wohl geschehen, wenn er dem hageren Anführer der Mungo-Männer die Karte aushändigte?

Er war sich nicht sicher. Oder war er einfach nur paranoid?

Barclay lehnte mit gekreuzten Armen am Türpfosten. »Spielen alles keine Rolle nicht.« Er zuckte die Achseln. »Wenn Hälfte von Proviant weg, wir kehren um. Das richtig?«

John wischte sich mit einem Ärmel über die Stirn. »Die Vorräte reichen für zehn Tage, ohne dass wir zu rationieren brauchen. Wir haben jede Menge Zeit.«

»Dann wir brauchen keine Sorgen machen«, sagte Barclay. »Wir haben vier Tage für Suche nach diesem ... Ding. Das muss reichen.«

»Vielleicht«, sagte Avasa. »Aber reicht nicht, wenn Ding von Eis umschlossen.«

Mit der gesunden Hand begann John den Verband von seinem verletzten Oberschenkel abzuwickeln. Die Mullbinde war nass und klebrig. Der leicht faulige Geruch sorgte dafür, dass er den Mut sinken ließ. »Sie haben Recht, Avasa. Doch noch ist die Zeit nicht gekommen.« Mit äußerstem Widerwillen betrachtete er seinen Oberschenkel.

Avasas Arzt trat ein. »Was geschieht hier?«

John riss eine weitere Lage des Verbandes herunter. Sein Blick begegnete dem des Arztes. »Alle anderen raus hier!«, sagte er. »Los, verschwinden Sie!«

John gab ihnen Handzeichen, dass sie sich davonmachen sollten. Parasiten. Warteten nur darauf, dass er krepierte. Oder den Befehl zum Umkehren gab. Er dachte nicht daran. Pepper hatte ihm gesagt, Jerome sei noch am Leben. Und er wusste nicht, wo Shanta sich jetzt befand.

Auf jeden Fall war es dorthin ein weiter, ein sehr weiter Weg.

Wenn er so weit von ihnen entfernt sterben sollte, wollte er verdammt sein. Und verdammt wollte er auch sein, wenn er diesen verrückten Versuch, das Schicksal in der Auseinandersetzung zwischen Nanagadanern und Aztecanern zu wenden, nicht zu Ende führen sollte.

John schaute dem Arzt in die Augen. »Keine Amputation. Noch nicht.«

»Jede Minute länger warten bedeuten mehr Sicherheit für sterben.« Der Mungo-Mann betrachtete John, als habe dieser den Verstand verloren. »Das riecht schon wie Infektion. Gangränös, brandig.«

»Sie dürfen nicht operieren!«, stieß John heftig hervor. Seine Beharrlichkeit war absolut unvernünftig, und dennoch wusste er, dass ihm aus irgendeinem Grund der bloße Gedanke, jemand könne an seinem Bein herumschneiden, größere Angst einjagte als die Vorstellung, irgendjemand an Bord könne einen neuen Versuch unternehmen, das gesamte Unternehmen zu hintertreiben.

Er musste sich auf seinen Instinkt verlassen. Dieser war alles, was ihm noch verblieben war.

Der Arzt seufzte und öffnete einen der Schränke neben Johns Schreibtisch, um frisches Verbandsmaterial herauszuholen.

Nachdem er das Bandagieren des Oberschenkels geduldig über sich hatte ergehen lassen, schickte John den Arzt weg und studierte eingehend die Karte. Er versuchte sich zu erinnern, was früher dort gewesen sein könnte, wo jetzt auf der Karte entlang der Küste nur noch weiße Fläche eingezeichnet war.

Es würde ihm schon noch einfallen, und das Kommando würde er auch weiter führen.

Mitten in der Nacht wachte John auf. Er fieberte. Pepper saß neben seinem Bett und beobachtete ihn. John war keineswegs überrascht.

»Wie fühlst du dich?«, fragte Pepper.

»Nicht gut.« John schaute sich um, doch er nahm kaum etwas wirklich wahr. »Sie wollen mir das Bein abnehmen. Ich lasse es nicht zu.«

»Richtig. Das ist auch etwas anderes als mit deiner Hand. Die wurde einfach abgetrennt. In deinem Bein stecken mehr Module. Du wirst kaum wollen, dass die allesamt gekappt werden, oder?«

»Was machen Sie hier überhaupt? Wie konnten Sie sich befreien?«

»Unter der Schiffsbesatzung befinden sich Leute, die eine Meuterei vorbereiten.« Pepper richtete sich auf. Seit Tagen hatte er sich nicht mehr rasiert, und John sah, dass sein spärlicher Bart zu wachsen begonnen hatte. In Peppers Augen spiegelte sich das schwache Licht.

»Was haben sie vor?«, fragte John.

»Sie sagen, du wüsstest nicht mehr, was du tust. Dass wir einer Urwaldlegende hinterherjagen. Dass wir uns nach Cowfoot Island absetzen und dort vor den Aztecanern verstecken sollten.«

John seufzte. »Ich muss nur noch zwei weitere Tage durchhalten. Länger nicht. Dann wissen wir, ob Edward und die Loa Recht behalten mit ihrer Geschichte vom *Ma Wi Jung*.«

»Wir sind dicht dran, John, aber vielleicht bleibt uns nicht genügend Zeit.« Pepper erhob sich und setzte sich neben John auf das Bett. Von seinem Mantel fielen Eisstückchen auf die Bettdecke.

John legte seine gesunde Hand auf Peppers Arm. Er wusste immer noch nicht, welche Absichten Pepper verfolgte, doch in dieser unwirklichen Situation spürte er für einen Moment eine unausgesprochene Verbundenheit mit diesem Mann. »Du solltest hier nicht frei herumlaufen, Pepper. Die Mannschaft wird dich töten, wenn man dahinterkommt, dass du abgehauen bist.«

»Macht nichts.« Sich der Kajüte nähernde Schritte veranlassten Pepper, aufzustehen. »Ich muss gehen, John.« Er wickelte sich in seinen Mantel ein. »Es schmerzt, dich so zu sehen, mein Freund. Du und ich, wir waren da draußen so ungefähr das Gefährlichste, was man sich vorstellen konnte. Und jetzt hocken wir hier, turnen in dieser popeligen kleinen Welt herum und haben den Tod vor Augen. Unerkannt. Bedeutungslos.« Pepper ging zum hinteren Bullauge und öffnete es. Ein kalter Windstoß ließ John erzittern. »Jetzt sind wir ganz auf uns gestellt.«

Pepper schlängelte sich durch das Bullauge, indem er sich unglaublich wand und verrenkte. Der Spalt war so eng, dass John sich niemals hätte vorstellen können, wie jemand dadurch entkommen wollte.

»Wohin gehst du?«, fragte John, bevor Pepper sich aus dem Bullauge fallen ließ.

Peppers Hände umfassten den unteren Rand, und er schaute in die Kajüte. »Fort. Weg von diesem eigentümlichen Vehikel. Aber ich werde in der Nähe bleiben, John. Immer in unmittelbarer Nähe. Wenn irgendetwas passieren sollte, dann sieh zu, dass du so schnell wie möglich von Bord kommst. Ich werde dann sofort zur Stelle sein. Hast du verstanden?«

John nickte, und gleichzeitig klopfte jemand an die Tür. Pepper schloss das Bullauge hinter sich und verschwand in der Dunkelheit der Nacht.

»Herein!«, rief John.

Barclay trat ein. »Wir haben Problem.« Sein Mund war nur noch ein dünner Strich, die Augen verengten sich. John kannte

Barclay nicht sehr gut, doch an dessen spannungsgeladener Haltung erkannte er die Wut des Mannes. »Wir vermissen Proviant.«

»Helfen Sie mir hoch«, sagte John. »Wie viel ist verschwunden?«

»Was sollen wir tun?«

»Wie viel Proviant ist verschwunden?«, wiederholte John die Frage.

Barclay schlug mit der flachen Hand auf den Tisch neben der Tür. »Halbe Teil.« Er schaute John an und nickte. »Gerade genug, um zurückzukommen zum Lager. Sie verstehen? Jemand dies sehr sorgfältig geplant.«

John stützte sich auf sein gesundes Bein. »Rufen Sie alle Mann an Deck, egal ob die Männer schlafen oder nicht. Wir treffen Maßnahmen. Halbe Ration!«

»Das Leute finden nicht gut. Überhaupt nicht gut.«

»Das weiß ich auch. Aber welche Alternative haben wir denn? Unsere einzige Hoffnung besteht aus dieser verdammten Maschine, hinter der jeder her ist. Das wissen Sie so gut wie ich. Oder glauben Sie etwa, wir hätten in Capitol City genügend Männer, um die Aztecaner zurückzuhalten?«

Barclay schüttelte den Kopf.

»Machen Sie schon!«, befahl John. »Schicken Sie jemanden, der mir die Treppe hinaufhilft.« Verdammt, und dabei waren sie so dicht dran!

Barclay verschwand mit hängenden Schultern. John humpelte zu der Treppe, die in die dunkle, eiskalte Luft hinaufführte. Durch das Geländer hindurch sah man die Sterne funkeln.

Er verlagerte das Gewicht auf die primitive Krücke. Die Lage spitzte sich zu, stellte er fest. Und ein störrischer Teil in der hintersten Ecke seines Gehirns sagte ihm, dass er jetzt auf keinen Fall einen Rückzieher machen durfte. Irgendein seit langem verschollen geglaubtes Stück seiner selbst bestand darauf, dass sie diese Maschine finden mussten und auch finden würden. Ganz egal, wie hoch der Einsatz war. Johns Atem dampfte in der kalten Luft, als er überlegte, wie er die Schiffsbesatzung dazu bringen sollte, dieselbe Entschlossenheit zu entwickeln.

Neunundfünfzigstes Kapitel

Und was nun, John?«, flüsterte er sich selbst zu, als ihm Oaxyctl den Niedergang hinauf aufs Deck half. Einen kurzen Moment schwankte er, und seine Gesichtshaut bekam Fältchen durch den kalten Wind, der ihn streifte.

Von der *La Revanche* zu den hohen zackigen Kanten aus Metall und Eis, die aus dem Schnee herausragten, war es noch ein gutes Stück. Die Formen des Gebildes da vorne erinnerten an Haifischflossen.

Die Landschaft hatte sich vom Natürlichen ins Unnatürliche gewandelt. Der Friedhof der Vorväter, dachte John. Ihre alten Raumschiffe und ihre Gebäude lagen vergraben in dieser Schneewüste.

Die *La Revanche* kam schlingernd zum Halten, und John kippte vornüber. Er warf die Arme nach vorne, um den Sturz abzufangen, und rappelte sich dann mühsam auf die Knie. Alle zwanzig Seeleute waren an Deck versammelt, und die Mungo-Männer standen fröstelnd an der Reling.

»Was zum Teufel ist hier los?«, schnauzte John.

Barclay trat vor, und John ließ die Schultern hängen. Er wusste Bescheid. Etwas in Barclays Gangart sagte alles. John hatte die Kontrolle über das Schiff verloren.

»Sie?«, fragte John. »Sie wollen mit dem Schiff umkehren, habe ich Recht?«

»Tut mir leid.« Barclay schaute auf John hinab. »Ich Ihnen erzählt, wir nur noch Hälfte von Proviant haben. Aber ich gelogen. Ich hoffte, Sie dann befehlen umzukehren, wenn ich das erzähle. Doch Sie stattdessen sagten, wir sollen noch schneller machen.«

»Demnach glauben Sie also auch, dass wir einem Märchen aufgesessen sind?«

»Wir glauben, wir können froh sein, wenn lebend zurückkommen.«

»Wohin denn zurück?«, schrie John. »Nach Capitol City? Oder wollen Sie sich in den Urwald verkrümeln, nach Cowfoot Island? Wohin denn?«

Die Seeleute begannen zu murmeln, als der Name »Cowfoot Island« fiel.

»Einer von uns schon durch Kälte Finger verloren«, sagte Barclay. »Das ist nicht in Ordnung. Dies Wetter, dieser Ort. Wir keine Ahnung, was uns erwartet. Wenn jetzt umkehren, wir Schutz suchen können in Cowfoot Island. Dort mehr Schiffe bauen, mehr Waffen herstellen. Wenn jetzt zurückfahren, wir können kämpfen.«

»Wie lange glaubt ihr denn auf Cowfoot Island bleiben zu können?« John stöhnte und richtete sich mühsam so weit auf, dass er auf einem Bein stehen konnte. »Wochen? Monate? Dann kommen die Aztecaner und rotten euch aus, sobald sie entdeckt haben, dass sich da jemand auf der Insel versteckt hält.«

»Dann wir verstecken in Dschungel«, brüllte jemand. »Bleiben so wenigstens am Leben.«

John humpelte auf Barclay zu. »Das ist purer Wahnsinn!« Er machte noch einen halben Schritt, dann gab ihm Barclay einen Stoß. John geriet ins Taumeln, fiel nach hinten und schlug mit dem Kopf gegen eine Klampe. Blut tropfte auf das vereiste Deck.

Mehrere Mungo-Männer traten vor, und die Seeleute brachten plötzlich Speere und Gewehre zum Vorschein. Unheilvolle Stille breitete sich an Deck aus.

»Was gedenken Sie denn nun mit mir zu tun?«, fragte John und schaute auf den Wald von Stiefeln, die sich um ihn herum bewegten. Pepper hatte ihm gesagt, er solle sich so schnell wie möglich aufs Eis begeben. Doch John besaß nicht mehr die

Kraft, auf die Beine zu kommen. Ihm war schwindlig, und er drohte bewusstlos zu werden.

»Wir Sie einsperren und auf Schiff mitnehmen«, sagte Barclay.

»Warum wollen Sie mich nicht hier zurücklassen?« John hustete und hob seine Wange von den eisigen Planken. »Lassen Sie mich hier einfach mit etwas Essen und Wasser zurück, dann kann ich auf eigene Faust versuchen, die Maschine zu finden.«

Barclay schüttelte den Kopf.

»Der Kerl stirbt sowieso«, rief jemand. »Werfen wir ihn über Bord!«

»Nein«, sagte Barclay. »Wenn wir jetzt Bein amputieren und für Ruhe sorgen, er wird überleben.«

»Das dürfte den anderen aber überhaupt nicht gefallen«, sagte John. »Was wollen Sie also mit mir anstellen? Vielleicht berichte ich anderen von Ihrem Verrat. Oder stellen Sie sich vor, ich laufe in der Gegend herum und erzähle den Leuten, dass Sie eine Chance hatten, Capitol City zu retten, ihre Brüder und Cousinen davor zu bewahren, geopfert zu werden oder ein Dasein als Sklaven zu fristen. Was dann?«

Barclay schaute sich um und versuchte die Stimmung auszuloten.

»Wenn Sie mich hier zurücklassen«, sagte John, »wird das Ihr Gewissen nicht belasten. Dann können Sie immer noch sagen, dass Sie mir die Freiheit geschenkt haben. Und falls ich die Maschine nicht finden sollte, dann war es sicher, weil sie gar nicht existierte. Oder weil sie nicht funktionierte.«

»In Ordnung.« Barclay schluckte. »Sie können bleiben.« Er schaute sich um. »Holt Proviant für ihn!«

Die Seeleute liefen auseinander.

»Wer bleibt bei ihm?«, fragte Oaxyctl, der immer noch hinter John stand. Barclay kam zurück. »Er kann sich nicht alleine fortbewegen«, setzte Oaxyctl hinzu. »Und es gibt Leute an Bord dieses Schiffes, die nicht bereit sind umzukehren.«

»Dann du gehst mit ihm, Aztecaner«, sagte Barclay. »Wer noch?«

Avasa trat vor. »Ich gehe mit.« In die Reihe der Mungo-Männer kam Bewegung, doch Avasa schnipste mit den Fingern. Er drehte sich um und zeigte auf zwei der Mungo-Männer. »Ihr kommt auch mit!«

»Wir geben euch zwanzig Minuten«, sagte Barclay. »Dann *La Revanche* fährt zurück zum Ozean.«

John knirschte mit den Zähnen und schlug die Spitze seines Hakens in die Decksplanken, sodass das Holz splitterte. Er hatte versprochen, den *Ma Wi Jung* zu finden und ihn mit allen erdenklichen Mitteln nach Capitol City zu schaffen. Und Pepper hatte ihm gesagt, er sei der Schlüssel, der Code.

Er würde den *Ma Wi Jung* auftreiben.

»Oaxyctl«, flüsterte er, »in meiner Kajüte befinden sich Karten.«

Barclay hatte es ebenfalls gehört und schüttelte den Kopf. »Wir brauchen die Karten, um Rückweg zum Lager zu finden, deBrun. Sie alleine müssen zurechtkommen.«

John nickte. Er hatte die Route sowieso im Kopf. So bat er Oaxyctl nur, das Gerät zu holen, das ihm der Loa in Capitol City gegeben hatte. Vielleicht konnte er es ja doch benutzen.

Zwanzig Minuten später halfen ihm Avasa und Oaxyctl in den Schnee hinunter. Die Kälte drang durch seine Kleider. Zwei Seeleute sprangen hinter ihnen von Bord, und in stillem Einverständnis wurden sie Teil der kleinen Gruppe von Ausgesetzten.

Von der *La Revanche* wurden ein Skiff und zwei Beile für die sieben Leute hinuntergelassen. Oaxyctl verlor keine Zeit und hackte das kleine Boot in Stücke, um daraus einen behelfsmäßigen Schlitten für John zu basteln. Als er damit fertig war, schnappten sich die sechs Männer die Seile und begannen zu ziehen.

Auf dem Schlitten befanden sich neben John noch etliche Säcke mit Proviant, und er bewegte sich in Richtung der massiven säbelförmigen Flossen in der Ferne.

»Ich kann nur hoffen«, sagte Avasa, »dass dieses Ding, das wir suchen, uns kann retten. Sonst wir alle müssen sterben im Eis.«

Oaxyctl erwiderte nichts, wie John aus den Augenwinkeln beobachtete. Er schaute sich nur zum Schiff um, und die Furcht stand ihm ins Gesicht geschrieben. Es sah aus, als erwarte er jeden Moment, dass sich das Dampfschiff auf sie stürzen würde.

Sechzigstes Kapitel

Oaxyctl war davon überzeugt, in dieser Kälte sein Leben zu lassen. Die bleichen, farblosen Schneemassen dehnten und streckten sich, bis sie entweder in weiter Ferne auf kleinere Berge trafen oder in dem grauen Dunstschleier verschwanden, der über dem Land hing. Jeder Schritt in diesem tiefen Schnee, bei dem er bis über die Knie einsank, schien die Taubheit in seinen Gliedmaßen noch ein wenig zu steigern. Und der ständige Kampf durch das weiße Pulver sog ihm die Kraft aus den Knochen.

Hoffentlich gelang es ihm, die ihm aufgetragene Verpflichtung zu erfüllen, bevor der Gott zu ihnen aufschloss.

Der Schweiß gefror. Erst rann er ihm den Rücken und an den Seiten hinunter, dann wurde er zu Eis. Manchmal tauten die gefrorenen Schweißperlen auch wieder auf und sickerten weiter nach unten, bis sie von der Kleidung aufgesogen wurden.

Auf der Pritsche, die sie durch den Schnee zogen, lag John in leichtem Fieber. Das war immerhin ein schwacher Trost. Man hatte Oaxyctl zwar versprochen, Barclay würde versuchen, John einzusperren, sodass Oaxyctl ihn foltern und so an den Code gelangen könnte, doch es hatte auch die andere Überlegung gegeben, Oaxyctl zusammen mit John das Schiff verlassen zu lassen, um ihm dann Gelegenheit zu geben, sich den Code zu verschaffen.

Wenn er schnell genug mit dem Code zur *La Revanche* zurückkehren konnte, war er in Sicherheit. Doch selbst wenn ihm dies nicht gelingen sollte, so hatten Oaxyctls Freunde ihm gesagt, wäre da immer noch der Gott, der sich irgendwo auf dem Eis befand und sie auf die eine oder andere Weise zusammenführen würde.

Wenn ich den Code vorher in meinen Besitz bringe, kann ich sofort mit dem Gott in Richtung Schiff verschwinden, redete sich Oaxyctl ein. Dann hätte er seine Schuldigkeit gegenüber den Göttern endgültig getan.

Oaxyctl verstand nicht, was John hier draußen in der Kälte träumte oder halluzinierte, doch er konnte sich nicht vorstellen, dass John noch lange zu leben hatte. Und er musste unbedingt die Passwörter in Erfahrung bringen, die John in sich trug, bevor dieser starb.

Wo blieb der Gott? Oaxyctl überlegte. War er in der Nähe?

Er fragte sich auch, ob man von ihm erwartete, John direkt zu töten, sobald er den Code an sich gebracht hatte, damit dieser für immer gesichert sei. Es sah danach aus, dass die Götter dies wünschten, doch Oaxyctl war sich nicht im Klaren darüber, ob er dies über sich bringen würde. Er hatte sich schon zu lange in Nanagada aufgehalten und bereits zu viel gemeinsam mit John durchgemacht. Für ihn waren John und dessen Männer nichts weiter als Menschen. Menschen, wie er einer war. Und diese verdienten genauso wenig wie er einen langsamen Tod.

Feigling, dachte er. Ein elender Feigling bist du. Es hatte Zeiten gegeben, da wäre er glücklich gewesen, sich den Göttern als Opfer darbieten zu dürfen.

Jetzt aber glaubte er nicht länger, dass sie Götter waren. Lediglich mächtigere Wesen als er selbst.

All diese Gedanken schwirrten ihm im Kopf herum, während er durch die Eiswüste stapfte. Doch jenes Bild, das ihn am meisten beschäftigte, betraf den glänzenden schwarzen Kokon, der sich im Bauch der *La Revanche* eingenistet hatte.

Oaxyctl überlegte, welche Form der Gott wohl angenommen haben mochte, um sie im Schnee zu verfolgen.

Die großen Flossen ragten mehrere hundert Meter in die Höhe und hielten dem starken Wind stand, der auf sie einpeitschte und die Kälte durch sie hindurchzutreiben schien. Avasa erklärte sich einverstanden, im Schutz eines der Gebäude Rast zu machen, weit genug entfernt von den gut drei Meter langen Eiszapfen, die sich oben an den Rändern gebildet hatten. Oaxyctl saß dicht am Feuer und lauschte dem Geräusch knackenden Eises. Avasa kauerte neben ihm.

Situationen wie diese schienen surreal. Sie alle waren den Dingen, die sie sonst als normal empfanden, so weit entrückt, dass sie sich selbst zu verlieren begannen.

»Du vermisst deine Frau?«, fragte Avasa.

Oaxyctl schaute den Mann an. Sie hatten beide dunkle Haut, doch im Vergleich zur noch dunkleren Haut des durchschnittlichen Nanagadaners erschien sie eher braun. Durch die Kälte wirkte sie jetzt fast grau. Von Avasas Schnurrbart hingen winzige Eiszapfen herab, die sich beim Sprechen bewegten.

»Ich kann mich kaum noch an sie erinnern«, sagte Oaxyctl. »Klingt das hartherzig?« Links von ihm wälzte sich John auf seiner Liege herum, in Decken eingewickelt, sodass nur noch die Augen hervorschauten. »Ich bin so weit entfernt von allem, woran ich normalerweise gewöhnt bin, ich verstehe überhaupt nichts mehr. Alles, was ich noch kann, ist, mich vorwärtsbewegen.«

Avasa nickte. »Ich nicht kann wiedersehen meine Frau.«

»Wie kommst du denn darauf?«

»Augen von allumfassender Kali starren auf mich in diesem verfluchten Scheißland«, sagte Avasa. »Ich weiß, ich sterbe hier in der Kälte. Schau.« Er zog an seinen Handschuhen, zerrte daran, bis der steifgefrorene Stoff nachgab. Die Fingerkuppen waren schwarz. »Ich sie nicht mehr fühle.« Avasas Stimme brach. »Kälte fressen mich von außen auf.«

Feierlich hielt er die lädierte Hand ans Feuer.

Oaxyctl schaute zu seinen Stiefeln hinab. Gegen Mittag hatte er aufgehört, den stechenden Schmerz des Schnees an seinen Zehen zu spüren. Er fragte sich, wie seine Füße aussehen mochten.

»Warum bist du dann mitgekommen?«, fragte Oaxyctl. »Du hättest an Bord bleiben können.«

Avasa schaute ihn an. »Ich in Capitol City Pläne zur Verteidigung gegen Aztecaner gesehen. Wir keine Chance nicht. Diese Vermutung, hinter der John herjagt, die von Haidan kam, ist meine einzige Hoffnung, zu retten meine Familie, meine Kinder. Man muss alles tun, was möglich, auch wenn es eigenes Leben kostet, verstehst du?«

Oaxyctl schaute blinzelnd in die tanzenden Flammen. Johns innere Kämpfe kamen ihm in den Sinn. »Ja, ich verstehe«, sagte er. Er verkroch sich in seine Kleidung, so gut es eben ging. Das Heulen des Windes war deutlich zu hören, auch wenn sie durch die Metallwand in ihrem Rücken geschützt saßen. Avasa hatte Recht. Capitol City würde fallen. Es gab keinen Ort, wo Oaxyctl sich vor den Göttern in Sicherheit bringen konnte.

Ihrem Befehl musste Folge geleistet werden.

Die anderen Männer tasteten sich mit Blicken ab, grimmig, schweigend, vorwiegend darum bemüht, etwas Schlaf zu finden. Oaxyctl nickte den beiden Seeleuten zu, die freiwillig mitgekommen waren.

Einer der beiden war jener Mann, der ihn hinunter in den Kielraum der *La Revanche* zu dem sich häutenden Gott geführt hatte. Der Mann erwiderte sein Nicken.

Oaxyctl trat das Feuer aus. Wehmütig betrachtete er die letzte Glut, erinnerte sich an ihre Wärme und vermisste sie bereits. Der steife, beständige Wind wehte den Schnee vor sich her und machte es beinahe unmöglich, irgendetwas zu hören.

»Ich heiße Lionel.« Oaxyctl fuhr zu dem Komplizen herum, der gegen den Wind angeschrien hatte. Der andere Seemann ging neben ihm. »Ich habe mich vorhin nicht vorgestellt.« Lionel nickte zu dem anderen Seemann hinüber. »Er heißt Vincent. Er einer von uns.«

»Gut.« Oaxyctl zog Lionel zu sich heran und flüsterte: »Ihr nehmt euch die beiden Mungo-Männer vor. Lockt sie außer Sichtweite, und tötet sie dann!«

»Ja.«

Sie bewegten sich über das knirschende Eis voneinander fort. Ihr Atem ging schwer und wurde vom Wind sofort weggetragen.

Oaxyctl glaubte zu erkennen, dass Johns Fieber etwas nachgelassen hatte. John verrenkte seinen Hals und schaute zu den großen Metallflossen hinauf, die sie umgaben. »Oaxyctl, sind das Buchstaben?«

Oaxyctl blickte auf die Wände einer großen Flosse vor ihnen.

»Ja.« Die letzten Reste von Symbolen waren kaum noch zu erkennen.«

»Lies sie mir vor.«

Oaxyctl warf einen kurzen Blick darauf, doch er konnte beim besten Willen nichts entziffern. »Es geht nicht.«

»Verdammt!« John warf sich auf seiner Pritsche herum, dann hielt er inne. »Ich finde mein Fernglas nicht.«

»Wir haben es an Bord gelassen.«

»Oh.«

Oaxyctl begab sich ans Ende der Reihe und nahm den Platz hinter Avasa und Lionel ein. Die beiden Mungo-Männer gingen vorneweg und erkundeten die Strecke. Das Eis hatte sich als trügerisch erwiesen, mit tiefen, unsichtbaren Spalten. Mit langen Holzlatten vom Skiff stocherten die Mungo-Männer vor jedem Schritt in dem Schnee vor sich herum, um kein tödliches Loch zu übersehen.

»Oaxyctl!«, schrie John plötzlich. »Ich glaube, wir haben mein Bein verloren!«

Oaxyctl antwortete ihm über die Schulter: »Ich weiß.« Er griff nach dem Seil, und dann begannen er und Avasa zu ziehen. Sie waren nicht so schnell wie das Schiff. Und die *La Revanche* stürzte in keine Spalte, so oft es auch danach aussehen mochte.

Drei oder vier Tage dieser Höllenqualen standen ihnen noch bevor.

Zur Beruhigung von Oaxyctls Nervenkostüm trug auch nicht gerade bei, dass jeden Moment etwas Schreckliches aus der Dunkelheit auftauchen konnte. Der Gott bewegte sich da draußen, immer ihre Spur verfolgend.

Er spürte es.

Lionels Angriff erfolgte drei Stunden später. Die Mungo-Männer und die beiden Seeleute gingen weiter voraus, um den sichersten Weg zu suchen. Sie hatten den Wald aus Flossen verlassen und befanden sich in einer Landschaft sanfter Schneehügel.

Oaxyctl vernahm einen Schrei, kurz darauf einen weiteren.

Eine Viertelstunde später kam Lionel alleine zurück. Er wirkte geschockt. Ein hervorragender Schauspieler. »Riesige Spalte da vorne«, keuchte er. Er schüttelte den Kopf und schaute Avasa tieftraurig an. »Mein Mann Vincent ist tot. Und beide Mungo-Männer von Ihnen.«

Avasa ließ das Seil ruhig sinken. »Beide beste Männer von mir?«

Lionel nickte. »Wir müssen dieses Gebiet umgehen.«

Avasa trat auf ihn zu. »Die beiden Männer niemals machen solche Fehler. Und wenn doch, dann Sie niemals als Einziger mit heiler Haut davonkommen würden.«

»Was Sie damit sagen?«, fragte Lionel.

»Wir gehen jetzt weiter. Geradeaus. Ich will selbst sehen, was passiert ist.«

Lionel zögerte, doch Oaxyctl griff nach dem Seil. »Los, gehen wir.«

Avasa lief um die Kratzspuren im Schnee herum und ging in die Hocke. Oaxyctl stand neben ihm. Die Eisspalte war nur etwas mehr als einen Meter entfernt. Wenn er Avasa einen Schubs gab und ihn dann in das Loch stieß, hatte er es geschafft.

Doch in Avasas Haltung drückte sich eine misstrauische Wachsamkeit aus, die ihn warnte.

Und selbst wenn er sich da täuschen sollte, war er sich nicht sicher, ob er es tun könnte.

Elender Feigling!, beschimpfte er sich erneut.

»Hier sind Spuren von Kampf«, stellte Avasa fest. »Ich nichts weiß über diesen Mann Lionel. Aber er lügt. Er meine Männer getötet.«

»Vielleicht war es der andere Mann, dieser Vincent«, sagte Oaxyctl.

Avasa schüttelte den Kopf. Er zog eine Pistole hervor und stapfte zu Lionel hinüber.

Oaxyctl löste das Beil von seinem Gürtel und folgte ihm. »Hör mal, das ist doch nicht nötig!« Er versuchte näher an Avasa heranzukommen.

Lionel erhob sich und riss ein langes Messer aus dem Stiefel. Avasa und er umkreisten einander. Das unüberhörbare Spannen eines Gewehrhahns ließ sie alle erstarren.

John hatte sich aufgerichtet, auch wenn er in seinen Decken furchtbar zitterte. »Hier wird niemand getötet! Alle stellen sich in einer Reihe vor mir auf! Und dann legt jeder seine Waffen ganz langsam auf den Schlitten. Anschließend machen wir uns wieder auf den Weg.«

Die Männer belauerten sich weiter, bis John genau zwischen die drei schoss. Eine Schneefontäne spritzte in die Luft.

»Los! Macht voran!«

Sie gehorchten. John saß immer noch aufrecht mit dem Gewehr in der Beuge seines heilen Arms und musterte sie mit einer Intensität und Kraft, die ihm niemand mehr zugetraut hatte.

Oaxyctl erinnerte sich unwillkürlich an das Zeichen des Ozelots.

Einundsechzigstes Kapitel

Pepper stapfte unverdrossen durch den hohen Schnee. Bei jedem anderen hätte der dichte Schneeregen bewirkt, dass er sich verirrte. Peppers eigene Fußspuren verschwanden sofort, kaum dass er einen Schritt gemacht hatte.

Doch er blieb John auf den Fersen, wie er es ihm versprochen hatte.

Die Kälte ließ ihn starr werden. Deshalb erhöhte er seine Körpertemperatur. Das würde ihn ein wenig Masse kosten. Es würde seine Fähigkeit, länger als eine Woche hier draußen zu überleben, einschränken, doch das spielte keine Rolle. Wenn er diese Woche nicht überstehen und den *Ma Wi Jung* nicht finden sollte, wäre es mit ihm sowieso vorbei. Warum also das Ganze künstlich verlängern?

Der Wind veränderte sich plötzlich kaum merklich.

Er witterte eisige, feuchte Luft und blieb stehen.

Ziemlich weit zu seiner Linken knirschte der Schnee, und Pepper erkannte, dass er hier draußen nicht das einzige Wesen zwischen den eintönigen Schneewehen und überraschend auftauchenden Eisspalten war, die auf Beute lauerten.

In nächster Nähe explodierte ein Schneehügel. Pepper stemmte die Füße in den Schnee, drehte sich um und erwartete den Angriff des Teotl.

Zweiundsechzigstes Kapitel

Johns Bein pochte nicht mehr. Sein ganzer Körper begann zu kribbeln. Er war sich nicht mehr sicher, ob er statt der linken Hand einen Haken hatte. Er erinnerte sich an das eine wie das andere; dass da ein Haken war und dass dort früher eine Hand gewesen war. Das war neu. Seit langer, sehr langer Zeit hatte er sich nicht mehr entsinnen können, wie das war, eine linke Hand zu haben.

Und Starport: In seinem Kopf sah er eine Karte von dem Ort vor sich, an dem sie rasteten. Er drehte sie etwas, stellte sie in einen anderen Winkel und schob sie dann beiseite.

Er hatte einen Sohn. Jerome. Er erinnerte sich an eine Frau. Shanta.

»Johnny, Johnny, was zum Teufel ist hier los?«, schnatterte er.

Er hatte kapitalen Mist gebaut. Es gab noch das eine oder andere zu tun.

Mensch, hack dir das Bein ab, oder du krepierst. Nur so eine blöde Axt da, an ein Bündel Segeltuch geschnallt. Die Axt bringt nichts. Bringt dich höchstens schneller um. Und die drei Kerle da vorne, die um das Seilende herumstehen und dich anglotzen, die werden das Ganze erheblich schneller erledigen.

John traute den Leuten nicht. Traute ihren Absichten nicht. Da lag einiges in der Luft.

Beschissener Notfall, Mensch! Konzentrier dich aufs Wesentliche! Vergiss alles Unwichtige!

Du stirbst, sagte er sich. Übrigens, wenn du dir dein Bein amputieren willst, dann musst du erst mal durch ein paar Sachen durchkommen, die härter sind als Knochen. Denk dran, dass du nicht ausschließlich aus natürlichen Stoffen bestehst.

Was?

Er versuchte, den Dingen, die hinter der Mauer seines Verstandes hervorsprudelten, einen Sinn zu geben. Diese Erinnerungen zeigten sich nicht als spezifische Bilder oder etwas, das ihn wie ein Traum überkam. Diese Dinge waren einfach vorhanden, sobald er seine Gedanken in eine andere Richtung lenkte.

So war ihm beispielsweise der Name Starport völlig vertraut. Er erinnerte sich sogar, einmal dort gewesen zu sein.

Einer der Männer kam auf ihn zu. John hob das Gewehr. Konzentrier dich auf den Moment! »Wenn du dir nicht sofort wieder das Seil schnappst, knalle ich dich ab!«, brummte John. Er konnte es an den Augen ablesen. Dieser Kerl hatte nichts Gutes im Sinn. Oaxyctl, der Name war ihm vertraut und fest in seinem Gedächtnis eingegraben.

Das Fieber und der Schock müssen alte Erinnerungen in dir aufgewühlt haben, dachte er. Ich erkenne mich selbst kaum wieder. Und was kommt dabei heraus? Angeschossen werden, Wundbrand und halb erfroren!

Er lachte, und die anderen drehten sich erstaunt zu ihm um.

John fuchtelte mit dem Gewehr herum. »Ich meine es verdammt ernst!«

Natürlich brauchte er sie, um ihn zu ziehen. Deshalb konnte er ihnen nicht ins Bein schießen. Wenn sie sich auf ihn stürzen sollten, würde er warten, bis er einen Arm treffen könnte. Mit einem zerschmetterten Arm konnten sie ihn immer noch ziehen.

Einige unter ihnen wollten seinen Tod. Oder brauchten etwas von ihm.

Wir sind ganz in der Nähe der Werften, dachte er und lehnte sich eindösend zurück. Er spürte, wie der *Ma Wi Jung* ihn rief.

Der Mann, den sie Lionel genannt hatten, stand über ihm und versperrte die Sonne.

John stieß ihm das Ende des Gewehrlaufs unter das Kinn. »Ich halte ein Nickerchen.«

Lionel hastete zum Ende des Seils zurück und gesellte sich zu den beiden wartenden Männern.

Wie lange würde das so weitergehen? Alles nur vergeudete Zeit, und das so dicht vorm Ziel. Die Erinnerungen, die ihn in einer letzten Welle aus dem Unterbewusstsein erreicht hatten, verflüchtigten sich bereits wieder.

Wo zum Teufel steckte dieser Pepper? Er musste den Mann unbedingt auf sich aufmerksam machen.

John schoss drei Mal in die Luft und fummelte dann am Gewehr herum, um es neu zu laden. Als er fertig war, lehnte er sich zurück. Sollten die Kerle ruhig denken, er habe den Verstand verloren. Auf jeden Fall würden sie ihn jetzt eine Weile in Ruhe lassen.

Er machte sich selbst nur etwas vor. Er war zu müde. Wem von den drei Männern konnte er trauen? Oaxyctl hatte ihm bereits einmal das Leben gerettet. John beruhigte sich und rief ihn zu sich.

»Ich schaffe es nicht mehr.« Er drückte Oaxyctl das Gewehr in die Hand. »Ich bin einfach zu müde. Du musst mich schützen. Sorg dafür, dass es weitergeht.«

Avasa stellte sich hinter Oaxyctl und flüsterte ihm etwas ins Ohr. Oaxyctl nickte.

»John.« Avasa bückte sich und ging dann neben John in die Hocke. »John. Bein nicht mehr zu retten, Wundbrand. Sie nur noch halluzinieren. Wir jetzt müssen Bein amputieren. Versuchen, Ihr Leben zu retten.«

Avasa schnitt das Hosenbein am verletzten Oberschenkel ab und entfernte es. John protestierte nur schwach. Der gefühllos machende Wind kroch durch die übrige Kleidung und raubte ihm den letzten Rest Wärme.

»Hier!« Avasa setzte John eine Flasche Rum an die Lippen und fasste nach seiner gesunden Hand, als der Alkohol zu wirken begann. »Tut mir sehr leid, John, aber wir müssen schneiden.«

»Bitte, tut es nicht!«, wimmerte John. Avasa wickelte eines der Pakete aus, die am Schlitten festgezurrt waren, und holte eine Säge hervor. »Zu gefährlich«, jammerte John.

Avasa nahm die lange Säge und setzte sie am Bein an. Oaxyctl stand hinter ihm. Er hob das Gewehr, zielte und schoss. Avasas Hinterkopf zerplatzte, und das Gehirn spritzte auf Johns nacktes Bein und den Schnee vor dem behelfsmäßigen Schlitten.

John flatterte mit den Augen. »Jetzt verstehe ich gar nichts mehr.«

»Er wollte dich töten.« Oaxyctl drehte sich um und ging kopfschüttelnd davon. Seine Schultern hingen herab. Lionel setzte sich neben John. Der Schlitten sank auf einer Seite in den knirschenden Schnee.

»Wir brauchen Code«, sagte Lionel.

»Welchen Code?« John starrte auf die bleichen Schädelsplitter an seinen Schuhen.

»Der *Ma Wi Jung*.« Lionel flößte John noch mehr Rum ein, dann beugte er sich vor und zog aus seinem linken Stiefel ein langes Messer hervor. »Der *Ma Wi Jung*«, wiederholte er. Der Rum wirkte nicht mehr. Lionel also war der Scheißkerl, der etwas aus ihm herausholen wollte. »*Ma Wi Jung*.«

Lionel jagte John das Messer unter die Kniescheibe. Am gesunden Bein.

John schrie auf.

Dreiundsechzigstes Kapitel

Dihana rannte auf der großen Mauer von Capitol City in Richtung der Tore. Gordon erblickte sie und winkte sie zu einer kleinen hölzernen Plattform heran.

»Warum ist Haidan nicht hier?«

Gordon reichte ihr ein Fernrohr. »Er ist verletzt. Flugschiff warf Bombe in seiner Nähe.«

»Oh, nein!« Dihanas Magen verkrampfte sich. Nicht Haidan! Das hieß, dass jetzt Gordon den Oberbefehl über die Mungo-Männer führte und dass der einzige Freund, auf den sie sich verlassen zu können glaubte, irgendwo verletzt herumlag. Einen Moment schloss sie die Augen, während sie das Fernrohr umklammerte.

»Sie schon viele Tausend ertränkt, die marschieren, um überflutetes Gebiet einzunehmen«, sagte Gordon. »Wir sie beobachten schon den ganzen Vormittag. Aber immer mehr kommen.«

Dihana richtete das lange Messingrohr in die Ferne. Schlamm, niedergerissene Zäune und hastende Menschen tauchten vor ihrem Auge auf. »Das sind ja unglaublich viele!« Sie konnte hinschauen, wohin sie wollte, überall waren Aztecaner. »Was meint Haidan dazu? Kann ich ihn besuchen?«

Gordon schaute zu Boden. »Er noch immer weggetreten, schlafend oder bewusstlos, irgendwas. Er reagiert nicht.«

»Aber lebt er?«

»Ja.«

Eine Stunde lang behielten sie den Schlamm und die Schützengräben da draußen im Auge. Sie beobachteten, wie sich mehr und mehr Aztecaner durch das überflutete Gelände zwischen den Eisenbahnlinien hindurchwühlten und dann auf dem trockenen Abschnitt im Norden ihren Kameraden entgegeneilten, die bereits über die nördliche Bahnstrecke heranzogen.

Die Reihen kamen ins Stocken, als die Mungo-Männer in den am weitesten von der Stadt entfernten Schützengräben das Feuer eröffneten. Als Antwort sprengte heftiges Kanonenfeuer der Aztecaner zwischen den Stellungen der Mungo-Männer riesige Erdbrocken in die Luft. Dihana zuckte zusammen.

»Zum Glück wissen wir ja, was jetzt zu geschehen hat«, sagte Dihana. »Wir haben Haidans Plan.«

Gordon nickte. »Ich weiß.« Er drehte sich um und erteilte Befehle. Mungo-Männer hasteten die Mauer hinunter, und wenige Minuten später sah Dihana, wie eine von Haidans Überraschungen über die nördliche Eisenbahnlinie davonrumpelte. Eine Strecke von etwas mehr als einem Kilometer war bewusst intakt gelassen worden. Eine gepanzerte Lokomotive kam schnaufend in Fahrt und beschleunigte schnell. Zwei Mungo-Männer sprangen von ihr ab, und andere zogen Stacheldraht und Sperren von den Schienen, sodass der Zug ungehindert in die äußere Zone eindringen konnte.

Das Dampfross wurde immer schneller und donnerte auf die Aztecaner zu, die entsetzt von den Schienen sprangen, um nicht über den Haufen gefahren zu werden.

Gordon beugte sich vor. »Jetzt!«

Der Zug explodierte, Metall flog den aztecanischen Kriegern um die Ohren, und die Flammen taten ihr Übriges. Die Druckwelle pustet die Soldaten weg wie deren bunte Federn, dachte Dihana.

»Und noch einmal«, flüsterte Gordon, als sich ein zweiter Zug in Bewegung setzte und auf die Aztecaner zuraste. Dies war aber nur die erste von einer ganzen Reihe von Überraschungen für das feindliche Heer.

»Vielleicht können wir sie hier schlagen«, sagte Dihana leise.

Wer war imstande, täglich Tausende zu verlieren und sich davon zu erholen?

Gegen Mittag war der Vormarsch der Aztecaner gestoppt. Nach links konnten sie nicht ausweichen, da sie dort auf den Ozean stießen; rechts von ihnen machte das überflutete Gebiet ein Vordringen unmöglich; hinter ihnen drängten weitere Truppen nach. So entschieden sie sich für eine Kampfpause und gruben sich ein.

Erleichtert verließ Dihana die Stadtmauer und kehrte zusammen mit Gordon in ihr Büro zurück, wo bereits ein atemloser Streuner auf sie wartete.

»Frau Ministerpräsidentin«, keuchte er, »wir haben Problem.« Er holte tief Luft. »In Tolteca-Town Aufstand ausgebrochen. Dreihundert Toltecaner überrennen eine Kaserne. Sie jetzt haben Gewehre.«

Gordon wirbelte zu ihm herum. »Sind noch Mungo-Männer in Kaserne?«

»Nein, nein, Toltecaner dabei, sich in Kaserne zu verschanzen. Vielleicht benachrichtigen andere Toltecaner. Sie bereits jeden töten, den sie auf der Straße antreffen.«

»Wie konnte das nur passieren?« Dihana musste sich beherrschen, um nicht laut zu werden. »Ich dachte, wir hätten dort genügend Mungo-Männer, um Tolteca-Town zu kontrollieren!«

»Haidan und ich schickten Trupp auf andere Seite der Mauer. War falsche Entscheidung.« Gordon schaute aus dem Fenster auf die Stadt hinab. »Aztecaner südliche Bahnlinie nicht angreifen. Dihana, Sie müssen nehmen fünfhundert Mungo-Männer von dort und zurückschicken, um Lage zu klären.« Gordon pfiff einen Mungo-Mann herbei und wiederholte den Vorschlag als Befehl. »Wissen Sie«, sagte er dann zu Dihana, »das wäre sicher nicht passiert, wenn Sie nicht alles daran gesetzt, Aztecaner in Stadt zu lassen.«

Dihana verkniff sich eine Antwort. Sie nahm drei Mungo-Männer mit und lief mit ihnen an der Mauer entlang zur Einfahrt der südlichen Bahnlinie.

Es brachte nichts, über etwas zu diskutieren, das nicht mehr rückgängig zu machen war. Besser war es, zu handeln.

Drei höhere Offiziere der Mungo-Männer kamen ihnen an der Eisenbahnzufahrt entgegen. Einer von ihnen fasste Dihana am Arm. »Wir keinen Kontakt mehr haben mit Städten im Süden.«

»Was?« Unwirsch schüttelte Dihana die Hand ab. »Sind Sie ganz sicher?«

»Wir gerade schicken gepanzerten Zug dorthin, um nachzuschauen. Er noch nicht zurück. Wir vermuten, Aztecaner haben Streitkräfte aufgeteilt oder Trupp aztecanischer Kundschafter hat Telegraphendraht durchtrennt.«

Sollten die Aztecaner wirklich entlang der südlichen Bahnlinie vorrücken, konnte sie unmöglich so viele Mungo-Männer von dort abziehen. Und – Dihana spürte Verzweiflung in sich aufsteigen – dies würde zusätzlich bedeuten, dass die südlichen Städte als Lieferanten des Proviantnachschubs ausfielen.

»Jemand soll ein Flugschiff losschicken, um die Lage zu untersuchen und auszukundschaften, ob dort Aztecaner zu sehen sind.«

Die Dinge liefen aus dem Ruder, die Pläne waren Makulatur. Dihana vermisste Haidan.

»Was sollen wir jetzt tun mit Leuten in Tolteca-Town?«, fragte einer der drei Mungo-Männer, die Dihana begleitet hatten.

Dihana fühlte sich überfordert. »Wir müssen zurück zu Gordon.«

Sie durfte jetzt keine Entscheidung auf eigene Faust treffen, gleichzeitig jedoch stand für sie fest, dass die Männer von der südlichen Bahnlinie abgezogen werden mussten. Damit gaben sie allerdings die Möglichkeit auf, die Aztecaner in jenem Abschnitt zusammenzudrängen, in dem sie ihnen überlegen waren.

Kurz vor Sonnenuntergang begannen die Truppen der Mungo-Männer mit dem Rückzug von der südlichen Eisenbahnstrecke. Am südlichen Zipfel der Halbinsel tauchte die Vorhut eines zweiten aztecanischen Flügels auf.

Mit der Abenddämmerung setzte der Angriff der Aztecaner wieder ein, diesmal von zwei Seiten. Unterdessen gingen die Mungo-Männer gegen die toltecanischen Verräter vor und töteten sie beim Sturm der Kaserne.

Als Dihana erneut mit Gordon zusammentraf, schürzte dieser die Lippen. »Toltecaner uns dazu zwingen«, sagte er. »Wir entweder können südliche Eisenbahnstrecke halten oder erledigen Toltecaner in der Stadt.«

Das Dröhnen des aztecanischen Geschützfeuers drohte ihre Unterhaltung zu übertönen. Eine Kette von Flugschiffen kam immer näher.

»Noch halten wir die äußere Linie der Schützengräben«, sagte Dihana. »Wir töten nach wie vor eine große Zahl von Feinden.«

»Jetzt nicht mehr«, sagte Gordon. »Ich soeben gegeben Befehl zum Rückzug, sodass angreifende Aztecaner in Reichweite der Geschütze auf der Mauer geraten. Wir sie töten, aber hinter jedem, der fällt, zwei andere stehen und kämpfen weiter.«

Später in der Nacht wichen die Mungo-Männer zurück, und in den endlosen Gräben wurde Öl abgebrannt, um zwischen den Aztecanern und den Mungo-Männern eine Barriere zu schaffen. Dies erhöhte die Zahl der aztecanischen Opfer, doch dadurch ließen sich die anderen nicht aufhalten. Sobald das Ölfeuer nachließ, stürmten sie durch die Rauchschwaden hindurch über das offene Feld. Viele starben, aber Zentimeter um Zentimeter kämpften sie sich an die Stadtmauern heran.

Die Verteidiger hatten keine Chance, die Flut der Aztecaner aufzuhalten. Sie konnten lediglich ihren Vormarsch bremsen.

Vierundsechzigstes Kapitel

Lionel wiederholte immer wieder dieselben Wörter. *Code. Ma Wi Jung.* Jedes Wort wurde von einem Messerstich unterstrichen. In den Fuß: durch den Stiefel in Knorpel und Fleisch, dann herumgedreht, um *Jung* zu unterstreichen. In die Wade: durch das Hosenbein, das das Blut aufsog. In den Arm: die scharfe Schneide schlitzte den Unterarm auf. Brust, Bauch, und Lionel blieb unendlich geduldig dabei. »Gib mir den Code, John, oder es wird schlimmer, und du stirbst ganz langsam, mit noch mehr Schmerzen. Ich fange gerade erst an.«

Dann stieß Lionel das Messer in Johns Oberschenkel, und die Spitze prallte direkt unter der Haut ab. Er versuchte es ein ums andere Mal, bis sich John aufrichtete, über und über von seinem eigenen Blut bedeckt, Lionel an der Gurgel fasste und ihn zu sich heranzog. Er erinnerte sich daran, früher einmal die Kraft besessen zu haben, Lionels Genick mit dem gleichen Kraftaufwand zu brechen. »Hör zu, du Scheißkerl!«, brummte er. »Keiner von euch bekommt ihn. Pepper hatte Recht. Es gibt keinen Code. Es gibt nur mich.«

Lionel antwortete, indem er John dass Messer in die Schulter rammte. John sank auf den Schlitten zurück. Ein Gewehrschuss fiel. Lionel stürzte rücklings in den blutigen Schnee.

»Götter!«, schrie Oaxyctl. Es klang, als wolle er jemanden beschwören, den John nicht sehen konnte. »Dieser Mann hat John in meiner Abwesenheit gefoltert. Ich weiß nicht, warum.«

Plötzlich konnte John nichts mehr sehen, doch er spürte, wie kräftige große Hände das Messer herausrissen und ihn hochhoben. Pepper. Zu spät, viel zu spät.

Die Zeit verstrich. John wusste nicht, wie viel Zeit vergangen war, bis Peppers vertraute Stimme seinen Trancezustand durchbrach. »John?«

»Folter«, flüsterte John. Er spürte überall Schmerzen, sodass er nirgends mehr einen besonderen Schmerz empfand, und sein gesamter Körper fühlte sich klebrig, verkrustet oder immer noch blutend an. Er hielt es nicht mehr länger aus. Nicht in dieser Kälte, nicht mit diesen Wunden. Er würde sterben. Und zwar schon sehr bald.

John sank in einen tiefen Schlaf. Er träumte davon, zu fliegen.

Fünfundsechzigstes Kapitel

Pepper benutzte ein Reservebeil, um Eisblöcke für ein Iglu zurechtzuhacken. Oaxyctl schaute zu und wusste nicht, was das Ganze sollte. Seine Muskeln schmerzten noch von der langen Wanderung durch den Schnee und der Begegnung mit dem Teotl, der sie noch immer verfolgte. Pepper warf Oaxyctl das andere Beil zu.

»Mach dich an die Arbeit! Blöcke anfertigen. Du siehst ja, wie ich das mache.«

Das Eis wurde zunächst in größeren Blöcken herausgeschlagen und dann bearbeitet, sodass gleichmäßige Quader übrig blieben. Die ersten paar Ringe wuchsen aus dem Boden, erst senkrecht in die Höhe, danach leicht versetzt zur Mitte, um eine Kuppel zu schaffen. Der Wind nahm zu, doch Pepper spürte, wie der Druck langsam nachließ. Er brachte die Klötze, die Oaxyctl ihm anreichte, in eine exakte Form. Wenn Oaxyctl nicht Schritt halten konnte, hackte Pepper selbst Blöcke aus dem Eis.

Er hatte das Gefühl, der aufkommende Sturm würde nur diese Nacht andauern, höchstens jedoch ein paar Tage. An Proviant fehlte es nicht, doch mit jedem Tag, den sie vertrödelten, wuchs die Gefahr, dass John den Wettlauf mit dem Tode verlieren würde. Und verdammt noch mal, Pepper war nicht rechtzeitig zur Stelle gewesen, um John die Folter zu ersparen. Diese ganze gottverdammte Situation stand auf des Messers Schneide.

Zu allem Überfluss war er sich auch nicht darüber im Klaren, welche Rolle Oaxyctl bei der Folter gespielt hatte. Oaxyctl hatte behauptet, er habe sich auf die Suche nach einer geschützten Stelle begeben und dann bei seiner Rückkehr feststellen müssen, dass John durch Lionel gefoltert wurde.

Pepper glaubte ihm nicht.

Diese Idioten wollten einfach nicht kapieren, dass aus John deBrun kein Code herauszuholen war. Selbst die Teotl, die hinter John her waren und eigentlich alt genug sein sollten, um wenigstens noch eine vage Erinnerung an jene vergangenen Zeiten zu haben, hingen diesem Irrglauben nach.

Es war eben doch anders als in jener Höhle in den *Märchen aus Tausendundeiner Nacht*. Ein Apparat wie der *Ma Wi Jung* ließ sich nicht einfach mit einem richtigen Spruch öffnen. Das Raumschiff musste absolut sicher sein, wen es an Bord lassen durfte.

Seit den Tagen, da die Teotl sich der Spirallöcher bemächtigt und alle Bewohner in diesem geschlossenen System eingesperrt hatten, war Starport mit Unterstützung der Loa darangegangen, unter Aufbietung sämtlicher Kräfte ein Langstrecken-Raumschiff zu entwickeln, das vom Boden aus starten und die enormen Entfernungen zwischen den Sternen bewältigen konnte. Es war in der Lage, sich nach gravierenden Schäden selbst zu reparieren, und dank der technischen Fertigkeiten der Loa konnten Menschen in ihm wahnsinnig lange überleben.

Am Ende hätte es allen die Rettung gebracht.

Die Teotl hatten beinahe gesiegt, deshalb wurde ein letzter Angriff auf die Löcher gestartet, um diese zu zerstören, die Teotl von dem schier endlosen Strom an Nachschub abzuschneiden und dabei gleichzeitig Nanagada von der gesamten übrigen Welt abzukoppeln. Der Rückstoß jener Waffen, die eingesetzt wurden, um das Spiralloch kollabieren zu lassen, zerstörte bei dieser Attacke sämtliche Raumschiffe, die meisten Satelliten im Orbit und viele orbitale Habitate. Nahezu alles, was mit einem Chip versehen war, wurde zunichte gemacht.

Die Überlebenden dieses zerstörerischen Ereignisses überschütteten sich gegenseitig mit den furchtbarsten verbliebenen Waffen, und Pepper hatte später gehört, selbst Waffen mit Antimaterie und atomaren Sprengsätzen seien in diesen Tagen zum

Einsatz gekommen. Einige Menschen überlebten dank biodynamischer Technologie der Loa und extrem abgesicherter Schaltsysteme in speziell gepanzerten Rettungsraumschiffen. So gab es eine kleine Gruppe von Überlebenden, die hilflos durch den Weltraum trieben und ständig auf Rettung warteten, die niemals kam. Die meisten von ihnen begingen nach den ersten hundert Jahren Selbstmord.

Der *Ma Wi Jung* war so konstruiert, dass er die gleichen Hilfsmittel wie die der kleineren Rettungsraumschiffe auf seine lange Reise zwischen den Sternen mitnehmen konnte. Pepper wusste, dass die gewaltige Explosion das Raumschiff zunächst einmal unbrauchbar gemacht haben musste. Doch es war ja in der Lage, sich danach selbst wieder instand zu setzen.

Eine Kombination aus schützender, entstörender und rekonstruierender biodynamischer Technologie der außerirdischen Loa hatte schließlich dafür gesorgt, dass der *Ma Wi Jung* die besten Voraussetzungen für ein Überlebensraumschiff bot.

Es handelte sich nicht einfach nur um ein Raumschiff zum Überleben, sondern Pepper winkte damit die Möglichkeit, endlich nach Hause zu reisen.

350 lange Jahre hatte Pepper in einer solchen künstlichen Welt verbracht. Über Jahrhunderte hinweg war er nichts weiter als ein Gefangener eines dieser verfluchten Rettungsraumschiffe gewesen. Er würde alles tun und jedes Hindernis aus dem Weg räumen, um dieser Strafe ein Ende zu bereiten.

Lionels Leichnam, dem fast der ganze Kopf fehlte, war zu einem Eisklumpen gefroren. Pepper schulterte ihn wie einen Baumstamm und trug ihn zu einem Loch, das er in den Schnee gegraben hatte.

Er warf den Mann hinein und schüttete das Grab zu.

Oaxyctl hatte ihm einen Gefallen getan. Lieber wäre es Pepper allerdings gewesen, wenn Oaxyctl auf Lionel aufgepasst hätte, sodass er noch etwas mehr Informationen hätte sammeln können.

Und er fragte sich, wo der Teotl abgeblieben war. Er hatte mit einem erneuten Angriff gerechnet, doch das außerirdische Wesen schien es vorzuziehen, sich in einiger Entfernung von der *La Revanche* aufzuhalten. Wartete es auf irgendetwas Bestimmtes?

Vielleicht hatte es ja auch gar nicht mitbekommen, dass sich seine Beute nicht mehr an Bord befand.

»Komm«, sagte Pepper, als er zum Iglu zurückkehrte, »geh hinein.«

Oaxyctl gehorchte.

Drinnen zündete Pepper ein Feuer an. Die Wärme breitete sich in ihm aus und tat gut. Pepper zog die Kleider aus, und Oaxyctl sperrte den Mund auf.

»Was ist passiert?«

Die Wunden der Klauen auf Peppers Brust waren tief und sonderten noch immer Wundflüssigkeit ab.

»Ich hatte eine kleine Begegnung mit einem deiner Götter«, grunzte Pepper.

»Ist er ... Hast du ...?«

»Ein Unentschieden. Wir leben beide noch.« Pepper zog eine Grimasse, als er frische Kleidung aus dem vollgepackten Schlitten hervorkramte. Sie hatten den Iglu um das Gefährt herum errichtet, da sie es sonst hätten draußen lassen müssen. »Eine Schande.«

Oaxyctl schluckte. »Bist du ein ... ein Loa?«

Pepper lachte. »Vielleicht sehe ich nicht gerade wie ein Mensch aus.« Er grinste. »Aber ein Loa, nein.« Er spuckte die Wörter förmlich aus. »Und auch kein Teotl. Keiner von diesen Scheißtypen.« Er drehte sich zu Oaxyctl um. »Zieh dich aus!«

»Was?«

»Du sollst deine Kleider ausziehen und mir geben!«

Oaxyctl zögerte, und Pepper griff nach dem Gewehr, das hinter ihm an der Eiswand lehnte.

Oaxyctl streifte die Kleider ab. Seine Rippen traten unter der durch die Kälte grau gewordenen Haut hervor. Im Inneren des Iglus tauchte das Licht des Feuers die Wände in mattes Blau und wurde von dort zurückgeworfen. Rauch wirbelte zu dem kleinen Loch in der Mitte empor. Pepper bezweifelte, dass er bei diesem Sturm zu sehen war, doch für den Fall der Fälle ...

Er nahm Oaxyctls Kleidung und schaute auf die erfrorenen Zehenspitzen an dessen Füssen. »Leg dich zu John! Das wird ihn aufwärmen.« Oaxyctl gehorchte. Pepper schleuderte dessen Kleidung mit dem Gewehr hinter sich. Dann zog er sich weiter aus.

Er hatte an Fett verloren, auch an Muskelmasse. Der Körper holte sich eben aus sich selbst, was er an Nahrung brauchte.

»Willst du etwas schlafen?«, fragte Oaxyctl.

Pepper lächelte, kramte auf der Suche nach Dörrfleisch oder irgendetwas anderem, das ihn aufmöbeln würde, in den Vorräten herum und trat dann gegen Oaxyctls Protest das Feuer aus.

»Schluss mit dem Feuer! Oder willst du etwa, dass man uns hier entdeckt?«

Nachdem Pepper genug gegessen hatte, wärmte er sich durch eine einfache Lockerungsübung auf. Mit den Fingerspitzen berührte er die Zehen. Dann streckte er sich und langte zur Decke hinauf. Er bewegte sich die ganze Nacht hindurch und hielt sich dadurch geschmeidig und warm.

Die Übungen beruhigten ihn.

Schließlich gönnte er sich ein wenig Schlaf, beließ dabei aber die rechte Hälfte seines Gehirns in wachem Zustand, um jede Bewegung im Raum zu registrieren. Nach einigen Stunden schaltete er auf die linke Seite um, und gegen Morgen, bevor Oaxyctl aufwachte und John zu husten begann und Blut spuckte, war Pepper ausgeruht, hellwach und auf alles vorbereitet.

In den frühen Morgenstunden hatte sich der Sturm gottlob gelegt.

Sechsundsechzigstes Kapitel

John rappelte sich hoch und erblickte um sich herum nur endloses Weiß. Vor ihm zogen zwei Männer den Schlitten über einen kleinen Hügel. Nachdem sie die Kuppe überwunden hatten, wurde der Schlitten plötzlich schneller. Oaxyctl rannte zurück und versuchte ihn aufzuhalten. Durch den Ruck erhielt John einen heftigen Stoß.

»Du bist wach?«, keuchte Oaxyctl.

Johns Augenbrauen kräuselten sich, als er blinzelte. »Wie lange habe ich geschlafen?« Schmerzwellen liefen durch seinen Körper.

»Heute auf jeden Fall schon den ganzen Tag. Wie fühlst du dich?«

»Nicht sonderlich gut.« John zitterte. »Hat Pepper Lionel umgebracht?«

Oaxyctl stopfte die Ränder von Johns Kapuze unter den Mantel. »Ich habe es getan. Als ich sah, was er mit dir vorhatte.«

»Er war ein Agent.« John versuchte, sich an der Nase zu kratzen, musste aber feststellen, dass er an den Schlitten gefesselt war, und ihm fehlte die Kraft, seine Arme unter den Stricken hervorzuziehen. »Für die Aztecaner.«

»Ja.«

Und John konnte sich noch immer nicht entscheiden, wie er Oaxyctl einschätzen sollte.

Pepper rief. Oaxyctl drehte sich um. »Ich muss jetzt gehen. Dieser Verrückte da vorne zwingt mich, dich durch den Sturm zu schleifen.«

John wand sich unter den Stricken. »Sei vorsichtig.« Das Sprechen strengte ihn an. Er schloss die Augen. »Pepper ist gefährlich!«

»Ich weiß.« Oaxyctl ging ans Ende des Schlittens und schob.

Der langsame Treck zog weiter. John verlor erneut das Bewusstsein.

Er fühlte sich immer noch total hilflos. Doch das Fieber war gesunken. Die Schmerzen ließen nach, zumindest etwas. John sah, wie das aufgebrochene Eis an ihnen vorüberglitt und Pepper sie sicher hindurchführte. Der Kerl erinnerte an ein Pferd. Schleppte den Schlitten ohne mit der Wimper zu zucken und stopfte während der Pausen dermaßen viel Essen in sich hinein, dass Oaxyctl die Augenbrauen hob.

Sie lösten die Stricke von Johns Armen und versuchten ihm ein wenig heiße Brühe einzuflößen, doch sie kam ihm sofort wieder hoch.

»Es braucht nur noch bis dahin zu reichen.« Pepper bemerkte Oaxyctls irritierten Blick. »Keine Angst, ich nehme dir dein Essen schon nicht weg.« Er trat das Feuer aus, bettete John wieder ganz vorsichtig auf den Rücken und kam dicht an sein Ohr. »Du musst durchhalten, John«, sagte er leise. »Ich weiß, dir geht es nicht gut, aber mit derartigen Schmerzen kannst du umgehen. Die Infektion ist viel gefährlicher.«

Er stand auf, ging nach vorne, und gleich darauf setzte sich der Schlitten in Bewegung.

»Es ist nicht mehr weit, oder?«, fragte John während der nächsten Rast.

Pepper nickte. »Zumindest glaube ich es. Ich habe die Koordinaten gesehen, die du zu verbergen versucht hast.«

»Ich fühle es.« John spürte ein unangenehmes Kribbeln in der Magengegend. Ein Prickeln im Genick. Irgendwo hier in der Nähe verbarg sich etwas unter dem Schnee. Unter dem Schleier eines nicht nachlassenden Schmerzes blieb er hochkonzentriert und ständig auf der Hut. Er musste durchhalten und leben. Da war Capitol City, und später wartete die Familie, doch in diesem Moment zählte einzig und allein das Überleben.

Er dachte an Shanta. Wie so oft. Er überlegte, ob ihr Leben wohl an einem seidenen Faden hing, ganz weit weg von ihm im Süden.

Wenigstens lebte Jerome, tröstete er sich. Pepper hatte ihn mit eigenen Augen gesehen.

Sie waren ganz dicht dran. Jede einzelne Information in Johns Kopf sagte ihm, sie seien genau dort, wo sie sein mussten.

»Schau!« Pepper zeigte auf einen glatten, glänzenden Schneehügel in ungefähr fünf Kilometern Entfernung. »Darunter befindet sich etwas. Drum herum hat sich Schnee angesammelt, aber es sieht so aus, als habe er sich erwärmt und sei danach wieder gefroren.«

»Der *Ma Wi Jung*?«, flüsterte John.

»Möglich. Es könnte die Spitze sein.«

Pepper wurde von Ungeduld erfasst. Er stürmte zum Seil und zog daran. Der Schlitten schoss mit einem Satz nach vorne, und Pepper pflügte durch den Schnee, als könne es ihm nicht schnell genug gehen.

Bevor er irgendetwas sehen konnte, spürte John bereits die Bewegung. Der Schlitten geriet ins Wanken, eine zusammengekauerte Gestalt sprang auf und stürzte sich auf Pepper. John nahm das verschwommene Bild einer muskulösen humanoiden Figur mit zottigem Pelz und langen messerscharfen Klingen an jedem Finger wahr.

Er wollte Pepper noch warnen, doch mehr als ein Krächzen brachte er nicht zustande.

Pepper drehte sich um die eigene Achse, wirbelte mit den Hacken seiner Stiefel Schnee auf und ging dann unvermittelt in die Hocke.

Er feuerte zwei Schüsse ab, bevor dieses Ungetüm aus Muskeln und Haaren genau auf ihm landete. Wortlos und beinahe geräuschlos rollten sie ineinander verkeilt tiefer in den Schnee. Eisbrocken flogen durch die Luft.

Oaxyctl gab dem Schlitten einen Stoß.

»Wir müssen ihm helfen!«, rief John.

»Was müssen wir? Hast du denn ein Gewehr? Du kannst doch noch nicht einmal stehen«, schnaubte Oaxyctl wütend.

John ließ sich stöhnend zurückfallen. Mit dem Kopf nach unten schaute er in Oaxyctls weit aufgerissene Augen hinter sich.

»Du hast Angst!«

»Gott der Götter, ja!«, schnauzte Oaxyctl. Er bemühte sich verzweifelt, nicht den Halt zu verlieren, und rutschte schließlich aus, als er den Schlitten zu weit von sich weg stieß.

John bot seine gesamte Energie auf und lehnte sich auf die Seite. Der Schnee stob auf, als Pepper und der Teotl zu ringen begannen. Einer der beiden knurrte, es klang schaurig in Johns Ohren.

Wieder ertönten zwei Schüsse, und der Kampf war beendet.

Pepper kam beschwingten Schrittes herangetänzelt. Von seinen Ellbogen tropfte Blut und hinterließ rote Spuren im Schnee. An den Unterarmen hingen überall lose Fleischfetzen herab.

Die Luft um Pepper dampfte.

»Bewegung!«, brummte er. Er spuckte einen Zahn aus. Dieser prallte gegen den Rand des Schlittens.

»Ist er tot?«, erkundigte sich Oaxyctl. »Ist er wirklich tot?«

Pepper blickte ihn finster an. »Tot? Nein. Nur etwas beruhigt. Mehr kann ich momentan nicht tun. Ich habe ihm den Kopf weggeblasen. Wird wohl eine Weile dauern, bis ihm wieder Augen wachsen.«

»Was zum Teufel?« John musste so stark husten, dass er kaum zu verstehen war.

»Hier!« Pepper steckte das Gewehr unter die Riemen, mit

denen John festgebunden war, und begann den Schlitten zu schieben. Von seiner Kleidung tropften Schweiß, Blut und Wasser.

Sie näherten sich dem Eisberg.

Das Heulen des Windes wurde vom anhaltenden Klagegeschrei des Teotl übertönt. Oaxyctl fluchte irgendetwas in seiner Muttersprache.

Völlig unvermutet verwandelte sich der Untergrund von Schnee in Eis. Der Schlitten löste sich, glitt davon und beschrieb einen leichten Bogen.

Mehrere hundert Meter hinter ihnen trottete der zottige und mit Eiskristallen bedeckte Teotl im Kreis herum. Die großen gepolsterten Füße hielten ihn auf dem verkrusteten Schnee. Er bewegte sich schnell und tastete mit den Klauenhänden vor sich auf dem Untergrund, bis er ihre Spur gefunden hatte. Dann blieb er stehen.

Nach einer kurzen Verschnaufpause drehte er sich in ihre Richtung und begann zu rennen.

Pepper rutschte zum Schlitten, versetzte ihm einen kräftigen Stoß und schob ihn dem Eisberg entgegen. Oaxyctl stolperte hinterher, mehr auf allen vieren, um sich auf dem Eis zu halten, als laufend.

»Wo ist er?«, krächzte John. »Wie kommen wir denn jetzt zum *Ma Wi Jung*?«

Pepper riss die zerfetzten Reste seines Mantels ab und warf sie weg. »Mach voran! Beweg dich!«, brüllte er Oaxyctl zu und lenkte den Schlitten, während Oaxyctl rutschte und zu schieben versuchte. Das Klagegeschrei des Teotl ging in ein Trillern über, als er das Eis berührte und auf sie zu schlitterte. Oaxyctl murmelte unverständliche Worte vor sich hin.

»Ich weiß nicht mehr, was ich tun soll«, sagte er schließlich.

»Was?«, fragte John.

Oaxyctl ließ sich fallen und setzte sich aufs Eis. Pepper schaute sich zu ihm um. »Steh auf!«

Das Klagen des Teotl brach ab.

Pepper stützte sich auf Hände und Knie und spähte durch die Eisschicht. Er grinste zufrieden. »Wir sind da, meine Herren!«

Er ballte die Hand zur Faust und schlug auf das Eis. Die dünne Schicht zerbrach und nahm Pepper gleich mit sich. Ungefähr anderthalb Meter tiefer landete er mit den Füßen voran in einem großen Loch. Daneben befand sich etwas, das wie der Eingang zu einem Tunnel aussah.

Pepper zog den Schlitten heran und ließ ihn stöhnend hinabgleiten. John schaute in den Tunnel. Die glatten, durchsichtigen Wände, die nach wenigen Metern endeten, wurden von warmen Lichtstrahlen angeleuchtet. Hinten wartete eine große ovale Metalltür auf sie.

»Sind wir da?«, fragte John.

Pepper ging voraus. »Ja. Sieht so aus, als sei das Raumschiff funktionstüchtig und hätte diesen Bereich warm gehalten. Dadurch ist die Luftschleuse zugänglich geblieben. Jetzt entspanne dich aber erst einmal, damit ich dir helfen kann, dich hinzusetzen.« Pepper kam zurück, half John, sich aufzurichten, und schob den Schlitten zur Tür.

John musste sich zusammenreißen, um sich nicht auf die Liege zurückfallen zu lassen, als ein blauer Lichtstrahl erschien und sich langsam auf ihn richtete. Er erstarrte, doch als ihn der Strahl berührte, fühlte sich dieser warm an. Das Licht erlosch. Eine kleine Konsole, ungefähr so groß wie Johns Hand, wurde aus der Metalltür ausgefahren und begann zu leuchten.

»Jetzt beginnt der schwierige Teil für dich, John.« Pepper hob den Schlitten an einem Ende hoch und lehnte ihn aufrecht gegen die Wand. »Ich halte dich hier fest, und du musst deine Handfläche auf dieses Gerät legen. Dann musst du sagen, dass du gerne hineinkommen möchtest und dass dir daran gelegen ist, uns mitnehmen zu können. Wenn ich dich gleich aus dem Schlitten herausziehe, kann das verdammt wehtun. Bist du bereit?«

»Ich glaube schon.« John biss sich auf die Lippen und stellte sich innerlich auf große Schmerzen ein.

Pepper nickte. »Du musst klar und deutlich vermitteln, dass du wirklich an Bord gehen und uns dabeihaben willst. Wenn du dem Raumschiff keine Zustimmung erteilst, wenn du kein Vertrauen zu uns hast, bleibt die Tür geschlossen.« Er löste die Riemen um Johns Beine und hielt den Oberkörper fest. »Auf geht's!«

John glaubte, sein ganzer Körper stehe in Flammen, als Pepper ihn behutsam aus dem Schlitten zog und ihm unter die Arme griff. Johns Beine schwebten ein paar Zentimeter über dem Boden, sodass sie keinen Druck auszuhalten hatten, doch das Gewicht von Unterschenkel und Füßen reichte bereits aus, um vor Schmerzen in den Kniekehlen laut aufschreien zu wollen.

John beugte sich vor und legte seine gesunde Hand auf das Metallteil, das aus der Tür herausragte. Trotz der Kälte fühlte es sich warm an.

»Diese Männer kommen zusammen mit mir hinein«, zischte er. »Was ...« John hustete und kämpfte mit einer Ohnmacht. Unter seinen Fingern bewegte sich etwas, wand sich. Er zog die Hand zurück. Lange Fäden einer schmierigen schwarzen Masse klebten daran. »Oh, verfluchte Scheiße!«

»Ganz ruhig«, sagte Pepper. »Ist doch nur die Sicherheitskontrolle.«

Die schwarze Masse bewegte und wand sich noch immer, wurde dann aber hart. Sie verwandelte sich in Staub und wehte davon. Mit einem leisen Summen rollte die Tür zur Seite. Pepper ging hindurch und hielt John immer noch hoch, allerdings nur mit einer Hand. Oaxyctl folgte mit dem Schlitten.

»Super!« Pepper holte tief Luft. Er drückte auf einen Knopf an einer Schalttafel neben der Tür, und diese schloss sich wieder. Pepper lehnte sich mit John in den Armen an die Wand und lachte leise in sich hinein. »Gute Arbeit, alter Junge! Wir haben es geschafft!«

John ließ sich von der Begeisterung anstecken, und trotz der Schmerzen gelang es ihm, ein leichtes Lächeln zustande zu bringen. Durch diese Tür würde der Teotl niemals hineinkommen. Sie waren in Sicherheit.

Es war warm.

Oaxyctl riss das Gewehr aus dem Schlitten. Er spannte den Hahn und trat zwei Schritte zurück. »Keine Bewegung! Eine Regung, und es knallt!« Seine Hände zitterten. Er blinzelte nervös.

»Oaxyctl? Du?« John biss sich auf die Lippen. Ausgerechnet Oaxyctl!

»Ihr müsst auf das Ding da drücken, um die Tür wieder zu öffnen«, sagte Oaxyctl. »Er kommt. Wir müssen ihn hereinlassen, bevor ihr euch davonmachen könnt. Ich habe keine Wahl.«

John spürte, wie sich die Muskeln in Peppers Armen spannten. Dann schleuderte Pepper John vor die Füße von Oaxyctl. John schrie auf, als seine Beine vor Schmerzen zu explodieren schienen. Für eine Sekunde war er weg, dann öffnete er wieder die Augen, und stumme Tränen tropften auf den Boden. Mehrere Wunden waren erneut aufgebrochen, an Bauch und Armen sickerte Blut hinab. Er begann zu zittern. Durch den Aufprall auf dem gefliesten Boden hatte er sich eine Lippe aufgeschlagen.

»Ich denke nicht daran«, sagte Pepper. Die beiden Männer standen sich gegenüber, Oaxyctl richtete die Waffe auf Pepper, während dieser sich mit gekreuzten Armen an die Wand lehnte.

»Mach die Tür auf!« Oaxyctl trat von einem Bein auf das andere.

John benutzte seine Hände, um sich unter höllischen Schmerzen ganz langsam ein wenig dichter an Oaxyctls Füße heranzuziehen. Oaxyctl starrte Pepper weiter drohend an.

»Du bist nicht ganz bei Verstand«, knurrte Pepper. »Wenn wir dieses Wesen hier reinlassen, bedeutet das den sicheren Tod für dich, genauso wie für uns.«

»Darum . . . darum geht es nicht«, krächzte Oaxyctl. »Ich habe keine Wahl. Ich kann ihn auf jeden Fall hereinlassen, ihm den *Ma Wi Jung* übergeben, und dann ist alles vorüber für mich.«

John löste den Haken, bohrte ihn durch den Saum seines Hemdärmels und jagte ihn mit der Spitze in Oaxyctls Fuß. Oaxyctl brüllte wie am Spieß, und Pepper schnellte von der Wand, griff sich Oaxyctl und warf ihn auf den Schlitten. Oaxyctl umklammerte mit beiden Händen das Gewehr, Pepper riss es ihm weg und zerrte den sich verzweifelt wehrenden Oaxyctl wieder hoch. Mit der freien Hand drückte er auf den Knopf zum Öffnen der Tür und schaltete damit das Sicherheitssystem der Luftschleuse aus.

John schlang die Arme um seine Brust und wand sich in Schmerzen. Sie wollten nicht aufhören.

Die Tür öffnete sich summend. Und Pepper stieß Oaxyctl hinaus, der sich noch immer an das Gewehr klammerte. Pepper nahm den Schlitten, den Proviant sowie alles andere und warf es dem Mann hinterher. Oaxyctl schrie und versuchte, die Gegenstände mit seinen Armen abzuwehren.

Pepper drückte auf den Knopf, und die Tür schloss sich wieder.

»Er wird sterben«, brachte John mühsam unter heftigem Zähneklappern hervor. Dabei überlegte er, ob er nicht ungeachtet Peppers anders lautender Prognose doch an Bord des *Ma Wi Jung* sein Leben verlieren würde.

»Vor diesem ganzen Schlamassel hätte dich das doch kein bisschen gestört«, sagte Pepper. »Lass uns lieber an die Arbeit gehen. Wenn du wieder auf die Beine kommen willst, musst du dem Raumschiff mitteilen, dass ich autorisiert bin, sämtliche Funktionen zu kontrollieren, damit ich dich retten kann.«

»Muss ich es laut sagen?«, flüsterte John. Pepper nickte. »Raumschiff«, begann John. Er schluckte, blinzelte mit den Augen und fühlte sich einer Ohnmacht nahe. »Dieser Mann ist voll autorisiert.«

»Bestätige es«, sagte Pepper.

»Bestätigt«, kam eine Stimme aus dem Raum. John schaute sich verwirrt um.

Alles schien in Ordnung zu sein, auch wenn es total verrückt anmutete.

Pepper beugte sich über John. »Keiner von uns beiden ist in guter Verfassung, aber du brauchst es dringender.« Er hob John wieder hoch.

John knirschte mit den Zähnen, zum Schreien fehlte ihm die Kraft. So humpelten sie den Gang entlang zur nächsten Tür. Dahinter befand sich ein kleiner runder Raum, in dem seltsame, unheimliche Lichtstrahlen über den Boden geisterten.

Pepper blieb stehen, drehte sich um und suchte, bis er fündig wurde. In einer Wandvertiefung lagerte eine Röhre aus durchsichtigem Glas.

Als Pepper seine offene Hand darauf legte, knackte es kurz, und das Glas öffnete sich. »Leg dich rein«, sagte Pepper.

»Was ist das?«

»Es wird dich gesund machen.« Pepper legte John hinein. »Du musst dich völlig entspannen. Nicht verkrampfen und dich nicht dagegen sträuben.« Er lächelte. »Wir haben es geschafft, John. Bald bist du wieder der Alte. Ich vermittle dir alles, was du wissen wolltest.«

John klemmte den Haken zwischen die Öffnung des Glasbehälters und den äußeren Rand, um zu verhindern, dass er eingeschlossen wurde. »Ich kann mich nicht gegen dich wehren, Pepper, aber tu es bitte nicht.«

Pepper schüttelte den Kopf. »Ich brauche dich in deinem alten Zustand, John.« Jetzt erst bemerkte John, dass an Peppers linker Kopfhälfte einige Rastalocken während des Kampfes hatten dran glauben müssen.

»Bitte nimm mir nicht meine Erinnerungen. An Shanta. Und an Jerome.«

Pepper stieß Johns Haken weg und kreuzte die Arme über

der Brust. »Du kannst mir voll vertrauen, John. Dir wird es gut gehen. Du wirst gesund, und deine Erinnerungen werden dir bleiben. Mehr noch sogar. Entweder dies hier oder der Tod. Du stehst das sonst nicht länger durch. Und wir alle brauchen dich.«

John erkannte in Peppers Gesichtsausdruck ein flehendes Bitten.

»Ich glaube nicht . . .«, sagte er und dachte an all die alten Zeiten zurück, deren Gefühle ihn verlassen hatten und die er auf Eis gelegt hatte, sobald die Lage brenzlig geworden war. »Ich glaube nicht, dass mir mein altes Ich gefallen wird.«

Pepper antwortete nicht. Er schloss die Glaskapsel und klopfte zweimal darauf.

An Johns Rückgrat tropfte eine dicke Flüssigkeit hinab und breitete sich über die gesamte Rückseite aus.

Die Luft in dem Glasbehälter war süßlich, sie nahm ihm die Schmerzen und lullte ihn ein, bis der Schlaf kam. Er brauchte nicht mehr gegen die Dunkelheit anzukämpfen.

Siebenundsechzigstes Kapitel

Pepper ließ von der Glaskapsel ab und stand auf. Er überprüfte die diagnostischen Daten, gab einige Befehle ein und machte sich dann auf den Weg in das winzige Cockpit. Die weichen Sessel ließen ihn wohlig einsinken. Es war ein irritierend angenehmes Gefühl, so geborgen zu sein. Es reizte, sich der Müdigkeit hinzugeben und zu schlafen.

»*Ma Wi Jung?*«, rief Pepper laut.

Links hinter ihm ertönte die sanfte Stimme des Raumschiffs: »Ja.«

»Bei mir zeigen sich leichte Anzeichen von Hypothermie, und hier in der Kabine ist es ziemlich kalt. Erhöhe die Innentemperatur dieses Raums auf siebenundzwanzig Grad Celsius. Tu dies aber bitte in langsamen Schritten.«

»Bestätigt«, antwortete das Raumschiff.

»Gibt es hier irgendetwas zu trinken?«

»Es gibt Wasser an Bord, und Tee. Die Tanks und Lager sind noch nicht vollständig gefüllt.«

»In Ordnung. Ich nehme etwas Tee.« Pepper stand wieder auf. Erst eine schöne Tasse Tee, dann würde er sich im Raumschiff umsehen und es untersuchen, ob es flugbereit war. An Schlaf war vorerst nicht zu denken.

Ein paar Stunden würde das Ganze schon in Anspruch nehmen.

Er musste das Raumschiff zunächst einmal vollständig einschalten und sämtliche Aggregate aktivieren. Alles Dinge, die John wesentlich besser beherrschte als er, doch John würde bestimmt noch bis in die späten Nachmittagstunden in seiner Glaskapsel bleiben müssen.

Pepper ging im Cockpit auf und ab und streckte sich. »Irgendetwas versucht, in das Raumschiff einzudringen«, sagte der *Ma Wi Jung*. »Es benutzt dabei Säure, die sich durch die Außenhülle fressen soll.«

»Zeig es mir!« Auf einer Wand des Cockpits erschien das Bild eines blauen Eistunnels. Man sah das struppige Gesicht des Teotl, der Säure auf das Metall der Außenhülle träufelte. »Gibt es irgendeine Möglichkeit, den Kerl zu stoppen?«

»Ich verfüge über keinerlei Waffen. Die Ausstattung wurde nie komplettiert. Doch in der Nähe dieser Position gibt es einige Düsentriebwerke zur Stabilisierung.«

»Zünde sie!«, befahl Pepper und schaute gebannt auf das Bild an der Wand. Mehrere Sekunden passierte nichts. Dann schoss plötzlich eine gewaltige Dampfwolke durch den Tunnel, und der Teotl wurde weggeblasen.

»Hat das Wesen die Außenhülle beschädigt?«, fragte Pepper.

»Nein. Die Außenhaut hat keinen Schaden genommen.«

Pepper verließ das Cockpit. »Wo befindet sich die Bordküche?« Der Tee wäre der erste kleine Luxus seit langer Zeit. Danach musste er versuchen, den *Ma Wi Jung* zum Fliegen zu bringen. Pepper war schließlich kein Pilot, nur ungeduldig.

»*Ma Wi Jung*«, fragte Pepper, »bin ich autorisiert, das Raumschiff zu fliegen?« Er betrat die kleine Küche und durchsuchte die Schränke, bis er schließlich einen passenden Becher fand.

»Sie verfügen nicht über die erforderlichen Implantate. Sie sind nicht autorisiert.«

Pepper seufzte. »Wie steht es mit dem Autopiloten?«

»Dieses Raumschiff fliegt nur innerhalb planetarischer Atmosphäre per Autopilot. Für jedwede orbitale oder extrasolare Aktivität wird jener menschliche Pilot benötigt, der sich noch in Behandlung befindet.«

Pepper lächelte. Das würde genügen.

Achtundsechzigstes Kapitel

Als Erstes schnappte sich Oaxyctl auf dem Weg nach draußen den Schlitten. Das Gewehr war nutzlos geworden. Den *Ma Wi Jung* konnte er damit nicht unschädlich machen, er wusste ja noch nicht einmal, wie und wo er unter dem Eis auf diese uralte Maschine schießen sollte. Er hätte auch nicht gewusst, worauf er sonst in dieser endlosen Eiswüste schießen sollte, doch Pepper hatte Oaxyctl das Gewehr an sich reißen lassen, als er ihn vor die Tür geworfen hatte, und so verstaute Oaxyctl die Waffe zusammen mit dem Proviant auf dem Schlitten. Er schleppte sich mit dem Gefährt auf das Eis und glitt auf ihm dahin, indem er sich mit dem unverletzten Fuß abstieß. Ständig schaute er sich um, jeden Moment den Tod erwartend.

Nachdem er so mehrere Minuten über das Eis geschlittert war, hielt er an und betrachtete den Hügel.

Plötzlich schoss eine Dampfwolke aus dem Boden. Oaxyctl duckte sich und ging in Deckung. Er rechnete durchaus mit weiteren Beweisen der Schlagkraft dieser seltsamen Maschine, die sie gefunden hatten.

Er wartete volle zehn Minuten, bis er davon ausging, dass es keine weiteren Explosionen mehr geben würde. Dann schob er den Schlitten zu dem Loch zurück, um zu untersuchen, was da geschehen war.

Er brauchte nicht lange zu suchen, um seinen Gott zu finden. Er lag im Schnee und wimmerte. Sein Fell war verbrannt, die Haut glänzte rot und war mit Brandblasen übersät.

Oaxyctl setzte sich auf den Schlitten und beobachtete, wie er sich krümmte.

Dieses Wesen hatte sich selbst in eine Gestalt verwandelt, die im Schnee leben konnte. Große, gepolsterte Füße, dichtes Fell und Fett. Speck, der jetzt teilweise verbrannt war und nach gegrilltem Fleisch roch.

Er schaute zu, wie sich der Gott aus eigener Kraft heilte.

Dieser Vorgang wirkte fast genauso schmerzhaft wie die Verbrennungen. Die Haut platzte auf und versuchte, sich zu regenerieren. Eiter ergoss sich in den Schnee. Nach wenigen Minuten bereits war deutlich, dass der Gott nicht mehr in der Lage war, sich selbst zu kurieren. Dazu schien ihm einfach die Kraft zu fehlen.

Er hörte auf zu wimmern und wandte Oaxyctl mit einer steifen Bewegung sein neu entstandenes Gesicht zu, einen fleischigen Halm mit Augen und Nase.

Oaxyctl dachte über Peppers und Johns Gleichgültigkeit gegenüber seiner Häresie nach. Er dachte über die Meinungsverschiedenheiten unter den Göttern nach, die sich nicht einigen konnten, was zu geschehen habe. Und er dachte über die Tatsache nach, dass die Götter auf Menschen angewiesen waren, denen sie befahlen, was zu tun war. Wenn er schon sterben sollte, dann wollte er vorher noch etwas ausprobieren.

Oaxyctl zog das Gewehr hervor und zielte damit auf den Kopf des Teotl.

Er drückte ab, zuckte unter dem lauten Knall zusammen und sah, wie der Kopf des Teotl zerbarst. Der massige Körper fiel in den Schnee. Oaxyctl wischte den Schleim ab, der ihm auf die Wangen gespritzt war, da er zu dicht vor dem Teotl gestanden hatte, und schoss noch einmal. Dann drehte er sich um und holte das Beil.

Er glaubte nicht, dass der Gott sich selbst würde regenerieren können, wenn er einmal in Stücke gehauen war.

Die Arbeit war alles andere als leicht. Die Knochen dieses Wesens bestanden aus Metall, und es gab Teile, die Funken sprühten und ihm einen Schlag versetzten. Doch er hielt durch, bis er die einzelnen Gliedmaßen des Gottes im Schnee verstreuen konnte.

Als er damit fertig war, verstaute er Gewehr und Beil wieder auf seinem Schlitten.

Von oben bis unten mit dem Blut eines seiner Götter besudelt, machte er sich auf und schlitterte über das Eis, bis er den tiefen Schnee erreichte.

Hinter ihm begann der Hügel zu knistern und aufzubrechen. Oaxyctl wandte sich um und bekam den Mund nicht mehr zu. Ein hundertfünfzig oder zweihundert Meter langes Gebilde aus silbern schimmerndem Metall drang durch das Eis. Es erinnerte an einen seidigen, schlanken Vogel mit einem großen, weit aufgerissenen Schnabel an jeder Seite. Er schien sich auf seinen Flug durch die Lüfte zu freuen.

Der *Ma Wi Jung*, dachte Oaxyctl.

Der Flugkörper stieg auf, schwankte leicht und erzeugte ein Donnergrollen, das die Stille der endlosen Weite zerriss. Dann flog er über Oaxyctls Kopf hinweg und tauchte ihn in einen großen Schatten. Er beschleunigte, bis er nur noch so groß war wie seine Faust, dann wie sein Fingernagel, ein Punkt, und schließlich war er verschwunden.

Oaxyctl machte sich wieder daran, mühsam durch den Schnee zu stapfen.

Er hatte genügend Proviant für eine knappe Woche. Pepper hatte einen guten Tagesmarsch von hier entfernt eine Schutzhütte aus Eis gebaut. Diese letzte Woche würde es ihm gut gehen.

Der Tod bereitete ihm keine Sorgen. Er hatte vor nichts mehr Angst.

Oaxyctl kämpfte sich durch den Schnee, ein winziger Punkt in der schier endlosen Weite. Er wusste, dass er im Eis gefangen war und hier sterben würde. Die *La Revanche* war jetzt bereits viel zu weit weg und vermochte sich mit der Kraft ihrer Dampfmaschine schneller vorwärtszubewegen als er zu Fuß. In jenem Moment, als Pepper ihn hinausgeworfen hatte, war es ihm bereits bewusst gewesen.

Trotz allem fühlte er sich beinahe erleichtert.

Neunundsechzigstes Kapitel

Z unächst eine einfache Frage: Wer bin ich?
»Sie sind John deBrun.«

Wer oder was ist John deBrun? Was hat das zu bedeuteten? Was geht hier vor sich?

»Sie werden repariert. Sie leiden unter einem extensiven Trauma, Erfrierungen und kognitiver Beeinträchtigung: einer retrograden Amnesie.«

Wodurch? Warum?

»Sie selbst führten sie herbei. Ihr niedriger persönlicher Nano wird online stimuliert, um den alten Zustand wieder herzustellen.«

Was?

»In einer halben Stunde werden Sie es verstehen. Die exedyne Biologie kann nicht für Psychosen jedweder Art oder persönliche Fragmentierungen, die aufgrund dieser Prozedur entstehen können, verantwortlich gemacht werden.«

John lag in irgendeiner dicken Suppe.

»Erinnern Sie sich noch, wann Sie zuletzt in einer MedoKapsel gelegen haben?«

Die Blockade löste sich. Das Gefühl für das Einsickern und die Resorption von Chemikalien, für winzige Apparaturen, die in seinem Körper umherwanderten und ihn zusammenflickten, kehrte zurück. Strahlenschäden wurden behoben, Traumata ausgelöscht. Salzinfusionen halfen. Ja, dachte er. Das ist mir nicht unbekannt. Dem habe ich mich bereits früher unterzogen.

Ein Radom, eine Überlebenskapsel. Vor Urzeiten ...

»Wann war es?«

John verschaffte sich Zugang zu dieser Erinnerung.

Er schlug mit der Faust gegen die Kapselwand und schrie. Er hörte nichts, Flüssigkeit füllte seinen Mund und seine Lunge.

Er wusste, warum er diese Erinnerungen verdrängt und vergraben hatte.

»Bitte, Mr. deBrun, lassen Sie mich Ihnen helfen. Entspannen Sie sich. Wir werden Ihnen behilflich sein, diese Prozedur durchzustehen.«

Seine Muskeln erschlafften, die Kehle kollabierte.

So ist es richtig, John, lass dir von dieser freundlichen Apparatur helfen, dachte er. Wenn es vorbei ist, kannst du sie verlassen. Du bist hier nicht eingesperrt, es ist keine Falle. Und du befindest dich auch nicht im Weltraum. Du bist immer noch im *Ma Wi Jung*, und Pepper wartet draußen auf dich.

Es wird nur wenige Stunden dauern.

Keine Jahrhunderte.

Er entspannte sich. Ein bisschen zumindest. Er war ein großer, gemeiner kleiner Mistkerl. Scheißklaustrophobie, dachte er. Ich werde schon damit zurechtkommen. Aber irgendwer wird für all dies hier bezahlen müssen. Er wollte Leuten wehtun, ihnen schlimm wehtun, denn das war es, was ihnen blühte, wenn sie sich mit ihm anlegten.

Nein, das war Quatsch. Er wollte zurück und Jerome finden. Darum ging es.

Wen?

Meinen Sohn, verdammt noch mal!

John lag dort, sein Geist war gespalten und litt unter einer neuen, sehr viel älteren Last.

Siebzigstes Kapitel

In der Höhle herrschte helle Aufregung. Jerome sah mehrere Frauen zum Ufer rennen, als Männer mit Jagdfischen die Wasseroberfläche durchbrachen.

»Großvater Troy!«, schrie jemand. »Nein, nein, nicht er!«

Jerome hastete über den Sand, und seine Fußabdrücke füllten sich sofort mit Wasser. Die Frenchies umringten Troy, den sie auf den Strand gezogen hatten.

»Ihr ihn hättet sehen müssen«, sagte einer der Männer. »Aztecaner zündeten sein Haus an, und er kam aus dem Wasser. Nur mit Händen kämpfte er. Er war schnell. So schnell, dass er kaum zu sehen.«

Jerome entdeckte auf den ersten Blick mindestens zehn Gewehreinschüsse. Überall zerfetztes Fleisch, das unter der zerfledderten Kleidung hervorlugte.

»Er unbedingt wollte zurückkommen.«

»He!«, schimpfte jemand lautstark. »Bringt das Kind weg!«

Mit düsteren Blicken umringten die Frauen Jerome, doch Troy hob eine blutende Hand. »Bringt Jerome her!«, zischte er.

Jerome schluckte. Troy war nicht wie der Mungo-Mann, den er auf dem Tisch gesehen hatte, nachdem er aus dem Baum gefallen war. Troy redete und bewegte sich noch.

Die Leute tuschelten, als Jerome vortrat und sich neben Troy setzte.

Troy legte ihm eine Hand in den Nacken. Wasser und Blut tropften auf Jeromes Schultern und Kragen.

»Du bist . . . du bist wie Pepper«, sagte Jerome.

»Ein wenig wie er, ja«, sagte Troy. »Aber Pepper wird wieder gesund, ich nicht.« Er ließ den Kopf in den Sand sinken. »Du weißt noch, was ich dir erzählt?«

»Ja.«

»Alles, was ich weiß über unsere Geschichte, befindet sich in dem Pult, ich dir gezeigt. Bring John, deinen Vater, zu dem Pult, damit er damit redet. Und merk dir, Spiralloch wird repariert. Und Teotl nicht nur kommen auf diese Welt. Sie kommen auf jede Welt, die bewohnt mit Leuten. Verstanden? Sag ihm, Spiralloch wird repariert.«

Jerome schaute auf Troy hinab. Blut sickerte aus seinem Mundwinkel. »Ich glaube, ich verstehe.«

Troy antwortete nicht.

Jerome wartete noch einige Sekunden, bis ihn die Männer wegzogen. Schweigend setzte er sich in eine Nische der Höhle, fern von den anderen, still. So viel Blut, dachte er. Jeder stirbt, selbst solche so mächtig und stark wie Troy und Pepper.

War niemand sicher? Nicht einmal die Vorväter?

Angenommen, Dad war tot? Wenn Troy starb, welche Chance hatte Dad?

Jerome legte den Kopf zwischen die Knie und weinte. Dabei unterdrückte er jeden Schluchzer, damit niemand ihn hörte und in der Dunkelheit fand.

Einundsiebzigstes Kapitel

Drei Mungo-Männer führten Dihana durch einen unterirdischen Abwasserkanal, in dem verschmutzte und durchnässte Frauen sowie Kinder zusammengepfercht waren. Schweigend drückten sie sich an die Seitenwände des Kanals, von den Mungo-Männern im Vorbeigehen aus dem Weg geschoben. Ein Mungo-Mann lief voraus, schaute um die Ecke und nickte. Dihana und ihr Gefolge kamen noch an vielen zerlumpt wirkenden Flüchtlingen von der Straße vorbei, ehe sie eine verrostete Eisenleiter hochkletterten und wieder auf ebener Erde standen. Was Dihana dort erwartete, war die Hölle.

Der Himmel über Capitol City war von Scheinwerfern erhellt, die die Dunkelheit nach aztecanischen Flugschiffen absuchten. Die Aztecaner nutzten die tiefe Nacht, um ihre Bombenlast über der Stadt abzuladen. Ein Flugschiff der Verteidiger nach dem anderen war gegen die Aztecaner aufgestiegen, doch die Übermacht war einfach zu groß, und jetzt versuchte nur noch ein kleiner Rest, den Luftraum über der Stadt zu sichern.

»Hier entlang, Ma'am.« Sanft berührte jemand Dihanas Ellenbogen. Geschwind folgte sie den Männern durch eine kleine Gasse zu einem behelfsmäßigen Lazarett auf offener Straße. Sie befanden sich hier draußen in der Nähe des Hafens, sie konnte das Salz in der Luft riechen. Zwar lag die Stadtmauer ganz in der Nähe, doch bislang war diese Gegend von den Aztecanern kaum bombardiert worden.

Stöhnende Verwundete lagen entlang der Gasse auf Tragbahren. Die Abwasserkanäle waren als Krankenlager zu gefährlich. Häufig wurden sie von unvermutetem Hochwasser überspült, und sämtliche Hochhäuser, die den vielen Verwundeten Platz geboten hätten, waren bereits durch aztecanische Bomben zerstört. Deshalb hatte man diese Gasse als Alternative gewählt.

Eine Frau mit blutigen Lumpen als Kopfverband gab Dihana mit trägen Bewegungen den Weg frei und schien nicht mehr in der Lage zu sein, irgendetwas bewusst wahrzunehmen. Zwei kleine Kinder hingen an ihrem Rockzipfeln.

Ein Geschoss pfiff hoch über ihnen durch die Luft und traf ein Gebäude. Die Kinder fuhren bei dem Geräusch des Einschlags und des anschließenden Niederprasselns von Glas und Steinen erschrocken zusammen.

Das unaufhörliche Schluchzen eines alten Mannes hallte von den Häuserwänden wider.

Die Mungo-Männer berieten sich ausführlich mit einer Krankenschwester in langer und abgetragener beigefarbener Tracht. Blutflecken ließen den hellen Stoff an vielen Stellen dunkel erscheinen. Die Schwester wies nach vorne. »Da hinten müsste er liegen.«

Dihana schritt an den Leidensgestalten vorbei. Neun Reihen musste sie passieren, dann kniete sie neben Haidans Bahre nieder und nahm seine Hand in ihre. Er öffnete die Augen.

»Edward.« Sie nannte ihn bei seinem Vornamen, und er lächelte. »Als ich hörte, dass Sie wieder wach sind, habe ich mich sofort zu Ihnen auf den Weg gemacht. Wir brauchen Sie ganz dringend.« Sie berührte seine Wange.

Die Aztecaner hatten die Mungo-Männer und sämtliche Freiwilligen, die ein Gewehr in die Hand zu nehmen bereit waren, zum letzten Verteidigungsring zurückgeworfen. Etliche Male hatte es schon so ausgesehen, als sollten die Aztecaner einfach aufgrund der Vielzahl ihrer Krieger diese letzte Linie überwinden, doch die Mungo-Männer hatten ihre Position gehalten. Und für ihren Mut hatten sie teuer bezahlen müssen.

In der Stadt sah es nicht viel anders aus. Es war naiv gewesen, sich einzig von den Stadtmauern einen sicheren Schutz zu versprechen. Die Aztecaner erschienen unaufhörlich mit ihren

Flugschiffen über der Stadt und warfen ihre Bomben ab. Einige Straßen weiter wurde ein Haus getroffen, und die Erde begann zu beben. Aztecanische Leuchtbomben schwirrten durch die Luft und verliehen dem Himmel über der Stadt einen schaurig roten Glanz, der bis in die letzten Straßenecken und Spalten drang. Der Feind wollte wissen, welchen Schaden er angerichtet hatte.

Dihana schaute zu der massiven und weitläufigen Stadtmauer empor, die mehrere Stockwerke hoch neben ihr aufragte. Sie konnte die undeutlichen Gestalten von Soldaten ausmachen, die dort umherliefen, ihre Waffen neu luden oder sich einfach ausruhten.

»Die Stadt schon bald fällt, oder?«, fragte die Schwester.

»Nein«, erwiderte Dihana trotzig. »Die Stadt kann standhalten.«

»Wir hoffen es.« Die Schwester stellte eine Schale mit frischen Verbänden neben die Bahre.

Ein vierter Mungo-Mann kam angelaufen.

»Das Boot jetzt fertig?«, fragten ihn seine Kameraden.

»Welches Boot?«, ging Dihana dazwischen.

»Gordon sagt, Sie sich sollten absetzen nach Cowfoot Island«, erklärte einer der Mungo-Männer. »Sie dort können Truppen sammeln und neu organisieren. Aztecaner nicht so gut mit Schiffen wie mit Waffen.«

Doch der vierte Mann schüttelte den Kopf. »Aztecaner haben Schiffe draußen vor Grantie's Arch. Wir verlegen Leute und Kanonen dorthin, um Seeseite zu sichern.«

»Außerdem können die Flugschiffe Cowfoot genauso problemlos erreichen wie ein Schiff.« Dihana umklammerte den Rand der Bahre. Die Stadt war jetzt auf jede erdenkliche Weise eingeschlossen. Sie schaute die Mungo-Männer, die man zu ihrem Schutz aufgeboten hatte, an. »Gehen Sie!«, befahl sie. »Begeben Sie sich auf die Mauer! Und setzen Sie das Boot, mit dem ich fortgebracht werden sollte, zum Kampf ein! Rüsten Sie es mit Kanonen aus!«

»Wir Auftrag haben, Sie zu beschützen. Wir nicht einfach können weggehen.«

»Vielleicht gibt es morgen überhaupt nichts mehr zu schützen. Gehen Sie!«

Die vier Mungo-Männer verneigten sich und verschwanden. Dihana nahm die Verbände und half der Schwester, die Leinentücher zu entfernen, mit denen man Haidan zugedeckt hatte. Sie fuhr entsetzt zurück, als sie die blutigen offenen Wunden an seinem Bauch sah.

Er drückte ihre Hand, dann verlor er wieder das Bewusstsein.

Bitte, halte durch!, flehte sie stumm. Und wach wieder auf! Ein einziges Mal wenigstens wollte sie noch mit ihm reden.

Zweiundsiebzigstes Kapitel

John konnte die Glaskapsel verlassen, gerade als es dämmerte und die Nacht hereinbrach. Pepper beobachtete, wie John auf wackeligen Beinen ins Cockpit gewankt kam, sich setzte und die Stirn runzelte, als sich die Polster selbsttätig um ihn anordneten.

Hatte er sein Gedächtnis wiedererlangt? War er gesund? Pepper verfolgte aufmerksam jede von Johns Bewegungen.

»Wo sind wir?«, fragte John.

»Über dem Meer, wir kreisen. Der *Ma Wi Jung* steuert sich selbst. Er ist noch nicht vollständig in Betrieb, deshalb können wir auch noch nicht die Atmosphäre verlassen. Außerdem ist er für derartige Operationen auf dich angewiesen. Ich habe lediglich Zugang zum Autopiloten für den nichtorbitalen Flug.« Pepper lächelte. »John, wie fühlst du dich jetzt?«

»Du Mistkerl!« John stützte den Kopf in die Hände. »Blödes Arschloch!«

»Vielleicht. Aber schließlich bist du der einzige Mensch, der dieses Ding hier zum nächsten Sternensystem mit einem Spiralloch fliegen kann. Ich möchte endlich nach Hause, John. Ich habe Heimweh nach der Erde.«

John schaute zu ihm hoch. In der Glaskapsel waren John nicht nur der Oberschenkel repariert und eine neue Hand verpasst worden, man hatte ihn auch gleich rasiert und ihm die Haare geschnitten. Soweit Pepper es beurteilen konnte, schien John jedoch keinerlei Notiz von diesen Veränderungen zu nehmen.

»Du hast das alles wieder aufgewühlt. Ich kann mich wieder erinnern.« John zog die Nase hoch und räusperte sich. Er kniff die Augen zusammen. »Eigentlich müsste ich dich dafür umlegen. Ich brauche nämlich diesen ganzen Mist hier nicht.«

»Du bist doch nur wie so ein kleiner unbelehrbarer Weltverbesserer rumgeirrt«, sagte Pepper. »Oh, schau nur, ohne meine Erinnerungen bin ich ein völlig anderer Mensch. Oh, ich habe Gefühle. Oh, ich habe ganz vergessen, dass ich daran beteiligt war, ein verflucht intaktes Sonnensystem zur Hölle zu schicken. Es war weiß Gott an der Zeit, dich mal wieder auf den Teppich zu holen.«

»Genau das ist es, woran ich mich nicht erinnern wollte. Nichts von all dem habe ich mir zurückgewünscht. Und ich wollte auch nicht in dieser Glasröhre stecken. Am allerwenigsten jedoch wollte ich, dass du wieder in meiner Nähe aufkreuzt.«

»Das ist aber jammerschade, John! Ich muss hier nämlich raus!« Das Gerede führte zu nichts.

John setzte sich in seinem Sessel zurecht, strich sich die Haare zurück und starrte auf seine neue Hand. »Sehr richtig.«

Pepper nickte. »Das klingt schon besser.«

»Du verstehst mich falsch. Du *hattest* Recht. Dieses Raumschiff ist nicht die Waffe, die man sich in Capitol City erhofft hat. Und trotzdem müssen wir ihnen helfen. Capitol City kann sich nicht lange halten. Das *weißt* du. Wir können die Leute nicht einfach den Teotl und den Aztecanern überlassen.«

Pepper seufzte. »Ich habe hier wahrlich schon mehr als genug geleistet, John. Zusammen mit dir war ich hier als Schutz bei der Terraformierung. Zusammen mit dir war ich hier, als den ersten Teotl der Durchbruch gelang, und ich half beim Aufbau einer Verteidigung. Wir waren zusammen, als wir feststellen mussten, dass wir nichts gegen sie ausrichten konnten. Und dann, John, half ich bei der Zerstörung der Spirallöcher, um Zeit zu gewinnen und ihren Zustrom zu stoppen. Weißt du, was mir das alles eingebracht hat? Mehr als zweihundertsiebenundneunzig Jahre Herumirren im Weltraum.«

Pepper schleuderte den Becher mit Tee, der neben seinem

Arm stand, auf John. Es war eine Bewegung aus dem Handgelenk, so blitzschnell, dass man sie kaum wahrnehmen konnte.

John fing den Becher mit der linken Hand auf. Ein paar winzige Tropfen spritzten auf sein schmutziges Hemd. Ein paar weitere fielen auf den Teppich und wurden dort aufgesogen.

Ein leises Lächeln spielte um Johns Mund, als er den Becher und seine neue Hand betrachtete.

Dann stellte er ihn neben sich auf den Boden.

»Zweihunderteinundsiebzig«, sagte er.

»Was?«

John blinzelte Pepper aus müden Augen zu. »Nachdem das Spiralloch zerstört war, bin ich zweihunderteinundsiebzig Jahre herumgegeistert, bevor die Überlebenskapsel endlich imstande war, den Rückweg nach Nanagada anzutreten. Siebenundzwanzig Jahre habe ich zurückgezogen wie ein Ruheständler gelebt. Sechs Jahre als Segler in Brungstun; dann zwei Jahre in Capitol City mit meiner ersten Segeltour in den Norden; und neunzehn Jahre bin ich jetzt mit meiner Frau verheiratet. Ich habe einen Sohn, Pepper. So etwas verändert einen.« John stützte sich mit den Fäusten in die flexiblen Luftkissen zu beiden Seiten seiner Oberschenkel. »Auch wenn du mich jetzt angeblich ›geheilt‹ hast und meine alten Erinnerungen wieder auftauchen, ich bin immer noch hier, und ich weiß mehr über das Leben, Pepper. Diese siebenundzwanzig Jahre sind mehr wert als alles, was ich vorher hatte. Die kann ich nicht einfach auf den Müll werfen, die bereiten mir so höllische Kopfschmerzen, dass ich nicht darüber hinweggehen kann.«

Pepper stand auf. »Was kann ich tun, damit du uns nach Hause fliegst?«

»Nach Hause. Wenn wir nach Hause wollen, Pepper, brauchen wir alleine ungefähr dreißig Lichtjahre, um das nächste Spiralloch zu erreichen. Und selbst dort gibt es niemanden, der uns helfen kann, es ist nur ein totes System im Irgendwo, ein Transitpunkt. Wie lange sind wir dorthin mit diesem Raum-

schiff unterwegs? Weitere Hunderte von Jahren? Ich weiß, dass
dein Körper das durchsteht, und das Recyclingsystem dieser
Kiste schafft das genauso, wie unsere Überlebenskapseln es gepackt haben. Aber was ist mit deinem Verstand, deinem Geist?«

»Ja. Nur weil du durchgedreht bist und deine Erinnerungen
ausgeblendet hast, heißt das doch noch lange nicht, dass mir dasselbe passiert«, sagte Pepper unwirsch. »Es gibt immer irgendwelche Wege. Ich kann schreiben. Ich kann zeichnen, ich kann lernen oder mich unterhalten lassen. Ein Mal habe ich das Ganze
schon hinter mich gebracht. Warum nicht ein zweites Mal?«

Das sture und geistlose Absitzen von Zeit in einer Überlebenskapsel war eine fürchterliche, den Verstand raubende Angelegenheit. In einem Raumschiff, bei dessen Konstruktion das Wissen darum berücksichtigt worden war, würde alles viel einfacher
werden.

Raumfahrt war nun einmal etwas, bei dem Zeit nicht mit normalen Maßstäben bemessen wurde. Die Menschen waren auf
andere, unbekannte Spezies gestoßen, und die Männer, die sich
im Weltraum bewegten, machten sich lebensverlängernde Technologien zu eigen, um zwischen den Sternen zu reisen, auch
wenn es dort keine Spirallöcher gab, die ihnen behilflich sein
konnten.

»Ja. Wege.« John langte nach unten und nahm den Teebecher
in seine neue Hand. »Manche Raumfahrer waren gewillt, diese
Übergangsjahre auf sich zu nehmen, als die Teotl die Spirallöcher
besetzten und uns in diesem System einschlossen. Jetzt aber benötigen wir dieses Raumschiff für einen anderen Zweck, deshalb
bleiben wir vorerst hier. Ich bin der Pilot. Dies ist ein Raumschiff.
Ohne mich kommst du noch nicht einmal in einen simplen Orbit.
Ich bestimme, dass wir nach Capitol City reisen. Wir lassen nicht
zu, dass die Teotl hier auf Nanagada siegen. Nicht nach all dem,
was ich durchgemacht habe.«

Pepper gab dem Sitz neben sich einen Stoß. Dieser glitt langsam nach vorne und rollte dann in seine alte Position zurück.

»Der *Ma Wi Jung* verfügt an seiner Vorderseite über einen Schutzschirm, der Staubeinschlag auffängt«, sagte Pepper. »Dennoch ist das nichts weiter als ein elektromagnetischer Mantel, wir sind noch nicht einmal vor einfachen Artilleriegeschossen oder irgendwelchen anderen Dingern geschützt, die die Aztecaner vor Capitol City aufgefahren haben werden. Dies ist nun mal keine Wunderwaffe.«

»Braucht sie doch auch gar nicht zu sein.« John reichte Pepper den Teebecher zurück.

»Hast du einen Plan?«

»Allerdings. Und wenn du mir hilfst, habe ich noch weitaus Besseres für dich, als dich zur Erde zurückzubringen. Ich mache dich zum Piloten. Wir haben hier eine Station für technische Modifizierungen an Bord, und ich werde dich ausbilden. Dann kannst du ganz alleine zur Erde zurückkehren. Außerdem bleibt dir gar keine andere Wahl. Ich bin wieder der Alte, Pepper. Du hast mich selbst dazu gemacht.«

Pepper blinzelte. »Zurück zur Erde. Wenn es sie denn noch gibt.« Er setzte sich mit dem leeren Teebecher wieder hin, und John verzog das Gesicht. Die Menschheit kämpfte unter den intoleranten Gahe und Nesaru ums Überleben, nachdem ihr in den Tagen nach der Befriedung der Erde von den Maatan politische Freiheit gewährt worden war.

Vertrackte Zeiten. Zeiten, die Leute wie Pepper und John hervorgebracht hatten, während die Gahe und Maatan ihren Kampf um die Reste des Sonnensystems ausgetragen hatten. Einzelne Emigranten und ganze Gemeinschaften hatten zu fliehen versucht und sich tief in den verschlungenen Labyrinthen der Spirallöcher verborgen, unerreichbar in neuen, unerforschten Welten.

Die Einwanderer auf diesem Planeten waren in ein noch größeres Unglück gerannt. Die Teotl und Loa, welche in ihren eigenen Überlebenskampf verwickelt waren und die Menschen mit hineinzogen.

John und Pepper hatten die Black Starliner Corporation gegründet und machten ihr Geld damit, zahlungsfähige Gruppen von Minderheiten in Sicherheit zu bringen, weit weg vom sterbenden Mutterplaneten. Die Emigranten heuerten sie an, um ihnen in der gerade erst terraformierten Welt von Nanagada Schutz gegen die Außerirdischen zu bieten, und plötzlich steckten sie in einem erneuten Überlebenskampf. Der hatte solche Dimensionen angenommen, dass nichts anderes übrig geblieben war, als die Spirallöcher zu zerstören und damit eine praktisch alles vernichtende Auseinandersetzung auszulösen.

»In Ordnung«, sagte Pepper. »Ich helfe dir.« Er rieb mit dem Daumen am Teebecher. »Aber bitte denk dran, John: Du hast damit angefangen!«

John biss sich auf die Lippen. »Ich habe einen Plan. Ich bin in der Pilotenkabine. Gib mir Bescheid, wenn wir Capitol City erreichen.« Er verließ das Cockpit.

Pepper spürte, wie ihm die Schultern wegsackten. John hatte ihnen wieder eine zentnerschwere Last aufgeladen. Alte Gewohnheiten vergingen eben nicht von einem Moment auf den anderen.

Pepper lehnte sich in seinem Sessel zurück und donnerte den Teebecher gegen die Wand. Er beobachtete, wie das Materialgemisch das Wurfgeschoss auffing und ihm die Wucht nahm, sodass es ganz langsam und vorsichtig zu Boden gleiten konnte.

Vor 354 Jahren hätte er sich eben nicht von John dazu überreden lassen dürfen, nach Nanagada zu reisen.

Das würde ihm Pepper nie verzeihen.

Dreiundsiebzigstes Kapitel

Dihana betrachtete den Sonnenaufgang und sah, wie sich in den Straßen von Capitol City das bernsteinfarbene Licht ausbreitete. Sie saß in einem mit Brettern vernagelten Haus in der Nähe des Hafengebietes und hörte das Tuscheln ihrer Sicherheitsleute im Raum nebenan.

Das Hafenwasser leckte an der neuen Hochwassermarke, die in den Stein von Grantie's Arch geritzt worden war. Direkt außerhalb des Hafens entdeckte Dihana drei aztecanische Schiffe, welche in den Wind drehten. Sie hielten sich parallel zu den seeseitigen Außenmauern der Stadt und zerrissen die morgendliche Ruhe, indem sie das Feuer eröffneten.

Die Wirkung des Beschusses während der gesamten vergangenen Nacht konnte man an Teilen der Außenmauer ablesen. Dort waren Splitter, kleine Einschusslöcher und größere Lücken zu sehen. Auf den Fußwegen entlang der Küste lagen überall verstreut Leichen herum. Von Freiwilligen, die am späten Abend, als die Schiffe vor Grantie's Arch aufgetaucht waren, den Kugeln der aztecanischen Scharfschützen zum Opfer gefallen waren.

Die drei Schiffe bildeten einen Keil und unternahmen einen neuerlichen Angriff auf die Hafeneinfahrt. Mehrere Minuten lang segelten die beiden hinteren Schiffe geradeaus, trennten sich dann, drehten bei und feuerten ihre Breitseiten ab. Danach wendeten sie und folgten dem vorderen Schiff.

In der Hoffnung, die Schiffe wieder aufs offene Meer zurücktreiben zu können, feuerten die erst kürzlich installierten Geschütze auf den Mauern unaufhörlich aus allen Rohren.

Vier kleine Fischerboote mit Kanonen und Sprengstoff an

Bord lauerten zu beiden Seiten des Bogens. Falls es den aztecanischen Schiffen gelingen sollte, den Durchbruch zu schaffen, würden sie diese rammen, obwohl die Männer an Bord sich im Klaren darüber waren, dass es sie das Leben kosten würde.

Die Schiffe der Aztecaner hielten unter vollen Segeln und mit der Flut hereinkommend weiter Kurs auf die Hafeneinfahrt. Sie hatten den Hafen schon fast erreicht, als eine gewaltige Explosion den mittleren Teil von Grantie's Arch zerriss und die gesamte Brückenkonstruktion ins Meer stürzte.

Dihana schlug die Hände vors Gesicht. Die Mungo-Männer hatten den Bogen in die Luft gesprengt, um ein Eindringen der Schiffe zu verhindern.

Nach wenigen Sekunden der Unsicherheit hatten sich die Leute auf den beiden Schiffen an den Flanken gefangen. Sie rissen das Ruder herum und schafften es, einen anderen Kurs einzuschlagen. Das vordere Schiff versuchte ebenfalls zu wenden, blieb jedoch in den Trümmern des Bogens hängen. Immer noch stürzten riesige Steinbrocken ins Wasser und auf das Deck.

Mit einem lauten knirschenden Geräusch kam das aztecanische Schiff zum Halten und saß in der einzigen Zufahrt zum Hafen fest.

Die Mungo-Männer schossen von oben auf den Mast, schleuderten brennende Pechfackeln aufs Deck und warfen Bomben. Dihana ging zum Fenster und schloss es, weil sie genug gesehen hatte. Doch dann blieb sie stehen. Ein hoher lauter Ton lag in der Luft. Die Leute hielten inne und schauten nach oben. Ein silbern schimmerndes Fluggerät mit Flügeln stieß vom Meer her kommend von oben auf die Stadt herab.

Das futuristisch anmutende Raumschiff wurde langsamer, bis es gemächlich über dem Hafen schwebte. Es sank ganz langsam herab, und als es knapp über der Wasseroberfläche war, wirbelte es gewaltige Mengen von Gischt und schäumendem Wasser auf.

Das Raumschiff bewegte sich zu einem freien Platz in der

Nähe des Kais und sank mit einem tiefen Seufzer ins Wasser, keine zwanzig Meter von der Stelle entfernt, wo Dihana wie angewurzelt am Fenster stand. Ein feiner salziger Nebel stieg auf und bedeckte ihr Gesicht.

Danach blieb alles um das Raumschiff herum für mehrere Minuten still, nur das Brummen eines zufriedenen großen Tieres war zu hören.

Sollte dies wirklich die sagenhafte Maschine der Vorväter aus dem Norden sein? Sollten sie es so schnell geschafft haben?

Dihana drehte sich zu dem Mungo-Mann an ihrer Seite um. »Besorgen Sie bitte einen Rollstuhl. Und holen Sie Haidan aus dem Krankenbett!«

»Aber, Frau Ministerpräsidentin, er immer noch sehr krank.«

»Er wird es sehen wollen.«

Der Mungo-Mann nickte und rannte aus dem Zimmer.

Vierundsiebzigstes Kapitel

John lehnte mit geschlossenen Augen an der Wand des Badezimmers und dachte daran, wie er sich seinen Weg auf ein Kampfraumschiff erkauft hatte. Alleine die operativen Eingriffe hatten ihn total fertiggemacht: unterstützende hoch-g-Herzklappen, zusätzliche neurale Zapfstellen, neu vermessener Kortex und danach zwei Jahre Gedächtnis- und Techniktraining am Simulator.

Dennoch, während jener Zeit, die er im Raumschiff geschuftet hatte, war er beides gewesen, ein Gott und ein winziges Staubkörnchen inmitten des unermesslichen Weltalls. Eine befriedigende Erfahrung.

Dann erinnerte er sich daran, wie sein Sohn geboren wurde, etwas noch viel Beeindruckenderes als all die zurückgelegten Lichtjahre, die Frauengeschichten, die Abenteuer, die er erlebt hatte, beeindruckender selbst als die Dinge, die er in fremden Welten gesehen hatte.

Pepper öffnete die Tür, und John wischte sich mit dem Waschlappen ein paar unvermutet geflossene Tränen aus dem Gesicht. Er hoffte, dass Pepper es nicht mitbekommen hatte.

»Da draußen an den Docks sind jede Menge Leute«, sagte Pepper.

»Ja.« John legte seine Handfläche auf die Diagnosetafel neben dem Waschbecken. Die Werte waren alle normal. Ihm fehlte überhaupt nichts mehr. Sein kleiner Schwindelanfall nach der Landung des *Ma Wi Jung* war lediglich auf Desorientierung zurückzuführen.

Siebenundzwanzig Jahre divergierender Erinnerungen, Tätigkeiten und Verhaltensweisen mussten erst einmal auf einen Nenner gebracht werden. Ohne ein paar Schläge aufs Gemüt ging das nun mal nicht ab.

John fragte sich nur, ob ihm das noch einmal passieren würde. Konnte er sich darauf verlassen, dass er die nächsten paar Stunden durchhalten würde? Und auch wenn Pepper Zweifel haben sollte, ob John die Fähigkeit besaß, sich davon zu befreien, er würde einen … einen kreativen Weg finden, sich das zu holen, was er wollte.

John machte sich keine Illusionen, wer oder was Pepper momentan war. Sein früheres Misstrauen war berechtigt gewesen. Pepper war gefährlich.

Andererseits, erinnerte er sich in diesem lichten Moment, war er selbst es ja nicht minder.

Er betrachtete seine neue Hand, als gehöre sie zu jemand anderem. Sie zuckte. Nervös. John zwang sich, sie ruhig zu halten, und schaute Pepper an.

»Dann wollen wir sie mal nicht länger warten lassen.« John warf den Waschlappen weg. Dieser wurde in den Abfluss gesogen, gefolgt von einem Wasserstrahl.

Pepper legte John eine Hand auf die Schulter. »Ich kenne dich genug, um zu wissen, dass dies geschehen muss. Es ist gut, dich wieder in deinem alten Zustand zu sehen, John. Selbst wenn du mir die Hand zerquetschst.«

In Johns Kopf tauchte die Erinnerung an eine Bar auf. Er saß neben Pepper und beobachtete ein paar Frauen in weiten, fließenden Seidenkleidern, die an ihnen vorübergingen. Plötzlich spürte er an seinen Rippen unter der schäbigen Uniform den Druck von zwei Pistolen. Gut, dich wieder an Bord zu haben.

Mandeln mit Honig überzogen.

Bier und Pisse.

John erinnerte sich an einen Händedruck. Tote Männer. Blutlachen auf einem Flur aus Metall. Und Peppers verstohlenes Grinsen unter seinen Rastalocken. Freundschaft, die aus Gewalt geboren war. Er erinnerte sich an Peppers überraschtes

Gesicht, als sie sich zum ersten Mal auf einer kleinen Insel begegnet waren, in einer Nanagada nicht unähnlichen Welt.

Beide waren sie Insulaner. Das war der eigentliche Draht zwischen ihnen. Beide stammten sie von der Erde. Darauf bauten sie eine Freundschaft auf. Zwei eingeborene Söhne auf einem außerirdischen Planeten, weit weg von zuhause.

John hatte als Pilot ein Transportraumschiff voll mit Diebesgut für irgendeinen Schwachkopf von Hehler geflogen, und er hatte den besten Schutz an Bord haben wollen. Das war Pepper gewesen. Danach hatten sie sich nie mehr getrennt.

»Lass uns gehen.« John schaute Pepper an. »Wir haben es von oben gesehen. Du weißt, dass Capitol City kurz vor dem Untergang steht.«

Pepper zuckte die Achseln.

»Willst du mir etwa erzählen«, sagte John, »dass du dermaßen gefühllos geworden bist und zusehen kannst, wie deine Leute einfach so ausgerottet werden?«

Ein kurzes Blinzeln. Doch John triumphierte, überhaupt eine Regung registriert zu haben.

»John, Junge.« Pepper beugte sich hinab, sodass sie auf gleicher Höhe waren. »Der einzige Grund, warum ich dir in diesem bescheuerten Unternehmen den ganzen Weg hierher gefolgt bin, war die Tatsache, dass du damals dasselbe schon einmal gesagt hast. Und jetzt habe ich diesen Kampf auf mich genommen und verloren. Capitol City ist doch schon vor langer Zeit untergegangen, und zwar in jeder Hinsicht. Mein einziger Wunsch, mein einziges Ziel ist es, von hier zu verduften.«

Der *Ma Wi Jung* war nur noch Zentimeter von der Anlegestelle am Kai entfernt, und mehrere Männer standen dort mit Tauen. Einige andere hielten Gewehre in der Hand. Pepper folgte John aus der Luke, und dann standen sie ganz oben auf der Spitze des Sternenschiffs auf der Tragfläche an Backbord.

»Sind Sie John deBrun?«, brüllte jemand.

»Ja. Ich komme jetzt an Land.« John ging auf dem nach unten geneigten Flügel entlang und sprang auf den Boden. Als er das erste Mal hier an Land gegangen war, war diese Hafenanlage gerade neu aus dem Boden gestampft worden. Der Chefarchitekt und Stadtplaner hatte ihn voller Stolz in der ganzen Stadt herumgeführt und ihm die Anlagen gezeigt. Technisch gesehen, hatte der Mann gesagt, sei es eigentlich nicht erlaubt, Nano beim Bau einer Stadt auf Grundgestein einzusetzen. Doch man sei ja weit genug von der Erde entfernt, wen würde es also jucken? Außerdem würden ihnen die Loa bei der Konstruktion helfen.

Das war vor dem Krieg gewesen. Dass man die Hilfe der Loa in Anspruch genommen hatte, war reines Geschäftsinteresse gewesen. Und John war einer der Händler und Terraformer, die sich ihre Brötchen mit der Errichtung einer neuen Welt und Zivilisation für die Menschen verdienen wollten.

Pepper landete neben John auf dem Boden.

Die Gewehre blieben weiterhin auf sie gerichtet. Die Mungo-Männer unter den Umstehenden wirkten schmuddelig und müde. Der nächststehende deutete mit einem Kopfnicken auf Johns Hand. »Man Sie beschrieben als Mann mit Haken. Was geschehen?«

»Jetzt habe ich eine Hand.« John wedelte mit der Hand zu dem Gebilde aus silbrigem Metall hinter sich hinüber. »Außerdem bin ich gerade mit einem großen Raumschiff gelandet, das von den Vorvätern gebaut wurde. Deshalb müssen Sie wohl den Grundsatz ›im Zweifel für den Angeklagten‹ gelten lassen.« Er lächelte. Das Wort »Vorväter« brachte ihn für einen Moment aus der Fassung. Ein Teil von ihm kannte das Wort kaum oder fand es zumindest äußerst amüsant, dass er ein »Vorvater« sein sollte. Dem anderen Teil ging das Wort problemlos über die Zunge. Ein Wort, das er oft genug benutzt hatte. Weiter nichts.

Einige Gewehrläufe senkten sich. Dann ertönte ein Ruf aus einem nahegelegenen Fenster, und die restlichen Gewehre wurden abgesetzt. Zwei Mungo-Männer schoben Haidan, der in eine große Decke gewickelt war, in einem Rollstuhl aus der Tür. Sie überquerten die kleine Straße und blieben vor John stehen. Haidan schaute hoch und hielt sich an Johns Hemd fest.

»Haidan, ist mit dir alles in Ordnung?«, fragte John.

»Ich nicht traue meinen Augen«, krächzte Haidan. »Du fällst aus Himmel. Du kehrst zurück.« Ihm gelang ein schwaches Grinsen.

Die Mungo-Männer bildeten einen schützenden Keil um sie. Trotz der mit Trümmern übersäten Straßen und der spannungsgeladenen Atmosphäre in der Stadt war die Menschenmenge schnell angewachsen. Alte Frauen und Kinder sahen zu, wie Haidan mit John an seiner Seite die Straße hinabgeschoben wurde.

»Wenn du etwas hast, um uns zu retten«, sagte Haidan, »dann du genau zum richtigen Zeitpunkt gekommen.« Er warf einen Blick auf die sie begleitenden Mungo-Männer. »Wir halten Stadtmauer, aber mit letzter Kraft.« Er schaute von John zu Pepper hinüber. »Wo sind restliche Leute?«

»Ach, ja«, sagte Pepper. »Die. Es gab eine Meuterei. Sie sind wohl auf dem Weg nach Cowfoot Island, um sich dort zu verstecken. Wenn alles gut für sie läuft.«

Haidan stöhnte vor Schmerzen und betrachtete Pepper stirnrunzelnd. »Wer sind Sie?«

»Das ist Pepper«, sagte John. »Er wird uns helfen. In seinem Geschäft ist er hervorragend.«

»Und was ist das?«, fragte Haidan.

»Leute umlegen.«

Haidan streckte seine zittrige Hand aus. »Willkommen.«

Pepper schüttelte sie freundlich.

In einem Zelt mit Rädern unter dem Holzfußboden, das in der Mitte einer Straße an der östlichen Stadtmauer aufgestellt wor-

den war, mühte sich Haidan mit einer Ledertasche voller Foto-
platten ab. Schließlich breitete er die Bilder auf einem Picknick-
tisch aus. Über dem Ganzen schwebte eine Atmosphäre größter
Dringlichkeit.

Pepper schaute nach hinten und stampfte mit dem Fuß auf
dem Holzboden auf.

»Wir Zelt immer wieder bewegen an anderen Platz«, sagte Haidan, ohne dabei aufzublicken. »Fünf andere, die aussehen wie
dieses, auf jeder Seite unterwegs. Sie praktisch sicher vor Artilleriebeschuss. Aztecaner nur können erreichen Mitte mit Flugschiff. Wir sie gründlich verwirren.«

John studierte die Photos, seine Augen suchten nach ganz
bestimmten Formen und Gestalten in den gerodeten Lichtun-
gen und Lagern. Eine Batterie von Artilleriegeschützen schaute
er sich genauer an. Aller Wahrscheinlichkeit nach waren es
diese, die ihm in diesem Moment mit ihrem unaufhörlichen
Grollen in den Ohren klangen.

»Die Ministerpräsidentin jetzt immer umziehen von einem
Haus ins andere wegen Sicherheit.«

John unterzog das Gebiet hinter dem Lager einer genaueren
Inspektion und fand schließlich, was er gesucht hatte: einen
runden Adlerstein und viele Menschen, die in Reihen davor
standen. Rechts davon war ein großes viereckiges Gebilde zu sehen.

»Erklär mir das bitte«, sagte er und deutete auf die Rückseite
der Hunderte von winzigen schwarzen und weißen Zelten, die
auf den zerbrechlichen Platten nur als verschwommene Drei-
ecke zu erkennen waren. »Sind das dort die Priester?«

Haidan schaute auf das kleine Gebiet, das John ihm zeigte. Er
nahm den kleinen Finger und fuhr damit an einer Reihe entlang, die wie Ameisen aussah.

»Priester stehen neben Holzpyramide und runden Stein.
Linie du dort sehen, sind Menschen, die darauf warten, geopfert zu werden.«

John saß in einem Leinenstuhl. »Das hier ist ihre schwache Stelle, Haidan. Deine besten Männer. Beschaff sie mir. Ich brauche unbedingt Bilder. Notfalls musst du Toltecaner auftreiben, die sie zeichnen können. Aber wir müssen deinen Männern unbedingt zeigen, wie die Hohepriester aussehen.«

Haidan klammerte sich an den Tischrand. Schweiß trat ihm auf die Stirn. John sprang auf und hockte sich neben ihn. »Haidan . . .«

Haidan wimmelte ihn mit einer Handbewegung ab, holte ein paar Mal tief Luft und ließ sich in seinen Rollstuhl zurückfallen. »Meine besten Männer?« Er stöhnte.

»Ihre allerbesten«, sagte Pepper. »Gegen die Zelte der Tausende von Aztecanern vor Ihren Mauern gibt es nur eine einzige Möglichkeit. Sie können den Feind sowieso nicht aufhalten.«

»Was plant ihr?«

John nahm die Fotoplatte in die Hand und deutete auf die darauf befindlichen Opferplätze. »Sie sind auf ihre Priester und Götter angewiesen. Wir nehmen diese gefangen oder töten sie. Die Aztecaner sind praktisch darauf gedrillt, danach aufzugeben.« John legte die Platte zurück. Die einzelnen Fotos waren in seinem Gedächtnis eingebrannt. Im Raumschiff würde er mithilfe von Instrumenten ein Gesamtbild daraus erstellen.

Er erinnerte sich an einen Lehrgang, an dem er vor dreihundert Jahren teilgenommen hatte. Alles, was Oaxyctl ihm an Bord der *La Revanche* erzählt hatte, war eine Bestätigung dessen, was John über die Aztecaner erfahren hatte. In der ursprünglichen aztecanischen Zivilisation waren die Strategien der Blumenkriege perfektioniert worden. Das wichtigste Ziel in den Kämpfen der Aztecaner war die Gefangennahme von Sklaven und Opfern für ihre Göttergaben, nicht das Töten von Feinden. Und die Teotl – John musste beinahe darüber lachen –, diese gottverdammten Teotl hatten während der letzten paar hundert Jahre die Blumenkriege dazu genutzt, aus den Aztecanern perfekte menschliche Soldaten in ihren Diensten zu machen.

Generationen von Aztecanern waren auf der anderen Seite der Berge übereinander hergefallen, um noch effektiver im Kampf zu werden und für den letzten großen Krieg gegen alle menschlichen Wesen auf diesem Planeten gerüstet zu sein. Zweifellos hatten die Teotl gehofft, die Loa ausrotten und in den Besitz des *Ma Wi Jung* gelangen zu können, um in den Weltraum zurückzukehren und Angehörige ihrer Gattung zu finden.

Hier waren sie nun alle, einträchtig versammelt vor den Toren der Stadt.

John wusste, dass es bei den Teotl eine Schwachstelle gab, die er auszunutzen gedachte. John deBrun würde einen Blumenkrieg unter ihnen entfachen, wie ihn die aztecanische Geschichte noch nicht gesehen hatte. Wenn die Teotl menschliche Schwächen und Traditionen als Waffe gegen die Stadt einsetzten, dann würde er es ihnen mit gleicher Münze heimzahlen.

Die Frage war lediglich, was mehr Gewicht hatte, die Tradition der Blumenkriege oder die Gebote der »Götter«, wenn diese erkannten, dass ihre eigenen Mittel sich gegen sie selbst richteten.

»Ach ja«, sagte John, als sei ihm dies noch nachträglich eingefallen, »sorge dafür, dass sie mit Netzen ausgerüstet sind. Netze mit Bleigewichten.«

»Netze?«, fragte Haidan. »Wie für Fische?«

»Wie für große Fische«, sagte John. »Noch etwas, Haidan. Wir müssen dich wieder auf die Beine bringen. Dein Zustand lässt zu wünschen übrig.«

Haidan schüttelte den Kopf. »Wir jetzt dafür keine Zeit haben. Du musst gehen.«

John schaute Pepper an.

»Ich bin anderer Meinung als du«, sagte Pepper. »Aber wenn du das so durchziehen willst, brauche ich Munition, Gewehre, Pistolen und einen neuen Mantel. Ich werde das Raumschiff absichern.«

John legte Haidan eine Hand auf die Schulter. »Wir haben da ein paar Dinge, mit denen ich dir helfen kann, sobald ich zurück bin. In Ordnung?« John wusste jetzt, was Haidan über seine Verwundung hinaus fehlte. Krebs, den er sich durch die Radioaktivität in Hope's Loss geholt hatte, wo die alten Reaktoren dem Erdboden gleichgemacht worden waren. Johns eigener Körper hatte keine Schwierigkeiten damit, doch Haidan würden mit diesen furchtbaren Verletzungen bestenfalls noch ein paar Tage bleiben. Er konnte momentan nur noch einigermaßen durchhalten, weil er ungemein willensstark war, zu unbeugsam, um einfach aufzugeben.

Haidan nickte und lehnte sich in seinem Rollstuhl zurück. Mungo-Männer umringten ihn.

»Wir alles besorgen, was Sie brauchen. Aber jetzt besser Sie ihn lassen allein. Er muss unbedingt etwas schlafen. Das hier sehr anstrengend für ihn«, sagte einer von ihnen. »Er begraben unter ganzer Mauer und noch sehr krank.«

John nickte.

Hoch über ihnen versuchten mehrere rote Kleinluftschiffe der Aztecaner in Keilformation in den Luftraum über der Stadt einzudringen. Vier noch kleinere und wendigere Luftschiffe der Gegenseite näherten sich ihnen und schossen mit ihren Bordgeschützen unter wütendem Tackern ganze Salven auf sie ab. Aus den Gondeln der aztecanischen Kampfmaschinen wurden Trauben von Bomben abgeworfen.

Ein Luftschiff der Verteidiger explodierte und stürzte ab. Männer mit brennender Kleidung sprangen heraus. Sie fielen und fielen, bis sie zwischen den Gebäuden verschwanden.

John hockte auf dem Flügel seines Raumschiffs und verfolgte, wie der letzte von fünfzig Männern an Bord des *Ma Wi Jung* ging. Sie kletterten auf den Flügel und schauten sich nervös um.

Ein weiterer Trupp von Mungo-Männern stand zur Bewachung mit schussbereiten Gewehren am Kai.

Überall in den Straßen detonierten Bomben. Eines der aztecanischen Flugschiffe fing Feuer und versuchte sich zurück in die Wälder zu retten. Als es die Mauern erreichte, war es nur noch ein Feuerball.

Über der Stadt hingen dichte Rauchschwaden. Zwei kleinere Flugschiffe tauchten in den Qualm ab und verbargen sich dort, um auf die nächste Angriffswelle der Aztecaner zu warten.

John stand auf.

Es wurde Zeit, sein Vorhaben durchzuziehen.

John ging zum Ende des Flügels und wandte sich an den Mungo-Mann auf dem Kai, der die fünfzig Männer an Bord des Raumschiffs ausgewählt hatte: »Ihre Leute wissen, dass ich, und zwar einzig und alleine ich zu befehlen habe? Und Sie haben ihnen gesagt, was sie tun müssen, wenn ich Hilfe benötigen sollte?« Der Mungo-Mann nickte. »Dann viel Glück bei der Verteidigung gegen die Aztecaner!«

Pepper wartete drinnen im Cockpit. Er zog sich einen weiten Leinenmantel an und stopfte in jeden Stiefelschaft ein Messer. »Ich möchte noch einmal betonen, dass ich anderer Meinung bin als du, John. Das ist mein voller Ernst. Ich bleibe nur hier, um ganz sicherzugehen, dass kein Teotl an Bord kommt und dich blöden Dickschädel tötet. Hast du mich verstanden?«

Sämtliche fünfzig Mungo-Männer standen Schulter an Schulter aufgereiht in dem langen Gang unter der oberen Luftschleuse.

»Alles klar, habe verstanden«, sagte John. »Ähnliches hatten wir doch schon mal.«

»Wenn wir warten, bis es dunkel ist, können sie uns nicht mit ihrer Artillerie treffen. Wenn wir uns aber jetzt aufmachen, werden sie das Raumschiff beschädigen, John. Ich bezweifle, dass es sich dann selbst wieder instand setzen kann, und selbst falls es dazu in der Lage ist, wird das sehr viele Jahre dauern. Dieses Risiko dürfen wir nicht eingehen.«

John setzte sich in den Pilotensessel. Dieser kippte von selbst in die richtige Startposition. »Vielleicht können wir heute schon alles erledigen, Pepper.«

Pepper packte John am Hemdkragen und zog ihn hoch. »Sei doch vernünftig, John!«

John schnipste mit den Fingern. Als Antwort war das Entsichern von fünfzig Gewehren zu hören, danach das Spannen von fünfzig Gewehrhähnen. »Fünfzig erstklassige Dschungelkämpfer, Pepper. Dicht gedrängt, und alle haben das Gewehr auf dich gerichtet. Deine Chancen stehen nicht schlecht, aber ihre auch nicht.«

Pepper stieß ihn in den Sessel zurück und schlug mit der Faust gegen die Wand. Sie kräuselte sich leicht. Eine Sichtanzeige wenige Zentimeter entfernt zersplitterte und fiel zu Boden.

Als Pepper die Faust zurückzog, blieb der Abdruck sichtbar.

Pepper setzte sich in den zweiten Sessel und nahm den Kopf in die Hände. »Flieg!«

»Festhalten!«, rief John den Mungo-Männern zu. »Es wird etwas holperig zugehen. In der Wand müssten Griffe sein. Gewehre sichern!«

Der *Ma Wi Jung* begann zu brummen.

»Du missbrauchst dieses hyperempfindliche interstellare Raumschiff als billigen Truppentransporter«, schimpfte Pepper.

John lehnte sich in seinem Sessel zurück. Irgendwo in seinem Hinterkopf begann er eine Verbindung mit dem Raumschiff herzustellen, mit dem nahezu lebendigen Computer als Herzstück. Auf der Linsenkapsel seiner Augen erschien eine überwältigende Vielfalt an Informationen. Für ihn war dies normal. Er war Pilot. Nur John war so ausgestattet, dass er dieses komplexe Gebräu von Informationen interpretieren und verarbeiten konnte.

Er schloss die Augen und ließ den *Ma Wi Jung* aus dem Hafenbecken aufsteigen. Die linke untere Außenbordkamera zeigte ihm, wie das Wasser wieder hinabglitt und den Kai überschwemmte.

Vor sich erkannte er drei kleine Flugschiffe. Aus Capitol City. Selbst in diesem dichten Rauch war ihre Wärmestrahlung deutlich zu erkennen.

In der Ferne kamen fünf aztecanische Flugschiffe gemächlich herangeschwebt.

John ließ *Ma Wi Jung* noch etwas höher steigen und flog an den Flugschiffen aus Capitol City vorbei wie ein Silbergeist, der aus den Rauchschwaden hervorbricht.

Dann gab er den Maschinen gewaltigen Schub, flog geradeaus auf die unbeholfenen feindlichen Flugkörper zu, ohne auf das Peitschen von deren Kugeln zu achten, und riss das Raumschiff erst im letzten Moment hoch.

Hinter ihm hüpften die aztecanischen Flugschiffe durch den Sog und Druck der Maschinen des *Ma Wi Jung* wie Seifenblasen in der Luft, während die Mungo-Männer sich im Inneren des Raumschiffs an die Wand klammerten, um durch die Erschütterungen nicht umgeworfen zu werden.

John ließ den *Ma Wi Jung* trudeln und suchte die öde Landschaft rund um die Mauern von Capitol City ab, bis er sein Ziel gefunden hatte.

Jetzt endlich kam die Gelegenheit, sich an den Leuten zu rächen, die in sein Land eingebrochen waren und seine Familie zerstört hatten.

Fünfundsiebzigstes Kapitel

Nach nur wenigen Flugsekunden öffnete John die Augen. Trotz seines Aufenthaltes in der MedoKapsel konnte Pepper in Johns Gesicht nur einen vorherrschenden Ausdruck erkennen: Müdigkeit. An den Mundwinkeln hatten sich tiefe Falten eingegraben, die sich bis über die aufeinandergepressten Lippen zogen. »Zeig ihnen sämtliche Ausstiege«, sagte er.

Er flog Achterschleifen. Pepper spürte die Bewegung in seinen Füßen. Dadurch wurde die Artillerie der Aztecaner abgelenkt und konzentrierte sich nicht mehr auf Capitol City.

»In Ordnung.« Pepper stand auf und massierte den Handrücken. Durch seinen Faustschlag aus lauter Frustration hatte er seine Knöchel zertrümmert. Sie begannen bereits wieder zu heilen, doch so kurz bevor es zu handeln galt, war das ein unüberlegtes und törichtes Verhalten gewesen. »Es gibt vier Ausstiege, über die man das Raumschiff verlassen kann«, erklärte er den Mungo-Männern. »Hinten im Laderaum befindet sich der größte, dann einer in der oberen Luftschleuse und zwei in den vorderen Luftschleusen.« Er zeigte in die jeweilige Richtung und ging danach nach vorne. »Ihr fünf da, ab nach oben! Und merkt euch den Weg.«

Fünf Mungo-Männer marschierten über den engen Gang zurück nach unten, um dann wieder ein Stockwerk höher zu klettern. Man hörte das Klicken ihrer Stiefel auf den Leitersprossen. Pepper schnappte sich fünf andere Männer und postierte sie an der rechten Luftschleuse, weitere fünf schickte er auf die linke Seite. Die restlichen Männer nahm er mit hinunter in den Laderaum.

John flog mit ihnen noch etliche Schleifen, sodass sie mit

dem Boden Bekanntschaft machten, wenn er beschleunigen musste.

Dann ging es abwärts. Peppers Magen spielte verrückt. Ein durch Mark und Bein gehendes Quietschen, ein Ruck, und sie waren unten. »Je mehr Federn und je bunter, desto besser«, brüllte Pepper. Zuvor hatten sie den Männern Bilder gezeigt, hatten ihnen gesagt, was sie tun sollten, und hatten ihnen einen Grundriss des Geländes mit den Opferstätten an die Hand gegeben. Doch eine letzte Instruktion vor dem Sprung ins Ungewisse würde ihre Aufmerksamkeit vom Raumschiff weg und zum Kampf hinlenken. »Schafft so viele lebend herbei, wie ihr bekommen könnt. John wartet in der Luft auf uns.« Die Luke des Laderaums öffnete sich, und die drei vordersten Männer schlitterten auf einem umgestürzten Baumstamm hinab, der nur etwa einen Meter unter dem *Ma Wi Jung* lag.

Einer der Mungo-Männer warf Pepper ein Gewehr zu, und dieser fing es mit der linken Hand auf. Der Mann schickte einen kurzen Blick nach draußen und fragte, ob Pepper aussteigen wolle.

Vor einigen Stunden noch hatte Pepper geglaubt, bald ginge es nach Hause, weil er John zu Gedächtnis und Erinnerungen verholfen hatte. Er hatte von seinen Bankkonten auf Nova Terra und der Erde geträumt, auf denen sich die Zinsen angehäuft haben mussten, von heißen Bädern und tollen Bars, deren Namen er noch nicht vergessen hatte.

Jetzt war er wieder dort angekommen, wo alles angefangen hatte.

Pepper schaute auf das Gewehr hinab. Mit der anderen Hand griff er unter seine Jacke und holte eine Pistole hervor, die ihm Haidan gegeben hatte. Mit der Ruger, die er im Norden verloren hatte, konnte es diese Waffe nicht aufnehmen, doch sie war immer noch tödlich genug.

Todbringend genug, um jedem Aztecaner den Tag zu versalzen.

Einer der Mungo-Männer hielt Pepper ein Netz hin, doch dieser schüttelte den Kopf.

Was hatte John doch gesagt? Peppers Job war es, Leute umzulegen. Wie viele würde er wohl kaltmachen, bevor ihm irgend so ein dahergelaufener aztecanischer Scharfschütze eine Kugel in den Kopf jagte? Oder würde er schnell genug sein, Schwein haben und es mit kühlem Verstand schaffen, auch dies zu überstehen?

Scheiß drauf! Pepper seufzte und sprang in den Dschungel hinab. Auf die oder andere Weise musste das hier möglichst schnell erledigt werden. Nach zweihundertachtundneunzig Jahren Warten war seine Geduld aufgebraucht.

Pepper sah, wie der *Ma Wi Jung* in die Höhe zischte. Bei jedem Schuss, den die Aztecaner dem Raumschiff hinterherjagten, zuckte Pepper zusammen. Der lehmige Boden unter seinen Füßen federte und machte jeden großen Schritt einfach. Um sich herum registrierte er, wie die Mungo-Männer leise raschelnd davonschlichen. Ein flüchtiger Blick genügte, um sofort zu wissen, wo jeder einzelne war.

Lange, herunterhängende Palmwedel schlugen Pepper ins Gesicht, und dann stürmte er auf die Lichtung. Blutgeruch hing in der feuchten Luft. Am äußeren Rand der freien Fläche standen überall Baumstümpfe, doch zu der großen Holzpyramide hin war der Boden vollständig gerodet.

»Wer kommt da?«, schrie eine Stimme auf Aztecanisch. Den unscheinbaren Federn und dem Fehlen von Blut nach zu urteilen, musste es sich zwar um einen Priester handeln, jedoch eher um einen Altardiener von niederem Rang.

»Ich.« Pepper hatte seine Stimme so weit gesenkt, dass sie nur noch ein leises Knurren war.

»Seid Ihr ein Gott? Kommt Ihr auf der Suche nach Blut? Ich werde Euch zur Seite stehen, verehrter Herr!«

Pepper wurde kaum langsamer, als der junge Mann seinen Irrtum erkannte und die Maske herunterriss. Pepper wich dem Schlag aus und verpasste dem Altardiener mit der gleichen Wucht und Frustration wie vorhin im Cockpit einen Fausthieb ins Gesicht.

Er schüttelte seine Hand, um die Reste von Schädelknochen und Gehirnmasse loszuwerden, und bewegte sich weiter. Er umkreiste die Pyramide mit einem Sprint von fast einem Kilometer, und dabei rannte er so schnell, dass er spüren konnte, wie ihm die verbrauchte Energie in Form von Hitze entzogen wurde.

Dann wandte er sich der Pyramide zu.

Die Wachen kamen auf ihn zu. Den ersten erschoss Pepper mit dem Gewehr, das ihm der Mungo-Mann gegeben hatte, beim zweiten benutzte er den Gewehrkolben, um dessen Brustkasten zu zertrümmern, und dabei schnappte er sich die Maske, die dem Mann heruntergefallen war, als er sich an die Wunde griff.

Der dritte Wachmann wollte sein Gewehr heben, ohne einen Gedanken an die Vorstellung zu verschwenden, Pepper gefangen zu nehmen. So knallte Pepper ihn ab.

An die hundert aztecanische Priester der höchsten Kasten liefen wie aufgescheuchte Hühner durcheinander und wussten nicht, wohin sie sich wenden sollten. Die Mungo-Männer hatten mittlerweile zu Pepper aufgeschlossen und befanden sich innerhalb der Lichtung.

Jetzt wollten sich die Priester in Peppers Richtung davonmachen, um der halbkreisförmigen Reihe von fünfzig schweigenden Mungo-Männern mit Netzen und Gewehren zu entkommen.

Pepper wartete und pumpte seine Lunge voll Luft, um genügend Sauerstoff zu tanken; zu viel; ihm wurde schwindlig.

Dem ersten Priester schoss er ins Bein, und der Mann fiel vornüber in den Staub. Der Mann neben ihm wurde langsamer. Pepper jagte ihm eine Kugel in den Fuß.

Die geschwungenen Messer glänzten noch von dem Blut nanagadanischer Herzen, und Pepper nahm sie ihnen aus den Händen und schnitt ihnen mit ihren eigenen Messern die Achillessehnen durch. Andere schlug er zusammen, indem er ihnen Hiebe ins Gesicht versetzte, die sie überleben ließen, sich ihnen jedoch unvergesslich einprägten.

Wenn die ruhigen und wohlüberlegten Aktionen zu Verletzungen und Schnittwunden an Armen und Brust führen sollten, war Pepper in Gefahr. Von Energie getrieben zischte er durch die Menge und schnitt jedem, dessen Rang er für hoch genug erachtete, die Sehnen durch. Er wirkte wie ein stummer, methodisch vorgehender Schatten inmitten dieser kunterbunten Konfusion.

Die Altardiener mussten sterben. Sie waren es nicht wert, verschont zu bleiben.

Pepper tötete, metzelte, verstümmelte, schnitt und schlug, bis um ihn herum nur noch blutende Gestalten im dunkelrot gefärbten Staub lagen. Gestalten, die wimmerten und stöhnten und verzweifelt ihre Götter anriefen.

Jetzt sah Pepper aus wie sie. Blut rann ihm die Schulter hinab. Sein Hemd war klatschnass davon. Es tropfte von den Enden seines Mantels, und die Haare waren verfilzt. Das geronnene Blut in seinem Gesicht machte es ihm unmöglich, zu blinzeln.

Die Mungo-Männer standen nur da und starrten ihn an.

»Gebt das Feuersignal!«, befahl er. »Und dann schnappt sie euch!«

Ihnen blieben höchstens noch ein paar Minuten, bevor die Krieger kommen würden. Er konnte sie schon hören. Er blinzelte, nahezu erblindet, als das aktinische Grün des Feuersignals die Lichtung füllte.

Der *Ma Wi Jung* schwebte über die Baumwipfel heran und schüttelte sie dermaßen heftig durch, dass es aussah, als tanzten sie. Das Raumschiff schlug auf der Pyramide auf, zerschmetterte sie unter wildem Getöse und öffnete die Türen im Rumpf.

Eine Hälfte der Mungo-Männer schleppte die Priester in einer alles andere als feierlichen Prozession zum Raumschiff, während die anderen den Rückzug sicherten.

Pepper stakste zum *Ma Wi Jung*.

Er schaute sich um, und plötzlich bemerkte er, dass Hunderte Augenpaare ihn durch die Bretter der Verschläge beobachteten, die rings um die Pyramide herum errichtet worden waren. Es waren Nanagadaner, die darauf warteten, geopfert zu werden.

Dreißig Sekunden blieben noch, bis der erste Krieger auftauchte.

Pepper schaute zu den Mungo-Männern hinüber. Er sah, wie sich einige in Richtung der Verschläge davonschlichen und dabei gleichzeitig versuchten, ihre Kameraden abzudecken, die die halb bewusstlosen Priester in das Raumschiff hievten.

»Öffnet die Verschläge!«, brüllte er. »Ich gebe euch Schutz!«

Er griff unter seinen klebrigen Mantel, um neue Munition hervorzuholen, und lud die nanagadanische Faustfeuerwaffe. Das Gewehr hatte er irgendwo weggeworfen.

Kein Zweifel, die Nanagadaner würden von den Aztecanern abgeschlachtet werden, sobald sie davonzulaufen versuchten. Aber an Bord hatten sie nicht genügend Platz für sie. Vielleicht würden ja auch einige überleben, und wenn sie sterben sollten, dann unter würdigeren Bedingungen als unter den Händen eines Priesters mit seinem Messer. Besser im Kampf sein Leben lassen, als wie eine Kuh geschlachtet zu werden.

Einige Aztecaner erreichten den Waldrand. Pepper sah Anzeichen ihrer Körperwärme im kühlen, dunklen Dschungel. Sie warteten, bis ihre Zahl groß genug war, um einen Angriff zu unternehmen.

»Meine Herren!« Pepper griff nach der mit frischem Blut besudelten Maske der nächstbesten schmutzbesudelten Leiche und machte sich in Richtung Wald auf den Weg.

Sechsundsiebzigstes Kapitel

Als die Aztecaner auf die Lichtung stürmten, sah John, wie Pepper zum *Ma Wi Jung* zurücklief und einstieg.

John schloss die Türen und startete.

Er lenkte den *Ma Wi Jung* über das Wasser um die Halbinsel herum und ging in Capitol City nieder. Ihre blutige, noch immer halb bewusstlose Ladung warfen sie ohne zu landen über dem Kai ab.

Von außen sah das Raumschiff wie die Missgeburt eines riesigen silberfarbenen Vogels aus.

Im Inneren des Riesenvogels erkämpfte sich Pepper den Weg durch die verwundeten Mungo-Männer ins Cockpit, um mit John zu reden. Der Gestank nach Tod, den er verbreitete, war erdrückend. Er sah grauenerregend aus. Seine blutigen Fußstapfen schlängelten sich durch den gesamten Gang.

»Wie viele dieser Touren gedenkst du noch zu machen, John?«

»So viele wie möglich«, sagte John.

Nachdem er die Leute zu ihrem zweiten Einsatz geflogen hatte, kreiste er mit dem *Ma Wi Jung* über ihnen und beobachtete das Geschehen über die Bordkamera. Er sah, wie Pepper um die Pyramide herum wieder alles leer fegte und den Priestern die Sehnen durchtrennte.

Nach drei Minuten kam das Feuersignal. John setzte das Raumschiff auf dem Boden auf. Und wieder schleppten die Mungo-Männer blutende Priester in den Frachtraum.

Diesmal erschien Pepper mit einem eigenen Netz. Darin zappelte ein madenähnliches Gebilde.

»Ein Teotl.« Pepper warf es den Mungo-Männern vor die Füße. »Für nicht-körperliche Aktivitäten entwickelt.« Er lächelte. »Total hilflos.« Und er zwinkerte John zu. Genau wie in alten Tagen. Blut lag in der Luft. Und irgendetwas im Hinterstübchen von Johns Geist hätte ihn fast zurückzwinkern lassen.

John verschloss die Augen vor all jenem, startete erneut, verschwand blitzschnell am Himmel, beobachtete die lahmen kleinen Luftschiffe und lud die Fracht mit den Gefangenen in Capitol City ab.

Er öffnete die Augen erst wieder, als sie den Kai berührten. Pepper hatte mindestens vierzig oder fünfzig Pfund an Gewicht verloren. Sein Gesicht wirkte jetzt richtig schmal. Und er überragte kaum noch die anderen Männer. Er konnte dies nicht länger durchstehen, ein dritter Einsatz war für ihn eigentlich unmöglich, befand John.

Die Türen des Frachtraums gingen auf, und kurz darauf lenkte John den *Ma Wi Jung* wieder in den Himmel.

Was sie taten, taten sie wirklich exzellent. Das, wofür ihre Körper modifiziert worden waren. John flog, sein Geist bildete die Schnittstelle zum Gehirn des Raumschiffs, und Pepper war eine äußerst effiziente Tötungsmaschine auf dem Boden.

Genau wie in alten Tagen.

John ging vorsichtig runter und achtete dabei auf jeden Baum. Unten wimmelte es von Aztecanern. In dem dunklen Wald erinnerte das Aufblitzen des Mündungsfeuers ihrer Gewehre an tanzende Glühwürmchen. Die Außenhaut des Raumschiffs war übersät mit Einschüssen.

Er landete auf der Lichtung. Diesmal kehrten nur noch neununddreißig Mungo-Männer mit ihrer Beute zurück. Pepper schaffte es im letzten Moment in die rechte vordere Luftschleuse.

Die Kamera erfasste ihn; er war halbnackt, aus den Schusswunden strömte Blut. Das Blut auf seiner Haut zischte wie auf einem Grill. Pepper hielt sich an der Wand fest, um nicht zu fallen. »Wasser!«, stöhnte er.

John ließ das Raumschiff in die Höhe schießen, stoppte, um die Richtung zu ändern, und das ganze Fahrzeug schepperte wie eine Sturmglocke.

Rauch drang in den Gang ein, und Löschschaum folgte. Sie torkelten zum Kai zurück, während John das Raumschiff zu zwingen versuchte, ihn über die erlittenen Schäden zu informieren. Es reagierte nicht. John ging davon aus, dass es seine gesamte Aufmerksamkeit auf den Versuch konzentrierte, sich selbst zu reparieren.

Irgendwie brachte er sie zum Kai und wartete auf Pepper, während einige der Mungo-Männer weitere Netze mit verwundeten Priestern entluden. Zwei Mungo-Männer saßen im Cockpit und spielten nervös mit ihren Gewehren.

Pepper kam hereingewankt. »Wir sind getroffen!« Pepper hatte noch mehr an Gewicht verloren, er fraß seine Energiereserven mit der gleichen Geschwindigkeit auf, mit der er umhersprintete und tötete. John konnte bereits seine Rippen zählen. »Das wär's fürs Erste. Noch mehr Schäden können wir nicht riskieren. Es muss sich erst mal selbst reparieren. Wir sind am Ende.«

John öffnete die Augen, und gleichzeitig verschwanden sämtliche Bilder rund um das Raumschiff aus seinem Kopf. »Noch eine Lichtung.«

Pepper schlürfte Wasser aus einer Feldflasche, um wieder auf Normaltemperatur zu kommen und den Wasserverlust auszugleichen. Der Lederriemen an seinem Handgelenk baumelte nur noch schlaff herab. »Die werden dir ganz schön einheizen. Ich wette, die haben diesmal mehr Artillerie rund um ihren Opferplatz als beim letzten Mal. Der *Ma Wi Jung* gerät in ein wahres Sperrfeuer. Danach kannst du ihn als Raumschiff vergessen.«

»Eine weitere Lichtung«, sagte John.

Pepper zerriss den Tragriemen der Feldflasche und beugte sich vor.

»Haltet ihn zurück!«, befahl John.

Zwei Mungo-Männer stürzten sich auf Pepper. Der erste schlug ihm den Gewehrkolben ins Gesicht, der andere warf ihm eine Schlinge um die Füße und riss ihn zu sich heran. Alle drei stürzten zu Boden und kämpften dort weiter. Ein dritter Mungo-Mann kam aus dem Gang, setzte Pepper ein Knie auf die Brust und presste ihm das Gewehr an den Hals.

Wäre Pepper durch die vorangegangenen Kämpfe nicht so geschwächt gewesen, hätte dies alles anders ausgesehen. John war erleichtert, als sie mit einem gefesselten Pepper in der Mitte aufstanden. Die Alternative, wenn Pepper nicht gekämpft und klein beigegeben hätte, hätte darin bestanden, ihn mit Gewehren zu umzingeln und in Schach zu halten. Ein zweiter Showdown, in dem es am Ende eine Menge Tote gegeben hätte.

»Bringt ihn auf den Kai. Schließt ihn ein, und gebt ihm so viel gedörrtes Hühnerfleisch und Wasser, wie man da draußen entbehren kann.«

Pepper würde sowieso schnell genug wieder ausbrechen. Aber nicht schnell genug, um diesen letzten Raubzug zu verhindern. John wich Peppers Blick aus, als die Mungo-Männer ihn fortzerrten.

Was für ein gottverfluchter Schlamassel!

John schloss die Augen, als sie Pepper zu Boden warfen. Er verfolgte die dünne Rauchfahne, die aus der Rückseite des Raumschiffs aufstieg, prüfte die unzähligen Einschusslöcher an der Seite und versuchte sich zu erinnern, ob sich in deren Nähe irgendwelche besonders empfindlichen Teile befanden.

Je mehr Priester sie in ihre Gewalt bekamen, desto wahrscheinlicher wurde es, die Aztecaner zum Rückzug und zur Rückkehr in ihr Gebiet zu zwingen. Nur noch ein letzter Angriff.

Er schloss die Türen im Bauch des Raumschiffs und hob ab.

John ging mit dem Raumschiff herunter und hielt auf die Bäume zu. Dennoch wusste er sofort, dass er in Schwierigkeiten war. Mehrere große Geschütze waren auf der Lichtung aufgestellt worden und nahmen ihn ins Kreuzfeuer. Er wich der aztecanischen Artillerie aus, indem er noch tiefer ging und schließlich ganz dicht über dem Boden verharrte. Als er hochblickte, war ihm klar, dass der Start ihn verdammt teuer zu stehen kommen würde.

Die Aztecaner warteten bereits auf seine neununddreißig Mungo-Männer.

Ohne Pepper stand ihnen ein zäher, schier aussichtsloser Kampf bevor.

Den Mungo-Männern voraus schoss John mit dem *Ma Wi Jung* direkt über dem Boden auf die Aztecaner zu. Er berührte den Grund mit der Unterseite des Raumschiffs und schrammte mit ihm in Richtung der auf einem Haufen versammelten Feinde.

Malträtiertes Metall heulte auf. Das Raumschiff hüpfte wieder in die Luft, und so wiederholte John das Manöver, spürte jedoch gleichzeitig, dass die Tür am Rumpf herausbrach.

Drei Geschütze auf Rädern waren um die Opferpyramide herum postiert worden. Der erste Schuss riss gleich ein mehr als faustgroßes Loch in die Flanke des *Ma Wi Jung*.

John fletschte die Zähne und hielt auf die Priester zu. Die Mungo-Männer bewegten sich im Schutz des Raumschiffs und begannen, mit ihren Netzen Priester einzufangen. Sie erwischten gerade einmal eine Hand voll, bis John sie über die Außenlautsprecher zurückrief.

Als sie in das Kreuzfeuer hineinflogen, zählten sie zehn hochrangige Priester. Für jeden verbliebenen Mungo-Mann einen Gefangenen.

Der *Ma Wi Jung* schaffte es mit Müh und Not bis zum Kai. Als John zur letzten Landung ansetzte, quoll aus jeder Öffnung Rauch hervor. John rief den aussteigenden Mungo-Männern Befehle hinterher.

Er fragte sich, ob Pepper wohl die traurigen Überbleibsel dieses stolzen Raumschiffs sehen konnte, das jetzt nicht mehr als schnittiger Reisender zwischen den Sonnensystemen glänzte, sondern als Kriegsverlust abgeschrieben werden musste. Im hinteren Teil, wo die Maschinen sich abmühten, um ihn wieder aufsteigen zu lassen, sah er bereits die Flammen wüten.

Es gelang ihm, den *Ma Wi Jung* über dem Hafen in die Luft zu bringen und gerade noch über die Überreste von Archie's Arch hinwegzukommen. Er flog in östlicher Richtung davon, weg von der Halbinsel und den aztecanischen Schiffen. Als er außer Sichtweite war, lenkte er das Raumschiff mit der Nase voran ins Wasser. Die Aztecaner würden nie erfahren, dass Capitol City nicht imstande war, den *Ma Wi Jung* zu heben, wenn er gebraucht wurde.

Das Raumschiff trieb eine Zeit lang an der Wasseroberfläche, und John versuchte, mit ihm zu kommunizieren.

Würde es wieder Flugfähigkeit erreichen? Und wenn ja, wie lange würde es dauern, um die erlittenen Schäden auszubessern? John erhielt über seine Verbindung eine schwache und zögerliche Antwort: fünfzig Jahre.

Durch die abgebrochenen Türen strömte Wasser herein und füllte das Raumschiff. Die meisten Luftschleusen schlossen sich automatisch, um den Luftraum in kritischen Bereichen zu schützen. John taumelte würgend durch den Rauch der vom Wasser gelöschten Feuer hinauf zur oberen Luftschleuse. Er riss einen Schrank auf und holte ein Paket mit einem Rettungsfloß hervor.

Dann hielt er inne.

»Raumschiff, stehen irgendwelche Erste-Hilfe-Sets zur Verfügung?«

Er bekam Antwort und wusste, wohin er musste. Er lief wieder nach unten, das Paket mit dem Rettungsfloß unter dem Arm, und fand schließlich das angegebene Depot. Das Wasser reichte ihm bereits bis zur Brust und drohte ihn mitzureißen. Er schnappte sich den im Wasser treibenden Kasten mit dem Kreuz an der Seite und kämpfte sich zur Luftschleuse zurück.

In dieser Situation kam es ihm sehr gelegen, wieder über zwei Hände zu verfügen.

Er warf das Rettungsfloß aus der Luftschleuse und kletterte hinterher.

Nachdem er die Luke wieder geschlossen hatte, atmete er die frische Luft mehrmals tief ein, griff nach dem Rettungsfloß und rannte dann auf dem Flügel in das kalte Wasser hinein.

Er zog an der Reißleine, und das Paket entfaltete sich selbsttätig zu einem kompletten Floß. John kletterte hinauf, fand die zusammenklappbaren Ruder und begann in Richtung Capitol City zu paddeln. Einen Tag würde er benötigen, um dorthin zu gelangen. Er kannte die Strömungen, die ihn zum Hafen von Capitol City treiben würden, ohne dass er die scharfkantigen Riffe und Felsen rund um die Halbinsel fürchten musste.

John wandte sich um und sah, wie der *Ma Wi Jung* in den Fluten versank. Die genaue Position hielt er in seinem Gedächtnis fest.

Er war ein Pilot. Er wusste immer, wo er sich befand. Er würde den *Ma Wi Jung* jederzeit finden, auch in fünfzig Jahren. Jedenfalls wenn Pepper nicht derart sauer war, dass er ihn vorher töten würde.

Auf dem gesamten Rückweg nach Capitol City dachte John an Haidan, wie er in seinem Rollstuhl saß.

Halte durch, alter Freund! Vielleicht kann ich dir doch noch einmal helfen.

Siebenundsiebzigstes Kapitel

Die Mungo-Männer hatten erneut mit Dihana den Aufenthaltsort gewechselt. Sie hatte ihnen befohlen, sie zu Haidan zu bringen, zu den Stadtmauern.

Wenn er wach war, berichtete sie ihm, was sie über die Kämpfe außerhalb der Mauern in Erfahrung gebracht hatte. Wenn er schlief, verfolgte sie das Geschehen auf dem Schlachtfeld und tat ihr Bestes, um seine Schmerzen zu lindern.

Haidan schwitzte fortwährend, und sein Zustand hatte sich nach Johns Verschwinden zunehmend verschlechtert. Dihana wurde das Gefühl nicht los, dass er bis dahin mit aller Macht an seinem Leben gehangen hatte und nun glaubte, loslassen zu dürfen. Er hatte nur ganz selten einen lichten Moment. Die Mungo-Männer schienen davon auszugehen, er würde diesen Tag nicht überstehen. Sie hatten ihm ein Betäubungsmittel verabreicht, um ihm die Schmerzen seiner Verletzungen zu nehmen.

»Er bluten innen«, sagten sie ihr. »Wir nichts tun können außer warten.«

Einer der Melder von der Stadtmauer erschien mit der Nachricht, die Aztecaner seien zurückgewichen. Der Artilleriebeschuss aus der Ferne habe noch nicht nachgelassen, aber die Bodentruppen seien nicht mehr auf dem Vormarsch.

Dihana hatte gehofft, der Angriff der alten Flugmaschine würde einen unmittelbareren und größeren Effekt mit sich bringen, zum Beispiel, dass die Aztecaner sich ganz zurückzögen. Doch jetzt war bereits fast ein ganzer Tag seit dem Stoßtruppunternehmen vergangen, ohne dass sich etwas tat, und John deBrun war mit dieser Flugmaschine aufs offene Meer davongeflogen.

Im Laufe des letzten Tages hatten sich die Dinge von hoffnungslos zu hoffnungsvoll und anschließend zu unsicher entwickelt.

Am späten Morgen erschien einer ihrer Streuner, während sie gerade etwas altbackenes Brot aß. »John deBrun ist hier. Er will sprechen mit Ihnen.«

»Gut, bringen Sie ihn her!«

Er hatte also überlebt. Aber wo war die Flugmaschine?

Ein paar Minuten später erschien John, umringt von mehreren Mungo-Männern. Von seinen Kleidern tropfte Meerwasser. Er hatte einen leuchtend roten Kasten mit einem Kreuz darauf bei sich und stellte diesen neben Haidans Rollstuhl ab.

»Ich brauche einen Tisch, um ihn darauf zu legen«, sagte er.

»Sind Sie plötzlich Arzt geworden?«, fragte Dihana. John schlenkerte mit beiden Händen in der Luft herum, und Dihana zwinkerte ihm zu. »Schon gut«, sagte sie. »Was benötigen Sie?«

John schüttelte den Kopf und öffnete den roten Kasten. »Kann mir hier irgendjemand sagen, wo sich dieser Pepper befindet?«

Im Inneren des Behälters glänzten mehrere Apparaturen aus Metall. John betrachtete sie eingehend und entschied sich dann für eine von ihnen. Sie bestand aus nichts weiter als einem abgerundeten Zylinder mit schwarzen Enden und strukturierter Oberfläche.

»Er geflohen. Er irgendwo in Stadt. Niemand weiß, wo er ist.«

John nickte und schien nicht überrascht zu sein. Hinter ihm machten die Mungo-Männer einen Tisch frei. Vier Männer hoben Haidan aus seinem Rollstuhl und legten ihn auf den Tisch. Die Decken waren dabei achtlos weggezogen und auf den Boden geworfen worden.

»Muss er Kleidung ausziehen für Operation?«, fragten die Männer.

»Nein.« John nahm den Apparat und den Kasten und trug beides zum Tisch. Haidan bewegte sich und stöhnte. John stellte den Kasten neben Haidan und beugte sich über ihn. Dann schob er Haidan den Zylinder vorsichtig in den Mund und ließ los.

Der Zylinder glitt hinab und blieb danach stecken. Das schwarze Ende öffnete sich, kleine Ärmchen kamen daraus hervor und legten sich auf Haidans bläuliche Lippen. Die strukturierte Oberfläche krümmte sich, und der restliche Zylinder glitt weiter hinab.

Haidan würgte mit offenen, flackernden Augen. Der Zylinder gab ein Zischen von sich, dann glitt er noch weiter hinab.

John setzte sich und berührte den Deckel des Kastens. Auf seiner Oberfläche erschien ein Text, und John begann ihn zu lesen. Von Zeit zu Zeit berührte er die Oberfläche und las weiter. Der Zylinder summte, die Ärmchen zogen sich zurück, und dann glitt der gesamte Zylinder in Haidans Mund und seine Kehle hinab. Die umstehenden Mungo-Männer murrten, einige fluchten, und John schaute auf.

»Alles in Ordnung. Das müsste es gewesen sein«, sagte er. »Jetzt heißt es nur noch warten. Er darf auf keinen Fall gestört werden. Gegen Morgen wird er ein völlig neuer Mensch sein.«

Dihana schaute John an. »Haben sie noch mehr von diesen Wundern, die Sie aus Ihrem Ärmel schütteln können? Die da draußen decken uns nach wie vor mit ihrem Artilleriefeuer ein.«

John blickte in die Richtung, in die Dihana zeigte. »Nein. Ich möchte noch die Nacht abwarten, bis wir wieder auf Haidan zählen können. Wir werden ihn wohl bitter nötig haben.«

»Dann warte ich zusammen mit Ihnen.« Dihana setzte sich in einen nahen Stuhl.

Die Nacht wurde lang. Dihana verbrachte sie damit, sich zu fragen, was dieser komische Apparat im Inneren Haidans anstellen mochte.

Als es Tag wurde und die Männer mit John Kaffee tranken, richtete sich Haidan plötzlich auf, stöhnte, fasste sich an die Brust und schnitt eine Grimasse.

Dihana lächelte und setzte sich neben ihn.

John schaute hoch und kam mit einem Kaffee. »Wir haben Priester und Teotl. Jetzt müssen wir die Aztecaner zwingen, mit uns über deren Auslieferung zu verhandeln. Dazu brauche ich deine Hilfe.«

Haidan nickte. Er schaute auf den Kaffee. »Kann ich etwas haben davon? Und Essen? Ich haben schrecklichen Hunger.«

Achtundsiebzigstes Kapitel

Rauch hing über den Schützengräben vor den großen Stadtmauern. Mungo-Männer und Freiwillige aus der Stadt streckten von Zeit zu Zeit ihre Köpfe hervor und schauten in Erwartung des Ansturms einer neuen Welle von Aztecanern auf endlose Reihen von schwelenden Feuerstellen und Stacheldraht.

Zwei Männer, vom Schmutz vieler Tage verkrustet, mit Ringen unter den Augen und Rastalocken, aus denen der Schweiß tropfte, halfen Haidan einen langen Tunnel hinab. Er lief ebenso schnell wie sie. Es gab ihm ein erfrischend sicheres Gefühl, wieder rennen zu können. John hatte ihn geheilt. Und Johns Raumschiff hatte ihnen einen Vorteil verschafft. Sie waren im Besitz vieler Priester, eines Gottes und einer geheimnisvollen Waffe, auch wenn diese Waffe im Meer versenkt worden war. Letzteres aber wussten die Aztecaner nicht.

Die Mungo-Männer stoppten zweimal, um Fallen zu entschärfen, die für hereinstürmende Aztecaner gedacht waren.

Wenn dies alles erfolgreich beendet werden sollte, musste es bald geschehen. Davon war Haidan überzeugt.

An manchen Stellen gab es noch rauchende Krater von kürzlich erfolgten Einschlägen und Explosionen, und vor einem Schützengraben waren mehrere Leichen wie Sandsäcke aufgestapelt worden. Drei Mungo-Männer umgaben einen Krieger-Priester, der mit einer weißen Fahne in der Hand durch die Schützengräben hindurch zu ihnen gekommen war. Haidan sah sich einem Mann mit aufgedunsenem, blutverschmiertem Gesicht gegenüber, der auf dem Boden saß.

»Er sich weigert weitergehen«, knurrte einer der Mungo-Männer. »Wir versuchen, aber er geht nicht.«

Haidan hockte sich hin, um dem verdreckten Aztecaner auf gleicher Augenhöhe zu begegnen. »Was wollen Sie?« Die Möglichkeit eines Waffenstillstands oder eines Rückzugs des Feindes stimmte ihn hoffnungsvoll. Doch noch wusste er ja nicht, ob dieser Aztecaner gekommen war, um dies auszuhandeln, oder nicht. Und wenn dieser Priester nicht hier erschienen sein sollte, um den Prozess in Gang zu setzen, dann hatte Haidan schon einen Plan, wie er die Gegenseite auf jeden Fall an den Verhandlungstisch zwingen würde.

»Ein Ende des Kämpfens«, sagte der Krieger.

»Sie haben Vollmacht?«

»Haben Sie denn eine? Sie sehen nicht gerade aus wie ein Priester oder irgendeine andere Respektsperson mit Führungsgewalt.«

Haidan knurrte. Der Krieger sah schmal und ausgehungert aus. Also hatten die Aztecaner keinen Nachschub an Proviant gehabt. Die Mungo-Männer hatten hervorragende Arbeit geleistet, indem sie alles irgendwie Brauchbare auf dem Weg der Aztecaner nach Capitol City vernichtet hatten. Und der Weg von den Wicked Highs bis nach Capitol City war verdammt lang.

Dieses mysteriöse Raumschiff, das da aus dem Himmel über sie hereingebrochen ist, muss ein höllischer Schock für sie gewesen sein, dachte Haidan.

»Wir haben Ihren Gott«, sagte Haidan. »Und wir können wiederkommen und mehr holen.«

»Cenhotl.« Danach nannte der Aztecaner die Namen aller gefangenen Priester. »Viele unserer Anführer wurden entführt. Unter den restlichen Priestern herrscht Chaos.«

Leichter Regen setzte ein. Diese Nacht würde zu einer matschigen Angelegenheit werden.

»Wir müssen uns treffen und besprechen, wie alles soll weitergehen«, sagte Haidan. »Wenn Sie nicht dazu bereit, ich bringe Gott zur Stadtmauer, um zu foltern.«

Der Aztecaner erbleichte. »Wenn Sie an einem Abkommen

interessiert sind, dann sind wir es auch. Das war es, was ich von Ihnen in Erfahrung bringen und meinerseits mitteilen wollte. Darf ich jetzt gehen?«

Haidan nickte den Mungo-Männern zu. Der Krieger-Priester erhob sich und wankte durch den Schützengraben davon. Ein paar Männer halfen ihm hinauf in das Labyrinth aus Stacheldraht, und unter lautem Stöhnen machte sich der Aztecaner auf den Weg zu seinen eigenen Leuten.

»Sie glauben, er ist ehrlich?«, fragte einer der Mungo-Männer.

Haidan zuckte die Achseln und lief weiter in Richtung Stadtmauern. »Wir sehen später.«

Das dumpfe Grollen mehrerer Schüsse aus den Geschützrohren der aztecanischen Artillerie verkündete das nächste Sperrfeuer.

Einer der Mungo-Männer schaute hoch. »Keine gute Idee von General, jetzt hier draußen zu sein . . .«

Über ihnen erklang ein hoher Pfeifton, dann regnete es Erdreich und Staub. Ein Geschoss hatte die Seitenwand des Schützengrabens getroffen.

Haidan blinzelte und rappelte sich hoch. Für die letzten dreißig Sekunden fehlte ihm die Erinnerung. Aus seinen Ohren floss Blut, und alles um ihn herum war verschwommen. In der Ferne sah er, wie durch weitere Einschläge Erde und Schmutz hochgeschleudert wurden. Er spürte, wie die Erde bebte, die Erschütterungen drangen bis in seine Brust, doch er hörte nichts.

Jemand nahm ihn beim Arm und riss ihn mit sich fort. Sie riefen ihm etwas zu, und er konnte nur auf seine Ohren deuten.

Sein Hörvermögen setzte erst wieder ein, als sie den Tunnel erreichten, wo die Mungo-Männer sich erneut an den Fallen zu schaffen machten. Die dunkle Luft war mit Staub gefüllt.

Die Antwort der Verteidiger bestand aus genauso ohrenbetäubendem Bellen der Waffen in den Schützengräben und Donnern der Geschütze auf den Stadtmauern.

»Ein Trick?«, fragte jemand.

Haidan zuckte die Achseln. »Vielleicht sie wirklich durcheinander und gespalten in Meinung«, murmelte er. Er brauchte eine kurze Verschnaufpause, um seine Gedanken zu sortieren. »Ihr müsst versuchen, alle, die bitten um Waffenruhe, am Leben zu lassen.«

Der Artilleriebeschuss wurde heftiger und zwang Haidan, zusammen mit einigen Mungo-Männern im Tunnel zu bleiben und zu warten, bis er nachließ. Er aß hartes, verschimmeltes Brot und trank dünnen Tee. Er konnte nur herumsitzen und musste ausharren, während der Matsch an seinen Stiefeln und Kleidern langsam eine trockene Kruste bildete.

Haidan erreichte Capitol City, als die Sonne den Horizont küsste, und nachdem sich ein Teil des Himmels purpurn gefärbt hatte, waren sämtliche Befehle bereits erteilt. Er stand am äußeren Ende der Stadtmauern und schaute auf die matschigen Schützengräben und Krater hinab, zwischen denen er sich am Nachmittag aufgehalten hatte.

Einer der aztecanischen Priester, frisch gewaschen und herausgeputzt in voller priesterlicher Pracht, war auf die Stadtmauer geschleppt worden. Seine Handgelenke waren mehrfach mit einem Strick verknotet. Strick und Knoten wurden von mehreren Männern geprüft, während der Priester sie alle hochmütig anschaute.

Die Mungo-Männer hoben den stolzen, trotzigen Aztecaner hoch, befestigten den Strick an einem Balken neben dem Laufgang und warfen den Priester über die Mauer.

Haidan beugte sich vornüber und sah gerade noch, wie der Mann das Ende des Stricks erreichte und mit einem Schrei ein Stück nach oben zurückgerissen wurde. Er prallte gegen die Mauer und schwang dann schaukelnd in einem weiten Bogen von einer Seite zur anderen, fast zehn Meter von Haidan entfernt. Seine Kleidung und die Federn hingen ihm um den Hals, sodass er an den Beinen und um die Taille herum vollständig nackt war.

Die Männer lachten, einige spuckten, andere schüttelten nur den Kopf.

»Drei Stunden warten«, sagte Haidan. »Dann nächsten Priester runterwerfen.«

Er verließ die Mauer.

Es war Mitternacht, und drei Priester hingen an der Mauer herab, als die Gewehre und Geschütze der Aztecaner schwiegen. Sie wollten nicht ihre eigenen Priester töten. Haidan lächelte.

In den frühen Morgenstunden sandten einige der übriggebliebenen aztecanischen Anführer Läufer mit schriftlichen Noten zu den Schützengräben, in denen sie um einen Waffenstillstand baten.

Haidan überreichte einem Mungo-Mann seine bereits zuvor verfasste Antwort, die die Zustimmung zum Waffenstillstand, einen Verhandlungsort und den Zeitpunkt des Treffens beinhaltete.

Er war müde und hungrig. Er kroch in sein Feldbett, um sich etwas auszuruhen.

Jedenfalls war es draußen ruhig. Still genug für ein bisschen erholsamen Schlaf. Seine Brust und die Kehle taten ihm noch immer weh nach dem, was John deBrun zu seiner Genesung mit ihm angestellt hatte.

Vierter Teil

DAS BITTERE ENDE

Neunundsiebzigstes Kapitel

Dihana betrachtete den Feind an der anderen Seite des Konferenztisches.

Der Feind trug Federn und eine gepolsterte oder wattierte Rüstung, die Schminke in seinem Gesicht war durch den Schweiß verschmiert. Seine Arme waren muskulös und drahtig, und seine Augen wurden durch die dunkle Ponyfrisur beinahe verdeckt.

Sein Name war Cotepec. Als kommissarischer Anführer der Aztecanischen Armee saß er ganz schön in der Klemme. Kein Zweifel, er verfügte über die größere Armee, doch seine Männer hatten fast nichts mehr zu beißen. Haidans Mungo-Männer hatten den Aztecanern sämtlichen Nachschub an Proviant abgeschnitten. Sein Anführer war unter den Gefangenen, Priester waren gefangen, und einer seiner Götter war ebenfalls gefangen. In der Hoffnung auf einen Sieg konnte er die Angriffe fortsetzen, doch er riskierte, dass alle verhungerten, falls seine Rechnung nicht aufgehen sollte. Außerdem setzte er das Leben seines Gottes und seiner eigenen Priester aufs Spiel, wenn er sich für eine Fortsetzung des Kampfes entschied.

Vermutlich würde es nicht lange dauern, bis er Capitol City eingenommen hätte. Dihana wusste dies genauso gut wie er. Es spiegelte sich in ihren Augen, als sie quer über den Tisch den nonverbalen Schlagabtausch begannen. Doch wenn er es zuließ, dass sein Gott und seine Priester starben, hatte auch er verloren und versagt.

Dihana gab sich erst gar keine Mühe, Rücksicht auf die Gefühle der Gegenseite zu nehmen, als sie diese Sachlage ungeschminkt und präzise darstellte.

Cotepec schaute zu ihr hoch. »Meine Leute in dieser Stadt sagten mir, mit Ihnen zu verhandeln sei alles andere als leicht.« Er wich ihrem Blick aus. Vielleicht, dachte Dihana, meint er damit, dass ich für eine Frau ein ganz schön harter Brocken bin.

»Haben Sie etwas anderes erwartet?« Dihana übergab ihm die Papiere. »Sie haben dieses Land überfallen, Sie haben unsere Stadt belagert!«

Cotepec studierte die Schriftstücke sorgfältig und legte jede Seite neben sich, wenn er sie gelesen hatte. Als er fertig war, nahm er die zehn Blätter und hielt sie mit beiden Händen vor sich hin. »Sie haben die eindeutig besseren Karten. Aber wir haben noch nicht verloren. Im Prinzip erkläre ich mich damit einverstanden, meine Truppen im Tausch gegen unseren Gott auf die andere Seite der Berge zurückzuziehen. Aber Sie schreiben hier, sie würden den Gott ausliefern, sobald wir in unser Land zurückgekehrt sind. Welche Garantie haben wir dafür?«

»Sie haben die Bedingungen gelesen, Cotepec.«

Er hob eine Hand. »Was aber, wenn Sie unseren Gott dennoch festhalten?«

»Das werden wir nicht tun.«

»Die Anderen werden unseren Gott töten wollen. Wie sollten wir das zulassen können?«

»Sie meinen die Loa?«, fragte Dihana.

»So belieben Sie sie zu nennen.«

Dihana trank einen Schluck Wasser und füllte ihr Glas aus dem Krug auf, der auf einem Beistelltisch neben dem Konferenztisch stand. »Wir bringen ihn per Flugschiff«, sagte sie.

»Sie könnten das Flugschiff abstürzen lassen und behaupten, es sei ein Unfall gewesen.«

»Was schlagen Sie denn vor, wie die Auslieferung vonstatten gehen soll?«

Cotepec legte die Papiere beiseite. »Wir gehen davon aus, dass Sie über den Tunnel durch die Berge informiert sind.« Dihana nickte. Haidan hatte inzwischen die Bestätigung für das bekommen, was John damals berichtet hatte. »Wir machen die Übergabe am Tunnel. Sie können ihn leicht kontrollieren oder verteidigen, und wir sind dort sicher, dass wir unseren Gott unbeschadet nach Aztlan zurückbringen können.«

Dihana dachte darüber nach. »Einverstanden.«

»Dann ändern Sie bitte die Passage.« Cotepec reichte ihr eine Schreibfeder. Dies war, so sollte Dihana später feststellen, der erste von vielen Kompromissen. Vierzehn weitere Korrekturen mussten ausgehandelt werden, bevor Cotepec sich bereit erklärte, den Befehl zur Auflösung der Lager und zum Rückmarsch der Truppen durch den Dschungel auf die andere Seite der Berge zu geben. Der letzte Punkt war es, der Dihana aus der Fassung brachte.

Entgeistert starrte sie Cotepec an. »Das ist unmöglich! Es handelt sich um Menschenleben! Sie haben Tausende gefangen genommen. Ihr Leben gehört nicht Ihnen, und Sie können nicht einfach damit tun, was Sie für richtig halten.« Dihana schrie es fast.

Cotepec verschränkte die Arme und lehnte sich in seinem Sessel zurück. »Dies ist einzige Möglichkeit, wie ich meine Priester zur Rückkehr bewegen kann. Sie bestehen auf dem, was sie bereits als ihr Eigentum betrachten. Sie müssen irgendeinen Erfolg vorweisen, wenn sie siegreich und ehrenvoll zurückkehren wollen. Entweder dies, oder sie sterben hier.«

Dihana wurde übel bei dem Gedanken. Es war eine Übelkeit, bei der sich ihr Magen zusammenzog und ihr ganz schwindlig wurde. Sie fragte sich, ob es nicht das Beste wäre, wenn sie hier einfach am Tisch tot umfallen würde. »Ich brauche etwas Zeit, um darüber nachzudenken.«

»Ich werde noch vor Sonnenuntergang von hier aufbrechen.« Cotepec tippte auf die Papiere. »Entweder steht unser Abkommen dann, oder ich gehe und gebe den Befehl, die Belagerung fortzusetzen.«

»Sie werden hungern, Ihr Gott wird sterben, und auch Ihre Priester werden sterben.«

Cotepec zuckte die Achseln. »Für all die anderen Götter ist

das nicht so schlimm, als wenn wir mit leeren Händen zurückkommen. Daher kann ich diese Entscheidung auch nicht in Ihrem Sinne treffen.«

»Ich kann es nicht! Mein Gott, nein, das ist unmöglich!« Mit zitternden Händen griff Dihana nach den Papieren, während der Aztecaner aufstand.

»Wenn Sie zustimmen, retten Sie sehr viel mehr Menschenleben als die paar, die hier sterben werden.«

Dihana schloss die Augen. Verfluchter Idiot!, beschimpfte sie den Aztecaner in Gedanken. Ihr und all eure blutrünstigen Götter! Sie nahm die Schreibfeder und warf die letzte Seite auf den Tisch. Ihre Unterschrift war krakelig, obwohl sie die Feder hastig bewegte. »Da!« Ihre Stimme brach.

»Jetzt sind sämtliche Punkte zufriedenstellend geregelt«, sagte Cotepec. »Ich mache mich auf und nehme einen der von Ihnen gefangen gehaltenen Priester mit. Wir treffen dann unsere Vorbereitungen für den Rückzug.«

Als sich die Tür hinter Cotepec schloss, legte sich Dihana mit dem Oberkörper auf den Tisch und weinte. Nach einer Weile übergab sie dem Streuner vor der Tür die Papiere und ordnete an, Kopien davon zu machen.

Was konnte sie in dieser Situation anderes tun, als sich in ihre eigenen Räume zurückzuziehen und sich in den Sessel neben ihrem Schreibtisch zu setzen? Sie ließ sich einen hochprozentigen Rum bringen.

Der Streuner brachte ihr das Glas, und Dihana stürzte es in einem Zug hinunter. »Bringen Sie eine ganze Flasche!«

Als der Streuner zurückkam und ihr die Flasche auf den Schreibtisch stellte, fragte er: »Frau Ministerpräsidentin, alles in Ordnung mit Ihnen?«

»Nein! Nein, nach dem, was ich gerade getan habe, wird bei mir nie mehr alles in Ordnung sein!« Sie schob ihn zur Tür hinaus, schloss ab und trank einen brennenden Rum nach dem anderen, bis sie in einen unruhigen Schlaf sank.

Achtzigstes Kapitel

Haidan und Dihana saßen im Dunkel der Nacht auf der Krone der Stadtmauer von Capitol City und hatten die Aztecaner vor sich. Über ihren Köpfen patrouillierten kleine Flugschiffe und suchten mit ihren Scheinwerfern den Boden außerhalb der Mauern ab.

Anfang der Woche hatte es in diesem Gebiet noch von Zelten und Kriegern der Aztecaner geradezu gewimmelt. Jetzt herrschte Ruhe auf dem Schlachtfeld.

Ein weiteres Luftschiff verließ die Stadt und flog hinaus in die Dunkelheit, um dem langen Treck der Aztecaner zu folgen, die sich in die Wicked Highs zurückzogen.

Von unterhalb der Mauer hörte Dihana das Scheppern von Kesseln über den Lagerfeuern, wo die Männer Tee zubereiteten. Gesprächsfetzen und lautes Lachen drangen an ihr Ohr.

Die Leute waren in die Straßen zurückgekehrt. Morgen sollte der Markt wieder eröffnet werden, und Dihana hatte Ausgehverbot und Sperrstunden ausnahmslos aufgehoben.

Haidan nippte an einem Becher Maubisuppe. »Es dauert ungefähr einen Monat, bis sie wieder zurück in ihrem Land. Aber sie halten sich an den Waffenstillstand.« Haidan schüttelte den Kopf, dass die Rastalocken flogen.

»Haidan, glauben Sie, dass ich mich richtig entschieden habe?«, fragte Dihana.

Er atmete tief durch. »Ich glaube, Sie trafen einzige Entscheidung, die in dieser Situation konnte getroffen werden.« Er nahm einen weiteren kleinen Schluck.

»Wenn das in der Stadt bekannt wird, werden die Leute kommen und mir sämtliche Glieder einzeln ausreißen.«

»Ich beschütze Sie.«

Dihana schlug die Arme um die Schultern. »Ich glaube nicht, dass ich beschützt werden möchte, Haidan.«

Er schaute sie erstaunt an. »Was meinen Sie?«

»Ich möchte aufhören. Ich will diese Stadt nicht mehr regieren. Nie wieder sollte ein einzelner Mensch eine derartige Entscheidung treffen müssen, wie ich sie in diesem gottverlassenen Konferenzraum zu fällen hatte, Haidan. Wie viele Fehler gehen auf unser Konto, nur weil wir alleine handeln mussten? Haidan, ich habe die schlimmste Tat auf mich genommen, die ein Bewohner von Capitol City jemals begangen hat.« Sie legte ihren Kopf auf seinen Arm.

Er fasste sie an den Schultern.

»Mädchen, kommen Sie!« Diesmal protestierte sie nicht, als er sie so nannte. »Als ich General war, ich hatte Männer, die mir halfen, die verstanden, was ich verlangte. Sie haben niemanden. Sie mehr durchgemacht mit weniger, als ich mir vorstellen kann, als ganze Stadt kontrolliert. Was Sie für alle von uns getan, ist erstaunlich. Sie gut gemacht.«

Haidan umarmte sie, und sie erwiderte die Umarmung. Es gab ihr Trost.

»Ich auch hatte Anteil an Problemen«, sagte Haidan. »Ich Mafolie zu schwach gelassen, weil auf falsches Gebiet konzentriert. Vielleicht jetzt an der Zeit, dass wir beide ausruhen für eine Weile.«

Dihana wusste, dass sich einiges ändern musste. Sollten es doch die Unionisten untereinander auskaspern. Sollten andere jede Woche zusammentreten und beraten und am eigenen Leib erfahren, was sie in den letzten Jahren hatte ertragen müssen.

Dihana würde sich aus allem zurückziehen.

»Ja, ich habe es satt. Ein für alle Mal.« Der plötzliche Entschluss erleichterte sie. »Die Zeit ist gekommen, um sich eine Pause zu gönnen.«

»Und was Sie wollen tun?«, fragte Haidan.

»Ich will die Loa suchen. Das als Erstes. Ihr Wissen ergründen. Ich werde mich den Konservatoren anschließen.«

»Gut.« Haidan stellte den Becher ab. »Sie ihnen eine gute Führerin sein werden.«

Dihana schaute ihn an. »Was ist mit den Kalebassen? Sollen wir sie vernichten, oder sollen wir sie für alle Fälle aufbewahren?« Sie hatten sich darüber unterhalten, sie über die Berge zu schaffen und die Seuche in Aztlan freizusetzen. Dihana wurde jetzt noch übel, wenn sie nur daran dachte. Es gab ja auch keinerlei Garantie, dass der Erreger nicht den Weg zurück über die Berge zu ihnen finden und auch sie alle umbringen würde.

»Vernichten«, sagte Haidan.

»Das ist eine vernünftige Entscheidung.«

»Wir nur können hoffen, alle andere auch treffen vernünftige Entscheidung. Die Loa würden töten ganze Welt mit diesen Kalebassen. Wer auch immer kommt nach Ihnen, egal wie wir verfahren, muss weise Entscheidung treffen.«

Unter ihnen, innerhalb der mächtigen Mauern, bereitete sich Capitol City auf eine sorgenfreie Nacht vor. Während der folgenden Wochen freute sich Dihana darauf, die Regierungsgewalt über die Stadt einem Parlament in die Hände zu legen, und Haidan würde am Eingang des Tunnels den Gott und die Priester an die Aztecaner übergeben. Danach würde er noch dort ausharren und zusehen, wie der Tunnel mit Dynamit gesprengt würde. Dihana würde eine Rede vorbereiten, in der sie den Stadtbewohnern erläuterte, warum sie zugestimmt hatte, dass die Aztecaner Verwandte und Freunde der Menschen als Sklaven mitgenommen hatten.

Nichts wäre in Capitol City wie früher.

Und niemand wäre mehr der, der er früher gewesen war.

Einundachtzigstes Kapitel

Aztecaner im vollen Putz der Jaguar-Kundschafter hatten sich am Eingang des Tunnels aufgestellt. Ihre Masken waren mit frischen Federn versehen, und die Kundschafter säumten die rohbehauenen Felswände wie farbenfrohe Standbilder. Die Mungo-Männer in ihren schmucklosen Uniformen verharrten draußen, eine ganze Streitmacht, die Gewehre schussbereit für den Ernstfall.

Haidan beobachtete, wie seine Männer den Käfig auf Rädern, in dem der aztecanische Gott transportiert wurde, langsam vorwärtsrollten. Die Jaguar-Kundschafter murrten und bewegten sich unruhig hin und her, hielten sich aber zurück.

Dem Käfig folgte eine lange Schlange nur mit einem Lendenschurz bekleideter Priester.

Die Übergabe erfolgte reibungslos, obwohl die Mungo-Männer vor Zorn kochten. Sie wollten, dass die Tausende Nanagadaner auf der anderen Seite des Tunnels freigelassen würden.

Das war unmöglich.

Noch.

Haidan knirschte mit den Zähnen und sah, wie der letzte Priester in der Dunkelheit des Tunnels verschwand. Die Jaguar-Kundschafter sicherten die Prozession nach hinten ab, machten dann kehrt und marschierten in den Tunnel hinein. Eine Viertelstunde später waren nur noch dunkle Schatten zu erkennen.

Haidan ließ eine weitere Stunde verstreichen, ehe er das Zeichen gab.

Ein Zittern durchlief den Untergrund und setzte sich über seine Füße und Beine bis in seine Brust fort. Tief im Inneren des

Tunnels gingen nacheinander die Sprengladungen hoch. Aus dem Eingang quoll eine gewaltige Staubwolke, und die Wände stürzten ein.

Als alles vorüber war und der Staub sich gelegt hatte, war nur noch eine unüberwindliche Felswand zu sehen.

Haidan entspannte sich.

Kurz zuvor war Mafolie in einer ähnlich explosiven Atmosphäre übergeben worden. Dies nun war der letzte Akt des Waffenstillstands.

Jetzt konnte mit dem Wiederaufbau begonnen werden. In sämtlichen Städten, die durch den Überfall der Aztecaner in Mitleidenschaft gezogen worden waren. Die Reihen der Mungo-Männer. Ihre Zukunft. Im gesamten Land gab es so gut wie keine Nahrungsmittel mehr, doch neues Getreide würde angebaut und bald geerntet werden. Die Fischer von Brungstun und Capitol City würden ihren Teil zur Versorgung beitragen, und es waren so viele umgekommen, dass es einfacher war, das Wenige, das noch vorhanden war, zu verteilen. Der Wald würde wilde Früchte und Beeren liefern.

Die meisten würden überleben. Sie hatten es geschafft. Sie hatten eine zweite Chance.

Zweiundachtzigstes Kapitel

Der Tag, an dem die Aztecaner abzögen, sei gekommen, erzählten die Frenchies Jerome. Von Norden rückte eine endlose Kette von Kriegern an, und sie alle verließen die Stadt. Sie ließen einige gefesselte Leute zurück, nahmen andere mit und marschierten in die Berge.

Die erwachsenen männlichen Frenchies zogen in Brungstun ein. Zunächst zögernd und vorsichtig, danach immer mutiger, als sie erkannten, dass wirklich alle Aztecaner verschwunden waren.

Am Himmel waren keine Flugschiffe mehr zu sehen.

Die Frauen und Kinder der Frenchies kehrten ins Dorf zurück, auch wenn es jetzt bis auf den Grund, auf dem es einmal gestanden hatte, niedergebrannt war.

Der Wiederaufbau begann.

Jerome durfte draußen mit den Kindern im Sand spielen, bekam aber ständig Schwierigkeiten, weil er grundlos Streitereien anzettelte. Seine Wutanfälle überfielen ihn einfach. Einmal stieß er sogar Sandy um, als sie ihm ins Gewissen reden wollte, und seitdem sprachen sie nicht mehr miteinander.

Des Nachts hielt ihn der Gedanke an die Teotl wach, furchteinflößende Monster, die von den Sternen herabkamen und sich auf sein Haus stürzten, um alle zu töten.

Schließlich spielte Jerome ganz für sich alleine und sprach mit niemandem mehr.

Ein paar Tage danach trafen Leute aus Capitol City ein, Mungo-Männer, die zum Dorf hinausgesegelt waren, um mit ihnen zu reden.

»Mungo-Männer sagen, sie haben Aztecaner besiegt, und Aztecaner haben sich auf andere Seite der Berge zurückgezo-

510

gen«, erklärte jemand an einem Lagerfeuer. »Sie erzählen, die Aztecaner seien durch großes Loch gekommen, das sie durch die Berge gegraben haben. Viele Generationen lang sie gegraben an diesem Loch, aber Mungo-Männer sagen, jetzt sie hätten Loch mit Dynamit gesprengt. Trotzdem Gefahr immer noch da. Sie suchen Freiwillige, damit sie Mungo-Männer werden und lernen, gegen die Aztecaner zu kämpfen.«

Einige Männer meldeten sich. Auch Jerome hob die Hand und trat vor.

Die fremden Männer schüttelten den Kopf. »Du zu jung«, sagten sie.

»Ich will Aztecaner töten«, stieß Jerome heftig hervor. Das war die ganze Zeit der wahre Grund seines Zorns gewesen, hatte er erkannt.

Sie wurden böse und schimpften ihn aus. Zusammen mit den jungen Rekruten, die lernen würden, wie man Aztecaner tötet und das Land verteidigt, zogen sie ab. Das machte Jerome noch wütender.

Drei Tage später landete ein kleines Boot am Strand, und sein Vater stieg aus. Jerome hielt sich hinter einem Baum versteckt und beobachtete aus der Ferne, wie sich sein Vater mit den Leuten unterhielt.

Jerome sah, dass sein Vater einem der Männer die Hand auf die Schulter legte.

Eine richtige Hand.

Demnach konnte das unmöglich sein Dad sein. Oder doch? Jerome stand steif und unschlüssig am Baum. Aber als sein Vater zu ihm herüberkam, ihn hochhob und mit seiner Umarmung beinahe erdrückte, da brach alles aus Jerome heraus, und er weinte sich bitterlich an der Schulter seines Vaters aus.

»Ich konnte nichts tun«, schluchzte er. »Ich nur konnte weglaufen vor Aztecanern. Ich keine Ahnung, was geschah ...«

»Ich weiß«, sagte John und drückte ihn noch fester an sich. Jerome bekam erst wieder Luft, als sein Dad ihn auf die Füße stellte und ihm traurig in die Augen sah. »Wenn wir zurückkehren, bleiben wir bei Tante Fixit, abgemacht?« Sein Vater schluckte und biss sich auf die Lippen. »Onkel Harold ist tot. Genauso wie deine Mutter.« Er zog die Nase hoch, und Jerome brach erneut in Tränen aus. »Tante Fixit hat ein paar Sachen deiner Mutter aufbewahrt, die sie an sich genommen hat, als die Aztecaner in Brungstun waren. Wir nehmen die Sachen mit in unser Haus.«

»Was ist passiert?«, fragte Jerome unter Tränen.

»Das möchte ich dir nicht erzählen.«

»Bitte«, bettelte Jerome.

»Sie haben sie geopfert. Zusammen mit vielen anderen Frauen in Brungstun. Tante Fixit hat alles mitangesehen. Sie war bis zum bitteren Ende mit Shanta zusammen. Mutter wurde in einem Massengrab beerdigt.«

Jerome klammerte sich an das Hemd seines Vaters. Er weinte und konnte sich nicht beruhigen. Aber in seinem Innern tobte auch rasende Wut.

Dreiundachtzigstes Kapitel

John musste mehrere anstrengende Monate durchstehen, bevor Jerome zur Ruhe kam. Es waren lange Monate der Auseinandersetzungen über seine Hand, wo er so lange abgeblieben und was mit Shanta passiert sei.

Jeder Streit quälte ihn schlimmer, als er glaubte ertragen zu können.

Und dann waren da all diese Erinnerungen in seinem Hinterkopf, die nur darauf warteten, zum unpassendsten Zeitpunkt hervorzubrechen. Erinnerungen an die dunkle, schwarze Leere des Nichts in der Schwerelosigkeit des Weltraums. Nachts ließen sie ihn schreiend aus dem Schlaf hochfahren. Oder die Schuld am Tod all jener Leute, die aufgrund seiner Entscheidungen und Taten ihr Leben gelassen hatten. Taten, die Jahrhunderte zurücklagen; andere erst wenige Monate. Und an manchen Tagen war er kaum in der Lage, die einfachsten Dinge zu erledigen. In seinem Kopf fühlte sich das an, als bohre ihm jemand Löcher ins Gehirn und ließe geschmolzene, verwirrende Bilder daraus hervorfließen.

Jerome war seiner Kindheit beraubt und gezwungen worden, mit den brutalsten Realitäten einer grausamen Welt aufzuwachsen und sich damit abzufinden. Auf eine Weise konnte er noch nicht einmal sagen, dass er dies bedauerte, und John verstand ihn.

So verbrachte er seine Zeit am Strand oder auf dem Meer und versuchte, Jerome wieder ein Gefühl für die Normalität zu vermitteln.

Abends jedoch saßen sie am Tisch und waren unfähig, ein Wort zu wechseln. Manchmal fand John Jerome weinend in einer Ecke hockend, und manchmal fand Jerome John, wie dieser mit leerem Blick in die Ferne starrte.

In einer dieser einsamen Nächte hatte Jerome seinen Vater auf der Veranda überrascht, als der wieder nur vor sich hin starrte. »Du sie vermissen?«

»Ich vermisse sie so sehr, dass es wehtut«, sagte John.

»Ich weiß.« Jerome setzte sich auf den Stuhl neben John und starrte gemeinsam mit ihm in die Ferne.

Die Tage vergingen, manche besser als andere.

Eines Tages fasste Jerome sich ein Herz und erzählte John alles, was er erlebt hatte. Von Troy, den Höhlen und den Leuten, die er hatte sterben sehen.

John konnte ihn nur noch tröstend in den Arm nehmen.

Es war an einem windigen Tag, als Pepper sie am Strand ganz in der Nähe der Stadt fand. Jerome stürzte sich in die Wellen und jubelte, was bei John ein zufriedenes Grinsen hervorlockte. John setzte sich in den Sand und lehnte sich mit dem Rücken an eine Palme. Er warf einen kurzen Blick nach oben, um zu sehen, ob dort eine lose Kokosnuss über ihm hing.

Schritte knirschten im Sand, und Pepper hockte sich neben ihn. Seine Rastalocken fielen ihm ins Gesicht.

John wagte es nicht, Pepper anzuschauen, sondern behielt Jerome im Auge. Ein Blick aus den Augenwinkeln sagte ihm, dass Pepper sein altes Körpergewicht wiedererlangt haben musste.

»Weißt du«, sagte John, »ich finde es schon witzig, dass ich dich immer noch nur als Pepper kenne, obwohl jetzt die Erinnerungen zurückgekehrt sind.« Pepper gab ein Schnauben von sich. »Ich bin sicher, du hast über jede Menge Möglichkeiten nachgedacht, wie du mich töten sollst«, meinte John. »Ich kann dir lediglich sagen, dass es mir leidtut.«

»Jeder tut eben das, was getan werden muss«, erwiderte Pepper. »Und vielleicht solltest du dir darüber klar werden, dass genauso wie du dich hier unten durch deine Familie verändert hast, ich mich während dieser endlosen Jahre gewandelt habe, als ich mit nichts anderem als meinen Gedanken im Weltraum herumgeirrt bin.«

Pepper hielt eine Hand auf dem Rücken. Eine Pistole? Ein Messer?

John schaute Pepper direkt an. »Du wolltest mich an einem weiteren Flug hindern.«

»Du hattest doch genug Priester. Und der Teotl, den ich für dich gefangen hatte, hätte als Faustpfand für die Verhandlungen allemal gereicht. Du bist zu weit gegangen. Du warst besessen, John. Du hättest aufhören sollen, bevor der Schaden noch größer wurde.«

»Vielleicht. Aber das Raumschiff wird sich wohl selbst reparieren. Ich kenne die genaue Stelle, wo es sich befindet.«

»Und bis dahin bin ich hier festgenagelt auf diesem beschissenen kleinen Planeten. Ich glaube, irgendwo in einem Hinterstübchen deines taktischen, ständig Pläne ausheckenden Gehirns hast du das sogar gewollt.«

John antwortete nicht.

Pepper zog den Arm hervor. In der Hand hielt er jene Erfindung der Loa, die John in seiner Kajüte auf der *La Revanche* versteckt hatte. Sie glitzerte im dämmrig werdenden Abendlicht. John lief es kalt den Rücken hinunter. Pepper war in der Lage, sich des *Ma Wi Jung* zu bemächtigen. Er musste es als Drohung auffassen. Pepper machte ihm klar, dass er das Raumschiff jederzeit und überall in seine Gewalt bringen konnte. Falls John ihn noch einmal täuschen sollte, würde Pepper sich den *Ma Wi Jung* schnappen und einen Weg finden, ihn für sich zu nutzen. Vielleicht mit Unterstützung der Loa, vielleicht aber auch einfach nur mit genügend Zeit ...

John erinnerte sich, wie verflucht effektiv diese winzigen Sonden der Loa waren. Zum Zeitpunkt ihrer ersten Begegnungen, in den Jahren bevor die Loa mit den Menschen zusammenzuarbeiten begannen, statt sie zwischen den Spirallöchern und Planeten zu Stellvertreterkriegen gegen die Teotl zu zwingen, hatten die Loa diese Sonden in die Tiefe des Weltraums geschossen und so die Raumschiffe der Nanagadaner gekidnappt.

»Die Aztecaner haben noch längst nicht aufgegeben«, sagte John. »Die werden erneut angreifen. Und da ich hier sowieso festsitze, bis unser Raumschiff wieder einsatzfähig ist, werde ich alles daransetzen, die Aztecaner in Schach zu halten.«

Jerome warf sich in eine neue Welle, tauchte ein paar Meter weiter wieder auf und spuckte das Wasser im hohen Bogen aus. John schwieg noch immer mit zusammengepressten Lippen.

»Da gibt es noch etwas, das nur du richtig einzuschätzen vermagst«, sagte Pepper. »Die Loa sind jetzt nach Beendigung der Kämpfe alle aus ihren Schlupflöchern hervorgekommen. Sie versuchen den Ingenieuren und Erfindern zu helfen. Sie drängen auf eine Aufstockung des Militärs, auf den Aufbau einer Marine und auf größere Aggressivität gegenüber den Aztecanern.«

»Ich bin mir sicher, dass die Teotl auf der anderen Seite genau dasselbe tun.«

»Wir werden schon wieder von diesen verfluchten Kreaturen manipuliert. Enorme Anstrengungen zur Wiederentdeckung verschütteter Technologien und Umstellung der Technik, das lasse ich gelten. Aber hinter allem anderen stecken einzig die Loa und Teotl, und das bedeutet mehr Krieg. Noch mehr Tote.«

John lauschte auf das Rascheln und Rauschen der Palmen. Die oberste Schicht des Sandes, die so fein und trocken war, dass der Wind mit ihr spielen konnte, tanzte wirbelnd über dem Strand.

»Ich könnte deine Hilfe bei meinem Kampf gegen die Teotl gut gebrauchen«, sagte Pepper. »Ich habe noch ein paar zusätzliche Mittel in der Hinterhand. Es gibt da Bunker, in denen man nach Waffen suchen könnte. Komm mit mir mit. Dann schreiben wir noch einmal nanagadanische Geschichte. Wir beide führen unseren eigenen Krieg gegen die Aztecaner, bis die Zeit für unser Verschwinden gekommen ist.«

Für einen Moment erschien John die Sache durchaus verlockend. Vielleicht gab es ja noch irgendwo eine reaktive Rüstung, die er anziehen und mit der er dann die Aztecaner töten konnte. Etliche Aztecaner waren diesseits der Berge geblieben und hatten sich den Toltecanern angeschlossen. John wusste, dass diese Deserteure durchaus hilfreich werden könnten. Er konnte sie als Spione auf der anderen Seite der Berge einsetzen. Sofort begannen in seinem Kopf Pläne zu reifen.

Doch Jerome kam aus dem Wasser und kletterte an einer Ecke des Strandes auf die Felsen.

»Ich kann nicht.« Johne wies mit dem Kinn auf Jerome, der von einem Stein auf den nächsten sprang. »Jerome. Es hat ihn arg mitgenommen. Er braucht mich jetzt mehr als alles andere.«

Sein Rachedurst erstarb, als er sich die Qualen seines Sohns vor Augen führte.

Pepper stand auf. »Und wenn er erwachsen ist, wirst du dann zusammen mit mir kämpfen?«

»Dann kannst du noch mal bei mir anklopfen.« John erhob sich ebenfalls. Sie schauten einander im Schatten der Palme in die Augen.

»Ich glaube, du bist auf dem richtigen Weg, John.« Pepper lächelte. Er legte John eine Hand auf die Schulter. »Wir sehen uns wieder.«

Pepper drehte sich um und ging zu der unbefestigten Straße, die in die Stadt führte. Kein Zweifel, er hatte nichts anderes im Sinn, als so schnell wie möglich die Wicked Highs zu erreichen.

»Pepper, es gibt da noch eine wichtige Sache«, rief John. Pepper blieb stehen. »Die Spindel.« Sie schauten beide hoch. »In Tolor's Chimney gibt es noch immer funktionierende Geräte, die vermelden, dass sie sich stabilisiert hat und bald wieder offen sein wird. Sie werden durch sie einfallen, in großer Zahl.«

Auf diesem Planeten gab es vielleicht an die dreißig Teotl. Doch jenseits der Spindel und der Überreste des zerstörten Spirallochs warteten noch Milliarden weitere Teotl.

»Wann?«, fragte Pepper.

»Es dauert mindestens noch hundert Jahre.« Der Computer in Troys Tisch hatte zweihundert Jahre als wahrscheinlichen Zeitraum genannt, der für die Stabilisierung des Spirallochs benötigt wurde.

»Dann sollten wir uns an die Arbeit machen.«

»Das Raumschiff wird bereitstehen, Pepper. Ich bin schließlich kein Idiot. Wenn wir keine Hilfe bekommen, und wenn wir die anderen Welten nicht warnen, dann werden die Teotl über sämtliche Welten wie eine Sturmflut hereinbrechen.«

Sie waren davon ausgegangen, dass sie durch ein eindimensionales System, bei dem man seine gesamten defensiven Kapazitäten auf das eine Spiralloch konzentrierte, auf dessen anderer Seite sich die Teotl befanden, die Teotl ein für alle Mal zurückhalten könnten.

Es hatte nicht funktioniert. Sie hatten einzig und allein etwas Zeit gewonnen.

»Ich komme zurück«, sagte Pepper. »Mit dem Raumschiff werden wir die Nachricht verbreiten. Wenn sie durch das Loch kommen, werden wir sie entsprechend empfangen.«

Er drehte sich um und ging am Strand entlang die Straße hinunter.

Jerome kam angelaufen. »War das Pepper?«

John nickte.

Jerome schaute Pepper hinterher, wie er um die Ecke bog und verschwand. »Wenn ich groß, ich will sein wie Pepper.«

»Nein, Jerome. Das wirst du nicht. Glaub mir.« John legte einen Arm um seinen Sohn.

Eine Weile standen sie so und blickten aufs Meer.

Dann schaute Jerome zu seinem Vater hoch. »Wie du getroffen Pepper?«

John lachte. »Das ist nichts für einen Jungen. Ich erzähle es dir, wenn du erwachsen bist. Abgemacht? Wir sollten auch mal langsam nach Hause gehen.«

Er ging zu der kleinen Straße, und Jerome folgte ihm.

Ja, wenn Jerome erst einmal erwachsen wäre. In zehn Jahren ungefähr. Was konnte er unternehmen, um Nanagada zu helfen, solange er hier in Brungstun hockte? John wusste es nicht, aber er dachte darüber nach, während er Jerome nach Hause brachte.

Als sie dort ankamen, war es bereits dunkel, und so zündeten sie das Gaslicht auf der Veranda an. Es würde noch eine ganze Weile dauern, bis sie elektrischen Strom aus Brungstun bekämen. Beide Monde verbargen sich hinter dem Horizont. Am Himmel war die große Spindel zu sehen, neben all den anderen Sternen, und zum ersten Mal in den letzten siebenundzwanzig Jahren erkannte John die einzelnen Sternbilder und fand auch jenes winzige Glitzern am Himmel, von wo er gekommen war. Dort war die Erde. Sein Zuhause, auf die eine oder andere Weise. Obwohl diese Erde momentan nicht so heimisch war wie Nanagada. John staunte immer noch, wenn er diesen Nachthimmel betrachtete.

Dann bot Jerome an, das Abendessen zuzubereiten. John lächelte und ging ins Haus. Er half ihm und dachte dabei darüber nach, was draußen noch alles getan werden musste. Der Garten musste umgegraben und neu bepflanzt werden. Und außerdem brauchte er Papier, jede Menge Papier, denn er hatte vor, alles aufzuschreiben, woran er sich erinnerte und das den Nanagadanern von Nutzen sein würde, um größere Städte und wirksamere Waffen zu bauen.

Ob er es schaffen würde, ihnen innerhalb von fünfzig Jahren zu wirklichen Raketen zu verhelfen? In diesen fünfzig Jahren, bis Pepper darauf bestehen würde, dass sie sich mit dem *Ma Wi Jung* aufmachten, konnte viel geschehen.

Morgen würde er sich an die Arbeit machen.

Morgen würde ein neuer Tag auf Nanagada anbrechen. Ein völlig neuer Tag. Doch noch schälte Jerome Kartoffeln für die Suppe, und John hielt die ziemlich klein geratenen Ergebnisse hoch und lachte. Es dauerte ein paar Sekunden, dann fiel auch Jerome in das Lachen ein, bremste seinen Eifer und nahm sich die Zeit, nur noch die Schale von den Kartoffeln abzupellen.

Bis Jerome einmal erwachsen ist, dachte John lächelnd.

Epilog

In Anahuac war Regenzeit. Die schwimmenden Gärten auf den Seen quollen über von Gemüse und Früchten, und das Korn auf den Feldern wuchs kräftig. Die Rückseite des Dorfes grenzte an den Dschungel, der sich bis in die Berge hinein erstreckte.

Der Priester hatte einige glückliche Kinder, die alle genauso groß waren wie das Getreide, als Opfer für die Götter ausgewählt. Sämtliche Einwohner von Anahuac hatten sich in der Dorfmitte versammelt, um dem Priester mit seinem blutverschmierten Haar zuzuschauen, wie er die Kinder zur Sicherstellung einer ertragreichen Ernte opfern würde. Zur Schande ihrer Eltern begannen die Kinder, die etwas unterhalb der Spitze der kleinen Dorfpyramide aufgestellt worden waren, zu jammern und zu schreien.

Dies war ein besonderer Tag, denn ein Gott war in seinem Diwan erschienen, um der Opferzeremonie seinen Segen zu erteilen. Das Wesen blieb hinter den Vorhängen verborgen, da es Schutz gegen die brennende Sonne brauchte, doch die Dorfbewohner waren dennoch begeistert und fühlten sich geehrt, so hohen Besuch bei sich zu haben. Ein Priester mit einem Umhang aus gegerbter Haut griff sich das erste Kind und zerrte es zur Mitte der Pyramide hinauf. Hoch über sich hielt er das Messer, in dessen Griff die Juwelen funkelten. Auf dem Platz unterhalb der Pyramide wurde es mucksmäuschenstill. Das geschäftige Treiben der Händler, die auf der Straße ihre Ware feilboten, wurde schlagartig unterbrochen, als sich alle Augen auf den Priester an der Spitze der steil aufsteigenden Pyramide richteten.

Direkt unter den Füßen des Priesters erschütterte eine Explosion die Pyramide. Das Messer zersprang durch einen einzigen, gezielten Schuss in tausend Stücke. Der Priester griff entgeistert nach seiner blutenden Hand. Er versuchte sich aufrecht zu halten und stürzte dann über die schwarzen Steine hinab, als sei er selbst zum Opfer geworden.

In heller Aufregung lief alles durcheinander.

Der Diwan des Gottes drehte sich plötzlich zur Seite. Ein Furcht erregendes und ohrenbetäubendes Kreischen ließ die Umstehenden erstarren, und erst nach mehreren Schüssen brach das Geräusch ab. Die Menschen sahen voller Schrecken, wie ein Vorhang weggerissen wurde und ein dunkelhäutiger Mann mit langen geflochtenen Rastalocken und grauen Augen dem Diwan entstieg. In jeder Hand hielt er eine Pistole.

Er drehte sich in einer gleitenden Bewegung einmal um die eigene Achse und erschoss die vier Krieger, die neben dem Diwan standen. Gelassen schaute er in die Menschenmasse um sich herum, und die Leute starrten ihn voller Entsetzen an.

Er lächelte.

»Wer sind Sie?«, fragte der Priester, der zu Füßen der Pyramide lag, sich immer noch seine verletzte Hand hielt und aufzustehen versuchte.

Der Mann antwortete nicht. Er schritt zwischen den Dorfbewohnern hindurch, sein langer, zerfetzter Mantel umwehte ihn, und dann stürmte er die Pyramide hinauf. Mühelos nahm er je ein Kind unter seine Arme, hielt dabei aber immer noch die Pistolen in den Händen und schritt langsam die Stufen der Pyramide hinab.

Auf der letzten Steinplatte, in der Nähe der Bäume, drehte er sich um. »Ich bin Pepper!«, rief er. Seine tiefe Stimme hallte auf dem Dorfplatz wider. »Ich bin der Mann, der euren Göttern in den nächsten fünfzig Jahren Albträume bereiten wird!« Er setzte die Kinder ab und zeigte auf den Dschungel.

Die Kinder warfen noch einen Blick auf die Pyramide, dann rannten sie davon.

Er schüttelte seine Hände, und eine helle, klebrige Flüssigkeit spritzte neben seinen schmutzverkrusteten Stiefeln auf die Steinplatte.

Krieger-Priester mit ihren Atlatl sammelten sich am Rande des Platzes, doch der schwarze Mann bewegte sich wie eine Katze, und seine kräftigen Muskeln und Sehnen machten ihn schnell wie eine Gazelle. Er hatte den Dschungel erreicht, bevor auch nur ein einziger Pfeil geworfen worden war.

Die Büsche raschelten kurz, dann war er verschwunden. Die Pfeile der Krieger-Priester gingen ins Leere.

Alles, was von dem Mann zurückblieb, war sein bösartiges Lachen.

Danksagung

Man sagt, niemand sei eine Insel und ganz alleine auf sich gestellt, und so war auch ich bei all meiner Freude darüber, *Crystal Rain* geschrieben zu haben, von einer Gemeinschaft von Freunden umgeben, die mehrere Versionen dieses Romans kritisch begleiteten und mir mit ihrer Begeisterung halfen. Ihnen allen bin ich zu größtem Dank verpflichtet.

So möchte ich mich besonders bei Mary Turzillo, Rebecca Carmi, Geoffrey Landis, Darrin Bright, Pat Stansberry, Bonita Kale, Marie Vibbert, Paul Melko, Jerry Robinette und Mark Siegal (der leider verstarb, bevor ich mich bei ihm revanchieren konnte) für deren kritische Begleitung im Entstehungsprozess des Buches bedanken. Mein weiterer Dank gilt der »2003 Blue Heaven«-Gruppe, die sich der ersten fünfzig Seiten annahm (Chris Barzak, Roger Eichorn, Karin Lowachee, Paul Melko, Nancy Proctor, Mary Rickert, Ben Rosenbaum, James Stevens-Arce und Amber Van Dyk), wobei ich gesondert noch Charles Coleman Finlay und Cathy »Chance« Morrison wegen ihrer detaillierten Kritik des gesamten Romans hervorheben möchte (und ein Jubelruf für Robin und Marvin, unsere Gastgeber von Blue Heaven; sollten Sie irgendwann einmal Gelegenheit haben, das Eagle's Nest oder Himmelblau auf Kelly's Island zu besuchen, dann werden Sie es nicht bereuen). Daneben möchte ich mich bei Ilsa J. Bick und Karin Lowachee dafür bedanken, mir als »Schreib-Kumpel« zur Seite gestanden und mich bei den unterschiedlichen Entwürfen vorangetrieben zu haben.

Ich bin froh, mit Joshua Bilmes einen hervorragenden Agenten zu haben, der sich von dem Projekt und mir so überzeugt zeigte, dass er mich ermunterte, die gesamte Geschichte zu schreiben.

Dank auch an alle wundervollen Menschen bei Tor, insbesondere an meinen Lektor Paul Stevens, der mich wie ein guter Hirte durch die letzten Etappen führte.

Und zum Schluss danke ich noch meiner Ehefrau Emily, sowohl dafür, meine erste Leserin gewesen zu sein, als auch für ihr Verständnis, wenn ich viele lange Nächte am Schreibtisch verbrachte oder mit meinen Gedanken woanders war und gerade an einem neuen Einfall bastelte.

Ohne euch alle wäre ich nicht in der Lage gewesen, diesen Roman zu schreiben. Danke!

Der neue, in sich abgeschlossene Roman
von Bestseller-Autor Jack McDevitt

Jack McDevitt
DIE SUCHE
Roman
496 Seiten
ISBN 978-3-404-24362-4

Gegen Ende des 27. Jahrhunderts verließ das Raumschiff Seeker
gemeinsam mit einem Schwesterschiff die Erde, um im All neue
Freiheit zu finden. Auf einem fernen Planeten gründeten ihre
Passagiere die Kolonie Margolia, die sich in der Folgezeit zu einer
Legende entwickelte, ähnlich wie Atlantis. Tausend Jahre später
fällt dem Antiquitätenhändler Alex Benedict ein alter Becher in
die Hände, der von der Seeker zu stammen scheint. Gemeinsam
mit der Pilotin Chase macht er sich auf die gefährliche Suche
nach dem legendären Schiff, und stößt dabei auf das Geheimnis
der verschollenen Kolonie …

Bastei Lübbe Taschenbuch

»Rusch schreibt jetzt schon besser,
als erlaubt sein sollte!« *Nexus*

Kristine Kathryn Rusch
DIE VERSCHOLLENEN
Roman
416 Seiten
ISBN 3-404-23303-8

Die Zukunft. Der nahe Weltraum ist besiedelt; Menschen und
Aliens treiben Handel und leben in friedlicher Koexistenz. Doch
der Schein trügt: Die interstellaren Gesetze bestrafen schon geringe Vergehen mit dem Tod. Um den Fängen der Gesetzeshüter
zu entgehen, tauchen viele Menschen unter. Man nennt sie die
Verschollenen. Privatdetektiv Miles Flint hat sich darauf spezia-
lisiert, solchen Menschen bei der Flucht zu helfen. Als die Crew
einer Raumjacht ermordet und auf dem Mond Kinder entführt
werden, kommt er kriminellen Außerirdischen auf die Spur. Sie
wollen sich an einer Verschollenen rächen, die sich auf dem Mars
versteckt. Miles lässt sich auf ein lebensgefährliches Spiel ein ...

Bastei Lübbe Taschenbuch

»Poul Anderson ist ein wahrer Meister am SF-Himmel!«

ROBERT JORDAN

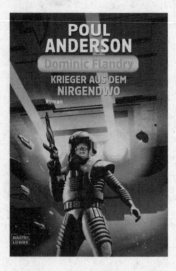

Poul Anderson
KRIEGER AUS DEM
NIRGENDWO
Roman
368 Seiten
ISBN 978-3-404-24364-8

Die Abenteuer um den Weltraumagenten Dominic Flandry sind ein wahrer Leckerbissen der SF! Erstmals liegen sie in chronologisch korrekter Reihenfolge vor, in kongenialer, ungekürzter Neuübersetzung von Dietmar Schmidt.
»Poul Anderson hat mehr Meilensteine der zeitgenössischen SF und Fantasy geschaffen, als es einem einzelnen Mann überhaupt möglich sein dürfte. Doch er schreibt mit solcher Klarheit und Phantasie, dass es unmöglich ist, ihn um die Hochachtung seiner Leser zu beneiden oder um die Bewunderung seiner Kollegen.« Stephen R. Donaldson

Bastei Lübbe Taschenbuch